JN126038

世界現代怪異事典

World Modern Mysteries Encyclopedia

怪異妖怪愛好家・作家
朝里 樹
Asazato Itsuki

笠間書院

はじめに

世界には、怪異や妖怪、妖精、怪物などと呼ばれる、不思議なものたちが跋扈（ばっこ）しています。

それらは人々の間で語られ、記録され、創作され、その国々の文化や宗教、娯楽などに多大な影響を与えてきました。そしてそれは、二一世紀を迎えた現代でも変わりません。

本書は、主に二〇世紀以降の時代を舞台に語られた、現時点では常識から外れていたり、明確にその実在が証明されていない存在や現象を集めた事典です。

本書には以下の五つのものたちを収録しています。

第一に、都市伝説や民話などで語られる、常識からは説明しがたい不思議な存在や現象です。幽霊や妖精、妖怪と呼ばれるようなものの多くがこれに当たります。

第二に、未確認生物などと呼ばれる、目撃例や存在の痕跡が残っているものの、明確にその存在を確認できていないものたちです。

第三に、インターネット上で語られる怪人や怪異です。これはその物語で語られる舞台が海外となっているものを集めています。

第四に、実在する体裁で文献に記された架空の生物たちです。ハラルト・シュテュンプケ（ゲロルフ・シュタイナー）著『鼻行類』やレオ・レオーニ著『平行植物』といった書籍に出てくる動植物がこれに当たります。

第五に、アメリカやカナダの開拓期に生まれた民話として知られるトール・テール（ほら話）で語られる不思議なものたちです。

このように、本書は怪異事典という名前ではありますが、登場する不思議なものたちは多種多様です。ただし、前作『日本現代怪異事典』との兼ね合いから、日本を舞台として登場するものたちは収録していません。一方、日本人が国外で遭遇したものについては、収集対象としています。

また、怪異、怪物、不思議な生き物という言葉を頻繁に使用していますが、本書においては怪異は幽霊、妖怪、妖精、怪現象といった超常的な存在や現象を、怪物は未確認生物やトール・テールに登場する、生態や体長といった生物的な特徴が語られることが多い存在を、不思議な生き物は先述した鼻行類や平行植物など、最初から架空の生物を紹介しているものの、体裁としては実在の生物かのように記されている存在を示す際に使用しています。

本書をどのように使用していただくかは読者の自由です。出典を辿り、より詳しい情報を得るために使っても、創作に利用しても、ただ読んで楽しむだけでも構いません。本書が世界中にいる不思議な存在たちを知るきっかけとなっていただけたら、幸いです。

目次

世界現代怪異事典

column

特別寄稿

凡例

一、この事典は現代（二〇世紀以降と定義）の日本以外の国を舞台として語られた話の中に登場する、実在する体裁で語られた、既存の人間や生物、現象とは異なった特徴、能力等を持った存在や現象を怪異や怪物、不思議な生き物として位置付けて収集し、大州ごとに五十音順に並べたものである。

一、怪異、怪物等の記録の初出が一九世紀以前でも、二〇世紀以降に出現の記録がある場合や、明らかに個人の創作と判明しているもの、創作が元になっていることが判明しているものでも、それが実在する体裁で紹介されている場合は収集対象としている。また、出典となった資料において名前が存在しないものについては筆者が命名したものもある。収集対象の定義の詳細については「はじめに」を参照。

一、参考資料は項目ごとに記しているが、一部名称を省略しているため巻末に正式名称を記載した参考資料を一覧にしている。書籍、映画の名称は『』を、WEBサイトの名称は「」を用いて記載している。掲載の順番については特に意味を持たせていない。

一、項目名に太字を用いているほか、文中に登場する怪異・怪物名について当事典内及び前作『日本現代怪異事典』に別に独立した項目が存在する場合も太字を用いている。

一、出典となる資料にてその怪異が語られていた舞台や時代、また伝承されていた地域等がはっきりと判明している場合には可能な限りその情報についても記載しているが、はっきりしない場合においては省略している。

World Modern
Mysteries
Encyclopedia

Asia

アジア

【あ】

アーイ・ピー［あーい・ぴー］

タイに伝わる怪異。悪霊を意味し、**ピー**の中でも最も数が多いもので、単にピーといえばこれを指すこともある。攻撃性に富み、すべての人間に善をもたらすことがない。近年では外国語を用いて「プート・ピー（魔神）」「ピー・ピーサート（妖鬼）」と呼ばれることもあるようだ。ピーについては当該項目を参照。

プラヤー・アヌマーンラーチャトン著『タイ民衆生活誌（1）―祭りと信仰―』にある。

赤い服の少女の鬼［あかいふくのしょうじょのぐぇい］

台湾で語られる怪異。台南市にある南台科技大学のある女子寮では、夜になると赤い服を着た少女の鬼が現れる。この鬼は出会った女学生に「お姉さん、お姉さん、一緒に遊ぼう」と誘いかけるが、その誘いに乗ると命はないという。

伊藤龍平、謝佳静著『現代台湾鬼譚』にある。中国や台湾における鬼は、日本における鬼とは違い、どちらかといえば幽霊に近いものを指す。

赤い目の鬼［あかいめのぐぇい］

台湾で語られる怪異。ある学校の教室にはいつも鍵が掛かっているが、一人の生徒が鍵穴からその教室を覗いたことがあった。しかしその向こう側には赤い色しか見えず、後でその生徒が先輩に聞いたところ、その部屋には赤い目の女の鬼がいるのだと教えてくれたという。

伊藤龍平、謝佳静著『現代台湾鬼譚』にある。この生徒が覗いていた鍵穴を、教室の内側から赤い目の鬼が覗き返していたということになる。

同書でも指摘されている通り、この話は日本では**赤い部屋**という怪談でよく知られている。ただし、日本では舞台は学校ではなく、タクシー運転手が不思議な客の後を追って鍵穴から穴を覗くと、赤一色の部屋が見えたという話として語られることが多い。赤い目の女の正体も台湾のように鬼（幽霊に近いもの）ではなく、病気で目が赤い女、という生きた人間であるとされることが多い。

悪魔からの着信［あくまからのちゃくしん］

インドで語られる怪異。オリッサ州南部で広まったという噂で、悪魔からの電話やメールを着信、受信した人間は病気に倒れたり、死んでしまうと言われているという。

また実際にこの電話に出た男性が語ることには、この着信番号は通常よりも多い一桁から一四桁で、「このまま通話を続けると携帯電話がウイルスに感染して爆発する」と警告された。その後、折り返しても使用されていない電話番号というアナウンスが流れるのみであったという。

並木伸一郎著『最強の都市伝説2』にある。

アスワング［あすわんぐ］

フィリピンに伝わる怪物。昼間は美しい女性だが、夜になると空飛ぶ吸血鬼と化すという。子どもの血を好み、家屋の屋根に乗って隙間から長い舌を伸ばし、人間の血を吸うとされる。血をたっぷりと吸ったアスワングの腹は膨れ、まるで妊婦のように見えるという。

フィリピンに古くから伝承の残る吸血鬼だが、並木伸一郎著『ムー的都市伝説』によれば、近年でも目撃談があるという。

同書によれば、二〇〇五年、浜辺で漁師の男性が襲われ、血液を大量に奪われたと記されている。また、二〇〇六年には地元在住のカメラマンによって、アスワングらしき飛行生物の写真が撮られた。しかしこの写真は昼間に撮られた写真であり、昼は普通の人間と変わらないというアスワングの習性と異なる点が見られる。

アラカン族の老女の霊［あらかんぞくのろうじょのれい］

ミャンマーに現れた怪異。かつてアラカン族の王が宝を守るために生き埋めにした女性とされ、一九二八年、ミャンマー（当時はビルマ）でイギリス政府の文官として働いていたモーリス・コリスという人物の前に現れた。老女の霊が現れたとき、コリスは建物全体が地震が起きたように震動するのを感じたが、地元の人々に尋ねたところ、地震はなかったと答えが返ってきた。そして地元の人間は幽霊がコリスの注意を惹こうと、彼の心を揺らしたのだと言ったという。

ジョン&アン・スペンサー著『世界怪異現象百科』にある。老女の幽霊がコリスの心を揺らし、注意を惹こうとした理由は不明である。

イエティ［いえてぃ］

ヒマラヤ山脈に現れるという怪物。日本語では雪男、雪人などと訳され、暗褐色もしくは赤褐色の毛に覆われた類人猿のような姿をしており、二足歩行で移動するとされる。

イエティは大きさから三種類に分類され、大型は体長が四・五メートル、中型が二・五メートル、小型が一・五メートルほどの大きさだとされる。

チベットでは古くから語り継がれていたが、世界中から注目を浴びるようになったのは一八八九年に見つかったイエティのものと思（おぼ）しき巨大な足跡と考えられる。この足跡を発見したイギリス人のオースティン・ウォーデルは一八九八年の自身の著作『ヒマラヤの山の中』でこの足跡について記し、それが西欧に広まったという。

その後も何度も足跡が発見され、時には姿が目撃されている。その正体については類人猿であるギガントピテクスの生き残り、ヒグマの見間違いなどの説があるが、現在でも解明には至っていない。

並木伸一郎著『未確認動物UMA大全』による。類人猿型の未確認生物は数多く報告されているが、このイエティとアメリカで目撃される**ビッグフット**はその中でも特に有名。

ウインヤーン［ういんやーん］

タイに伝わる怪異。死者の霊魂を指す言葉で、人が死んだ後生まれ変わらない場合に限り、このウインヤーンは**ピー**となるという。ウインヤーンは目に見えないが、火の玉のように丸いものと考えられている。

またタイの人々は親しい者が死ぬと、祭壇を作ってその人物のウインヤーンを祀る。この祭壇は死者の親兄弟など親類以外は近づくことが許されない神聖なもので、家族は毎日この祭壇に供え物をし、正月になると特別の供養を行い、ウインヤーンを偲ぶのだ。

プラヤー・アヌマーンラーチャトン著『タイ民衆生活誌（1）―祭りと信仰―』にある。ピーについては当該項目を参照。

ヴェオ［うぇお］

インドネシアに現れるという怪物。同国のリンチャ島に生息しているという体長二、三メートルの巨大な生物とされる。その姿は全身が鱗に覆われ、細長い顔と鋭い爪を持つ、まるで巨大なセンザンコウのようであるという。

並木伸一郎著『未確認動物UMA大全』、羽仁礼著『超常現象大事典』による。その正体は新種のセンザンコウ、もしくは古代のセンザンコウの生き残り、といった説がある。

英語教室の怪［えいごきょうしつのかい］

台湾で語られる怪異。台湾の小学校では英語の授業を受けるために特別教室が設置されていることが多い。この教室は、多くの場合空き教室を利用して作られるが、ある小学校ではその英語教室に地下教室があてがわれた。

以来、この教室には鬼が棲み着いている、生首が置かれている、教室に椅子を取りに行った生徒が一人で死んでいた、といった怪談が語られるようになったという。

伊藤龍平、謝佳静著『現代台湾鬼譚』にある。台湾における鬼は日本の幽霊に近いものを指すため、この英語教室に棲み着いた鬼は、何らかの死者の霊なのではないかと思われる。

永定河の水怪 ［えいていがのすいかい］

中国で語られる怪異。北京(ペキン)市南西部にある河北村に現れたという怪異で、一九四一年一〇月七日、永定河という川の岸をある男性が歩いていたところ、「早く来い、早く来い」という呼び声がしたという。そのため、男性が岸につないであった船に足を掛けようとすると、水の中から何かが現れ、足を摑(つか)んで引きずり込もうとした。それに抵抗すると、持っていた肉が水中に落ち、途端に足が自由になったという。

直江広治著『中国の民俗学』にある。同書によれば、これは匪賊(ひぞく)などが殺された後になる生鬼(せいき)の一種ではないかと考えられているという。

エヴェレストの幽霊 ［えゔぇれすとのゆうれい］

中国からチベットに跨(またが)るエヴェレストに現れる怪異。世界最高峰のこの山に挑んだ人々は数多いが、その分この山で命を落とした登山家も数多(あまた)にいる。そんな中で、一人の登山家がこの山に現れ人々を励まし続ける幽霊を確認している。イギリスの登山家がこの幽霊と出会った際には、山頂付近にこの幽霊が現れ、登頂に成功する大詰めの段階までずっと励まし続けてくれたという。

ピーター・ヘイニング著『世界霊界伝承事典』にある。同書によれば、この幽霊の正体は一説には一九二四年にエヴェレスト登山中、行方不明になったイギリスの登山家アンドリュー・アーヴィンと言われているという。

オオツキヒカリ ［おおつきひかり］

インドで発見された不思議な生き物。タンパラ山脈に生息する巨大な**平行植物**で、その高さはときに四メートルに達する。肉眼では見えにくいが、月の光の下で待ち続けると次第にその姿が見えてくる。しかし接近するとたちまち消えてしまうという。

その形は幹の上に花冠が乗っているような姿だが、花冠には花弁がなく、黄みを帯びた金属的な光を放つとされる。

レオ・レオーニ著、宮本淳訳『平行植物』にある。同書に登場する平行植物と称される生き物は、通常の物理法則が通用しない、静止した時間もしくは現実と平行して存在する別の時間に生きるといった特徴を持つとされる。しかし同書にある植物は実在する体裁で書かれているものの、すべて著者であるレオーニの創作である。平行植物の特徴そのものについては、同項目を参照。

お前の最期は来た ［おまえのさいごはきた］

台湾に伝わる怪異。ある学校で管理人が夜の見回りをしていると、三階から「ギーギー」という音が聞こえてきた。古い学校で廊下を歩くとそのような音が鳴るため、三階に誰かいるのかと見て回ったところ、足音はトイレから聞こえていた。そこでトイレに入り、個室をひとつひとつ見て回っていると、ある個室から水を流す音が聞こえた。そこでその個室を覗くと、水ではなく血が流れていた。驚いた管理人が個室を出ると、壁に「お前の最期は来た」と書いてあった。これに驚き、管理人は気を失ったが、そのまま病気になって死んでしまったという。

伊藤龍平、謝佳静著『現代台湾鬼譚』にある。

オラン・イカン［おらん・いかん］

インドネシアで語られる怪異。同国とオーストラリアの海峡にあるカイ諸島に伝わる半魚人。近年、インターネット上でオーストラリア北岸の海岸で撮られたという半魚人の画像が広まっており、これがオラン・イカンではないかと噂されている。また、太平洋戦争中、カイ諸島に軍曹として滞在していた堀場駒太郎という人物がオラン・イカンの死体を目撃したという情報もある。それによれば、この半魚人は体長一メートル六〇センチほどで、体重は六五キロ未満、赤茶色の髪が肩まで伸び、額は広く鼻は低い。顔は人とも猿ともつかず、口はコイのよう。肌はピンク色でぬめりけがあったという。堀場氏は他にも生きたオラン・イカンの姿を見たとも語っている。

並木伸一郎著『ムー的未確認モンスター怪奇譚』にある。

オラン・メダン号の怪［おらん・めだんごうのかい］

インドネシアのマラッカ海峡に現れたという怪異。一九四八年二月のこと、オラン・メダン号から全乗組員が死に瀕しているという無線が発せられ、位置を特定した船舶がその救出に向かった。

オラン・メダン号はその日、マラッカ海峡を通りインドネシアのジャカルタに向かっていたが、救出船がこの船のところに辿り着いたときには、既に船舶は無数のサメに囲まれ、無線に応答する気配はなかった。

そこで救命ボートに乗って何人かが船に乗り込むと、至るところに水夫の死体が転がっていた。生存者は見当たらず、一緒に乗り込んでいたと思しき犬さえも死体で見つかったという。しかし毒物、病気、窒息などの形跡は見当たらず、死因は不明だった。

それからオラン・メダン号は最寄りの港へ曳航されることとなったが、その準備を整えた直後、オラン・メダン号に火の手が上がった。船に乗り込んでいた人々は早々に自分の船に戻ったが、オラン・メダン号はそのまま大爆発を起こし、船に群がっていたサメを巻き込んでバラバラになった。

オラン・メダン号の乗組員たちの死、そして爆発の理由は、いまだ解明されていないという。

N・ブランデル他著『世界怪奇実話集』にある。

終わらない廊下［おわらないろうか］

台湾に伝わる怪異。台南市にある南台科技大学には、こんな話が伝わっている。この大学のある棟を真夜中に訪れると、廊下が永遠に終わらなくなることがあり、どれだけ歩いても外に出られなくなる。時には目の前に見えない壁が現れ、先に進めなくなることもあるという。

伊藤龍平、謝佳静著『現代台湾鬼譚』にある。同書にも記されているように、見えない壁が出現するという怪異は、日本でも「塗り壁」などの怪異譚として語られている。

【か】

カイ・ウカイ［かい・うかい］

香港に現れたという怪物。大学生のグループが浜辺にいたとき、海面に巨大な生物が浮かび上がってくるのを目撃した。それは大きな頭をしており、赤ん坊のような声を上げたという。

ジョン・A・キール著『不思議現象ファイル』によれば、一九六九年に目撃されたという。同書によれば、「カイ・ウカイ」は「海の魔物」という意味らしい。

顔のない子ども［かおのないこども］

台湾で語られる怪異。ある幼稚園で、黄色い雨がっぱを着た子どもがブランコを漕いでいた。その子どもに声をかけてみると、振り向いたその顔には、目も鼻も口もなかったという。

伊藤龍平、謝佳静著『現代台湾鬼譚』にある。同書によれば、この話はバリエーションが多く、振り向いた子どもの顔は、口だけの顔だった、血まみれの顔だった、目だけの顔だったというようなオチがあるという。

顔の見えない白い服を着た女［かおのみえないしろいふくをきたおんな］

タイで目撃された怪異。白い服を着た女の幽霊で、ある男性の前に現れた。その男性の父親はタイを代表する国道であるパホンヨーティン通りに家を建てることとした。しかし家の建設中、作業員たちが白い服を着た女の幽霊を見たと訴えるようになった。それは敷地内にある木の下に現れ、必ず後ろを向いていたが、工事の際にその木は切り倒された。しかし完成した家では、件の男性がいるときにだけ何者かの足音が聞こえるなどした。ある時、廊下に差し込む夕日がドアに取り付けられたガラスに反射し、男性の上半身と下半身が上下のガラスにそれぞれ映って見えた。そして下のガラスには、男性の後ろに白い服を着た女の下半身が映り、上のガラスには男性の他に何も映っていなかった。男性は思わず後ろを振り返ったが、そこには何もなかった。しかしガラスには女の下半身が映っている。怖くなった男性は急いでその場を離れたが、それ以降も特に不運に見舞われるといったことはなかったという。

高田胤臣著『亜細亜熱帯怪談』にある。

ガゼカ［がぜか］

インドネシアに現れた怪物。ニューギニア島の南西部でパプア人たちによって伝承されてきたという怪物で、巨大な哺乳類の姿をしているという。

ジャン＝ジャック・バルロワ著『幻の動物たち』によれば、一九一〇年、イギリスの鳥類学者ウォルター・グッドフェロー率いる調査団がガゼカとパプア人の戦いを目撃した。その情報によれば、ガゼカの体色は白と黒で、縞模様があり、バクに似ているが大変巨大であったという。また同書には、この怪物は絶滅動物と考えられているディプロトドンの生き残りという説も記されている。ディプロトドンはかつてオーストラリア大陸に生存していたという巨大な有袋類で、その体長は三メートル以上に及んだと考えられている。

カラツボ［からつぼ］

インドで発見された不思議な生き物。タリスタン台地の中央台地で見つかる**平行植物**の一種で、筒状の構造をしている。この平行植物には二つの中身があるとされ、ひとつは見た目のまま、筒状の管の内部であり、我々に感知できないというもの。これに対し、もう一つはその逆、つまり管の内部と思われているものは既に我々の目に晒されているというものである。

タントラ教においてはカラツボは男女の共存、すなわち男性器と女性器を同時に表しているとされ、ラジャスタンではこの平行植物の内側は暗い死を表すなどと語られているという。

レオ・レオーニ著、宮本淳訳『平行植物』にある。同書には、通常の物理法則が通用しない、静止した時間もしくは現実と平行して存在する別の時間の中に生きるといった特徴を持つ平行植物なる植物が記録されている。しかし同書にある植物は実在する体裁で書かれているものの、すべて著者であるレオーニの創作である。平行植物の特徴そのものについては、同項目を参照。

趕屍［かんし］

中国に伝わる怪異。中国南部の湖南省、その西部にあたる湘西に伝えられる呪術の一種で、死者を操る術を指す。

この地域の人々は遠い土地で死んだ地元の人間を、故郷の土に埋めるべきだと考えている。しかし死体を運ぶのは容易ではないことから、死体そのものが自ら動いて故郷へ帰るための術として趕屍が使われる。

これは趕屍匠という呪術師によって、死者の魂を呼び戻し、死体に宿らせることで行われる。動き出した死体は夜のうちに歩き、故郷へ向かう。趕屍匠は死者の先頭を歩き、死体はその後ろを一列について行く。死体は顔が隠れるように笠を被され、縄で繋がれている。また額には黄色い呪符が張られているという。

趕屍匠は依頼を受けて死体を歩かせるが、魂が冥界の閻魔の元に留められる病死、魂がその土地に縛り付けられる自殺、神の罰と考えられている落雷による死の場合は、その依頼を受けないとされる。

妙佛著『中国 封印された超常現象』にある。同書によれば、趕屍の起源として以下のような話が伝わっているという。中国神話に登場する神でもある蚩尤が、かつて遠方で戦って自軍に多数の死者を出した。劣勢となり、撤退しなければならなくなった蚩尤は、戦死者を敵地に放置することをためらい、死体に起きよと命じたところ、起き上がって故郷へ向かって歩き出したとされる。

趕屍の風習は現代中国にも残っているとされるが、キョンシー映画として有名な『霊幻道士』をはじめとして、生ける屍の妖怪、キョンシーのイメージにも影響を与えている。

キマグレダケ［きまぐれだけ］

ペルシャで発見された不思議な生き物。極めて小さなものから人の背丈を超えるものまである上、形も全く一致しない**平行植物**の一種。その名前の通りキノコに類似した形をしており、その中でもショウロに似る。独特の不透明な体色を持つが、叩くと金属音がするほど表面が硬い。また他の平行植物と違い、物理的に触れて移動させることができる。

またこの平行植物は、発見される以前から絵画や伝説の中に登場していたという。

レオ・レオーニ著、宮本淳訳『平行植物』にある。同書に登場する平行植物と称される生き物は、通常の物理法則が通用しない、静止した時間もしくは現実と平行して存在する別の時間の中に生きるといった特徴を持つとされる。しかし同書にある植物は実在する体裁で書かれているものの、すべて著者であるレオーニの創作である。平行植物の特徴そのものについては、同項目を参照。

殭屍［きゃんしー］

台湾で語られる怪異。ある学校の卒業パーティで生徒全員が仮装し、踊っていた。その中で殭屍に仮装した生徒がいたが、この生徒だけは踊らず、最初から最後まで飛び跳ねていた。しかしパーティ終了後、殭屍の仮装をしている生徒は見つからなかった。実は本物の殭屍が紛れ込んでいたことが分かったという。

伊藤龍平、謝佳静著『現代台湾鬼譚』にある。殭屍（殭屍とも）は中国に伝わる妖怪で、死体が動き出して人の肉や血を食うとされる。日本では「キョンシー」の名で有名で、映画『霊玄道士』などで広まった。殭屍は死体であるため関節が硬直しており、普通に歩くことができず、手足を伸ばしたまま飛び跳ねて移動すると考えられている。また台湾では先の『霊玄道士』に影響を受けた映画シリーズ『幽玄道士』が制作されており、同書ではこれが殭屍のイメージに大きな影響を与えたことが指摘されている。

金牛［きんぎゅう］

中国で語られる怪異。北京市南西部にある河北村には、金牛という牛の話が伝わっている。この村には昔から雌雄一対の金牛がおり、糞など体から排出するものが金になると考えられている。現在でもこの金牛は生きているとされ、運の優れた者は見ることができるという。

直江広治著『中国の民俗学』にある。また同書には、中国の済南市の臥牛山にも金牛がいるという話が載せられている。この牛は金の角を持っていたが、瓜をぶつけられて角を折られ、山へ逃げてそのまま出てこなくなった。今でもこの山のどこかにはこの牛がいるという。

鬼壓床［ぐえいやーちょん］

台湾で語られる怪異。いわゆる金縛りのことで、鬼が寝床を押さえつけることを意味し、体に何かが乗るような感覚を覚えるため、この名で呼ばれるのだという。

伊藤龍平、謝佳静著『現代台湾鬼譚』にある。同書には鬼壓床に遭った人物の体験談も載せられている。それによれば、夜一二時頃にベッドが潰されるぐらい体が重くなったが、念仏を唱えると軽くなった、買い物をしている夢を見ていたはずが、急に辺りの景色が墓地になった。そこで目が覚めたが体が動かず、耳元に風が吹きかけられているような心地がした、といった話があったという。

鬼月［ぐえいゆえ］

台湾で語られる怪異。台湾では旧暦の七月を鬼月と呼ぶ。ある少年がこの月におかしなことを言ったところ、女の鬼に憑かれてしまった。

伊藤龍平、謝佳静著『現代台湾鬼譚』にある。鬼月は日本でいうお盆にあたり、死者が帰ってくる季節なのだという。また、同書では少年が言った「おかしなこと」は、死者を侮辱する内容だったのではないかと考察されている。

グロッテンディーグの石投げ

［ぐろってんでぃーぐのいしなげ］

インドネシアに現れた怪異。スマトラ島で一九〇三年に発生した怪現象で、オランダ人技師グロッテンディークが遭遇した。

オランダ人技師はスマトラのジャングルから帰ってきた後、簡易的に建てられた家の中で眠っていた。午前一時頃、頭の近くに何かが落ちてくる音で目覚め、それからすぐに改めて何かが降ってきたため、それを確かめると、約二・五センチの黒い小石であった。この石は屋根に穴が開いていないにもかかわらず、その屋根をすり抜けるようにして降ってきた。

そこでグロッテンディークは隣室のマライ人の少年を起こし、一緒に確かめると、石は相変わらず室内に振り続けていた。そこでグロッテンディークはこの石を掴もうとしたが、なぜかひとつも捉えられなかった。手に触れようとした瞬間、石は空中で向きを変え、彼の手を避けた。

その後も色々確認したが、全く原因が分からなかったため、ついに少年は悪魔の仕業だと叫びながらジャングルに逃げ込んだ。その直後に石が降るのがやんだが、グロッテンディークはそれから少年を見ることはなかった。また落ちた石に触れると、温かかった。

翌朝、石はわずか二〇個前後が残るばかりだった。また石は半径九〇センチほどの円形の中にのみ降っていたという。

ローズマリ・E・グィリー著『妖怪と精霊の事典』にある。

奎星楼の胡仙

［けいせいろうのふーしぇん］

中国で語られる怪異。河北省滄州市の楽城県の県城の城壁にあった奎星楼には、古くから胡仙がいると信じられている。胡仙は狐仙と書き、中国の民間信仰に登場する神通力を持った狐と考えられている。

この胡仙は行儀が悪く、酒を飲んで暴れたり、女をからかったり、不信心の者に危害を加えたりしていた。逆に良薬を与えたり、盲人の目が見えるようにしてくれたりしたこともあった。

しかしこの胡仙の正体は誰も見たことがなく、奎星楼に一晩泊まれば正体を知ることができるという噂があったが、それをしようとした者はどうしてか居心地が悪くなり、姿を見ることができなかったという。

山本斌著『中国の民間伝承』にある。同書によれば、この話は一九四一年に採取された話だという。

競馬場の幽霊［けいばじょうのゆうれい］

香港に現れる怪異。香港のハッピヴァリー競馬場には、一九六〇年にこの競馬場で騎乗中に亡くなったマーセル・サマリグという騎手の霊が出るという。サマリグはロッカールームに現れたり、トラックで他の騎手と並走したりするそうだ。

ピーター・ヘイニング著『世界霊界伝承事典』にある。

蠱病［こびょう］

中国に伝わる怪異。中国南部の湖南省、その西部にあたる湘西に伝えられる呪術によって引き起こされる病を言う。

この病の原因となるのは蠱毒という術で、複数の毒虫を狭い空間に閉じ込めて殺し合いをさせ、最後に生き残った一匹を蠱と称し、これに宿った呪力を使って人を呪い殺す術とされる。

呪う方法は様々だが蠱を乾燥させて粉末状にし、毒薬として食べ物に混ぜ、食べさせると相手は病に罹り、最後には死亡する。これが蠱病とされる。この蠱毒を作ることができる人物は蠱婆と呼ばれるが、蠱婆は三年に一度蠱毒を誰かに飲ませないと自分が呪われると考えられている。そのため、無差別に蠱毒を飲ませることがあり、誰が蠱病に罹るかが分からないため、恐れられている。

この蠱病は元々湘西にのみ伝わる病であったが、近年では観光客の増加により、外部の人間が患うことも増えているという。この病を治すためには、蠱婆自身や法師などに解蠱という治療を行ってもらう必要があると考えられている。

妙佛著『中国 封印された超常現象』にある。蠱毒は湘西に限らず中国で古くから伝わる呪法であり、日本にも伝えられた記録が残る。

【さ】

サンティカ跡地のタクシー幽霊［さんてぃかあとちのたくしーゆうれい］

タイで語られる怪異。バンコクにかつてあったクラブ「サンティカ・パブ」の跡地で度々若者の幽霊が目撃されており、タクシーを呼び止めるなどするという。この時、タクシーが止まると若者の姿がない、もしくは客として乗せたにもかかわらず、いつの間にかその姿が消えているという怪現象が多発しているようだ。

髙田胤臣著『亜細亜熱帯怪談』にある。サンティカ・パブは二〇〇九年の新年まで営業していたが、その新年のカウントダウンパーティで火事が起きた。原因はパーティに際して屋内で花火を使ったことであったが、違法建築により非常口が設置されていなかったことも相まって、多数の犠牲者が発生した。

それからサンティカ・パブは閉店し、建物は取り壊されて跡地となったが、その場所は現在、タイでも有数の心霊スポットと化しているという。

姐姐［じぇじぇ］

台湾で語られる怪異。台湾には昼寝の習慣があり、ある女子学生がその午睡の中で夢を見た。彼女が住むマンションのバスルームの鏡の中から、赤いワンピースを着た女性がこちらをじっと見ている、というものだった。また同じ部屋に住んでいた彼女の友人は、午睡の夢でバスルームの中で赤いワンピースの女のバラバラ死体を見た。この霊は午睡の度に二人の夢に現れたため、二人は霊に「姐姐」と名前を付けた。姐姐からは部屋から出ていけ、という強い意志を感じたが、直接危害を加えることはなかったという。

伊藤龍平、謝佳静著『現代台湾鬼譚』にある。

金門島の鬼［じんめんだおのぐぇい］

台湾で語られる怪異。金門島はかつて中華民国と中国人民共和国が衝突し、戦闘を行ったことで知られる台湾の領有地で、この戦いで命を落とした兵士たちの鬼が現れると語られていた。ある時、かつての戦いで中華民国を指揮した蒋介石がこの地を訪れ、「ご苦労であった。もう休んでいい」と告げると、鬼は現れなくなったという。

伊藤龍平、謝佳静著『現代台湾鬼譚』にある。

人面鷲［じんめんわし］

マレーシアに現れる怪異。その名の通り人の顔をした鷲で、羽毛は白いとされる。二〇〇七年に目撃されたが、言い伝え自体は古くからあり、この鷲を目撃すると失明すると伝えられていたという。実際に二〇〇七年にこの鷲を見た人間が目に怪我をする事故に遭ったが、失明するまでには至らなかったようだ。

並木伸一郎著『最強の都市伝説2』にある。

ステワ・ルトゥ［すてわ・るとぅ］

ブータンで語られる怪物。水中に棲む吸血生物で、ぶよぶよした牛の胃壁のような皮膚があり、無数に生える触手で獲物を捕らえるという。血を好み、超常的な力を持つため、地元の人間は川に近づかないが、何も知らないで通りかかる旅人がよく犠牲になる。ステワ・ルトゥは犠牲者の肉体からはもちろんのこと、影から血を吸うこともできるため、橋を渡る人間の姿が川面に映ると、その影に飛びついて血を吸う。橋の上の人間は血を失って倒れ、川に落ちるが、ステワ・ルトゥはこの死体に近づいて丸ごと食い尽くしてしまうとされる。

また川の水かさが増すと、岸に打ち上げられることもあり、その際には体が縮んでしまうが、それでも何日もの間生き続けることができ、ひとたび水に触れると元の大きさに戻って獲物を探すという。

クンサン・チョデン著『ブータンの民話と伝説』にある。ステワ・ルトゥはブータンにおいて昔から伝わる怪異で、退治された話もあるようだ。

スワナプーム国際空港のテワダー
［すわなぷーむこくさいくうこうのてわだー］

タイで語られる怪異。スワナプーム国際空港は同国最大の空港だが、心霊スポットとしても知られており、エレベーターに現れた幽霊が動画に撮られ、ネット上に投稿されているなどしている。中でも有名な怪異譚が、二〇一三年九月八日に飛行機がこの空港でオーバーランを起こした際に現れた**テワダー**の話だ。テワダーはタイにおける天使と呼べる存在で、タイの人々に慕われている。このオーバーラン事故の際には火災の危険性から乗客が機体を脱出することとなったが、その際に多くの人々がタイの民族衣装を着た客室乗務員が彼らを誘導しているのを目撃した。この日、客室乗務員は通常の制服を着用しており、民族衣装を着た者はいなかった。そのため、この客室乗務員はかつて飛行機事故で亡くなった女性で、事故から乗客を助けるためにテワダーとなって現れたのだと噂されたという。

髙田胤臣著『亜細亜熱帯怪談』によれば、この乗務員の姿は当時撮影された動画にも映っているが、いまだ正体は不明なのだという。

清水潤山の不思議
［せいすいじゅんざんのふしぎ］

中国で語られる怪異。北京市南西部の河北村の西には、清水潤山という山がある。この山を麓から見ると雲がかかっている場合、山頂に登るとなぜか雲がなくなっており、晴天と同様で、下を見晴らすことができるという。これは清水潤山の不思議と言い伝えられているようだ。

直江広治著『中国の民俗学』にある。

石人の怪
［せきじんのかい］

中国で語られる怪異。石人は墓の周りに儀装物として立てる石で人の形を象ったものだが、中国ではこれが動くという話が多い。石人は人に化けることができ、物を飲食するが、言葉は話せないという。

例えばある墓では石人が人間に化け、豆腐屋に豆乳を飲みに来たことがあったが、銭を払わずに帰ってしまった。こんなことが何日も続いたため、店主が「金も払わず、物も言わないとはお前は石人か」と言うと、図星を突かれた客はその場で石人になったという。

またある豪族の墓に立つ石人は、夜になると人に化けて村に姿を現し、娘にいたずらしたり、人家に来て飯を強要したりする。しかし何を聞いても一言もしゃべらないため、石人であることを言い当てると、その場で倒れて正体を現したという。

山本斌著『中国の民間伝承』にある。同書によれば、同様に墓に建てられる、石で亀の形を象った石亀もまた、怪異をなすことがあるという。詳細は**石亀の怪**の項目を参照。

石亀の怪［せっきのかい］

中国で語られる怪異。中国では豪族の大きな墓に個人の徳を称える大きな石碑を立て、その土台として石亀を据える風習があった。中でも河北省滄州市の楽城県（現献県）や石家荘市の藁城区には、県城に出かけて油屋に忍び込み、油を飲む石亀の話があるが、この石亀が動き出すのは、喪に服した娘の血が掛かったときだと言われているという。

山本斌著『中国の民間伝承』にある。同書によれば、同様に墓に建てられる、石で人の形を象った石人もまた、怪異をなすことがあるという。詳細は**石人の怪**の項目を参照。

鮮血に濡れた美女［せんけつにぬれたびじょ］

中国に現れた怪異。ドキュメンタリー作家であり、超常現象研究家の中岡俊哉氏が中国在住時に実際に目撃したという幽霊で、幽霊屋敷として紹介された北京の屋敷に出現したという。その姿は左肩から胸に向かって刀傷のある若い女で、下腹部が数ヶ所えぐられていた。幽霊はしばらくすると床に吸い込まれるようにして消えてしまった。

この幽霊は第二次世界大戦時、日本軍の将校に強姦されそうになって抵抗したため、殺害された女性の霊なのだという。

中岡俊哉著『世界霊魂物語』にある。

ソイ・サイユットの赤バス工場跡地［そい・さいゆっとのあかばすこうじょうあとち］

タイで語られる怪異。その名の通りバス工場があった場所の跡地で、タイでも有名な心霊スポットであるという。

この跡地は現在交通事故車両を廃棄する場所となっており、それらの車内で心霊現象が起きるとされる。

有名なのは中型の赤いバスで、正月に帰省する人々を乗せた状態で事故を起こしたため、廃棄場へ運ばれた。このバスの車内では、深夜になると時々宴をしているような声が聞こえたり、歌い、踊る人々の影が見えたりするという。これは事故を起こした際、車内では同郷の人々による宴会が行われていたためだと考えられている。

髙田胤臣著『亜細亜熱帯怪談』にある。

赤バスはタイで最も運賃が安価なバスの通称で、車体が赤とクリーム色であるため、タイ在住の日本人に赤バスと呼ばれているようだ。

同書によれば、このほかにも死亡事故を起こした自動車の廃車がいくつもあり、髙田氏は子どもを乗せたまま事故を起こしたスクールバスに乗り込んだところ、まるで子どもたちが体に入ってきて感覚器官を乗っ取ったかのように、日本語が認識できなくなったという。

厠所的女鬼［そうしょーだにゅいぐぇい］

台湾に伝わる怪異。学校のトイレに潜んでいる少女の幽霊で、姿は見えないが、勝手にトイレの水を流したりするのだという。またこの幽霊の名前は「花子（ホワツ）」であったという。

伊藤龍平、謝佳静著『現代台湾鬼譚』にある。同書では、これは日本の**トイレの花子さん**が映画などのメディアを通して台湾に伝わり、怪談として語られるようになったのではないかと考察されている。

ソレノグリファ・ポリポディーダ［それのぐりふぁ・ぽりぽでぃーだ］

インドで目撃されたという不思議な生き物。インド南部のタミル・ナドゥ州で捕獲された鳥のような足が一二本ある蛇のような動物で、爬虫類と飛べない鳥類の混合であるとされる。この足と体のうねりを使ってとんでもない速さで走る。さらに普通の爬虫類とは違い、常に異常な速さで走り回り、食事や排泄以外でこれが止まることはない。

獲物を目の前にすると静止し、口笛のような擦過音を出して麻痺させる。この金縛りは二、三時間継続し、その間にソレノグリファ・ポリポディーダは消化液を体内に蓄積する。それから獲物に飛び掛かり、その猛毒で相手を即死させ、食す。

また食事のためではなく娯楽のために獲物を殺害することもあり、毒で即死させた後、その動物の上に消化液を吐きかけて溶けるのを待つ。その間ソレノグリファ・ポリポディーダは「グロブ・ト」という特徴的な鳴き声を発しながら獲物の周囲をぐるぐると回るという。

ジョアン・フォンクベルタ及びペレ・フォルミゲーラ著『秘密の動物誌』にある。同書は謎の失踪を遂げた動物学者、ペーター・アーマイゼンハウフェン博士の資料を元に記されたという体裁の書籍で、通常ではありえない多数の動物が写真や解剖図、観察日記などとともに掲載されている。

しかしこれは「存在するとは写真に写るということである」という逆説を利用して未知の動物たちを紹介するものであり、掲載された動物たちは、すべてこの本のために創作されたものである。

孫文像の怪［そんぶんぞうのかい］

台湾で語られる怪異。孫文像はそのまま初代中華民国臨時大総統である孫文を象った像のこと。台湾の小学校では孫文の像がよく設置されているが、この像に関わる怪談もよく語られる。例えばある少年が夜に学校に行ったところ、孫文の像に心臓をえぐり取られて殺された、夜の一二時になると、孫文の像が血の涙を流す、といったものが多い。

伊藤龍平、謝佳静著『現代台湾鬼譚』にある。日本の学校における**二宮金次郎像の怪異**に類似するが、なぜか心臓を手でえぐり出す話が多いようだ。

【た】

ダーピセーク通りの魔のカーブ
［だーぴせーくどおりのまのかーぶ］

タイで語られる怪異。同国首都のバンコクにある道路に纏（まつ）わる話で、このカーブでは多くの交通事故が起こると考えられている。またこのカーブの付近には一本の木が生えており、その木には精霊が宿っているとされる。そのため周辺の住人はこの木に色とりどりの布や民族衣装を備え、シマウマの置物を置いているそうだ。

髙田胤臣著『亜細亜熱帯怪談』にある。同書によれば、シマウマの置物が置かれるのはそこが心霊スポットとして認識されている場合が多く、シマウマが道路の守護神として認識されているためだという。しかし実際にはこのカーブではほとんど事故は起きておらず、人々の認識として事故が起こりやすい魔のスポットと捉えられているだけのようだ。

タオダン公園の幽霊
［たおだんこうえんのゆうれい］

ベトナムに伝わる怪異。ホーチミン市にあるタオダン公園では、深夜になるとこの公園で殺された男の幽霊が現れ、恋人を探して徘徊（はいかい）すると噂（うわさ）されている。この噂は公園に存在する、埋葬されている人物も作られた時期も不明の墓が原因となって生まれたと考えられている。この墓から連想された物語が幽霊譚を発生させたのだろう。

髙田胤臣著『亜細亜熱帯怪談』にある。

チュレル
［ちゅれる］

インドで語られる怪異。お産の際、もし

くは不浄な儀式により死んだ女性がなるという邪悪な霊で、口がなく、足が逆向きに生えた姿をしている。人が多い場所に美しい女の姿で現れ、若い男を誘惑するが、これに心を許すと男が老人になるまで取り憑くという。

ローズマリ・E・グィリー著『妖怪と精霊の事典』にある。

替死鬼【てぃーすーぐぇい】

台湾で語られる怪異。替死鬼は死者が生者を殺すことでそれを身代わりにしてこの世に蘇ろうとする際、殺される対象となる生者のことで、現代では学校の怪談としても伝えられているという。例えば、ある小学校の裏にある家で人が死んだ。この死者は替死鬼を探しているため、その家に入ってはならないという。またある学校の地下室では鬼に殺された教師がおり、その教師によって何人もの生徒が替死鬼として連れ去られたという。

伊藤龍平、謝佳静著『現代台湾鬼譚』にある。

碟仙【でぃえしぇん】

台湾で語られる怪異。降霊術の一種で、日本でいう**こっくりさん**に類似する。方法はまず紙と小皿を用意する。紙に常用漢字を渦巻状もしくは散らばせて書き、中心部に小皿を置くための本位という文字を書く。小皿には赤で矢印を書くが、これは幼女の血を使うと良いという。小皿を本位の部分に置き、数人が中指と人差し指を使って皿を押さえる。そして「碟仙、碟仙、請出来」（碟仙、碟仙、来てください）と唱え続けると、小皿が勝手に本位の部分を離れ、紙の上を回り始める。そこで「請問你是碟仙嗎」（お尋ねしますが、あなたは碟仙ですか）と確認し、質問を行う。質問が終わったら「碟仙、碟仙、請帰位」（碟仙よ、碟仙よ、お帰りください）と唱え、皿を本位に戻す。そして災いを招かぬよう、使った紙と皿を処分する。

伊藤龍平、謝佳静著『現代台湾鬼譚』にある。この儀式には様々な禁忌があり、元が人の死者の場合は死因や身元を質問してはいけない、碟仙に同情するようなことを言ってはならない、途中で小皿から指を離してはいけない、などであるという。

テーパーラック【てーぱーらっく】

タイに伝わる怪異。守護霊と語られるピーの一種で、ある場所の所有者など、長の地位を獲得した霊がこの名で呼ばれる。これは天上の霊である**テワダー**と守護者の意味を持つ「アーラック」を組み合わせた名前で、基本的に人に害を及ぼさない。しかしその心意に背くことをすると、時に人に対し怒り、害を加える。場合によっては首の骨をへし折るなど、殺してしまうこともあるようだ。

プラヤー・アヌマーンラーチャトン著『タイ民衆生活誌（1）—祭りと信仰—』にあ

る。

テレサ・テンの亡霊［てれさ・てんのぼうれい］

タイで目撃される怪異。チェンマイにある「インペリアル・メーピン・ホテル」では、深夜になると美しい女性の歌声が響くという噂がある。この歌声は一九九五年、このホテルで亡くなったテレサ・テンのもので、サービス精神が旺盛なのか、中国人が聞けば中国語の、日本人が聞けば日本語の歌声が聞こえるのだという。

髙田胤臣著『亜細亜熱帯怪談』にある。同書によれば、ホテルの従業員の話ではこういった現象は確認されておらず、テレサ・テンが実際に亡くなったのは搬送された病院であったという。彼女がこのホテルで気管支喘息の発作を起こしたのは確かであるため、それに尾ひれがついてこの噂を生んだのだろう。

テワダー［てわだー］

タイに伝わる怪異。天上に棲む精霊を表す名前で、天の使いである善霊のほか、神や聖人を表すヴィスッティテープ、国王を示すムッティテープの三つに分けられるとされる。元々はピー・ファーと呼ばれていたが、後にインドからの借用語であるテワダーが一般的に使用されるようになったという。

プラヤー・アヌマーンラーチャトン著『タイ民衆生活誌（1）―祭りと信仰―』にある。

天池の水怪［てんちのすいかい］

中国で語られる怪異。中国と北朝鮮の国境にある長白山の頂上には、天池というカルデラ湖がある。この湖には巨大な水生生物が棲み着いていると噂されており、一九八〇年の目撃例以来、数多の目撃談が語られ、二〇〇五年には一〇〇人を超える観光客の前で水怪が出現したという。

この観光客たちの目撃情報によれば、水怪の姿は恐竜のようである、ひっくり返した中華鍋のようである、水牛のようであると人によって異なっていたが、色が黒く、魚ではなかった、と証言する点では共通していたという。

また過去の目撃者の多くは、水面から首を突き出していたと話しており、目撃証言から換算すると、その全長は二メートル以上あると考えられている。

妙佛著『中国　封印された超常現象』にある。

トイレからの返事［といれからのへんじ］

台湾に伝わる怪異。ある中学校には、こんな怪談が伝えられている。五人で学校のトイレに行き、五個ある個室に四人がひとつずつ入る。そして残った一人が順番にドアをノックしていくと、誰も入っていないはずの最後の個室から返事が聞こえるという。

伊藤龍平、謝佳静著『現代台湾鬼譚』にある。

トイレの赤子［といれのあかご］

台湾に伝わる怪異。学校の怪談として伝わるもので、ある女子生徒がトイレに入ったところ、いつもは開かないトイレのドアが開いた。その中に入ってみると、ゴミ箱の中に血まみれの赤ん坊の頭があり、突然「ママー！」と叫んだという。

伊藤龍平、謝佳静著『現代台湾鬼譚』にある。

トイレの鬼［といれのぐぇい］

台湾に伝わる怪異。ある学校で夜中まで仕事をしていて、トイレに行ったときのこと。そのトイレで訳の分からない叫び声が聞こえたが、教師は気にせず個室に入った。するとと便器から腕が伸びてきて、教師に傷を付けた後、天井に放り投げた。そのまま教師は行方不明になった。翌日、事務員がそのトイレに行ったが、何も見つからなかった。しかしさらにその翌日、男子生徒がそのトイレに行ったところ、しきりに天井を指して「鬼がいる」と言ったという。

伊藤龍平、謝佳静著『現代台湾鬼譚』にある。台湾における鬼は日本と違い、幽霊のようなものを指すことが多いため、この鬼も教師のことを言っているのではないかと思われる。

東嶽廟の銅馬・銅螺［とうがくびょうのどうま・どうら］

中国で語られる怪異。北京（ペキン）市にある道教の寺、東嶽廟の大殿内には銅で鋳た馬と螺貝があるが、善男善女はこの馬と螺貝に触れると、健康体になることができると信じられているという。

直江広治著『中国の民俗学』にある。

胴体しかない少年［どうたいしかないしょうねん］

台湾で語られる怪異。ある生徒が宿題を忘れ、学校に戻ったときのこと、教室に入った途端、風が吹き込んできた。直後、一人の少年が現れたが、その姿は手足がなく、胴体だけの状態で、目鼻口から血を流していた。

生徒は慌てて教室から逃げ出したが、後日、クラスメイトにそのことを話したところ、昔その学校で一人の少年が首を絞められて殺される事件があったことが分かった。その死体は解体され、教室に捨てられていたのだという。そこで生徒がその話を両親にすると、道士が雇われて少年は成仏させられたという。

伊藤龍平、謝佳静著『現代台湾鬼譚』にある。

トゥルーレンス虐殺犯罪博物館［とぅるーれんすぎゃくさつはんざいはくぶつかん］

カンボジアに伝わる怪異。この博物館は本来学校であったが、ポル・ポトによる大虐殺があった際、収容所として使用されており収容者の拷問や処刑が行われた。約二万人もの人物がここで命を奪われたと考えられており、現在でもその虐殺の犠牲者の亡霊が時折現れるという。

髙田胤臣著『亜細亜熱帯怪談』にある。

図書館の日本兵［としょかんのにほんへい］

台湾で語られる怪異。ある図書館で学生が勉強している途中、眠ってしまった。すると体を揺さぶられる感覚があり、起きると鎧（よろい）を着た日本兵がいた。その後ろには中国の警察がおり、日本兵を護送していた。中国の警察はそのまま日本兵を窓の外へ護送して行った。これは日本兵と中国の警察の霊だったという。

伊藤龍平、謝佳静著『現代台湾鬼譚』にある。

独角竜［どっかくりゅう］

中国で語られる怪異。北京（ペキン）市の懐柔（かいじゅう）県（現懐柔区）の猪竜口という場所には、海竜廟という廟がある。ここには独角竜という竜が今でも棲（す）んでいるのだという。

直江広治著『中国の民俗学』にある。同書によれば、この話は一九四二年頃に採集されたという。

飛び降りろと囁く幽霊［とびおりろとささやくゆうれい］

タイで語られる怪異。ある人物が友人の取材に付き合い、タイの救急救命の慈善団体に密着したことがあった。その団体の元で事故現場の写真を撮った後、バスで帰路についていると、その人物の耳元で「飛び降りろ」という声が聞こえてきた。その人物は開けっ放しのバスの窓から思わず飛び降りそうになったが、何とか抑えたという。

髙田胤臣著『亜細亜熱帯怪談』にある。

トヨール［とよーる］

マレーシアに伝わる怪異。この名前はマレーシア語で「小人の悪魔」を意味し、人の金を盗んだり、人の血を吸ったりするという。その姿は体長一五～二〇センチほど、目は赤く、肌は黒く、鋭い牙を持つ。その正体は呪術師が呼び出した胎児の霊で、呪術師はこれに他人の財を奪ったり、殺人を行わせたりするのだという。

マレーシアに伝承される悪魔だが、二〇〇六年、このトヨールと思われるミイラが見つかったという。この画像はインターネット上でも広まっているが、成人男性の手に収まるほどの大きさの、赤い目で黒い肌の小人のような物体が写されている。

【な】

ナーン・ターニー［なーん・たーにー］

タイに伝わる怪異。グルアイ・ターニーというバナナの木の一種に宿る精霊で、若い女性の姿をしているという。女性が遭遇する場合においては害はないが、男性がこの精霊に遭遇し、心を奪われてしまうと働かなくなり、次第に精気を吸われて衰弱していくとされる。またナーン・ターニーの宿ったグルアイ・ターニーの葉を切り取ると、男女関係なくその者の家を祟（たた）ると信じられている。

髙田胤臣著『亜細亜熱帯怪談』にある。

同書によれば、近年ではナーン・ターニーと人間の男性が契りを結ぶ例もあり、その際には男性に尽くす妻となるという。しかしその男性が別の女性と結婚すると、双方に不幸をもたらすとされる。

ナーン・タキアン［なーん・たきあん］

タイに伝えられる怪異。木に宿る女性の精霊で、民族衣装を纏（まと）った長髪の美しい女性の姿で現れるとされる。何もしなければ悪さはしないが、ナーン・タキアンの宿る樹木を断りなく切り倒したりすると祟（たた）られるという。

髙田胤臣著『亜細亜熱帯怪談』によれば、この精霊は現在でもタイで親しまれており、ナーン・タキアンの宿った木で作られた家や船は幸運がもたらされるとされ、高い需要があるという。ナーン・タキアンの宿った木を切る際には、祈りを捧げ、許しを得る必要があるようだ。

ナーン（もしくはナーング）は女性を表す言葉で、タキアンは樹木の種類の名前。

荷車の幽霊［にぐるまのゆうれい］

タイで目撃された怪異。ある男性が大津波で壊滅したプーケットで救援活動をしていた時のこと。明かりを失ったプーケットの夜は自分の手元も見えないほどに真っ暗であったが、なぜか数メートル先にぼんやりと荷車が見えた。この荷車は普通の荷車とは違い、見える人間と見えない人間がおり、見えない人間が荷車の上を通過すると、まるで貫通するようにすり抜けていったという。

髙田胤臣著『亜細亜熱帯怪談』にある。

日系デパートの鬼［にっけいでぱーとのぐぇい］

台湾で語られる怪異。台南（たいなん）に二〇〇二年にオープンしたある日系デパートには、鬼が出現すると言われている。このデパートは刑務所の跡地に建てられており、そこから映画館やエレベーター、トイレ、駐車場などに鬼が現れると語られるようになったようだ。

伊藤龍平、謝佳静著『現代台湾鬼譚』にある。ここにおける鬼は死者の魂であり、日本でいえば幽霊に近いものになるが、同書によればこのデパートに出る鬼の具体的な怪談としては、映画館で後ろを振り返るとたくさんの鬼がいた、誰も乗っていないはずのエレベーターで子どもが混んでいると言った、など簡潔なものが多いという。

ネコルパ［ねこるぱ］

ブータンで語られる怪異。ブータンの各地に見られる、人間に害をなす霊で、病をはやらせたり、作物の育成を阻害したり、天災を起こしたりするという。

クンサン・チョデン著『ブータンの民話と伝説』にある。同書によればタン谷という場所でネコルパの霊が強い力を用いて、多くの人々が犠牲になった。そこで高僧を呼んで金属の箱に閉じ込め、川に投げ込んだが、一人の若者がネコルパに騙されてその箱を開けてしまい、タン谷で最も恐れられる霊となったという。そのため今でもタン谷周辺ではこのネコルパを鎮めるための儀式が行われているとされる。また、ネコルパはこの若者の親族を決して苦しめないとされており、義理堅いところもあるようだ。

【は】

バーンガル砦［ばーんがるとりで］

インドに実在する怪異。ラジャスタン州に残る廃墟で、中世に繁栄した都市であったが、現在は誰も住まない土地となった。

この土地は呪われていると考えられており、その由来は以下である。バーンガルの王国の姫に惚れた一人の王子が結婚を求め、断られる。それに怒りを抱いた王子は黒魔術によって惚れ薬を作るが、姫はそれを見破って地面に叩きつけた。そして大地に愛されることとなった王子は、岩に押し潰されて死んだという。しかしその死の直前、王子は王国に呪いをかけた。

この呪いにより大規模な戦争が起こり、姫はその犠牲となった。王国もやがて衰退し、廃墟と化したという。

別説では、この砦を建築したことで住居に日が差さなくなった聖人の呪いだという話もある。この聖人は王国ができる前からその地に住んでいた人物で、都市を造るに当たって、自分の家を影が覆わないようにと条件を出していた。しかし数世代を経てその約束は忘れ去られ、影に落とされた聖人は、都市全体に呪いをかけた。これにより災厄が巻き起こり、王国は衰退したという。

現在でもバーンガル砦は観光地として知られているが、夜にこの地に足を踏み入れた者は、決して戻ってこられないのだと伝えられている。

ロバート・グレンビル著『絶対に出る 世界の幽霊屋敷』などにある。

バスケットボール場裏の鬼屋
［ばすけっとぼーるじょううらのぐぇいうー］

台湾に伝わる怪異。台湾のある小学校では、バスケットボール場の近くにある廃屋が頻繁に怪異の起こる場所として語られている。この廃屋に入った者が出てこなかった、幽霊が棲(す)み着いており叫び声がする、この廃屋の中に写真が置いてあり、見る時間によって二人写っていたり、三人写っていたりと違いがある、といった話があるようだ。

伊藤龍平、謝佳静著『現代台湾鬼譚』にある。鬼屋は日本でいえば**幽霊屋敷**にあたり、この廃屋の他にも台湾にはいくつもの鬼屋があるようだ。

花売りのピー
［はなうりのぴー］

タイで語られる怪異。バンコク中心部のルンピニー公園に近い交差点に現れるという幽霊で、真夜中になるとこの交差点で花輪を持って立っており、近くを車で通るとその花輪を売ろうとする声がいつまでもついてくるとされる。

髙田胤臣著『亜細亜熱帯怪談』にある。ピーはタイで精霊や幽霊を表す言葉。タイでは主に貧困層の人々がジャスミンなどの花びらを使って花輪を作り、それを赤信号で止まっている車の窓を叩(たた)くなどして運転手に売る。運転手は交通安全の祈願のため、この花輪を購入する、という文化があるようだ。しかしこの幽霊は、花輪を売るというよりもっと別の悪意を持って車に近づいてくると考えられており、それを避けるためにはその声が聞こえていたり、姿が見えていることを悟られてはならないという。

バラバラ殺人の幽霊
［ばらばらさつじんのゆうれい］

タイで語られる怪異。バンコクの下町のあるアパートでは、かつてバラバラ殺人事件が起きた。一人の女性が麻薬によって同僚女性が自分の恋人を寝取ったのではないかという疑心暗鬼に陥り、口論の末に殺してしまった。そして証拠隠滅のために死体をバラバラにしているところを現行犯逮捕されたという。

以来、このアパートでは時々亡くなった女性の声が響くことがあるという。

髙田胤臣著『亜細亜熱帯怪談』にある。

バンファイ・パヤー・ナーク［ばんふぁい・ぱやー・なーく］

タイに伝わる怪異。同国東北地方北端のノンカイ県と、隣国ラオスとの国境であるメコン河に火の玉が昇る現象で、毎年一〇月頃の満月の夜に観測されるという。火の玉は三〇メートルほど、時には一五〇メートルも上昇し、数秒から十数秒の間輝く。これは地元では龍神であるナーガの火の玉であると信じられており、タイだけでなく国外からも多くの人々がこれを見るために観光に訪れているという。

髙田胤臣著『亜細亜熱帯怪談』にある。同書によればこの火の玉の原理はいまだ科学的に解明されていないという。またタイでは現在でもナーガの目撃談があり、それが火の玉がナーガのものである、という情報に信憑(しんぴょう)性を持たせているようだ。

ピー［ぴー］

タイに伝わる怪異。古くからタイの人々に信じられている霊的存在で、日本語では「精霊」「悪霊」などと訳されることが多い。自然や人工物まで様々なものに宿ると考えられており、不可思議な現象を起こすとされる。人間にとっては恐れ、敬うべき存在であるが、善霊をテワダー、神をチャオと呼び、ピーはそれらとは別種の悪霊の一種として区別することもある。ただしピーが必ずしも人間に対し悪事を働くとは限らず、これは人間の都合でこれらの霊的存在を区別したことに起因するのだという。

プラヤー・アヌマーンラーチャトン著『タイ民衆生活誌（1）―祭りと信仰―』にある。また髙田胤臣著『亜細亜熱帯怪談』によれば、現代にもこのピー信仰はタイの人々の間に息づいており、交通事故で死んだ人間の霊など、現代的な怪談に現れる例もピーとして語られるようだ。

ピー・ウィラブルット［ぴー・うぃらぶるっと］

タイに伝わる怪異。死者の霊の一種だが、人々に多大な功績をもたらした英雄、もしくは悪逆非道で人々に恐れられた悪人がなると信じられている。こういった霊は死後も人々から敬愛されたり、恐れられたりするため、手厚く祠(ほこら)に祀(まつ)られ、ピー・ウィラブルットと呼ばれるという。

プラヤー・アヌマーンラーチャトン著『タイ民衆生活誌（1）―祭りと信仰―』にある。

ピー・ガ［ぴー・が］

タイに伝わる怪異。タイ西北地方で語られ、「体鬼」と訳されるこのピーは、人間と同様の姿を取り、集落を作って棲むという。これに取り憑かれると目の焦点が定まらず、目つきが異常になる。これを体内から取り除くためには、呪医が骨も砕けるような勢いで取り憑かれた人間を打ち据えなければならない。これにより痛みに悲鳴を上げてピー・ガが逃げていくが、打ち据えられた本人は少しも痛みを感じないという。

プラヤー・アヌマーンラーチャトン著『タイ民衆生活誌（1）―祭りと信仰―』にある。同書によれば、これはタイ東北地方で語られる**ピー・ポープ**と同じものだという。

ピー・カープセン［ぴー・かーぷせん］

タイに伝わる怪異。名前は土地の境の精霊を意味するとされ、大気中に存在し、山沿いや森の端、洞窟、水中、木の上などを自在に行き来するという。

プラヤー・アヌマーンラーチャトン著『タイ民衆生活誌（1）―祭りと信仰―』にある。

ピー・ガスー［ぴー・がすー］

タイで語られる怪異。ピー・カスーと表記されることもある。「臓物食らいのピー」と訳されることがあるように、人の頭と内臓の肉を食う。また人間の排泄物も好んで食うとされる。その姿は人間の老婆のようで、特に妊婦を好んで襲うと考えられている。その移動方法はかなり奇妙で、真夜中になると頭と内臓が体から分離し、空中を浮遊して餌を探し求めるという。このピーが通るとき、緑色の大きな光の円がゆらゆら光るとされ、この妖怪から身を守るためには床下の排泄溝に棘のある枝を重ねておくと、内臓が傷つくのを嫌がって近づかないと伝えられる。また排泄物を食った後のピー・ガスーは干してある洗濯物で口を拭うが、これを見つけたら洗濯物を熱湯で煮立てると、ピー・ガスーにもダメージを与えられると考えられている。

プラヤー・アヌマーンラーチャトン著『タイ民衆生活誌（1）―祭りと信仰―』にある。同書によれば、洗濯物に汚れが付着するのは湿気により生じたカビであり、この現象がピー・ガスーの行動として伝えられるようになったとされる。

近年でも目撃例が多い妖怪で、タイではネットの一部で話題になった二〇一九年公開の映画『呪いのキス 哀しき少女の恋』をはじめ、何度かこの妖怪を題材にした映画も作られている。また老婆ではなく、若く美しい人間の女性の姿をしていると語られることも多い。

ピー・ガハーン［ぴー・がはーん］

タイで語られる怪異。人間の姿をしたピーで、人の臓物を食うとされる。人間との違いは尾や羽があることで、普段は隠しているため尻を触られるのを嫌がるという。

プラヤー・アヌマーンラーチャトン著『タイ民衆生活誌（1）―祭りと信仰―』にある。同書によれば、同じく臓物を食らう**ピ**

ー・ガスーが女しかいないのに対し、ピー・ガハーンは男しかいないという。

ピー・カモート［ぴー・かもーと］

タイで語られる怪異。鬼火と訳されるピーで、大きな光の輪として現れる。夜中、水のあるところで揺らめいているとされ、近づくと消えて背後に現れるなどして旅人を惑わすが、それ以上の危害を加えることはないという。

プラヤー・アヌマーンラーチャトン著『タイ民衆生活誌（1）―祭りと信仰―』にある。

ピー・クマントーン［ぴー・くまんとーん］

タイに伝わる怪異。子どもの姿をした精霊で、母親が胎内に子どもを宿したまま亡くなった際、その子どもがなるとされる。この精霊を招くことができると家や仕事を災難から守り、繁栄・繁盛させてくれると考えられている。ピー・クマントーンは子どもの精霊であるため、呼び寄せる際にはお菓子やナムデーンと呼ばれる赤い甘美飲料がよく使われる。招いたピー・クマントーンは男の赤子を象った人形や仏像に宿るとされ、タイの人々は祭壇を作ってこれを祀るという。

ただし、ピー・クマントーンは邪険に扱うと出ていくとも考えられており、そうなった家は不幸に見舞われるとされる。

髙田胤臣著『亜細亜熱帯怪談』によれば、近代以前のピー・クマントーンは死んだ母親の腹から直接取り出した胎児を使って生み出すものと考えられており、現代でも実際に胎児の死体を使って呪術師が作ったピー・クマントーンが高値で取引されることもあるようだ。

ピー・ゴーンゴーイ［ぴー・ごーんごーい］

タイで語られる怪異。一本足のピーとされ、森林に出現する。どこに行くにも片足で跳んでいくといい、シューシューという声を出す。眠っている人間を見つけると足の親指のところから血を吸うとされる。

プラヤー・アヌマーンラーチャトン著『タイ民衆生活誌（1）―祭りと信仰―』にある。

ピー・サオ・トック・ナムマン［ぴー・さお・とっく・なむまん］

タイに伝わる怪異。樹液の滴る樹木に宿るとされる精霊で、この精霊がいる木を木材にして建造物を造ると祟られると言われている。

髙田胤臣著『亜細亜熱帯怪談』にある。同書によれば、ピー・サオ・トック・ナムマンは「油の落ちる柱の精霊」といった意味合いになるようだ。時には樹木以外に宿ることもあり、現在バンコクにあるモルタルの柱にも宿っているとされる。この精霊は**メー・ジェラマニー**とも呼ばれているようだ。この詳細については当該項目参照。

ピー・ターイホーン［ぴー・たーいほーん］

タイに伝わる怪異。変死者がピーとなったものとされ、普通のピーが人を脅かしたり、化かしたりするのがせいぜいなのに対し、人間の首の骨を直接折るほどの力を持つという。ピー・ターイホーンが人間を襲うのは水を汚し、その土地の住民に迷惑を掛けた場合であるため、水を使う場合には注意を払わなければならないとされる。

プラヤー・アヌマーンラーチャトン著『タイ民衆生活誌（1）―祭りと信仰―』にある。同書によれば、同じくピーの一種である**テーパーラック**も同じように人の首をへし折ることができる力を持つという。テーパーラックについては当該項目を参照。

ピー・トゥアイゲーウ［ぴー・とぅあいげーう］

タイに伝わる怪異。降霊術の一種で、辺りを漂う霊を呼び出し、質問に答えてもらう儀式とされる。方法は、まず四人の参加者を集めて代表者を一人決め、タイ文字の書かれた紙の上にグラスを置き、線香に火をつけてその煙を逆さにしたグラスの中に入れる。煙で充満したグラスを紙の上に置き、煙を逃がさないようにする。そして紙に書かれた「ティー・パック」という名の休憩所にグラスを移動させ、参加者がグラスの上に指を置く。四人の参加者は順番に「プッ」「トー」「ター」「ヤ」と唱える。これを三周繰り返すとグラスが動き始めるので、代表者が質問をして答えてもらう。終えるときはグラスに「ティー・パック」の位置に戻るように頼み、戻ったらグラスから手を離す。この時、グラスが戻る前に指を離したりしてはならないという。

髙田胤臣著『亜細亜熱帯怪談』にある。同書でも指摘されているように日本の**こっくりさん**に類似した占いだが、西洋の降霊術が由来とされるこっくりさんと異なり、ピー・トゥアイゲーウは中国の扶箕（ふき）が元になっているという説があるようだ。また降霊を行う際には、二四時間前から飲酒してはならない、お守りをつけてはいけないといった細かい制約もあるという。

ピー・ハー［ぴー・はー］

タイに伝わる怪異。同国において妖怪や精霊などの総称であるピーの一種で、コレラをもたらすピーであるとされる。「ユー・ヨー」という掛け声を上げながら水路を辿（たど）って出現し、人々に病をもたらすという。

プラヤー・アヌマーンラーチャトン著『タイ民衆生活誌（1）―祭りと信仰―』にある。

ピー・バーン・ピー・ルアン［ぴー・ばーん・ぴー・るあん］

タイに伝わる怪異。家の守り神とされる存在で、木に宿っていた精霊が、その木が材木となった後もそのまま宿り続けているとこの精霊に変化するという。この精霊は、屋内に設置された神棚などで祀（まつ）られ、大切にされているようだ。

髙田胤臣著『亜細亜熱帯怪談』によれば、タキアンの木に宿る精霊である**ナーン・タキアン**も、この精霊に変化することがあるという。ナーン・タキアンについては当該項目参照。

ピー・バンパブルット
［ぴー・ばんぱぶるっと］

タイで語られる怪異。祖霊を意味する名前で、死んだ人間はピーとなり、どこへ行くともなく身内の家をさまよう。これがピー・バンパブルットだという。

プラヤー・アヌマーンラーチャトン著『タイ民衆生活誌（1）—祭りと信仰—』にある。

ピー・プーム・バーン
［ぴー・ぷーむ・ばーん］

タイに伝わる怪異。村落を守護する存在で、タイの人々は土地の開発や耕作の開始、収穫などの重要行事が行われる際、供え物を奉るための供養塔を建てる。そしてこれに棲(す)むとされる**ピー**や**テワダー**に加護を祈るが、こういった存在は土地を領知する存在として認識され、ピー・プーム・バーンと称されるのだという。

プラヤー・アヌマーンラーチャトン著『タイ民衆生活誌（1）—祭りと信仰—』にある。ピー及びテワダーについては当該項目を参照。

ピー・プーム・ムアン
［ぴー・ぷーむ・むあん］

タイに伝わる怪異。国の守護神とされる存在で、国家や都市の守護者として祀(まつ)られる。また、特に首都の守護者として語られる場合は、「プラ・プーム・ムアン・ルアン」と呼ばれるとされる。

プラヤー・アヌマーンラーチャトン著『タイ民衆生活誌（1）—祭りと信仰—』にある。

ピー・プラチャム・クロープクルア
［ぴー・ぷらちゃむ・くろーぷくるあ］

タイに伝えられる怪異。「身内霊」などと呼ばれる存在で、祖先の霊である**ピー・バンパブルット**たちが子々孫々からなる村を守る霊の一群となったものを指し、タイの北西地方に伝えられているという。

プラヤー・アヌマーンラーチャトン著『タイ民衆生活誌（1）—祭りと信仰—』にある。

ピー・プローン
［ぴー・ぷろーん］

タイに伝わる怪異。タイ北西地方で語られるピーで、夜中になるとゆらりゆらりと光を放ちながら現れ、好んで人肉や汚物を食うという。また人に乗り移る能力を持ち、ピー・プローンに唾液を吐きかけられた人間はピー・プローンになってしまうとされる。もしピー・プローンを見つけた場合は、その背中に槍(やり)を突き刺しておくと、翌朝になってもその人間がぴんぴんしているので、正体を確信できるとされる。

またこのピーになるのは、大麻を育てている人間だと考えられている。

プラヤー・アヌマーンラーチャトン著『タイ民衆生活誌（1）―祭りと信仰―』にある。

ピー・ペート［ぴー・ぺーと］

タイで語られる怪異。いわゆる餓鬼のことで、何種類もいるが、中でも有名なのは針ほどの小さな口しか持たないピー・ペートであるという。

このピー・ペートはその小さな口のために血や膿しか食すことができず、痩せている。背は高く、首は二メートルもの長さがあり、細長い舌を口から出して「キーキー、ヒューヒュー」と甲高い鳴き声を上げるという。

プラヤー・アヌマーンラーチャトン著『タイ民衆生活誌（1）―祭りと信仰―』にある。餓鬼は仏教において語られる、六道のうち餓鬼道に落ちた亡者の成れの果てで、『正法念処経』などにおいては何十種類もの餓鬼が記されている。『正法念処経』には口が針のように細い針口餓鬼や、血を食する食血餓鬼の名が見えるほか、『阿毘達磨順正理論』には血や膿を食べる少財餓鬼について記されている。ピー・ペートもこのような仏教書に語られた餓鬼のイメージから生まれたのだろう。

ピー・ポープ［ぴー・ぽーぷ］

タイで伝えられる怪異。「肝食らいのピー」と訳される通り、人の肝を食らう妖怪とされる。見た目は人間と変わらないが、人が誰かを呪うと、その人間の体内に入り込み、棲み着く。そこでその人間が食べた物を食らいながら、最終的には肝臓や腎臓などの臓器をことごとく食べてしまう。また、ピー・ポープに取り憑かれた人間は虚ろな目をして人を真っ直ぐ見なくなるため、すぐに分かる。こういった人間は、ピー・ポープをうつさないよう、すぐに村から追放されてしまうという。

プラヤー・アヌマーンラーチャトン著『タイ民衆生活誌（1）―祭りと信仰―』にある。

現在でも農村部などではその実在が信じられており、髙田胤臣著『亜細亜熱帯怪談』によれば、二〇一八年にピー・ポープによって殺害されたという若者が七人も出たため、村人たちやその周辺の住人達がお祓いを行ったという。また、ピー・ポープに憑かれた人間は、除霊によって元に戻すことができると信じられているようだ。

ピー・ポーンカーン［ぴー・ぽーんかーん］

タイで語られる怪異。猿の姿をしたピーで、尻尾が短く、常に上唇をめくり上げ、歯を見せているという。普段は動物たちが塩を舐める場所に生えている大木の上に棲んでいるが、眠っている人間を見つけると忍び寄って血を吸うのだとされる。

プラヤー・アヌマーンラーチャトン著『タイ民衆生活誌（1）—祭りと信仰—』にある。

ピー・ラン・グルオン
［ぴー・らん・ぐるおん］

タイで語られる怪異。タイ南部で伝えられていたという妖怪で、一見人と変わらない姿をしているが、背中ががらんどうとなっている。そのため臓物がすべて見え、さらに体内には虫がうようよと這（は）っている。

このように気味が悪い姿をしたピーであるが、人に大きな危害は加えないという。夜に暖を取ったり、釣りをしていると、このピーがやってくることがあるが、背中を見せるいたずらをするぐらいで、悪事は働かない。また、普段は森に群れを作って暮らしているとされる。

プラヤー・アヌマーンラーチャトン著『タイ民衆生活誌（1）—祭りと信仰—』にある。

プーケットの亡霊
［ぷーけっとのぼうれい］

タイで目撃される怪異。タイ南部にあるビーチリゾート、プーケットにおいて目撃される亡霊で、津波の犠牲者たちであるとされる。二〇〇四年一二月二六日に発生したスマトラ沖地震による大津波がプーケットに押し寄せ、五〇〇〇人以上が犠牲となった。それ以来、死んだことに気付かずビーチで遊ぶ観光客の白人たちの声が聞こえる、亡くなった友人が目の前に現れた、といった怪談が囁（ささや）かれるようになったという。

髙田胤臣著『亜細亜熱帯怪談』にある。日本でも東日本大震災の後、津波の被災地で度々亡霊が目撃されるということがあった。多数の死者が発生した現場では、地域にかかわらず怪談が語られるのだろう。

封門村の怪
［ふうもんそんのかい］

中国で語られる怪異。一九六三年のこと、三人の青年が封門村という村を訪れた。三人が封門村の共産党組織に宿泊場所を依頼すると、一軒の空き家を提供された。この空き家は彼らが訪れる少し前、家族全員が病死したのだという。そこで三人が夜を過ごしていると、三人が同じ悪夢を見て、金縛りにあうという怪現象が起きた。

それから数日後、三人のうち一人が空き家にあったクローゼットを開けると、そこに悪鬼の顔が現れた。それは数日前に悪夢の中で見たものと同じであり、青年はその場で倒れ、やがて高熱を出した。

また別の日には一人が悪夢で目を覚ますと、水の音が聞こえたため、外を覗（のぞ）いた。すると井戸の近くで全裸の若く美しい女が体を洗っていた。女は青年に気付き、ほほ笑んだかと思うと、突然井戸の中に身を投げた。驚いた青年は村人を集め、井戸を探したが、女の姿はなかった。やがてその青年も熱を出した。

そして最後の一人もまた、何者かに首を絞められる夢を見て、高熱を出した。

彼らの熱は薬を飲んでも下がらなかったため、村の長老と相談し、生贄(いけにえ)を捧げる儀式を行ったところ、やっと快方に向かったという。

妙佛著『中国 封印された超常現象』にある。この封門村は二〇〇七年に廃村となったが、様々な怪奇現象が起きる場所として知られており、中に入っただけでも原因不明の内出血が発生するという。

ブラックレディー［ぶらっくれでぃー］

フィリピンで語られる怪異。その名の通り黒い女性の姿をした怪異で、セブ島でよく目撃されるという。基本的に悪霊、もしくは魔女だと考えられているという。

髙田胤臣著『亜細亜熱帯怪談』にある。

プレート［ぷれーと］

タイで語られる怪異。プレートとはすなわち餓鬼のことで、背が異様に高く、あばら骨が浮き出るほどの痩身で、首は長く、肌はどす黒い。口は針のように細く、食べ物を食べることも言葉を発することもできない。

髙田胤臣著『亜細亜熱帯怪談』にある。

この餓鬼は仏法に背いたために餓鬼道に堕(お)ちた人間の成れの果てで、本来は説法に登場するのみの存在だった。しかしタイ国内では近年でもプレートを目撃したという話が相次いで報告されている。また同国では何度かプレートの写った写真が撮られたことがあったが、いずれもフェイクか見間違いであったという。しかし、タイの人々がこの餓鬼の実在を信じているのは確かなようだ。

ペッブリー通りガス爆発事故の幽霊［ぺっぶりーどおりがすばくはつじこのゆうれい］

タイで目撃される怪異。一九九〇年にバンコクのペッブリー通りで発生した交通事故に起因する怪異譚で、この事故で犠牲になった人々の霊が、道行く人々を下から引っ張るのだという。

髙田胤臣著『亜細亜熱帯怪談』にある。

この交通事故は高速道路の出口で横転したタンクローリーからガスが漏れ出し、爆発したことで近くにいた多数の自動車を巻き込んだ大規模なもので、多くの死者を出した。

この事故は香港・シンガポール合作のホラー映画『the EYE』やそのハリウッドリメイク版『アイズ』の一場面で使われるなどしている。

便器の腕・便器の顔［べんきのうで・べんきのかお］

台湾に伝わる怪異。学校の怪談の一種。ある女子中学生がトイレに行くと、便器の中から一本の腕が伸びてきて、その女子中学生の命を奪った。それから五年後、ある女子小学生が同じトイレを使うと、便器に死んだ女子中学生の顔があった。以来、そのトイレを使う者はいなくなったという。

伊藤龍平、謝佳静著『現代台湾鬼譚』に

ある。便器から腕が伸びてくる、という怪談は、日本の学校でもよく語られる。

ホテルOの亡霊［ほてるおーのぼうれい］

タイで語られる怪異。バンコクの歓楽街、ナナにあるという「ホテルO」は心霊スポットとしても有名で、何度も幽霊が目撃されている。真夜中、部屋にタイ人の男が現れ、テーブルと壁の数センチの隙間に立っていた。部屋の前にドアをノックする髪の長い女性がいたが、ドアを開けると誰もいない。そこで恐ろしくなってドアを閉めると、ドアの隙間から青白い女の手が入ってきた、といった体験が語られているようだ。

髙田胤臣著『亜細亜熱帯怪談』にある。「O」はホテルの頭文字で、正式な名前は伏せられている。同書によれば、このホテルには殺人や自殺、火事といった事件が起こったという記録はなく、原因が不明のまま幽霊の出現が多発しているのだという。

ホワイトレディー［ほわいとれでぃー］

フィリピンで語られる怪異。同国全土に出現する幽霊で、白いドレスを着た髪の長い女だという。それ以外の姿は地域によって異なり、顔のパーツがないのっぺらぼうのようだったり、鋭い眼光で睨(にら)みつけてきたりする。その正体に関しても様々な説があり、殺された女の幽霊である、交通事故の犠牲者である、などとされる。

これと遭遇すると取り憑(つ)かれ、女と同じ死因で命を落とす、という話もあれば、ホワイトレディーを見ると幸せになれるという話もあるなど、様々な噂(うわさ)が流れているようだ。

髙田胤臣著『亜細亜熱帯怪談』にある。同国には他にも**ブラックレディー**、**レッドレディー**といった幽霊も目撃されているようだ。それらについては当該項目を参照。

【ま】

マナナンガル［まななんがる］

フィリピンのシキホル島に伝わる魔女。昼間は女性の姿をしているが、夜になると正体を現し、上半身を下半身から切り離して蝙蝠(こうもり)のような翼を生やし、飛び回るという。人間の赤子の血を好み、長い舌でその血を吸ってしまうと言われている。またこの舌はどんなに狭い隙間にも差し込むことができ、時には妊婦を襲ってそのへそに舌を突き刺し、胎児の血を吸うとも伝わる。

また、昼間は人間の女性と変わらぬ姿であることを利用し、男性を誘惑してその内臓を食らう、ということもあるようだ。

夜になると切り離した下半身を人目につかないところに隠し、狩りに出かけるマナナンガルだが、夜明けに上半身と下半身が分かれたままでいると、日光を浴びて滅びるとされる。また、現地に残る伝承では、夜のうちにマナナンガルの半身を見つけた際には、その切り口に塩と灰をこすりつける。するとそれぞれの半身が結合できなくなるため、退治することができるという。

フィリピンに伝承の残る吸血鬼だが、二〇〇七年一一月一二日、動画投稿サイト「ＹｏｕＴｕｂｅ」に、この怪物を捉えたという動画が投稿された。この映像が本物かどうかは分かっていないが、現地ではこの怪物が今も語り継がれていることは確かなようだ。

魔の洞窟［まのどうくつ］

中国で語られる怪異。河北省石家荘市にある元氏県の県城の北西には、魔の洞窟と呼ばれる洞穴がある。深さは約三メートル、入り口に二匹の竜が球と戯れている姿を象った彫刻がある。穴の周壁にはいくつか小さな穴が開いており、晴天の日になるとこの小さな穴の中が急にざわめき出し、嫌な風が吹き出してくる。また曇りの日にはざわめきとともに霧のようなものが吹き出す。このようなときには農作物が吹き倒され、木の実も落ちるため、住民はこの洞穴を魔の洞窟と呼ぶのだという。

山本斌著『中国の民間伝承』にある。

真夜中の軍歌［まよなかのぐんか］

台湾で語られる怪異。ある小学校では、夜の一二時になるとすべての明かりを消すが、そうすると四方から日本の軍歌が流れ、深夜二時になると聞こえなくなる。そのためこの時間帯学校に近づく者はいないという。

伊藤龍平、謝佳静著『現代台湾鬼譚』にある。

ミイラ洞窟［みいらどうくつ］

フィリピンに伝わる怪異。同国のカバヤンという村にある洞窟で、ミイラが六〇体ほど放置されている。このミイラに触れると呪われてしまうため、触れてはならないと語られているという。

髙田胤臣著『亜細亜熱帯怪談』にある。このミイラは死ぬ直前の人間に大量に塩水を飲ませ、火で炙って人工的に作るのだとされる。

ミゲー［みげー］

ブータンで語られる怪異。いわゆる雪男で、体の大きさは人間の倍以上あり、全身が毛で覆われているという。またその体からはひどい悪臭がするとされる。

ブータンには怪我をして尼僧に助けられたミゲーの話や、山でミゲーと遭遇した男が、ミゲーがタバコを吸う様子を真似し始めたため、火縄銃を吸わせて弾を発射し、退治した話などが残る。また現在でもひどい吹雪の日には、ミゲーが里に下りてくると信じられているという。

クンサン・チョデン著『ブータンの民話と伝説』にある。

ミルゴラ［みるごら］

ブータンで語られる怪異。ヒマラヤの深い森に棲む人間によく似た生き物だが、手は長く、体は毛に覆われているとされる。昼に森で人々が作業をすると夜になってから出現し、昼間人間が行っていたことをそっくり真似するという。

クンサン・チョデン著『ブータンの民話と伝説』にある。

ムノチュワ［むのちゅわ］

インドに現れる怪物。亀もしくはフットボールに似ていると形容される謎の物体で、人間に遭遇すると襲い掛かり、口元に爪を立てて肉を引きちぎるという。

並木伸一郎著『未確認動物UMA大全』によれば、二〇〇二年六月から七月にかけて目撃されたという。また、目撃者の証言では全身から光を放っていたとされ、生物ではなく機械だと語った被害者もいたようだ。

メー・ジェラマニー［めー・じぇらまにー］

タイで語られる怪異。同国の首都、バンコクにあるモルタルの柱に宿る女性の精霊で、樹液や油の滴る樹木や柱に宿る精霊、**ピー・サオ・トック・ナムマン**の一種と考えられている。

バンコクのロイヤル・シティ・アベニューにあるこの柱は、ビルの地下駐車場の一角に存在し、たくさんの参拝客が訪れるため、衣服や飲料などの供え物が置かれている。メー・ジェラマニーの姿はこの柱の中に消えていく女性として何度も目撃されており、金運の神として親しまれているようだ。

髙田胤臣著『亜細亜熱帯怪談』にある。同書によれば、なぜかいつも濡れていて油で光っているように見えるという。その起源は一九九〇年代、この柱が立った場所で亡くなった女性がビルで働く従業員の夢に現れ、供え物を置くようになった。すると供え物をした従業員全員が宝くじに当たったため、金運の神として知られるようになったとされる。

メーナーク［めーなーく］

タイで語られる怪異。同国では誰もが知る怪談『メーナーク・プラカノン』に登場する悪霊で、一八七〇年前後に実際にあった事件に登場する存在として信じられている。「メーナーク」は「ナーク母さん」といった意味合いの言葉で、幽霊の名前は「ナーク」である。ナークは出産時に亡くなった女性だが、徴兵された夫の元に死後、同じく出産時に死亡した子どもを連れて現れ、夫が兵役を終えて帰宅した後はまるで生きているかのように彼と家庭生活を営んだ。

タイでは胎内に子を残したまま亡くなった女性は「ピー・ターイタンクロム」という悪霊と化すと信じられており、そうならないよう、寺院で手厚く葬られていたが、ある呪術師が呪術用の脂を彼女の死体から取り出そうと掘り起こしたため、ナークはピー・ターイタンクロムとなったという。ある時、夫はこのピー・ターイタンクロムの手足が自在に伸びるという特徴を妻に見てしまい、寺院に駆け込んで助けを求める。それを知ったナークは寺院の周りで夫を返せと暴れ回るが、僧侶の説得で成仏する。

こうしてナークは悪霊ではなくなったが、彼女は夫を愛し続けた一途な女性としても慕われており、現在でもワット・マハーブットという寺院に祀られている。この寺院は物語の中でナークの夫が助けを求めた寺院であり、たくさんの市民たちがメーナークのために訪れている。

髙田胤臣著『亜細亜熱帯怪談』にある。同書によれば、この物語は映画にもなっており、タイで大ヒットを記録したという。

ものを言う巨樹［ものをいうきょじゅ］

中国で語られる怪異。河北省滄州市の楽城県（現献県）東関外には、樹齢も分からないほど古い巨樹があった。この樹は人間のように話をすると言われていたが、一九一二年のこと、ある百姓が、巨樹が廟を造ってほしいと言うのを聞いた。そこで樹によじ登ってその上に小さな廟を設置した。しかしその噂を聞いた警察が迷信も甚だしいと怒り、木の上の廟を壊してしまったため、それ以来この巨樹がものを言うことはなくなったという。

山本斌著『中国の民間伝承』にある。

森の角砂糖バサミ［もりのかくざとうばさみ］

インドネシアやドイツで発見された不思議な生き物。**平行植物**の一種で、木の根元や木陰に時には一〇〇本以上が群生する。その名の通り角砂糖バサミのように二枚の葉が向かい合った形をしている。他の物体に触れると微粒子と化す平行植物特有の特徴を持つため、移動させることができない。色はくすんだ深い黒で、葉の表面は薄い蠟のような膜に覆われているという。

レオ・レオーニ著、宮本淳訳『平行植物』にある。通常の物理法則が通用しない、静止した時間もしくは現実と平行して存在する別の時間の中に生きているなどとされる平行植物の一種で、二枚の丸みをおびた葉が向かい合う姿をした挿絵も描かれている。しかし同書にある植物は実在する体裁で書かれているものの、すべて著者であるレオーニの創作である。平行植物の特徴そのものについては、当該項目を参照。

モンキーマン［もんきーまん］

インドの首都、ニューデリーに出現したという怪異。上半身が黒い体毛の猿、下半身が人間というような姿をした怪物で、体から赤や青の光を放つという。体長は一メートル四〇～六〇センチほどと人間に近く、鋭い爪で人を襲うとされる。

並木伸一郎著『未確認動物ＵＭＡ大全』にある。

二〇〇一年四月、モンキーマンは夜のニューデリーに現れ、連日現地のメディアを騒がせたという。また、地元では猿型のロボットが正体である、という噂も語られていたようだ。しかし次第に目撃者は減少し、いつの間にか事件は沈静化したという。

モンキーメン［もんきーめん］

ビルマ（現ミャンマー）に現れたという怪物。メコン河付近の密林に出現したとされ、身の丈三メートル以上、カーキ色の体毛を生やしており、赤ん坊の泣き声のような声を上げるという。

ジョン・Ａ・キール著『不思議現象ファイル』によれば、一九六九年に目撃された怪物だという。

モンゴリアン・デスワーム［もんごりあん・ですわーむ］

モンゴル北部のゴビ砂漠に出現するという怪異。体長五〇センチから一メートル五〇センチほどとされ、体色は赤や赤茶、茶褐色などで、斑点があるという。近づく動物に毒液や電気をまき散らし、瞬時に死に至らしめると伝わる。

並木伸一郎著『未確認動物ＵＭＡ大全』にある。

牛の腸のような姿をしていることから、現地では「オルゴコイコイ（腸虫）」の名で呼ばれているという。存在が記録されたのは一八〇〇年代初頭、ロシア人の研究チームによって確認されたとされ、現地では既に多くの犠牲者が出ていたと言われる。一九九〇年代にはチェコの動物学者イワン・マッカールによって現地調査が行われたが、実在の確認には至らなかった。しかし、聞き取り調査によってデスワームに触れた子どもが即死した、口に気泡のようなものを出現させ、それが破裂すると猛毒がまき散らされる、死骸が触れた物体は緑色に変色し、間接的にでもそれに触れると死亡する、などといった話が収集されたという。

捕獲にこそ至っていないものの、デスワームの姿を描いたスケッチは数多い。それらの絵では、ミミズのようにひだのある細長い体の先に、上下左右に開く嘴のような器官がついている姿で描かれることが多いようだ。

【や】

野人［やじん］

中国で語られる怪異。中国語では「イエレン」と発音する。人間に近い体格で二足歩行をする猿のような動物で、湖北省神農架地区で目撃されたものが有名。この地区では野人の目撃が多発しているほか、よく足跡が発見されるという。また一九五〇年代には、野人に攫われた女性が村に帰ってきて、野人の子どもを産んだ、とされる事件が起きている。この子どもは「猴娃」と呼ばれ、出生時から全身に体毛が生えていたという。また成長するにつれ頭部が小さく、三本の隆起がある、腰を曲げた独特の姿勢で歩く、といった特徴が見られるようになった。猴娃は一九九八年に病死したが、生前その姿が映像に記録されており、一九九七年に野人の調査隊が結成された際には猴娃の遺体が調べられた。しかしその調査結果は、猴娃は間違いなく人間で、小頭症という病気を患っていたため、普通の人間とは違うように見えただけだったという。その一方で、通常小頭症には見られない普通の人間よりも異常に背が高い、という特徴を持っていたため、反論もあるようだ。

妙佛著『中国 封印された超常現象』にある。並木伸一郎著『未確認動物UMA大全』によれば、一九四〇年頃には既に目撃情報があるという。また、猿人のような姿をした妖怪は中国に古くから伝わっており、実吉達郎著『中国妖怪人物事典』によれば、紀元前四世紀から紀元前三世紀頃に書かれた『山海経』には、人のように歩く猿のような妖怪「猩猩」について記されているという。また一六世紀には女性を攫う猿の怪として「玃猿」という妖怪が『本草綱目』に記されている。この猿が女性を攫うのは子を産ませるためで、子を産むと元の家に帰すものだと考えられており、先に書いた猴娃の事例と似ており、『中国妖怪人物事典』でも野人や野女の話が玃や猬（人間の男を攫って子を産む猿の妖怪）と類似していることが指摘されている。

闇のエレベーター［やみのえれべーたー］

タイに現れた怪異。ある女性が同国ナコンラチャシマー（コラート）の古いホテルに泊まった際のこと、夜の一〇時頃にホテルに帰り、エレベーターで自分の部屋のある階のボタンを押したが、なぜかエレベーターは四階で止まる。扉が開くと、その向こうはただ真っ暗な景色が広がっており、焦げ臭い臭いもした。その日はそのままエレベーターが動くのを待ち、自分の部屋へと帰ったが、翌日女性がホテルの従業員にそのことを話したところ、従業員は青ざめてこんな話をした。

数年前、そのホテルでは夜の一〇時頃に火災が発生し、最も燃え方が激しかった四階で複数人の死者が出た。その後、四階では幽霊の目撃談が多発するようになり、閉鎖された。エレベーターも四階には止まらないように設定され、扉も廊下側からロックされていたという。

何者かが女性を呼び寄せようとしていたのか、それは今も不明である。

髙田胤臣著『亜細亜熱帯怪談』にある。

【ら】

ラートプラオ通りの地縛霊
［らーとぷらおどおりのじばくれい］

タイで語られる怪異。バンコクにあるラートプラオ通りソイ六四という名前の道路には、かつて事故で死亡した大学生たちの霊が現れるという。この大学生たちは酒を飲んで猛スピードで車を運転し、そのまま歩道橋に激突して死亡したとされ、次の犠牲者を求めて事故を誘発していると考えられている。

髙田胤臣著『亜細亜熱帯怪談』による。

同書によれば、タイでは事故死のように自然死以外で死んだ人間は悪霊化しやすいと考えられており、そのような悪霊は**ピー・ターイホーン**と呼ばれる。そしてピー・ターイホーンは成仏するために自身の身代わりを用意しなければならないため、新たな犠牲者を求めるのだという。

このラートプラオ通りソイ六四では信号の青黄赤の明かりが一斉に灯るという現象が起こり、いくら修理しても直らない状況が続いているようだ。

死者が身代わりを用意しないと死後救済されないという思想は、中国の縊鬼(いき)や日本の七人ミサキなど、同じ東アジアに伝わる怪異で同様の例が見られる。

落洞
［らくどう］

中国に伝わる怪異。中国南部の湖南(こなん)省、その西部にあたる湘西(しょうせい)で確認される現象で、結婚前の若く美しい女性にのみ起こるとされる。それまで異常のなかった女性が突然幼女のような精神状態になり、食事を口にしなくなる。その肌は輝きを増し、声は美しくなり、体からは清らかな香りが漂うようになる。これは洞窟に棲む洞神という神に召されたためと考えられており、魂を抜かれ、体だけがその場に残るため、このような状態になるのだという。落洞が起きた女性は落洞女と呼ばれ、そのままだと数年で死んでしまうことから、法師に頼み、洞神に祈って魂を返してもらわねばならないという。

妙佛著『中国 封印された超常現象』にある。

ルッカ・テワダー［るっか・てわだー］

タイに伝わる怪異。樹木の精霊のことで、ナーン・マイとも呼ばれる。大樹の上に人には見えない七層の楼閣「ウィマーン」を築いており、この大樹を切り倒そうとする人間に様々な危害を加える。もしどうしても切り倒さねばならない場合は、まず供え物を捧げて許しを請わねばならないとされる。

プラヤー・アヌマーンラーチャトン著『タイ民衆生活誌（1）—祭りと信仰—』にある。

レッドレディー［れっどれでぃー］

フィリピンで語られる怪異。性暴力を受けるなど、無残な境遇で亡くなった女性の成れの果てで、さまよう姿が目撃されているという。

髙田胤臣著『亜細亜熱帯怪談』にある。

【わ】

忘れ物［わすれもの］

台湾で語られる怪異。ある学校に忘れ物が激しい生徒がいた。この生徒は何も書いていないノートを拾ったが、翌朝ノートを開くと自分が忘れたものが書いてあった。ある日、そのノートに「歯」と書いてあったが、その生徒は登校中に車にはねられて歯を一本失ったという。

伊藤龍平、謝佳静著『現代台湾鬼譚』にある。同書でも指摘されているが、この話は真倉翔原作・岡野剛作画の漫画『地獄先生ぬ～べ～』に収録された話とほぼ同様の内容となっている。これは台湾でこの漫画が出版されていることによるという。

日本でもこの話は実際に学校の怪談として語られており、現代における創作物の影響の大きさを感じさせる話である。

ワチラ病院の怪［わちらびょういんのかい］

タイで語られる怪異。バンコクの旧市街に存在する病院で、現在も開業しているが、時折怪奇現象が発生する。ボタンを押してもいないのに五階でエレベーターが止まるという話で、開いたドアの向こうは暗闇が広がっているという。

他にも自分しか乗っていないはずのエレベーターから重量オーバーのブザーが鳴る、といった怪談もあるようだ。

髙田胤臣著『亜細亜熱帯怪談』にある。

ワット・サミエンナリーへ向かう黒服姉妹［わっと・さみえんなりーへむかうくろふくしまい］

タイで語られる怪異。ワット・サミエンナリーはバンコクに実在する寺院で、元はこの寺院の前を走る国鉄の線路に、深夜、黒い服を着た姉妹が佇(たたず)んでいたという話で、二〇〇〇年代から目撃談があった。近年ではバンコクの中心部にこの姉妹が出現し、タクシーを拾うという怪談もある。この姉妹はやはりワット・サミエンナリーへと向かうよう運転手に指示するが、いつの間にか消えてしまうとされる。

髙田胤臣著『亜細亜熱帯怪談』にある。同書によれば、この姉妹は実在した人物で、チュリーとスリーという名前だった。この二人はワット・サミエンナリーの葬儀にバイクで向かう途中、寺院の前の国鉄線路で列車と衝突し、亡くなったのだという。彼女たちが黒服を着ているのは、それが喪服だったからなのだ。

ワット・プラケオの呪い［わっと・ぷらけおののろい］

タイで語られた怪異。ワット・プラケオはバンコクにあるタイで最高の地位を誇る仏教寺院であり、エメラルドで作られた仏が祀(まつ)られていることから、エメラルド宮殿の名でも知られる。

ある時、ドイツから来た観光客がこの寺院でエメラルドの破片を拾い、ガイドの許可をもらってこれを持ち帰ったところ、三年の間にあらゆる不幸が彼を襲った。これは持ち帰ったエメラルドが原因ではないかと考えた彼は、破片に謝罪の意を記した手紙を付けてタイへと返還した。この手紙と破片はタイ政府の文科省に届けられ、政府から事の顚末(てんまつ)が発表されたという。

髙田胤臣著『亜細亜熱帯怪談』にある。同書によれば、タイでは寺院にあるものを持ち帰ると不幸になるという伝承が残されているという。

column

01

空想の生き物たち

この世には、新種の生物たちが実在する体裁で記されているものの、実は内容がすべてフィクションという書籍がいくつか存在している。

ドイツの動物学者ゲロルフ・シュタイナーの著作である『鼻行類』がその代表的な作品で、シュタイナー氏の友人とされるハラルト・シュテュンプケという架空の動物学者が残した調査報告書をまとめたもの、という体裁で書かれている。本作には、ハイアイアイ群島なる架空の島に生息していたという鼻行類なる不思議な動物たちが数多に登場する。内容は学術論文のパロディとして書かれており、まるで実際に鼻行類と呼ばれる動物が存在したかのように、その詳しい生態が記録されている。また現在ハイアイアイ群島や鼻行類が確認できないのは、核実験により島ごと水没してしまったためと理由まで説明されている。ちなみにこの『鼻行類』の着想のきっかけとなったのは、19世紀から20世紀にかけてのドイツの詩人、クリスティアン・モルゲンシュテルンが書いた詩『ナゾベーム』であるという。この詩には鼻で歩くナゾベームという不思議な存在が描かれており、『鼻行類』にも同名の動物が掲載されている。

架空の植物を集めた作品もある。絵本作家のレオ・レオーニが記した『平行植物』が代表的な作品で、現実世界とは異なる時間に存在する平行植物なる不思議な植物たちが紹介されている。また存在するならば写真に写る、という現象を逆説的に利用し、架空の動物たちを写した写真を掲載することでその実在を証明するかのように見せかけたジョアン・フォンクベルタ他著『秘密の動物誌』という本もある。このように、実在する体裁で記された架空の生物を紹介した本は、案外多い。

これからもこのような本は生まれるのだろう。次はどんな不思議な生き物たちに出会えるのか、楽しみだ。

World Modern
Mysteries
Encyclopedia

Oceania

オセアニア

【さ】

スタウルの巨人［すたうるのきょじん］

オーストラリアに伝わる怪異。体長二メートル五〇センチほどの巨大な恐ろしい人間の姿をしており、鉱山の町スタウルに出現する。主に民家の庭や台所に出現し、一九七〇年代だけで一〇もの家族がこれを恐れて土地から逃げ出したという。

ピーター・ヘイニング著『世界霊界伝承事典』にある。同書によれば、この巨人の正体は全く不明だという。

【は】

バンイップ［ばんいっぷ］

オーストラリアに伝わる怪物。バニップと呼ばれることもある。湖沼に生息しているとされ、元は先住民族であるアボリジニに伝わる死や災厄をもたらす怪物であったが、現在は淡水生の怪物全体がこの名前で呼ばれる傾向にある。それは移住してきた人々にも受け継がれており、語られる形態もアザラシのよう、カワウソに似ているなど多岐にわたっている。

ジャン＝ジャック・バルロワ著『幻の動物たち』によれば、一八四六年にバンイップと思われる生物が原住民に殺害され、その頭蓋骨が調べられた。しかしその結果が分かる前に博物館の地下から消えてしまったとされる。その後も何度も目撃されているが、捕らえられることはなく、その正体は依然として謎に包まれている。

【ま】

マネモネ［まねもね］

オーストラリアなどで発見された不思議な生き物。まるで絵画に描かれた植物や、魔法使いの杖（つえ）のような綺麗（きれい）な渦巻状の葉を持つ**平行植物**の一種。人工的な印象を抱かせるこの生物は、完全に自然に生まれるものなのだという。

レオ・レオーニ著、宮本淳訳『平行植物』にある。同書によれば、「ザトウムシ」と名付けられた平行昆虫ともいうべき動物が葉に棲（す）みついているという。しかし同書にある動植物は実在する体裁で書かれているものの、すべて著者であるレオーニの創作である。平行植物の特徴そのものについては、同項目を参照。

メガラニア［めがらにあ］

オーストラリアで目撃される怪物。同国では頻繁に巨大なトカゲが目撃されており、その大きさは七メートルから九メートルに及ぶという。このトカゲは時に家畜を襲って食らい、牛をも襲うとされる。

ジャン＝ジャック・バルロワ著『幻の動物たち』では、この巨大なトカゲは遥か太古に絶滅したと考えられているメガラニアが生き残っているのではないか、という説が記載されている。メガラニアは史上最大のトカゲであったとされ、更新世（約二五八万年前から約一万年前）に生息していたと考えられている。

モコイ［もこい］

オーストラリアに伝わる悪霊。先住民族であるアボリジニの中のムルンギン人が信じているとされ、人の死や病気、怪我（けが）などが発生するのは、このモコイのためと信じられていた。この悪霊は邪悪なシャーマンによって使役され、人を襲うこともあるという。

【や】

ヤラムラハウスの幽霊
［やらむらはうすのゆうれい］

オーストラリアに現れる怪異。首都キャンベラにあるヤラムラハウスに現れる幽霊で、先住民アボリジニの召使いの亡霊と考えらえている。この幽霊は小さく、浅黒い姿をしており、庭に植えられたヒマラヤスギのうち、一本の根元にダイヤモンドが埋まっているという俗信を信じ、それを探しているのだという。

ピーター・ヘイニング著『世界霊界伝承事典』にある。

【ら】

レッタ
［れった］

オーストラリアに現存する怪異。目、鼻、口といった顔の各部位を強調するように大きく作られた長髪の男性の人形で、多くの怪奇現象を起こすという。

この人形は自立して動き回り、また近くにいるだけで気分が悪くなる、動物が人形を攻撃しようとするなどの現象が起きるようだ。またこの人形は一九七〇年代、オーストラリアのニューサウスウェールズ州にある町、ウォガウォガの廃屋で見つかった。その人形を鑑定したところ、人形は二〇〇年前に製作され、ロマ民族の特徴がある外見から、東ヨーロッパのどこかで生まれたものと推測された。またその髪は本物の人間のものが使われていた。

また、心霊研究家によれば、この人形にはかなり前に死亡した少年の霊が宿っているとされ、時折「Letta me out!」と叫ぶため、「レッタ」と呼ばれているようだ。レッタの人形は廃屋から人形を拾ってきた人間の家にまだ保管されており、不定期に公開されている。また、レッタのアカウントのFacebookが作成されており、その様子を見ることもできる。

#【わ】

ワイトレケ［わいとれけ］

ニュージーランドで目撃される謎の生物。アザラシやカワウソのような水陸両生の哺乳類と思しき姿をしているという。

これ以外には他の動物と逸脱する特徴はないが、ワイトレケが謎とされるのは、ニュージーランドには数種類の蝙蝠、鯨以外の在来種の哺乳類が生息していないことに由来する。ジャン＝ジャック・バルロワ著『幻の動物たち』によれば、ワイトレケは一八五〇年代から目撃情報があり、南島の山岳地帯の川や湖に現れたという。しかし人間がこの地に足を踏み入れてからは彼らが連れてきた数種類の哺乳類が外来種として流入したことも事実であり、その見間違いが発生していることも否定できない。

オセアニア

column

02

未確認生物

目撃証言や体毛の一部など生息の痕跡があるものの、その正体が明確になっていない生物の総称。未確認動物と呼ばれることが多いが、稀に植物を含むため、本書では生物としている。日本では「UMA」(Unidentified Mysterious Animalの略)という言葉が使われることもあるが、これは日本独自の俗語であり、欧米ではこういった動物は「隠棲動物」と呼ばれ、「隠棲動物学(クリプトズーロジー)」という研究分野として確立されている。

未確認生物とされるものには様々な種類がある。この事典に掲載したものだと、古くから伝承が残り、現在でも目撃例があるシーサーペントやモンゴリアン・デスワームなどの動物、古代の生物の生き残りと考えられているネッシーやコンガマトー、宇宙からやってきた説もあるモスマンやチュパカブラなどがいる。いずれにせよ、これらの生物のように生息している可能性が考えられているものの、科学的に実在が立証できていないものが未確認生物に数えられている。日本でも屈斜路湖に現れる首長竜のような姿のクッシーや、古来から妖怪として伝承が残り、1970年代には大ブームが起こり、現在でもその発見に1億円の賞金がかけられているツチノコなど、いくつも未確認生物が生まれている。

一方、実在が疑われていたにもかかわらず、その存在が確認された生物も多い。例えば今から4億年も前の海に生息しており、絶滅したと考えられていた古代魚シーラカンスは、1938年になって現生属(ラティメリア)が存在することが確認された。キリンの仲間であるオカピも、はじめはその実在が信じられていなかった。そして現在も、たくさんの未確認生物の調査が行われている。

このように、未確認生物の実在が、いつか立証される日が来るかもしれない。そんな日を楽しみにしていたい。

World Modern Mysteries Encyclopedia

North America

北アメリカ

【あ】

アグロペルター［あぐろぺるたー］

アメリカで語られた怪物。メイン州からオレゴン州にかけて棲み着いていたとされ、中が空洞となった枯れ木が棲み処なのだという。

その姿は細身の類人猿のようで、筋肉の鞭のような細く長い腕を持っているという。アグロペルターはこの腕を使って枯れ枝を投げつけ、敵を攻撃するが、その威力は凄まじく、人間の体ぐらいなら簡単に撃ち抜いてしまうという。

アグロペルターは普段キツツキや狼を主食とするが、森を伐採しに来る人間を憎んでいるため、時折襲ってくるのだとされる。

ウィリアム・トーマス・コックス著『木こりの森の恐ろしい動物たち、砂漠と山の獣たち』にある。同書の挿絵では、枯れ木の上で巨大な枯れ枝を鞭のような腕で振り上げ、今にも下を歩く樵に向かって投げつけようとするアグロペルターの姿が描かれている。

同書に登場する他の怪物たちと同じく、アメリカの開拓期に開拓民たちが互いに思いついた話を語ったというトール・テール（ほら話）に出てくる怪物のひとつと思われる。

アコーディアンティーター［あこーでぃあんてぃーたー］

アメリカで語られた怪物。楽器のアコーディオンのように折り畳みが可能な構造の体を持ち、それを利用して口から音を出す。昼間は日の当たらない場所で隠れて過ごし、夜になると活動するという。

アート・チャイルズ著『大きな森の物語』にある。同書には、音を奏でるアコーディアンティーターが描かれている。

アメリカの開拓期に開拓に関わった人々が互いに語ったというトール・テール（ほら話）に出てくる怪物のひとつ。

アックスハンドル・ハウンド［あっくすはんどる・はうんど］

アメリカで語られた怪物。ウィスコンシン州及びミネソタ州で目撃された。斧の刃のような形の頭部、斧の柄のような細い体に短い足の犬という姿をしており、夜行性で斧の柄を食べることで知られている。草食なのではなく、なぜか斧の柄しか食べないらしい。

ヘンリー・H・トライオン著『恐ろしい生き物』にある。同書の挿絵では月明かりの下で斧の柄を食べるアックスハンドル・ハウンドの姿が描かれている。

アメリカの開拓民たちによって語り継がれたトール・テール（ほら話）に出てくる

怪物のひとつ。

アナプレス・コミスケオス ［あなぷれす・こみすけおす］

アメリカで発見されたという不思議な生き物。ウサギのように発達した足を持つカモで、樹上生活を行うことが確認されているという。その両足を使って木の枝から木の枝へと跳躍して素早く移動し、場合によっては翼を使って長距離を飛ぶこともできるという。

ジョアン・フォンクベルタ及びペレ・フォルミゲーラ著『秘密の動物誌』にある。同書は謎の失踪を遂げた動物学者、ペーター・アーマイゼンハウフェン博士の資料を元に記されたという体裁の書籍で、通常ではありえない多数の動物が写真や解剖図、観察日記などとともに掲載されている。

しかしこれは「存在するとは写真に写るということである」という逆説を利用して未知の動物たちを紹介するものであり、掲載された動物たちは、すべてこの本のために創作されたものである。

アナベル人形 ［あなべるにんぎょう］

アメリカで語られる怪異。その外見はアメリカの絵本『ラガディ・アン&アンディ』シリーズに登場する「ラガディ・アン」と言う名の人形で、それを模して商品化したものだが、アナベル・ヒギンズという少女の霊が取り憑いているとされることから、アナベル人形と呼ばれる。

この人形は一九七〇年、大学で看護学を学んでいたドナという女性に贈られたが、いつの間にか位置が変わっているなどの怪奇現象を起こしたため、ドナとそのルームメイトのアンジー及び友人のルーが霊媒師に相談したところ、彼女らが住むアパートの建つ土地にかつてあった家で暮らしていたアナベルという少女の霊が憑いていることが分かる。

これに同情したドナは人形を部屋に置いておくことにするが、以来、人形を燃やすことを主張したルーの夢の中にアナベル人形が現れ、彼の首を絞めるようになった。それから数日して、ルーがドナたちの部屋を訪ねた際、アナベル人形に近づくと、突然胸に鋭い痛みを感じ、服を脱ぐと獣の爪痕のような傷が七つも残されていた。

そこで超常現象の研究家であるエド&ロレイン・ウォーレン夫妻が呼ばれる。彼らはこの人形の悪魔祓いを神父に頼んだ後、家に持ち帰ったが、この家でも勝手に居場所を変えるため、自宅の敷地内にあるオカルト博物館に、ガラスケースに閉じ込めた状態で安置した。

現在でもアナベル人形は博物館に展示されており、ガラスの向こうからこちらを見つめているという。

ウォーレン・オカルト博物館のホームページによれば、このアナベル人形を展示したガラスケースには「触るな」「箱を開けるな」という注意書きがなされており、触れた人間が死んだ場合は自己責任であるとされている。この人形をモデルとした人形がアメリカのホラー映画『死霊館』に登場し、日本でも有名になった。これは先に登場したエド&ロレイン・ウォーレン夫妻が実際に調査・研究してきた事例を元にして制作された映画だが、このアナベル人形の物語も映画の中で重要な役割を果たす。また、この作品はシリーズ化し、アナベル人形を主役とした『アナベル』というスピンオフ映画も制作され、こちらもシリーズ化している。ただし、映画に登場する人形の外見は、実際のアナベル人形とは異なっており、より恐ろしいものとなっている。

アミティヴィルの恐怖

[あみてぃゔぃるのきょうふ]

アメリカで発生した怪異。ニューヨーク州ロングアイランドのアミティヴィルという町の郊外にある、とある一軒家において起こった怪現象を指す。

一九七五年、この家にルッソ夫妻と三人の子どもの五人家族が引っ越してきた。この家では前年にデフェオ一家殺害事件という大量殺人事件が起きていた。これはロナルド・デフェオ・ジュニアという人物が自分の家族である父、母、四人の弟妹を殺害した事件であり、このために格安で家が売られていたのだ。

ルッソ夫妻は迷信家ではなかったため、値段に惹かれてこの家を購入したが、一九七六年一月一四日から二八日間にわたっておびただしい怪現象が一家を襲うこととなった。頭巾を被った幽霊の出現、骨を凍らせるような寒気と息も詰まるような熱気、夜ごとに現れる霊の一団などの現象があり、ついに一家は家を手放し、引っ越していった。

この事件はノンフィクション作品として『アミティヴィルの恐怖』にまとめられ、一九七七年に出版されてベストセラーとなった。しかしこの作品は大部分がフィクションであったことが分かっており、実際には多くの怪現象は起きていないと考えられている。

ジェイ・アンソン著『アミティヴィルの恐怖』、ローズマリ・E・グィリー著『妖怪と精霊の事典』による。『アミティヴィルの恐怖』は一九七九年に『悪魔の棲む家』として映画化されており、『エクソシスト』や『オーメン』などのヒットによってオカルト・ブームが巻き起こっていた映画界では大ヒットを記録した。同作品は二〇〇五年にリメイクされている。

歩く切株

[あるくきりかぶ]

アメリカに現れたという怪物。オレゴン州ニューポートにて、一六歳の少女に目撃されたという不可思議な現象で、オレンジ色、淡青色、白色、黄色、メロン色と様々に色を変えながら、三つの切株が自立して歩いていたという。

ジョン・A・キール著『不思議現象ファイル』に載る。

アンサーバック
［あんさーばっく］

アメリカで語られた怪物。鳥の姿をした怪物で、派手な色の羽毛を持つ。オウムのように人間の言葉を覚え、そのまま発音することができ、よく人の近くに現れてその人間が発した言葉を真似する。しかし、なぜかその姿は滅多に見ることができず、声だけが聞こえてくるという。

アート・チャイルズ著『大きな森の物語』にある。同書には、木の枝で鳴き声を上げるアンサーバックの姿が描かれている。

アメリカの開拓期に生まれた民話のひとつ、トール・テール（ほら話）に出てくる怪物と思われる。

インプロビダス・ブッカペルタ
［いんぷろびだす・ぶっかぺるた］

アメリカで発見されたという不思議な生き物。アリゾナ州のソノラ砂漠で捕獲された奇妙な動物で、甲羅を持ったアルマジロの体にワニの頭がくっついたような姿をしている。肉食で小鳥を餌とし、昼間は土の中で過ごすが、夜になると狩りを開始する。その甲羅の中に熱を吸収保全する腺を持ち、寒冷な砂漠の夜でも自由に行動できる。

捕食行動はサボテンの上に立ち、口を開けてそこから甘い匂いを発する。それに釣られて小鳥が口の中に入ってくると、舌を使って口蓋に小鳥を叩き付け、ゆっくりと飲み込むという。

ジョアン・フォンクベルタ及びペレ・フォルミゲーラ著『秘密の動物誌』にある。同書は謎の失踪を遂げた動物学者、ペーター・アーマイゼンハウフェン博士の資料を元に記されたという体裁の書籍で、通常ではありえない多数の動物が写真や解剖図、観察日記などとともに掲載されている。

しかしこれは「存在するとは写真に写るということである」という逆説を利用して未知の動物たちを紹介するものであり、掲載された動物たちは、すべてこの本のために創作されたものである。

ウァーリング・ウィンパス
［うぁーりんぐ・うぃんぱす］

アメリカで語られた怪物。テネシー州のカンバーランド高原に棲み着いているとされ、その姿はゴリラに似ているが、体長は二メートル以上あるという。知能が高く、道の曲がり角に隠れて獲物を待ち構え、獲物が近づいてくると片足で素早く回転する。するとウァーリング・ウィンパスの姿が見えなくなり、蜂が飛ぶような音がするため、獲物は空を見上げる。直後、ウィンパスは獲物に襲い掛かり、巨大な前足で潰してしまう。そうしてペースト状になった哀れな犠牲者を食すのだという。

ウィリアム・トーマス・コックス著『木こりの森の恐ろしい動物たち、砂漠と山の獣たち』にある。同書には道の曲がり角で獲物を待ち構えるウィンパスの姿のイラストが描かれている。

同書に登場する他の怪物たちと同じく、アメリカの開拓期に開拓に関わった人々が焚火を囲んで語ったというトール・テール（ほら話）に出てくる怪物のひとつと思われる。

ヴァンパイア・キャット

［ゔぁんぱいあ・きゃっと］

アメリカに現れた怪物。体長一メートル五〇センチ、体重が七〇キロ以上ある巨大な獣で、熊や豹のような姿だが、頭は猫に似ているとされる。尻尾は一メートルと長く、毛の色は黒と暗い茶色で、一九五四年にノースカロライナ州のブラデンボロに出現した。犬、ヤギ、豚、牛などを襲い、ことごとくそれらの頭を砕いて血液の大半を吸い取る、という方法で捕食していた。しかし同年、ハンターたちの仕掛けた罠に大山猫がかかっており、これを殺害したところ、被害はやんだ。

この大山猫がヴァンパイア・キャットの正体だったのか、それともハンターたちの登場でヴァンパイア・キャットは逃げてしまったのか、それは不明であるという。

並木伸一郎著『最強の都市伝説2』にある。

ウィッフェンプーフ

［うぃっふぇんぷーふ］

アメリカで語られた怪物。完全に円形になっている湖にのみ出現する魚で、しかも正確にその中心に行かないと捕まえることはできないとされる。これを吊り上げる方法としては、湖の中心点にボートを漕ぎ、水中に四角い筒状のものを入れる。そしてその筒の中にチーズを入れると、香りに誘われてウィッフェンプーフが顔を出す。この時、タバコを吸って吐きかけると、激怒して体を膨らませるため、筒に詰まって固定され、簡単に捕まえることができるようになる。

この魚の肉は非常に美味であるため、これを味わうために人々はウィッフェンプーフを捕まえるのだという。

ヘンリー・H・トライオン著『恐ろしい生き物』にある。同書の挿絵では、ウィッフェンプーフが捕らえられようとする場面が描かれている。

同書に登場する他の怪物たちと同じく、アメリカの開拓期に樵や猟師たちが語ったというトール・テール（ほら話）に出てくる怪物のひとつ。

ウィンチェスター・ミステリー・ハウス

［うぃんちぇすたー・みすてりー・はうす］

アメリカで語られる怪異。同国カリフォルニア州サンノゼに現存する屋敷で、有数の幽霊屋敷として有名。ウィンチェスター・ライフルなどの銃に関するビジネスで知られた実業家ウィリアム・ワート・ウィンチェスターの未亡人、サラ・ウィンチェスターが住んでいた邸宅であったが、彼女がここに住み始めてから死亡するまでの三八年間にわたり増築が続けられたことで知られる。

サラは増築を続けなければウィンチェスター家が代々製造してきた銃で殺された幽

霊に祟られると信じており、その発端は霊媒師の助言だったと考えられている。ウィンチェスター・ミステリー・ハウスの公式ホームページによれば、霊媒師はサラにアメリカ西部に銃で殺された人のために家を建てること、そして絶えず増築を続けることと、そうしなければ死んでしまうことを教え、サラはそれに従ったとされる。

現在は観光地となっているこの屋敷だが、今でも銃で殺された人々の幽霊が出現すると噂されており、それを目当てにした肝試しツアーまで組まれている。

ウィントッサー［うぃんとっさー］

アメリカで目撃された怪物。カリフォルニア州のコースト山脈に現れた奇怪な生物で、三角柱の胴体を持つ。その各側面に四本ずつ、計一二本の足があり、その足を使ってどんな壁面や天井も歩くことができる。首と尾は三六〇度回り、しかも一分間に一〇〇回の速度で回転する。そして毛は硬く鋭く、撃ったり殴ったりしても殺すことができない。これを殺すための唯一の方法は、狭いパイプの中に閉じ込めることで、そうするとパイプの壁面に接したすべての足が別々の方向に走りだそうとし、その体を自ら引き裂いてしまうのだという。

ウィリアム・トーマス・コックス著『木こりの森の恐ろしい動物たち、砂漠と山の獣たち』にある。

同書の挿絵では、人を食らった後と思しき口から血を滴らせるウィントッサーと、散らばった人骨が描かれている。

同書に登場する他の怪物たちと同じく、アメリカの開拓期に開拓に関わった人々の間に生まれたトール・テール（ほら話）に出てくる怪物のひとつ。

ウェディングドレスのホワイトレディ［うぇでぃんぐどれすのほわいとれでぃ］

アメリカで目撃される怪異。コネチカット州イーストンのユニオン墓地に現れるという幽霊で、ウェディングドレスを着た女性の姿をしている。よく墓地の近くの道路で目撃され、自動車で轢いてしまったと思い、車を降りて確認すると、どこにもその姿がない、ということが度々起きているようだ。

ロバート・グレンビル著『絶対に出る 世界の幽霊屋敷』にある。同書によれば、この幽霊が初めて目撃されたのは一九四〇年代まで遡り、今でもこの幽霊を見ようと多くの人々がこの墓地を訪れるという。

ウムフ［うむふ］

アメリカで語られた怪物。犬のような大きさの体にトカゲのような鋭い爪を持ち、背中には棘が生えているという。鳥の巣を好んで襲い、その卵を食べるが、その際に唸り声を上げる。この音が名前の由来だという。

アート・チャイルズ著『大きな森の物語』にある。同書には、斑点のある巨大なトカゲのような姿でウムフが描かれている。

同書に登場する他の怪物たちと同じく、アメリカの開拓期に開拓に関わった人々が焚火（たきび）を囲んで語ったというトール・テール（ほら話）に出てくる怪物のひとつと思われる。

エイプマン［えいぷまん］

アメリカに現れたという怪物。カリフォルニア州のボレゴ・スプリングでハロルド・ランカスターという人物が埋宝（まいほう）を探すための試掘している際、彼に近づいてきたが、ピストルを空に向かって撃って威嚇したところ、逃げて行ったという。

ジョン・A・キール著『不思議現象ファイル』によれば、一九六八年七月に目撃されたという。具体的な姿の描写はないが、名前から考えて猿、もしくは類人猿のような姿をしていたものと思われる。

エディンボロ・モンスター［えでぃんぼろ・もんすたー］

アメリカに現れたという怪物。ペンシルベニア州エディンボロのエディンボロ湖岸に現れたという、人とも獣ともつかないと形容される生き物で、二メートル七〇センチ以上の大きさであったという。

ジョン・A・キール著『不思議現象ファイル』によれば、一九六六年に目撃されたという。また、この怪物と遭遇した人物は三日間口がきけなくなった、という報告もあったようだ。

オゴポゴ［おごぽご］

カナダに伝わる怪物。同国ブリティッシュコロンビア州のオカナガン湖にいるとされ、昔からネイティブアメリカンに「ナイタカ」といった名前で伝えられてきた存在と同一視される。目撃談は数多く、その姿は体長六～三〇メートル、体は蛇のように細長いが、背中にコブがあり、頭は牛もしくは馬に似ていて、尾びれを持つとされる。おとなしく、人に危害を加えることはあまりないという。

並木伸一郎著『未確認動物UMA大全』によれば、一八七二年の目撃談が最初の確認例であるという。その後、二〇世紀に入っても何度も目撃されており、一九七六年にはその姿が写真に収められた。その正体は魚類、爬虫（はちゅう）類、絶滅を免れた首長竜の一種など様々な説があるが、現在に至ってもオゴポゴが捕獲された例はないようだ。

【か】

ガイアスカタス［がいあすかたす］

アメリカで語られる怪異。アメリカ全土で語られる謎の存在で、以下のような話の中に登場する。

ある二人のうさんくさい兵隊が、危険を冒して生け捕りにしたガイアスカタスを見物料をくれれば見せると触れ歩く。この噂は広まり、入場券はすべて売り切れ、集まった大勢の人間の前で兵隊のひとりがガイアスカタスがいかに恐ろしい動物であるかを説明し、もう一人はカーテンの向こうでなるべく恐ろしい声を出す。観客が次第に不安になってきた頃、説明をしていた兵隊が突然「大変だ！　ガイアスカタスが逃げ出した！」と叫び、観客たちに避難を促す。するとすっかり彼の説明と演技を信じ切った観客たちは我先にと逃げ出す。

もちろんガイアスカタスを直接見た人間はいない。ガイアスカタスは謎の怪物のままなのだ。

ベン・C・クロウ編『ジャージーの悪魔』にある。つまりガイアスカタスは二人の兵隊がでっちあげた架空の怪物で、実体はないということになる。日本でもただひたすら恐ろしいということだけが伝わり、内容が分からない**牛の首**の怪談があるが、ガイアスカタスの場合、名前と恐ろしい怪物である、という情報は豊富にもかかわらず、実体がない、という形で観客を騙す展開が面白い。

海中の雪男［かいちゅうのゆきおとこ］

バハマにあるビミニ島の北部の海で確認された怪物。一九六八年、ブルース・ムニエというダイバーが猿の顔をしたウミガメと出会った。彼はこの奇妙な生物を、「海中の雪男」と呼んだという。

ジャン＝ジャック・バルロワ著『幻の動物たち』にある。

鉤手の男［かぎてのおとこ］

アメリカで語られた怪異。その名の通り失った片手に鉤爪をつけた男で、刑務所や精神科病院を抜け出してきた殺人鬼だと語られる。この怪人が登場する怪談では、路肩に止めた車で性行為をしようとしたカップルが、ラジオでこの殺人鬼の話を聞いて恐ろしくなり、車を発進させて家に帰ったところ、車のドアを見ると血まみれの鉤爪がぶら下がっている、という展開が語られる。このカップルは、偶然にも襲われる寸前で車を発車させたため、鉤手の男から逃れることができたのだ。

ジャン・ハロルド・ブルンヴァン著『消

えるヒッチハイカー』によれば、一九五〇年代後半頃から語られた怪異のようで、一九五九年にはアメリカ中のティーンエイジャーがこの話を知っていたほどに広まっていたという。

カクタス・キャット［かくたす・きゃっと］

アメリカで語られた怪物。アリゾナ州のプレスコットとツーソンの間のサボテンの生えた地域によく現れ、「サボテンネコ」と訳せる名前の通り棘のような体毛を生やしており、特に後頭部の毛が長く、鋭いとされる。また尾は成長したサワロサボテンのようにいくつかに分岐しており、前足にはナイフのように鋭い骨が露出している。カクタス・キャットはこの骨や棘を使ってサボテンの根元を切り、樹液を出してそれを発酵させる。そしてメスカル（テキーラの一種）のようになったその液体を好んで飲み、まるで酔っぱらったような様子を見せるという。

ウィリアム・トーマス・コックス著『木こりの森の恐ろしい動物たち、砂漠と山の獣たち』にある。同書にはカクタス・キャットが、月夜の下、サワロサボテンと思しきサボテンの根元を切る姿や、酔っぱらって踊る姿が描かれている。

同書に登場する他の怪物たちと同じく、トール・テール（ほら話）の怪物のひとつ。

ガズンク［がずんく］

アメリカで語られた怪物。嘴に穴がある鳥で、足を器用に使って穴を塞ぎ、まるでフルートのような音を奏でるのだという。これはガズンクがまだ幼かった頃、キツツキによって空けられた穴である、という話もあるようだ。

アート・チャイルズ著『大きな森の物語』にある。同書には、嘴の穴に足の指を入れ、音を奏でるガズンクの姿が描かれている。

同書に登場する他の怪物たちと同じく、アメリカ北部の森でガイドをしていた人々が語った物語に登場する怪物のひとつ。

カム・アット・ア・ボディ［かむ・あっと・あ・ぼでぃ］

アメリカで語られた怪物。ウッドチャックに似ているが、ビロードや子猫のように非常に柔らかな毛皮を持つ。

ずんぐりした小さな動物で基本的に無害だが、人が近くを通りかかると、急に走り寄ってきて猫のように嘔吐し、逃げ去って行くことがあるという。

ヘンリー・H・トライオン著『恐ろしい生き物』にある。同書の挿絵では樵の傍に駆け寄ってきたと思しきカム・アット・ア・ボディの姿が描かれている。

アメリカの開拓期に開拓に関わった人々が焚火を囲んで語ったというトール・テール（ほら話）の怪物のひとつと思われる。

ガムベルー［がむべるー］

アメリカで語られた怪物。グレイス・ハ

ーバーからフンボルト湾にかけての地域に出現するという熊のような生き物で、杉の根元に棲む。この棲み処から出てくるときは空腹時で、とにかく旺盛な食欲を誇り、食べ物に見えるものはなんでも食べるほか、馬一頭を一呑みにしてしまう。体表はゴムのようで毛がなく、丸い体も相まってゴムまりのように見える。この体は非常に弾力性に富み、銃弾を撃たれようが岩を投げつけられようが受けた攻撃をそのまま跳ね返すことができる。さらに死が近づくとその体を爆発させ、周りのものを吹き飛ばす。この時、周囲ではセルロイドやゴムが燃えるようなにおいがするという。

　ウィリアム・トーマス・コックス著『木こりの森の恐ろしい動物たち、砂漠と山の獣たち』にある。人間と対峙するガムベルーの姿がイラストとして描かれている。

　アメリカの開拓期に生まれたトール・テール（ほら話）に出てくる怪物のひとつ。また、日本にも人間が近づくとその体を爆発させる小玉鼠という妖怪がいる。

カリフォルニアの胎児

［かりふぉるにあのたいじ］

　アメリカで目撃された怪物。カリフォルニア州ロサンゼルスにて、二〇一五年、ある女性が発見した奇妙な死体のこと。腕がなく、足が二本あり、薄桃色の肌、太く長い首に目と口のある頭部、という奇怪な姿をしており、宇宙人の胎児であるなどと言われている。インターネット上ではこの生物の写真がアップされており、その不気味な姿を見ることができる。

カレドニアミルズの火のお化け

［かれどにあみるずのひのおばけ］

　カナダに現れた怪異。一九二一年、ノヴァスコシア州カレドニアミルズの農家で突然火が点き、建物の一部が焼き払われ、家具が燃えた。それ以降もこの怪現象は続き、その際には怪光が点滅したり、怪音が鳴ったりすることもあったという。

　ピーター・ヘイニング著『世界霊界伝承事典』にある。

カロポード

［かろぽーど］

　アメリカで語られた怪物。春になるとノースウッズに現れるという不思議な生き物で、頭頂部に結び目のような呼吸器、トランペットのような形をした鼻、二列に穴の開いた胸を持つ。カロポードはこの呼吸器を使って息を吸い込み、胸の穴を手の指でいくつか押さえ、鼻から息を吐き出すことで、まるで楽器を演奏しているかのように音楽を奏でるという。

　アート・チャイルズ著『大きな森の物語』にある怪物のひとつ。同書には、音楽を奏でるカロポードの姿が描かれている。

キメラ・ハウス

［きめら・はうす］

　アメリカで語られる怪異。都市伝説のひとつで、アメリカのどこかに存在する古い館のようなイメージで語られる。端的に言えば本物の怪物が出てくるお化け屋敷で、一三階建てとされることが多い。

フロアごとに入場料が求められ、フロアひとつ、もしくはすべてを踏破すると賞金を受け取れるが、すべてのフロアに行って無事に帰ってきた人間はいないという。

フロアごとに様々な怪物に襲われるとされ、毒のある普通の動物から幽霊やエイリアン、ゾンビや凶悪なクリーチャーなど様々な存在が襲って来るという。

ＷＥＢサイト「Snopes」などによる。二〇〇三年公開のホラー映画『マーダー・ライド・ショー』は、この都市伝説の影響を受けているという。

キャビット［きゃびっと］

アメリカで目撃された怪異。その名前の由来は「キャット」＋「ラビット」で、上半身が猫、下半身がウサギという姿をしている、一九七七年、ニューメキシコ州の砂漠で捕獲され、新聞やテレビで紹介されたが、捕獲したヴァル・チャップマンという人物もろとも行方が分からなくなった。このほかにもインディアナ州グリーンフィールドでも目撃されている。

その正体は遺伝子研究所から逃げ出した猫とウサギの混血種である、などとされるが、真相は不明である。

並木伸一郎著『未確認動物ＵＭＡ大全』にある。

キャンプファイヤー・クリーチャー［きゃんぷふぁいやー・くりーちゃー］

アメリカに現れた怪物。体毛のない全裸の人間のような姿をしており、四つん這いで走り回る様子が映像に残されている。この映像がキャンプファイヤーの様子を撮影したものであったことから、この名前で呼ばれるようになった。

元の動画は二〇〇九年一月三〇日、「Campers catch weird creature on film」というタイトルで「ＹｏｕＴｕｂｅ」に投稿された。

その姿や四つん這いで走る様子から、ネイティブアメリカンに伝わり、現代でも目撃談のあるスキン・ウォーカーと同一視されることも多い。

凶運のスカイウェイ橋［きょううんのすかいうぇいばし］

アメリカで語られる怪異。フロリダ州タンパ湾に架かるサンシャイン・スカイウェイ橋は、様々な不幸な事故が起きたことで知られている。

現在の橋が開通したのは一九八七年だが、それ以前には一九五四年に開通した橋が使われており、一九八〇年に複数の事故が発生し、崩壊した。

まず一月に沿岸警備隊と石油タンカーが激突する事故がこの橋の付近で発生し、警備隊員が二三人死亡した。二月には貨物船が橋脚に激突し、その一〇日後には航路を誤ったタンカーが激突した。

そして五月九日、最悪の事故が発生する。貨物船サミット・ヴェンチャーが橋の主要橋脚に激突し、道路が崩落した。これにより橋を走行していたバスや乗用車がタンパ湾に落下し、計三二人が死亡した。

こうして役割を終えた旧サンシャイン・スカイウェイ橋だが、地元の漁師の中には、この橋は開通当初から呪われていたという話をする者もいる。実は建設中にコンクリートに落下した作業員がいたが、その遺体は回収されないまま埋められた。橋はその人物に呪われたのだという。

実際、一九八〇年の事故以外にも、この橋では自殺が多発している。これは新しくなった橋でも変わらず、数百人の人間がこの橋から身を投げているという。

N・ブランデル他著『世界怪奇実話集』にある。アメリカで自殺者が多発する有名な橋としては他に**ゴールデン・ゲート・ブリッジ**がある。

狂乱する椅子［きょうらんするいす］

アメリカに現れたという怪異。ニューヨーク州のスケネクタディのある家は、幽霊が出現するという理由で格安で貸し出されていた。ある一家がこの家に越してきたところ、夜に屋根裏部屋から何かが跳ね回るような音が聞こえてきた。音はそのまま階段を下り、地下室へと向かっていく。

そこで一家は起きて地下室に様子を見に行くと椅子があり、その足の一本が一点を指し示していた。そのためその場所を掘ってみると、血みどろの男の死体の入った箱が見つかった。

しかし一家はこの死体を放置して家を出ることを決めた。なぜなら引っ越してきたばかりの自分たちがこのことを知らせたところで、死体を隠しにこの街にやってきた殺人犯と疑われることは明白だったからだ。

それを見た椅子はますます狂乱し、けたたましい音を立てながら階段を上り、屋根裏に上がって天井を落とすかのような勢いで跳ね回り始めた。それでも一家は何とか家を出て引っ越すことができたという。

ベン・C・クロウ編『ジャージーの悪魔』にある。

巨大ナマズ［きょだいなまず］

アメリカの南西部から南部のあるダムの貯水池に問題が起きた際、調査のために雇われたダイバーが水中に潜ったところ、人を丸呑みできそうなほどの大きさのナマズが何匹も泳いでいたという。

ジャン・ハロルド・ブルンヴァン著『メキシコから来たペット』にある。同書によれば、この巨大ナマズの都市伝説はアメリカ各地で語られているといい、それぞれの地域の貯水池や湖が舞台とされているようだ。また、ナマズではなくコイとなっている場合もあるという。

キルロイ［きるろい］

アメリカで語られた怪異。第二次世界大戦の頃に頻繁に見られた落書きで、壁の向こうから長い鼻を出した何者かがこちらを見つめている姿で描かれ、「Kilroy was here」（キルロイ参上）と記されていることが多い。

この落書きはどこにでも描かれ、戦時中、敵の勢力範囲にある地区や、上陸作戦の舞台となる場所など、危険なところにもキルロイは参上した。戦後も世界中で描かれたが、現在では廃れてきており、目撃されることは少なくなっているという。

ポール・ファッセル著『誰にも書けなかった戦争の現実』では、アメリカ空軍軍曹フランシス・J・キルロイが自身を元祖だと主張している説や、マサチューセッツ州の造船所で監督をしていたジェームズ・J・キルロイが点検済みという印にこのキルロイの絵を描いた、という説を紹介しているが、いずれの説も肯定していない。むしろ、キルロイは架空の人物であり、恐れ知らずに仕事をやってのけ、戦争に勝利したいという兵隊の夢の具現化なのではないか、と記している。

首なし将校［くびなししょうこう］

アメリカで語られる怪異。ニューヨーク州のオールド・フォート・ナイアガラは、フランス軍が一八世紀にナイアガラの河口付近に建てた要塞だが、ここにはフランス軍の将校の幽霊が出るという。

かつてこの要塞に駐屯していた二人のフランス人将校が同じネイティブアメリカンの女性に懸想し、酔っぱらった勢いで決闘を始めてしまう。その結果、片方が片方を殺害する事態となり、我に返った勝った方の将校は、罪に問われることを恐れて偽装工作を始めた。死んだ将校の首を斬り落とし、体を井戸に落としてネイティブアメリカンに殺されたものと思わせるように細工したのだ。

しかし、それから数週間後に井戸の中から叫び声が聞こえるようになり、やがて首のない将校の幽霊が現れるようになった。そこで井戸を調べたところ、その将校の首なし死体が見つかり、犯人は捕まって絞首刑に処せられた。しかし現在でも満月の夜には、首のない将校が自分の頭を探して井戸を上ってくるという。

ロバート・グレンビル著『絶対に出る　世界の幽霊屋敷』にある。

グランチ［ぐらんち］

アメリカルイジアナ州最大の都市、ニューオーリンズにて語られていたという怪異。体の半分が羊、もう半分が人間の怪物とされ、人を襲うという。これに襲われたあるカップルは、二人とも殺されて木に吊るされていたなどと語られる。

ジャン・ハロルド・ブルンヴァン著『消えるヒッチハイカー』によれば、この怪物はニューオーリンズ周辺の限られた地域で、若者たちの間で噂されていたのだという。その噂は「ボーイフレンドの死」という都市伝説に重ね合わされているとされる。「ボーイフレンドの死」とはあるカップルが自動車でデートに赴いた帰り、ラジオから、付近の刑務所から殺人鬼が脱走したというニュースが聞こえてくる。直後、自動車のエンジンにトラブルがあり、動かなくなる。そこで男は恋人に車から出ないように言ってエンジンを見に行くが、いつまで経っても帰ってこない。ただ車の天井をこするような音（窓を叩く音の場合もある）が夜の間中聞こえ続け、女はひたすらその恐怖に耐え続ける。やがて夜が明け、慌てた様子の通行人により、車の外に出された女は、そこで車の上で首を吊るされ、死んでいる恋人の姿を見る。車の天井をこする音は、殺人鬼によって殺され、首を吊るされた恋人が風に揺れた際、その足の先が車をこすっていた音だったのだ、という内容の都市伝説だ。グランチの話の場合、この殺人鬼の役割を果たすのが、半獣半人の怪物となっているようだ。

グランドファーザー・クロック
［ぐらんどふぁーざー・くろっく］

カナダで語られた怪異。二〇世紀のこと、マニトバ州のウィニペグに、グランドファーザー・クロック（現在でいうホールクロック）をとても大切にしているステファンという老人がいた。彼は七二歳で亡くなったが、彼がその死を迎えた時刻に、グランドファーザー・クロックも時を止めた。

グランドファーザー・クロックは伝統的に男性の血筋が受け継ぐことになっていたが、ステファンには息子がいなかった。そのため彼の妻であるモリーは時計をそのまま持っていることにした。

それから約一年が経った頃、グランドファーザー・クロックが突然動き出す、ということがあった。モリーは隣人とこの不思議な現象について話していたところ、娘の夫から電話があり、男の孫が生まれたという報告を受けた。

その誕生した時間は、ちょうどグランドファーザー・クロックが動き出した時間と同じだった。

主人の死とともに時を止めていた大きな古時計は、新たな継承者の誕生とともに息を吹き返したのだ。

ジョン&アン・スペンサー著『世界怪異現象百科』にある。

グリーンマン
［ぐりーんまん］

アメリカのペンシルベニア州に現れるという怪人で、「顔なしチャーリー」とも呼ばれる。同州のピッツバーグには、夜になると全身を緑色に光らせて通りをうろつき、人間を見つけると捕まえて棲み処であるトンネルに連れ去るグリーンマンの噂が流布している。その正体は、雷に撃たれる事故によって顔が潰れ、全身が緑色に光るようになったチャーリーという人物で、自分を煙たがる周りの人間たちを恨み、復讐するようになったのだという。

並木伸一郎著『ムー的都市伝説』によれ

ば、この怪人にはモデルとなった実在の人物がいるのだという。それが一九一〇年に生まれたレイモンド・ロビンソンという人物で、子どもの頃、事故で電線に絡まったことで大火傷を負い、顔の大部分を失ってしまった。以来、彼は人目につかない夜のうちに散歩することを楽しみにしていたが、心ない住人たちによって笑いものにされたという。それでもレイモンドが人を恨むことはなく、求められれば一緒に写真を撮るなどしていた。

実在したレイモンドは、決して怪人などではなかったのだ。

グリドルグリーザーピート［ぐりどるぐりーざーぴーと］

アメリカで語られた怪物。豚の頭を持つ小さな人間、といった姿の存在で、牧場の周りをさまよっていたところをある人間に保護されたという。その人間はグリドルケーキ（パンケーキ）を非常に好んだため、グリドルグリーザーピートにグリドルケーキを作るのを手伝わせた。それによれば、グリドルグリーザーピートの足にベーコンの切り身を固定し、スケートをするように特製の鉄板の上を歩かせ、脂を鉄板の上に引かせたのだという。

アート・チャイルズ著『大きな森の物語』にある。同書には、グリドルグリーザーピートが鉄板の上をベーコンの靴でスケートをする姿が描かれている。

かつてアメリカ北部でノースウッズのガイドをしていた人々が語った物語に登場する怪物のひとつと思われる。

グリンニングマン［ぐりんにんぐまん］

アメリカのニュージャージー州に出現すると言われる怪人。「笑みを湛える」という名の通り、常に不気味な笑みを浮かべている男の姿をしており、その身長は二メートルを超えるという。肌は緑色で、瞳は赤く、時速四〇キロから二〇〇キロの速さで走り回るとされる。

並木伸一郎著『ムー的都市伝説』によれば、この怪人が初めて目撃されたのは一九九六年一〇月一一日、ニュージャージー州のエリザベスという町で、真夜中に歩いていた少年たちが遭遇したという。

黒豹の怪［くろひょうのかい］

アメリカに現れたという怪異。一九六七年の秋、コネティカット州の街中で黒豹が多くの人々に目撃されるということがあった。しかし、この黒豹は追いかけると姿を消してしまい、誰も捕らえることはできなかった。また、同州のどの動物園やサーカスでも、豹が逃げ出したという報告もなかった。

黒豹は最後に林の中に入っていくのを目撃されたが、その林の中にあったのは真っ二つに切断されて殺されたリスの死骸だけで、それ以降黒豹が姿を現すことはなかったという。

ジョン・A・キール著『不思議現象ファ

イル』では、この黒豹は化け猫の一種と記されている。

クロプシー［くろぷしー］

アメリカで語られる怪異。ニューヨーク州のスタテンアイランドで噂(うわさ)される、森に住み着いているという怪人で、夜な夜な町に現れては一人で歩いている子どもを捕まえ、その腹を裂いて内臓を奪うとされる。

この怪人の正体は廃病院に住み着いている精神障害患者とされ、凶器として斧(おの)か鉤爪(かぎづめ)を使うという。

WEBサイト『THE LINEUP』などによる。

クロプシーは元々、親が子どもに対し、夜遊びを戒めるために語るようになった怪人と考えられているが、そのモデルはスタテンアイランドに実在した殺人鬼、アンドレ・ランドとする説もある。この人物は少女を誘拐し、殺害した人物で、これが子どもを攫(さら)って殺すクロプシーの伝説に影響を与えたという。しかし実際に殺人が判明したのは一九八七年であり、クロプシーの噂はそれ以前から語られているため、直接的な影響があったかは定かではない。アンドレはそれ以前にも少女誘拐事件を起こしているため、そちらがモデルになった可能性はある。

一九八一年のスプラッター映画『バーニング』にはクロプシーという殺人鬼が登場するが、このキャラクターも都市伝説のクロプシーがモデルになったとされる。しかしこの殺人鬼はキャンプ場の管理人で、子どもたちのいたずらによって大火傷(おおやけど)を負い、その復讐(ふくしゅう)のために殺人を行っている設定とされている。また凶器としては大ばさみを使う。ちなみに日本公開版では殺人鬼の名前が「バンボロ」とされていることから、関連が余計に分かりづらくなっていた（現在のソフトでは「クロプシー」になっている）。

また二〇〇九年にはこの都市伝説を追うドキュメンタリー映画『クロプシー』が公開されている。

グロフリコプス［ぐろふりこぷす］

アメリカで語られた怪物。ホタルのように体から光を発する昆虫とされ、「夜の森の警察」などと形容される。ネイティブアメリカンたちによれば、グロフリコプスはギッチ・マニトウに森の警護の役割を与えられたとされ、グロフリコプスがいなければフクロウやネズミ、その他の獣や鳥は今よりも遥かにいたずらばかりしていたと考えられているという。

アート・チャイルズ著『大きな森の物語』にある。同書には、グロフリコプスと思(おぼ)しき節足動物の姿が描かれている。ギッチ・マニトウは実際にネイティブアメリカンの間に伝わる精霊で、世界の創造主などとも伝えられている。

アメリカ北部の森でガイドたちが語った物語に出てくる怪物のひとつと思われる。

下水溝の白いワニ［げすいこうのしろいわに］

アメリカで語られた怪物。ニューヨークの下水道には、白色の体表を持つ巨大なワニが潜んでいる。このワニはかつてペットとして飼われていたが、飼育しきれなくなった飼い主がトイレに流すなどして下水溝に落ち、生き延びたものだという。このワニは日の当たらない地下で育ったため鱗は白く、目は見えず、下水道のネズミや流されてきた薬品などを摂取したため、通常よりも巨大なのだという。また、ニューヨークの下水道にいるのは一匹のワニではなく、同じように捨てられ、巨大に成長したワニたちが群れを成して生活しているとされることもある。

恐らく一九世紀には既に存在していた都市伝説だが、ジャン・ハロルド・ブルンヴァン著『消えるヒッチハイカー』によれば、アメリカの人類学者、ローレン・コールマン氏が実際に下水溝にワニが棲み着いていた例として、一九三五年二月一〇日の「ニューヨーク・タイムス」に下水溝で見つかったワニが捕まえられ、レスキュー隊に射殺されたという記事が載せられていることを発見し、紹介したという。日本にもこの都市伝説は輸入され、舞台を日本として語られることも多い。

一九八〇年にはアメリカにてこの都市伝説を題材にした映画『アリゲーター』（原題『Alligator』）が公開され、ここでは下水道に捨てられたペットのワニが研究所から下水道に投棄された成長ホルモン実験動物を食らったために体長10メートル以上の巨大ワニと化して大暴れする様が見られた。

ケム・トレイル［けむ・とれいる］

アメリカ及びヨーロッパに現れる怪異。飛行機雲のような見た目をした雲だが、長時間にわたって消えず、やがて拡散して普通の雲となる。しかしこの雲は時に朱色や虹色に変色し、粘着性の物体やミルク色の液体を落とすことがある。さらにこの雲が現れた地域の住民が健康被害を訴えることも多発しており、その正体は化学兵器や気象コントロール実験ではないか、という説が語られているようだ。

並木伸一郎著『最強の都市伝説2』にある。同書によれば、この奇妙な雲は一九九九年頃から欧米で目撃されているという。

恋文のレプリカ［こいぶみのれぷりか］

アメリカで語られる怪異。テキサス州のオースティンにあるドリスキルホテルに展示されていたという絵画で、薔薇の花束を手にした少女がこちらに向かってほほ笑む姿が描かれている。

この絵はホテルの五階に飾られていたが、絵に近づいた人々が吐き気やめまいを訴え、絵の中の少女の表情が変わったという証言もあった。その他にも地面から持ち上げられるような奇妙な感覚が起こる、ホテルのホール全体に幼子の声が響く、ボールが階段を跳ねる音がする、といった現象が起きたという。

「恋文」と題されたこの少女の絵は元々チャールズ・トレバー・ガーランドによって描かれた絵で、アメリカ南北戦争の兵士だった父親に向けて娘が送った手紙を見て創作されたと語られることもあるが、南北戦争の終戦時、ガーランドがまだ一〇歳であることから、その可能性は低いと考えられている。またいの怪異を起こすのはリチャード・キングによって描かれたレプリカで、ガーランドの描いたものではないという。

ゴールデン・ゲート・ブリッジの幽霊［ごーるでん・げーと・ぶりっじのゆうれい］

アメリカで語られる怪異。サンフランシスコ湾と太平洋の間にあるゴールデンゲート海峡にかかるゴールデン・ゲート・ブリッジは一九三七年の完成以来、自殺の名所としても知られており、これまでに一六〇〇人以上の人間がこの橋から飛び降りたと考えられている。これは世界で最も自殺者の多い建設物であり、現在では飛び降りた人間を受け止めるためのネットを取り付ける工事が行われている。

しかしその自殺者数のため、この橋ではよく自殺者の霊が目撃される。また自殺者として正式にカウントされているのは死体が見つかった人間のみであり、海に流された死体の数は多数に上ると考えられている。

ゴリラ沼［ごりらぬま］

アメリカのミシガン州にあるという沼。その名前の由来は、巨大なゴリラが二足歩行で沼の周辺をうろついているのを目撃されたからだという。

ジョン・A・キール著『不思議現象ファイル』に載る。

コロンビアリバーサンドスクィンク［ころんびありばーさんどすくぃんく］

アメリカで語られた怪物。コヨーテやボブキャット（山猫の一種）に似ているが、ジャックラビット（ノウサギの一種）のように大きな耳を持つ。またリスのように大きくふさふさとした尾を持ち、背中に反り返っている。

夜行性で、川に入ってデンキウナギを捕食する。そしてその電気を体内に蓄えており、この時に尾で耳に触れると電気が流れ、放電が行われるという。

また哺乳類でありながら卵生で、その殻はフェノール樹脂のようであるという。

ヘンリー・H・トライオン著『恐ろしい生き物』にある。同書の挿絵ではデンキウナギを捕獲するサンドスクィンクの姿が描かれているが、その尾と両耳の先端には、電極と思しき棒の先に小さな球状の物体が刺さったような器官が見受けられる。

同書に登場する他の怪物たちと同じく、アメリカの開拓期に開拓に関わった人々が焚火を囲んで語ったというトール・テール（ほら話）に出てくる怪物のひとつと思われる。

【さ】

サイドヒルグーガー［さいどひるぐーがー］

アメリカで語られた怪物。丘陵地帯に棲む動物で、片側の足が一方に比べ短くなっている。これは険しい崖の側面で生活するために特化した形態で、地面に下りると円を描くようにしか走れなくなるため、すぐに捕まってしまうか、そうでなくとも餓死してしまうという。また六〜八匹の子どもを産み、それらも親について丘陵地帯で生活するとされる。

　ヘンリー・H・トライオン著『恐ろしい生き物』にある。同書の挿絵では、丘陵地帯を移動するサイドヒルグーガーの姿が描かれている。

　同書に登場する他の怪物たちと同じく、アメリカの開拓期に開拓に関わった人々がキャンプや酒場等で語ったトール・テール（ほら話）の中で生まれた怪物のひとつと思われる。

サギノー河の怪物［さぎのーがわのかいぶつ］

アメリカに現れたという怪物。ミシガン州のサギノー河という河川において、土手から這い上がってくる人型の怪物を発見した。これはしばらく木に寄り掛かっていたが、再び河に戻って行ったという。

　ジョン・A・キール著『不思議現象ファイル』によれば、人類学者のローレン・コールマンによって報告された怪物だという。

サテュロスに似た食人鬼［さてゅろすににたしょくじんき］

アメリカに現れたという怪物。テキサス州のワース湖に棲み着いているという半人半獣の生き物で、人を食ったかは定かではないが、地元では「サテュロスに似た食人鬼」と呼ばれていた。毛皮や鱗に覆われた体表と、ヤギに類似した特徴を持っており、身長二メートル以上でタイヤを三〇メートル投げ飛ばすという目撃談が語られた。

　ジョン・A・キール著『不思議現象ファイル』によれば、この怪物は一九六九年に目撃されたという。サテュロスはギリシャ神話に登場する種族で、頭にヤギの角を生やし、上半身は人間だが、下半身はヤギのような関節や蹄、尾を持った姿で描かれることが多い。

サンター［さんたー］

アメリカで語られた怪物。ノースカロライナ州西部で目撃されたとされる。その姿は胴体が長く、頭は丸く禿げており、手足は長く、目は小さい。何よりも特徴的なのは体とほぼ同じ長さの尾で、八つの固い結び目がある。サンターはこの尾を振るって家畜を打ち殺し、その肉を食らうという。

基本的には獲物となる家畜が飼われている村の付近の沼地に棲み着いており、その鳴き声は赤ん坊のようであるとされる。

ヘンリー・H・トライオン著『恐ろしい生き物』にある。同書の挿絵では、巨大な結び目のある尾が描かれている。

アメリカの開拓期に開拓に関わった人々が焚火を囲んで語ったというトール・テール（ほら話）に出てくる怪物のひとつで、名前の読み方は「サンテール」の可能性もある。また一八九〇年には既に記録が残されており、猫のような姿をしているともされる。

地獄へ通じる井戸［じごくへつうじるいど］

アメリカで語られる怪異。カリフォルニア州で流れていた噂によれば、シベリアのある地質学者が約一四・四キロメートルの穴を掘ったところ、ドリルの先端が突然激しく回転し始めた。そこでその穴に超感度マイクロフォーンを下ろすと、何百万もの人々の魂が呻き苦しむ声が聞こえたという。

ジャン・ハロルド・ブルンヴァン著『赤ちゃん列車が行く』にある。

シザービル［しざーびる］

アメリカで語られた怪物。ハサミのような形をした嘴を持つ鳥類と哺乳類の中間のような生き物で、普段は草むらなどに隠れている。しかし水中で魚が釣り針に引っかかり、もがいているのを見つけると、水の中に飛び込んでその嘴で釣り糸を切ってしまうという。

アート・チャイルズ著『大きな森の物語』にある。同書には、耳の生えた鳥のような姿をしたシザービルが描かれている。

同書に登場する他の怪物たちと同じく、アメリカのノースウッズでガイドをしていた人々が語った物語の中で活躍する怪物のひとつ。

死の椅子［しのいす］

アメリカに実在する椅子に纏わる怪異。この椅子は二〇〇年以上前に製作され、ナポレオンが使用していたと伝えられるが、現在はアメリアという女性の霊が宿っていると考えられている。アメリアはこの椅子の近くに出現するとされ、彼女を見てこの椅子に座ると命を奪われるという。

死の椅子は現在、ペンシルベニア州フィラデルフィアにあるバレロイ・マンションに保管されている。このマンションはアメリカで最も有名な幽霊屋敷で、他にもたくさんの怪現象を引き起こしている。中でも死の椅子は「青い部屋」と名付けられた一室に置かれており、現在はこの椅子に座ることは禁じられているという。

ジャージー・デビル［じゃーじー・でびる］

アメリカで目撃された怪異。主にニュー

ジャージー州に出現するとされ、「リーズ・ポイントの悪魔」「リーズ家の悪魔」などの異名で知られる。

蝙蝠のような翼に馬のような頭と蹄、そして悪魔のような尾が生えた姿をしているとされ、家畜や人を襲うという。

その由来は一七三五年まで遡り、元は同州の森林地帯に住むジャネット・リードが生んだ実の子どもなのだという。魔術好きであったリード夫人は、この子どもを抱いて魔術に興じていたところ、この赤子が急に巨大化し、異形の姿となった。この怪物は母親をはじめとしたその場にいた人間をすべて食い殺し、夜空へと消えた。

以来、ジャージー・デビルが出現するようになり、二一世紀になった今でも目撃談が語られている。

並木伸一郎著『ムー的都市伝説』によれば、リード夫人は実在した人物で、一二人の子どもがいたことが記録されている。ジャージー・デビルはこの女性の一三番目の子どもだという説もある。また、一九〇〇年代に入ると、目撃談はニュージャージー州だけでなく、米国全土に広がって行ったという。

また、ベン・C・クロウ著『ジャージーの悪魔』によれば、ジャージー・デビルは人間の女性と悪魔との間に生まれた子とされ、人間の赤子の姿で生まれ落ちた直後、悪魔の姿に変わったなどと伝えられるという。また、悪魔が生まれたのはリーズ家ではなく、シュラウズ家であった、というパターンの伝承も残されているようだ。

シャガモウ［しゃがもう］

アメリカで語られた怪物。アメリカのメイン州やカナダのニューブランズウィック州で樵によって目撃され、報告された怪物で、その姿は体の前半分が熊、後ろ半分がヘラジカに酷似している。

シャガモウは前足もしくは後ろ足のみで歩き、約四〇〇メートルおきに足を変える。そのため、シャガモウが通った後には、熊とヘラジカの足跡が交互に現れるという現象が起きるという。

ウィリアム・トーマス・コックス著『木こりの森の恐ろしい動物たち、砂漠と山の獣たち』にある。同書にはシャガモウの姿がイラストとして描かれているが、その頭部は熊にもヘラジカにも似ていない、奇妙なものとなっている。

アメリカの開拓期に開拓に関わった人々が焚火を囲んでそれぞれが考えた物語を語ったというトール・テール（ほら話）で活躍した怪物のひとつ。

ジャギー［じゃぎー］

アメリカに現れた怪異。ウィスコンシン州の南部ウォルワース郡にあるプレイ街道という道に現れた獣人で、犬とも狼ともつかない顔をした、体長二メートルほどの毛むくじゃらの二足歩行をする怪物だという。全身は毛に覆われ、口は耳まで裂けて牙が覗き、目は赤く光っているという。

並木伸一郎著『最強の都市伝説2』にある。同書によれば、この怪物は二〇〇六年に現れたが、一九三六年にもその近辺で似た怪物が現れたという。詳細は**ブラフ・モンスター**の項目を参照。

シャドーピープル［しゃどーぴーぷる］

アメリカをはじめとして世界各地に現れる怪異。その名の通り人の形をした影のような怪人で、出現の前兆としてポルターガイスト現象が起きたり、爆発音がしたりするなどとされる。

並木伸一郎『最強の都市伝説2』等による。

出現が確認されたのは二〇〇六年以降とされるが、それ以降、頻繁に目撃談が語られており、その姿は映像や写真でも捉えられている。その多くは黒いモヤが人の形となったような姿をしており、体長はその時によってばらばらである。

シャベルフェイス・オスカー［しゃべるふぇいす・おすかー］

アメリカで語られた怪物。ノースウッズに出現するという水棲生物の一種で、四本の足があり、湖の中に棲む。その名の通り顔がシャベルのような形をしており、バスの産卵時期に湖底の砂を掘って彼らの産卵場所を作ると言われている。またオスカーという名前は、この生き物を最初に発見したオスカー・ウィックレムという人物にちなんでいるという。

アート・チャイルズ著『大きな森の物語』にある。同書には、湖底で砂を掻くシャベルフェイス・オスカーの姿が描かれている。

同書に登場する他の怪物たちと同じく、ノースウッズでガイドをしていた人々が語ったトール・テール（ほら話）に出てくる怪物のひとつと思われる。

ジョージ・ノックス［じょーじ・のっくす］

アメリカで語られる怪異。ジョージ・ノックスはメイン州にて一八九二年に亡くなった樵であったが、生前、彼は悪魔に魂を売って魔力を得たと考えられていた。そのためジョージの斧は使うものがいなくても勝手に木材を叩き切り、ジョージに命令されれば丸太はひとりでに動いて移動した。

伝説では黒魔術の本や悪魔の本を学び、悪魔と直接交渉して強大な力を手に入れたが、その契約により若くして肺病を患い、命を奪われたという。その後、彼の物語が伝えられていた地域ではジョージ・ノックスは死後お化けになったと考えられるようになり、子どもたちのしつけに「言うことを聞かないとジョージ・ノックスを呼ぶぞ」などと言うようになったという。

リチャード・M・ドーソン著『語り継がれるアメリカ』にある。同書によれば、ジョージ・ノックスは**ポール・バニヤン**などと同じように樵の間に語られたトール・テールに登場する英雄に近いが、バニヤンら英雄とは違い、ノックスは尊敬されるよりも恐れられる存在だったという。

ショット・ガンダースン
［しょっと・がんだーすん］

アメリカで語られた巨人。通称「鉄の男」で、凄まじく強靭な体を持ち、力も強い。その拳を振るうと砲弾一七発分の威力があり、口の中で火薬を爆発させても無傷という不死身の体を持つが、水を弱点とするという。

ベン・C・クロウ編『巨人ポール・バニヤン』にある。同書によれば、ショットは**ポール・バニヤン**と氷の上で戦い、激闘の末に氷の下の海に落とされて死亡したという。

ポール・バニヤンが出てくることから分かる通り、アメリカの民間伝承の一種であるトール・テール（ほら話）に現れる巨人と考えられる。

シルバーキャット
［しるばーきゃっと］

アメリカで語られた怪物。巨大な猫のような姿をしており、体重は時に一三〇キロ以上に及ぶという。耳は房状で、目は赤く、横に長い。その名の通り毛皮は銀色だが、何よりも特徴的なのはその尾で、三メートル以上の長さがある。その先端付近には硬いコブ状の器官があり、その半球はなめらかで、もう半球には棘があるとされる。この棘は狩りに使われ、獲物の頭部をこの棘のある部分で叩いた後、その皮に引っ掛けて巣に引きずり込み、食うという。また棘がない部分は繁殖期に使用され、オスは自分の胸を叩いてメスに存在をアピールするのだという。

ヘンリー・H・トライオン著『恐ろしい生き物』にある。同書の挿絵では、木の枝に逆さまにぶら下がるシルバーキャットの姿が描かれている。

同書に登場する他の怪物たちと同じく、アメリカの開拓期に樵や猟師、船乗りといった人々が互いに語り合ったというトール・テール（ほら話）に出てくる怪物のひとつと思われる。

スウィング・ディングル
［すうぃんぐ・でぃんぐる］

アメリカで語られた怪物。木の一部のような見た目をしているが、独立して動く生き物で、樹木に擬態しながら下を通りかかった人間の帽子を奪うとされる。また移動する際には、枝にぶら下がりながら体を振り子のように動かして別の枝へ移っていくという。

アート・チャイルズ著『大きな森の物語』にある。同書には、木から木へ移動するスウィング・ディングルの姿が描かれている。またその姿は、木の幹の表面に人間の顔が引っ付き、枝のような腕と根のような足が生えたようなものとなっている。

同書に登場する他の怪物たちと同じく、ノースウッズのガイドをしていた人々が語った物語に出てくる怪物のひとつと思われる。

スーパーマンの呪い

［すーぱーまんののろい］

アメリカで語られる怪異。アメリカンコミックの代表作である『スーパーマン』や、その派生作品に関わった人物が次々と災厄に見舞われたことから語られるようになった噂である。

有名なものは一九五〇年代にスーパーマンを演じたジョージ・リーヴスが結婚を数日後に控えた一九五九年六月一六日、ショットガンによる射殺死体として発見された話だ。また、一九七八年の映画『スーパーマン』でスーパーマンを演じ、その後計四作にわたり主演を務めたクリストファー・リーヴが落馬事故により半身不随になった事故もこの呪いの例としてよく挙げられる。

またリーヴ版『スーパーマン』で幼少期にスーパーマンを演じたリー・クイグリーは有機溶媒の吸引事故によりわずか一四歳で死亡した。

他にも映画『スーパーマン』でスーパーマンの父親、ジョー・エル役を演じたマーロン・ブランドが自分の異母妹の恋人を射殺する事件を起こす、『スーパーマンⅢ』でスーパーマンを助ける天才プログラマーを演じたリチャード・プライヤーが多発性硬化症を発症するなど様々なことが起こり、この呪いが認知されていくようになった。

この呪いはスーパーマンの生みの親である原作者ジェリー・シーゲルと作画家ジョー・シャスターに正当な利益配分が行われず、彼らの怒りが呪いを生んだ、という噂もある。

また、映像作品でスーパーマンを演じたためにそのイメージが定着し、以降役に恵まれなかったという俳優も多いが、これは印象的な役を演じた俳優が多く陥る悩みであり、日本でも特撮ヒーローを演じた俳優が同様の悩みを持っていた、ということも多いため、呪いとは関係ないだろう。

一方、スーパーマンに関わったからといって不幸にならなかった人間も数多い。スーパーマンの呪いが本当にあるのかは分からない。アメリカを代表する作品だからこそ、そこに何か不幸が起きれば、人々の注目を集めることは確かだろう。

しかし、一九三〇年に生み出されたこのヒーローが、現在も子どもたち、そして大人たちに夢や希望を与え続けていることは確かなのだ。

スカッショリガー

［すかっしょりがー］

アメリカで語られた怪物。カボチャのような見た目をしているが、自力で動くことができる。その出生もカボチャと同じように植物として成長し、熟すと目と足が生じてつるの一部が尾に変化する。体色は緑色で、森林下部の草むらに身を隠す。そしてそこにいる虫を食すという。

アート・チャイルズ著『大きな森の物語』にある。同書には、カボチャ畑を歩くスカッショリガーの姿が描かれている。

同書に登場する他の怪物たちと同じく、アメリカ北部の森でガイドをしていた人々が語ったというトール・テール（ほら話）に出てくる怪物のひとつと思われる。

スキートロー［すきーとろー］

アメリカで語られた怪物。鶏ほどまで大きく成長する巨大な蚊で、長さ一五センチから二〇センチほどの長さの鋼鉄のような硬さの口器を持つ。凶暴な上に群れを作り、人間や大型の動物を襲ってその口器を突き刺し、血を啜るのだとされる。

アート・チャイルズ著『大きな森の物語』にある。同書には、直立する巨大な蚊のような姿でスキートローが描かれている。

同書に登場する他の怪物たちと同じく、ノースウッズで森のガイドをしていた人々が物語として語ったトール・テール（ほら話）に出てくる怪物のひとつと思われる。

スクォンク［すくぉんく］

アメリカで語られた怪物。ペンシルベニア州北部のツガの森に生息し、いぼやほくろに覆われた体表を持つ。夕暮れ時にのみ活動し、絶えず泣いているとされる。そのため慣れた人間は涙の跡を辿ってスクォンクを発見することができる。

しかしこの獣は追い詰められたり、ひどく驚き、怯えたときなど、過度なストレスを感じると大量の涙を流し、その涙の量によっては自分の体が溶けてしまうと言われている。

ウィリアム・トーマス・コックス著『木こりの森の恐ろしい動物たち、砂漠と山の獣たち』にある。スクォンクは欧米で人気があり、映画や音楽の中にスクォンクが登場するものは多い。

同書に登場する他の怪物たちと同じく、アメリカの開拓期の人々が焚火を囲んだり、酒場で酒を飲みながら語ったというトール・テール（ほら話）に出てくる怪物のひとつ。

スコリオフィス・アトランティクス［すこりおふぃす・あとらんてぃくす］

アメリカに現れたという怪物。マサチューセッツ州グルーセスター沖で目撃された、一八メートルから四〇メートル以上はありそうな蛇のような怪物が目撃され、その後、亀のような頭を持つ人間ほどの大きさのウミヘビのようなもの、幼体と思われる体長四五センチほどの背中に三二個のコブがあるウミヘビのようなものが相次いで発見され、「スコリオフィス・アトランティクス（大西洋の柔軟な蛇）」と名付けられたという。

ジョン・A・キール著『不思議現象ファイル』によれば、これは一八一七年に目撃されたという。また一九三〇年には、巨大なウナギの幼体が発見された。詳細は**巨大ウナギ**の項目を参照。

スタル墓地［すたるぼち］

アメリカの墓地に纏わる怪異。この墓地はカンザス州に存在し、世界に七つあるという地獄への扉のひとつがここに存在すると考えられている。ハロウィンもしくは春の始まりの日、墓地に隠されている石の階段が現れ、悪魔が墓地を闊歩し、霊を呼び起こすなどと噂されているようだ。

スタル墓地には一八六七年から二〇〇二年まで建っていた教会があり、この教会が奇妙な噂の中心となっている。有名な話では、この教会は魔女が使用していたもので、教会の隣に生えている木はその魔女が処刑された際、彼女を吊すために使われた、などと言われていた。しかしこの教会は現存しておらず、魔女を吊るした木も一九九八年に切り倒されたという。この教会があった頃には、地獄に繋がる階段はこの教会の内部に現れるとも言われた。

また墓地の中にある墓石のひとつは悪魔サタンと魔女の子どものものであり、その姿は狼の毛で覆われていた。悪魔がこの土地に現れるのは、死んだ魔女と子の墓を訪れるためだ、と語られる場合もあるようだ。

この墓地の伝説はアメリカでは様々なメディアで取り上げられており、テレビドラマ『スーパーナチュラル』では、この墓地が第五シーズンのクライマックスで使われた（実際に撮影された場所は別）。

スタンリーホテルの怪［すたんりーほてるのかい］

アメリカに伝わる怪異。コロラド州にあるこのホテルは、霊を引き寄せやすいという特徴を持っており、至るところで不可思議な現象を発生させる。まず創業者であるF・O・スタンリーとその夫人が幽霊として出現する。二一七号室には一九五〇年代に亡くなるまでホテルで働いていたエリザベス・ウィルソンが出現し、客の荷物を開けて衣類を片付けるとされる。この他にもコンサートホールに出現するポールやルーシーという幽霊、四〇四号室に現れる子どもの幽霊、四二八号室で起こるポルターガイスト現象など、様々な怪異が発生するようだ。

ロバート・グレンビル著『絶対に出る 世界の幽霊屋敷』にある。このホテルはスティーヴン・キングが宿泊し、小説『シャイニング』を書くきっかけとなった場所としても知られており、現在ではゴーストツアーなるツアーが開かれ、幽霊たちが観光客を楽しませている。

石尾豚（ストーンホッグ）［すとーんほっぐ］

アメリカで語られた不思議な生き物。尻尾に石を巻き付けている豚で、その理由は頭が体の後部より重いので、バランスを取るためなのだという。

ベン・C・クロウ編『ジャージーの悪魔』によれば、マリオン・ヒューズという人物が作った小冊子『アーカンソーの三年間』に記載されている不思議な豚の一種であるという。

スノースネーク［すのーすねーく］

アメリカで語られた怪物。その名の通り雪のように真っ白な色の蛇で、目はピンク色だという。夏の間眠り、冬になると活動する。その体色から雪に紛れて獲物を待つとされ、雪の上でとぐろを巻き、獲物が近づくと噛み付く。スノースネークの牙には猛毒があり、ほとんどの獲物は一撃で倒れてしまうという。

ヘンリー・H・トライオン著『恐ろしい生き物』にある。同書の挿絵では、雪の中を進むスノースネークの姿が描かれている。

同書に登場する他の怪物たちと同じく、アメリカ北部の森のガイドたちが語ったという物語に出てくる怪物のひとつと思われる。またスノースネークは**ポール・バニヤン**の登場するトール・テール（ほら話）にもよく登場する。

スノリゴスター［すのりごすたー］

アメリカで目撃された怪物。フロリダ州のオケホビ湖周辺によく現れるとされ、人肉を好み、人間を選んで襲うという。

その姿は巨大なワニのようだが、光沢のある毛皮に覆われており、背中に一本の長い棘を生やしている。また足やひれにあたる器官がなく、尾の先端にあるスクリューのような骨を回転させ、泥水であろうが高速で移動することが可能とされる。獲物を捕食する際にもこの器官が使われ、まず背中の棘で獲物を突き刺した後、スクリューに落として引き裂いて殺し、ずたずたになった死体を食すのだという。

ウィリアム・トーマス・コックス著『木こりの森の恐ろしい動物たち、砂漠と山の獣たち』にある。

同書に登場する他の怪物たちと同じく、アメリカの開拓期に開拓に関わった人々が焚火を囲んで語ったというトール・テール（ほら話）に出てくる怪物のひとつと思われる。

スパードゥードゥル［すぱーどぅーどぅる］

アメリカで語られた怪物、森の枯れ葉や小枝の間に棲む奇妙な生き物で、枯れ葉にそっくりな見た目をしている。ドングリやマツボックリなどの木の実を主食とする。小さな体ながら無力ではなく、山猫に襲われた際には対等に戦って大暴れしたという。

アート・チャイルズ著『大きな森の物語』にある。同書には、枯れ葉の上を歩くスパードゥードゥルの姿が描かれている。

同書に登場する他の怪物たちと同じく、アメリカ北部のノースウッズでガイドをしていた人々が語ったという物語に出てくる怪物のひとつ。

スピードデーモン［すぴーどでーもん］

アメリカで語られた怪物。ノースウッズ

周辺に出現するとされる奇怪な生き物で、丸い体に五本の足を持ち、回転しながら高速で走り回る。その速さは稲妻のようで、肉眼で捉えることも難しいとされる。また肉食で、この走り方でウサギを追い、捕まえて食べるのだという。

アート・チャイルズ著『大きな森の物語』にある。同書には、五本の足を使って草原を走るスピードデーモンの姿が描かれている。

同書に登場する他の怪物たちと同じく、アメリカ北部のノースウッズにて古くから森のガイドをしていた人々が語った物語に登場する怪物のひとつ。

スプリンターキャット
［すぷりんたーきゃっと］

アメリカで目撃された怪物。ロッキー山脈を除くアメリカ各地に棲み、アライグマと蜂蜜が主食である。食糧を探すため、夜になると猛スピードで頭から樹木にぶつかり、それを砕き倒してしまうという。しかも中にアライグマやハチの巣がないと分かると別の木に向かって突進し、同じように倒してしまう。その方法は、まず一本の木に登り、一番上に生えた枝から目標の木に向かって一気に飛び降りるのだとされる。スプリンターキャットのこの捕食行動により、一部地域では深刻な森林破壊に悩まされたこともあったという。

ウィリアム・トーマス・コックス著『木こりの森の恐ろしい動物たち、砂漠と山の獣たち』にある。同書の挿絵では、木に向かって頭から突進するスプリンターキャットの姿が掲載されているが、その体には豹のような斑点模様が描かれている。

同書に登場する他の怪物たちと同じく、アメリカの開拓期に樵や船乗りをしていた人々が互いに思いついた話を語ったというトール・テール（ほら話）に出てくる怪物のひとつと思われる。

スライドロックボルター
［すらいどろっくぼるたー］

アメリカで目撃される怪物。コロラド州の山、特に傾斜が四五度以上ある場所に棲み着いているとされ、その麓を通る生き物がいると、勢いよく坂を滑り降りてきて、獲物を捕食するという。その姿は巨大な頭と小さな目、そして耳の後ろまで裂けた口がある。また尾は二股に分かれたひれのようになっており、そのひれを使って山頂付近に自身の体を固定し、坂の下を獲物が通りかかるのをじっと待ち続けるのだという。そして獲物を捕らえた後は、尾を使って再び山の上へと戻るとされる。

スライドロックボルターが滑り降りてくる斜面は樹木が一直線に刈り取られているため、そういった場所は特に危険だという。

ウィリアム・トーマス・コックス著『木こりの森の恐ろしい動物たち、砂漠と山の獣たち』にある。この本には、山の斜面を滑り降りてくる巨大な魚のような姿でスライドロックボルターが描かれている。

同書に登場する他の怪物たちと同じく、アメリカの開拓期に開拓に関わった人々が焚火（たきび）を囲んだり、酒場で酒を飲みながら語り合ったというトール・テール（ほら話）に出てくる怪物のひとつ。

スリーメン&ベビーの幽霊

［すりーめんあんどべびーのゆうれい］

アメリカで語られた怪異。一九八七年に公開された映画、『スリーメン&ベビー』のビデオには、少年の幽霊が映り込んでいるという噂（うわさ）がある。この幽霊は、撮影の舞台となったアパートでかつて自殺した子どもの霊である、などと語られている。

ジャン・ハロルド・ブルンヴァン著『赤ちゃん列車が行く』にある。この映画の公開当時は幽霊の噂は流れず、一九九〇年のビデオリリース時に頻繁に目撃談が語られるようになったという。当該映画のビデオを実際に見てみると、確かに少年の人影のようなものが突然映り込むシーンがある。窓際に立ったジーンズにTシャツ姿の少年がこちらをじっと見つめているように見えるが、輪郭はぼやけており、はっきりとした姿は確認できない。しかし三人の男たちが捨てられた赤ん坊を育てるというハートフルな映画の内容と相反していることもあり、意識して見るとぞっとするような映像であるのは確かだ。

スレーター・ミルの断末魔

［すれーたー・みるのだんまつま］

アメリカで語られる怪異。スレーター・ミルは一七九三年にロードアイランド州に建てられた、アメリカで初めての水力を用いた織物工場であった。しかし当初はこの工場で働いていた子どもたちが稼働中の機械の清掃、修理をさせられていたため、巻き込まれる事故が絶えなかった。現在、スレーター・ミルは産業博物館となっているが、今でも子どもたちの断末魔や泣き声が聞こえてくるという。

また敷地内の他の建物では、来訪者を引っかく霊が出たり、ベッカという少女がL字型の占い棒で来訪者の質問に答えるなどするという。

ロバート・グレンビル著『絶対に出る 世界の幽霊屋敷』にある。

スロス・ファーナシズの鬼監督

［すろす・ふぁーなしずのおにかんとく］

アメリカで語られる怪異。スロス・ファーナシズはアラバマ州にあった製鉄所で、一八八二年から一九七一年にかけてアメリカ中のビルの建材に用いる鉄が造られていたが、危険な職場としても有名だった。

特にジェームズ・スラグ・ワームウッドという監督の深夜勤務は悪名高く、少なくとも四七人の作業員が彼の指揮下で事故で亡くなっている。そしてワームウッド自身も一九〇六年、溶鉱炉に落ちる事故により死亡。以来、ワームウッドは幽霊となってこの場所に現れ、今でも見物客を怒鳴りつけて働かせようとするという。

ロバート・グレンビル著『絶対に出る 世

界の幽霊屋敷』にある。

スワール家の幽霊事件
［すわーるけのゆうれいじけん］

アメリカで発生した怪異。一九八五年から一九八七年にかけてペンシルベニア州のジャック及びジャネット・スマール夫妻の家で起きた怪事件で、七〇年代から奇怪な現象が起きていたものの、八五年になって本格化した。具体的には夫婦の部屋の側で卑猥な罵倒語が響く、のっぺらぼうの黒い人間の形の人影が現れる、電灯の据え付け具が勝手に外れ、人に向かって落ちる、ジャネットがベッドから荒々しく引きずりおろされる、ラップ音がする、幽霊犬が出現する、といった様々な現象が一家を襲った。そこでジャネットは悪魔祓いを頼ったところ、四人の邪悪な霊が家に棲みついていることが分かった。

それからも怪現象は続き、インキュバスやサキュバスが現れたり、娘が謎の熱病にかかったり、突然体に傷が現れたりした。悪魔祓いは何度も行われたが、効果はなかった。最終的に一家は引っ越して別の町へ行き、その後に行われた四度目の悪魔祓いによって、やっと人のいなくなったこの家で平穏がもたらされたという。

ローズマリ・E・グィリー著『妖怪と精霊の事典』にある。

スワン渓谷の怪物
［すわんけいこくのかいぶつ］

アメリカに現れたという怪物。一八六八年八月二二日にある猟師が遭遇したという巨大な怪物とされる。その姿は体長約六メートル、一二本の足が生えた巨大な蛇のようで、頭には何本かの角が生え、襟首には翼もしくはひれのような器官があり、体は赤と黒のまだら模様のある黄緑色であったという。水中に棲み、体からはひどい悪臭を放つ。また陸上に上がり、太陽光を浴びると鱗が虹色や灰色に変化し、一二本ある足は蹄の足と鉤爪の足が交互に生えている。体に傷を付けると緑色の血を流し、その血に触れた植物は即座に枯れてしまうという。

ベン・C・クロウ編『ジャージーの悪魔』にある。同書によれば、一九三九年にこの怪物と遭遇した猟師から採取された話だという。

スワンプオーガー
［すわんぷおーがー］

アメリカで語られた怪物。湖に棲む象のような長い鼻を持つ魚で、その先端には回転する突起のようなものが付属している。人間の乗るボートが近づくと、その下を泳ぎ、この突起でボートの底に小さな穴を開ける。これをボートが沈むまで繰り返すため、スワンプオーガーが現れた際には、鼻に唐辛子を振りかけると良いという。これによりスワンプオーガーはくしゃみをして穴を開けるのをやめる。スワンプオーガーはくしゃみをさせてもらうのを非常に楽しんでおり、ボートが岸に着くまでくしゃみをさせてもらおうと穴に鼻を突っ込んだままにするのだという。

ヘンリー・H・トライオン著『恐ろしい生き物』にある。同書の挿絵では、ボートに穴を開け、唐辛子を振りかけてもらっているスワンプオーガーの姿が描かれている。

同書に登場する他の怪物たちと同じく、アメリカの開拓期の人々がキャンプや酒場で語ったというトール・テール（ほら話）に出てくる怪物のひとつと思われる。

スワンプ・スロップ［すわんぷ・すろっぷ］

アメリカで語られる怪物。スワンプ・モンスターとも呼ばれる。沼地に棲み着いている巨人で、体から水滴を滴らせ、悪臭を放ちながら現れるという。

ジョン・A・キール著『不思議現象ファイル』によれば、この怪物はハイウェイに現れ、車を止めようとするという噂も語られていたようだ。特定の沼地に現れることもあり、フロリダ州のハニーアイランド沼で目撃されるハニースワンプ・モンスターが有名。

セイラムの怨霊［せいらむのおんりょう］

アメリカで語られる怪異。マサチューセッツ州のセイラムでは、一六九二年三月に始まった一連の魔女裁判により二〇〇人近い人々が魔女として告発され、一九人が処刑、他にも数人が獄死するなど、魔女裁判のために死亡している。

そのため、セイラムは心霊スポットとして有名になっており、最初の犠牲者であるブリジェット・ビショップをはじめとした怨霊がそこかしこに出現するという。

ロバート・グレンビル著『絶対に出る 世界の幽霊屋敷』にある。

セイラム魔女裁判はアビゲイル・ウィリアムズとエリザベス・ベディ・パリスという一一歳と九歳の子どもたちをはじめとした少女たちの告発によって始まった一連の裁判を示す。悪魔憑きの症状を見せ、自分たちに霊を使役している魔女がいると証言した少女たちの話は集団パニックを起こしたセイラム村（現ダンバース）の住人たちにより大騒動と化し、多くの人々が無実のままに命を絶たれた。現在ではこの魔女裁判の歴史を伝えるセイラム博物館がダンバースに残されている。また魔女裁判の裁判官の敷地に建てられたダンバース精神科病院や、牢屋として使われていた場所にも、犠牲者や加害者の幽霊が多数出現するという。

耳中心豚（センターブリード）［せんたーぶりーど］

アメリカで語られた不思議な生き物。尻尾から耳までの長さと耳から鼻先までの長さが同じという奇怪な姿をした豚の一種だとされる。

ベン・C・クロウ編『ジャージーの悪魔』によれば、マリオン・ヒューズという人物が作った小冊子『アーカンソーの三年間』に記載されている不思議な豚の一種であるという。

栓抜きポルターガイスト

［せんぬきぽるたーがいすと］

アメリカに現れた怪異。ニューヨーク州にあるロングアイランドという島で起きたポルターガイストで、シーフォードのある家庭が舞台となった。

一九五八年二月六日、突然、固く締まった瓶の栓が勝手に抜かれ、中身がこぼれだしたことからこの騒動は始まり、それからこのポルターガイストは幾度となく瓶の栓を抜いて人々を驚かせた。他にも家庭用の物品を飛び回らせたり、突然音を鳴らしたりして五週間で六七回にわたり怪現象を起こし、一家を追い詰めた。しかし三月一〇日を最後にこのポルターガイストは現れなくなったという。

ローズマリ・E・グィリー著『妖怪と精霊の事典』にある。

鋸豚（ソウホッグ）

［そうほっぐ］

アメリカで語られた不思議な生き物。アーカンソー州で見つかったという背中が鋸になっている豚で、地元の人々はこれを捕まえ、鋸代わりに使用する。

その方法はまずメスの鋸豚を探し、捕まえて噛まれないように鼻を縛る。そして二人で前足と後ろ足を摑み、地面に背中を向けるように持って、丸太など切断したい対象に豚の背中を当てる。そして前後に引くと、鋸のように見事に切れるという。

ベン・C・クロウ編『ジャージーの悪魔』によれば、マリオン・ヒューズという人物が作った小冊子『アーカンソーの三年間』に記載されている不思議な豚の一種であるという。

空飛ぶエイ

［そらとぶえい］

アメリカで目撃された怪物。二〇一二年二月頃、全米各地で目撃され、その姿はエイに類似していたという。体長は一メートル二〇センチほどで、体色は白色、滑らかな体表をしており、頭や尾はない。空を飛ぶことができ、車の前に現れると突然急降下し、フロントガラスの目前で急上昇する、という行動を繰り返した。

並木伸一郎著『ムー的未確認モンスター怪奇譚』によれば、これに類似した飛行物体が二〇一一年に撮影されているという。その写真ではエイのような形の半透明の物体がいくつも写っている。ただし色は白色ではなく、オレンジや緑色など様々であったようだ。

空飛ぶスパゲッティ・モンスター

［そらとぶすぱげってぃ・もんすたー］

アメリカで語られる怪異。「空飛ぶスパゲッティ・モンスター教」において神と語られる存在。それによれば、五〇〇〇年前、世界を創造したという創造神で、ヌードルの触手が絡まったような姿をしており、胸部に二つのミートボールを備えている。ただしスパゲッティ・モンスターの姿は肉眼では見えず、機械でも捉えることはできないという。

地球を含めた星々を創造した後、スパゲッティ・モンスターはそれが何十億年も前からあるかのように古く見えるよう加工し、人々はこれにまんまと騙された。

そして約二五〇〇年前、ヌードルの触手を人類の前に現し、一部の人々に道を示した。この道とは、宝物と酒とできれば女を満載した木造の船で航海せよ、というもので、これに従った者は海賊となった。

一七〇〇年前、ハレクリシュナ教徒とされる人々によって海賊が殺戮された。そのうち各宗教で対立するようになり、海賊狩りはやんだ。

そのため、現在でもパスタファリアン（空飛ぶスパゲッティ・モンスター教の信者）は海賊の格好をするか、海賊そのものになることを望まれているようだ。

ボビー・ヘンダーソン著『反・進化論講座』にある。空飛ぶスパゲッティ・モンスター教はヘンダーソンによって創作されたパロディ宗教であり、インテリジェント・デザイン説（生命や宇宙は知性ある何者かによって設計・創作されたという思想）に対する皮肉であったが、インターネットなどを通して多くの人々に広まり、世界中に信者が存在している。

空飛ぶスパゲッティ・モンスター自体は、アメリカ料理のスパゲッティ・ウィズ・ミートボールを元にしたデザインで描かれており、その特徴的な姿から様々なファンアートも存在している。

【た】

ダックフッテドダムダム

［だっくふってどだむだむ］

アメリカで語られた怪物。猫のような姿の生き物だが、足はアヒルのようで、尾は二股に分かれており、まるでバスドラムのスティックのような形をしている。また背中は真っ平な形をしており、ダムダムは春になると湖にやってきて、背中に尾を叩きつけて音を出す。すると魚たちが浅瀬に群がり、卵を産む。そしてダムダムはこの卵が孵化するまで監視する。ダムダムのこの行動を妨害すると、その湖では魚が姿を消すという。

アート・チャイルズ著『大きな森の物語』にある。同書には、背中を尾で叩きながら歩くダムダムの姿が描かれている。

同書に登場する他の怪物たちと同じく、アメリカノースウッズのガイドたちが語ったというトール・テール（ほら話）に出てくる怪物のひとつと思われる。

ダンガヴェンフッター
［だんがゔぇんふったー］

アメリカで語られた怪物。メイン州とミシガン州に生息するとされ、ワニのような姿をしているが、口がなく、大きな鼻孔を持つという特徴がある。

ダンガヴェンフッターは草木の茂みに隠れて獲物を待つ。その側を人間などが通りかかると、尾で獲物を叩く。そして倒れた獲物は、ガス状になるまで尾で叩き潰され、そのガスを鼻孔から吸って食事とするという。

ヘンリー・H・トライオン著『恐ろしい生き物』にある。同書の挿絵では、茂みで獲物を待つダンガヴェンフッターの姿が描かれている。

同書に登場する他の怪物たちと同じく、アメリカノースウッズのガイドたちが語ったというトール・テール（ほら話）に出てくる怪物のひとつと思われる。

ダンスホールの悪魔
［だんすほーるのあくま］

アメリカに現れる怪異。人間の男の姿をしてダンスホールなどに現れ、女性を誘って踊るが、その足は鶏のもので、正体は悪魔であるという。自分の正体がばれると逃げ出すが、後には白い煙、硫黄の臭い、人間のものではないダンスの足跡が残されているとされる。

ジャン・ハロルド・ブルンヴァン著『消えるヒッチハイカー』にある。鶏の足や馬の足を持つのは悪魔の証拠であると考えられており、アメリカやメキシコでは古くからこの人ならざる足を使って恐ろしい祭りを行う悪魔や魔女の伝説が残されている。これが現代になって新たなバリエーションを獲得したのが、ダンスホールの悪魔なのだという。

チェッシー
［ちぇっしー］

アメリカで目撃される怪物。マサチューセッツ州チェサピーク湾に現れるとされる大蛇のような生物で、体長は七メートルから一〇メートル、濃い灰色の体色をしており、時速一五キロで泳ぐという。

ジャン＝ジャック・バルロワ著『幻の動物たち』によれば、この怪物は一九七八年の夏の間に三〇人以上に目撃されたとされる。また別の証言では、体にいくつかコブがあった、とされるものもあったという。

鶏肢豚（チキンフッテッド）
［ちきんふってっど］

アメリカで見つかったという不思議な生き物。その名の通り四肢が鶏のようになっている豚と思われ、木の上に巣を作るが、卵は産まないという。

　ベン・C・クロウ編『ジャージーの悪魔』によれば、マリオン・ヒューズという人物が作った小冊子『アーカンソーの三年間』に記載されている不思議な豚の一種であるという。

チャッフィン遺言書事件
［ちゃっふぃんゆいごんしょじけん］

　アメリカで発生した怪異。ノースカロライナ州の農民、ジェームズ・L・チャッフィンの農場で起きた怪事件。ジェームズは一九〇五年に農場と全財産を三男のマーシャルに残す遺言書を作ったが、一九一六年に気が変わり、四人の息子に財産を等分する内容の遺言書を新しく作った。彼は遺言書が自分の古い聖書に挟まっていることを覚書に書き、黒い外套(がいとう)のポケットに隠していたが、一九二一年、家族にそれを伝える前に死んでしまった。

　それから一九〇五年の遺書が見つかり、財産は三男のマーシャルの元に渡った。しかし一九二五年、次男のジェームズ・P・チャッフィンの枕元に父が現れ、黙って立っている夢を見るようになった。そしてある日夢の中で父が外套のポケットのことを教えたため、外套を持っている兄弟のジョンを尋ね、外套を探ると、縫い付けられたポケットの中からもうひとつの遺言書が見つかった。

　これにより二番目の遺言書が法廷に提出され、正当なものかどうかが議論された末、その筆跡が父親のものと一致したため、内容が認められたという。

　ローズマリ・E・グィリー著『妖怪と精霊の事典』にある。

チャンプ
［ちゃんぷ］

　カナダ及びアメリカで目撃される怪物。カナダとアメリカに跨(また)るシャンプレーン湖に現れるとされる。

　ジャン＝ジャック・バルロワ著『幻の動物たち』に載る目撃情報によれば、頭は小麦の樽(たる)ほどもあって歪(いびつ)な形をしており、目は緑がかっている。また長い首と複数のコブを持ち、長い肢(あし)もある、という目撃談もあり、巨大な両生類のような姿をしているようだ。

　この怪物は古くは一六〇九年、フランスの冒険家であり、シャンプレーン湖の名付け親でもあるサミュエル・ド・シャンプランが目撃したとされるが、この説は現在否定されている。一八一九年に報告された際には体長六〇メートルもあると記録されたが、近年の目撃談においてはそこまでの大きさはないようだ。一九七七年にはこの怪物を捉えた写真が公表され、その写真では巨大な蛇が首長竜のような姿をしているのが確認できる。また二〇〇六年にはチャンプを撮影したという映像が公開されており、二一世紀になってもこの怪物は地元を賑(にぎ)わせている。

宙に浮かぶ赤い目［ちゅうにうかぶあかいめ］

アメリカで目撃される怪異。コネチカット州のイーストン・バプテスト教会の裏には穴があり、中から多数の遺体が発見された。この付近では怪奇現象が多発しており、赤い目が宙に浮かんでいるのを見た人物もいるという。

ロバート・グレンビル著『絶対に出る 世界の幽霊屋敷』にある。

チュパカブラ［ちゅぱかぶら］

アメリカ、メキシコ、グアテマラ、ブラジルなど、南北アメリカ大陸で目撃される怪物。一九九五年前後にプエルトリコに出現したのが最初の報告とされ、以降何度も出現している。

その姿は体長約九〇センチ、頭部は卵形で、細長い手足と鋭い鉤爪（かぎづめ）を持つ。目は赤く、顎（あご）の上下から細長い牙が二本ずつ伸び、舌も尖（とが）っていて異常に長い。また後頭部から背中にかけて尖った角やひれのようなものが生えているという。

名前は「ヤギの血を吸うもの」を意味するスペイン語で、その名の通りヤギなどの家畜を襲い、牙や舌を突き刺して血を吸い尽くすとされる。

異様に速いスピードで走ることができ、跳躍力もある。また翼を持ち、空を飛ぶチュパカブラの目撃例もある。

その正体は遺伝子操作によって生まれたミュータント、宇宙人が連れてきた宇宙生物といったものがあるが、いまだ詳細は謎のままである。

並木伸一郎著『未確認動物ＵＭＡ大全』による。

憑かれた花嫁［つかれたはなよめ］

アメリカで語られる怪異。二〇世紀半ばのこと、ある新婚の夫婦がカリフォルニア州で車を運転していたところ、唐突に花嫁が行ったこともない場所の説明をし始めた。そこで花嫁の道案内に沿って走っていると、イーグル岬という場所に辿（たど）り着いた。直後、花嫁は花婿のことを知らないような素振りを見せ始め、車を奪って逃げ出した。

困惑した花婿が州兵とともに彼女を探していると、花嫁は一週間前にイーグル岬で自殺したとされるカレン・ファートンという人物の家にいた。

花嫁は病院に連れて行かれたが、自分をカレンだと言って譲らず、記憶もまたカレンのものに入れ替わっている。そして彼女は自分は自殺したのではなく、夫に殺されたのだと語った。

しかし生前の知り合いである病院の医師もにわかには信じられず、自分をカレンだと言い張る花嫁はカレンの母親を呼んで自分の存在を証明しようとするが、全く姿が違うため、当然母親はカレンを受け入れるどころか自分を騙（だま）したのかと怒る。

それに絶望したカレンは病院を抜け出して自分の家へ行き、埋まっていた彫像を取り出した。

それは頭部が少しへこんでおり、血痕が残っていた。カレンは鈍器で頭を殴られ、イーグル岬に投げ込まれたと語っており、これがその証拠の鈍器かと思われた。

医師がカレンからこの鈍器を受け取ると、カレンは気を失い、次に目を覚ました時には元の花嫁に戻っていたという。

L・ブレッソン著『世にも不思議な物語』にある。

ツリースクイーク［つりーすくいーく］

アメリカで語られた怪物。イタチのような姿をしているが、体表が樹皮のようになっており、木の幹に張り付いて完全に身を隠すことができるとされる。特殊な鳴き声を上げた後に攻撃してくるとされるが、その鳴き声はパンサー、若い豚、巨大なクラッカーなど、様々に形容される。これは風の強い日に顕著に響くとされ、「木の軋み」を意味する名前もここから取られているようだ。

ヘンリー・H・トライオン著『恐ろしい生き物』にある。同書の挿絵では、木の幹にへばりついて鳴き声を上げるツリースクイークの姿が描かれている。

同書に登場する他の怪物たちと同じく、アメリカの開拓期に開拓に関わった人々が焚火を囲んで語ったというトール・テール（ほら話）に出てくる怪物のひとつと思われる。

ツリーホッパー［つりーほっぱー］

アメリカで語られた怪物。グラスホッパー（バッタ）に似た虫とされ、木から木へと跳び回る。またどんな動物の鳴き声もそっくりに真似ることができ、森の中で聞こえる動物の鳴き声は、このツリーホッパーのものであることも多いという。

アート・チャイルズ著『大きな森の物語』にある。同書には、木の枝に乗るツリーホッパーの姿が描かれている。

通常、ツリーホッパーといえばツノゼミのことだが、このツリーホッパーは挿絵から見てもバッタに近い生き物として語られていたようだ。

同書に登場する他の怪物たちと同じく、アメリカ北部のノースウッズにて森のガイドたちが語ったという物語に出てくる怪物のひとつと思われる。

ディンモール［でぃんもーる］

アメリカで語られた怪物。ニューハンプシャー州のジェファーソンという町には、「ディンモールロック」と呼ばれる平らな岩がある。

ディンモールはこの岩のような日当たりの良い場所にいることを好むため、このように呼ばれるようになったという。

ディンモールは巨大な猫のような姿をしており、体長の二倍もある非常に長い尾を持つ。西部と東部では姿が違い、二種類いるようだ。

その最大の特徴は尾の先にある棘のある球状の器官で、これは枯れ木を折ってその破片で巣を隠したり、虫を追い払ったり、繁殖期にオスが自身の胸を叩いてメスにアピールするために使われるという。またメスの方が大きな球状器官を持っており、もしオスのアピールが気に入らない場合は、その頭を叩くのに使われるという。

ヘンリー・H・トライオン著『恐ろしい生き物』にある。同書の挿絵ではディンモールロックかと思われる平らな石に寝転ぶディンモールの姿が描かれている。

同書に登場する他の怪物たちと同じく、アメリカの開拓期に開拓に関わった人々が焚火を囲んだり、酒場で語ったというトール・テール（ほら話）に出てくる怪物のひとつ。

道化のホーミィ［どうけのほーみぃ］

アメリカで語られていた怪人。ニュージャージー州で目撃されたという道化姿の誘拐犯で、一九九一年頃、子どもたちにその存在が恐れられていた。この道化師は一人もしくは複数人存在し、遭遇した子どもによれば、片手に鉈を、片手に機関銃を持っていたという。

ジャン・ハロルド・ブルンヴァン著『赤ちゃん列車が行く』にある。ブルンヴァンは一九八〇年代に噂された道化師姿の誘拐犯の都市伝説に触れ、これが再び現れたと説明している。八〇年代の道化師については**ファントム・クラウン**の項目を参照。また、「ホーミィ」という名前は『イン・リヴィング・カラー』というテレビシリーズに登場するキャラクターから取られているという。

ドーバーデーモン［どーばーでーもん］

アメリカに出現した怪物。マサチューセッツ州のドーバーに出現したことからこの名前で呼ばれる。

体長は一・二メートルほど、胴体と同じぐらい大きい頭部は瓜のような形をしており、オレンジや緑に光る眼、細い首と手足、ピンクかベージュ色の肌を持つ。鼻、口、耳はなく、体毛も生えていない。一九七七年四月二一日に初めて目撃され、それがマスコミによって紹介されたことで全米に知られることとなったという。

その正体は不明で、異次元からやってきた生物、宇宙生物などの説がある。

並木伸一郎著『未確認動物UMA大全』による。

トライポデロ［とらいぽでろ］

アメリカで語られた怪物。カリフォルニア州のチャパラルと呼ばれる低木林を棲み処としている存在で、伸縮性のある二本の脚と、カンガルーのような尾を持ち、遠目に見ると三脚カメラのような姿をしている。この足は筒が重なったような形状になっており、自在にその長さを変えられるため、木の上まで体を伸ばしたり、逆に地面に接するほど体を縮めることもできる。またその頭部には巨大な鼻があり、頭部の大部分を占める。トライポデロは嗅覚が優れているため、この鼻によって獲物を探し、見つけると狙いを定め、左頬に溜めている泥を固めた物を吐き出し、獲物に当てて気絶させる。それから文字通り脚を伸ばしてその獲物を捕食するのだという。

ウィリアム・トーマス・コックス著『木こりの森の恐ろしい動物たち、砂漠と山の獣たち』にある。同書の挿絵では、低木林よりも高い位置へ足を伸ばし、地面を見つめるトライポデロの姿が描かれている。

同書に登場する他の怪物たちと同じく、アメリカの開拓期に開拓する中で、森で作業をしていた人々が焚火を囲んで語ったというトール・テール（ほら話）で活躍した怪物のひとつ。

トラップスプリンガー

［とらっぷすぷりんがー］

アメリカで語られた怪物。ノースウッズに冬の時期になると現れるという生き物で、バネのような足を持つ。トラップスプリンガーはその名の通り、このバネ足を使ってトラバサミの上に乗ると、バネの勢いを利用して罠に引っかからないままトラバサミを稼働させる。そうして毛皮を狙うハンターたちから猛獣を守っているトラップスプリンガーは、その代わりに猛獣の巣穴に棲まわせてもらい、食物を与えてもらうのだという。

アート・チャイルズ著『大きな森の物語』にある。同書には、トラバサミを解除するトラップスプリンガーの姿が描かれている。またその姿は、丸い体に栗の実のような形の頭が乗り、バネ状の足が体の下部から生えている姿となっている。

同書に登場する他の怪物たちと同じく、アメリカの開拓期に開拓に関わった人々が焚火を囲んで語ったというトール・テール（ほら話）に出てくる怪物のひとつと思われる。

三豚組（トリオ）

［とりお］

アメリカで語られる不思議な生き物。猫のように小さく、俊敏に動く豚で、三匹が一組になって行動するという。虫を常食とするが、その方法は以下のようなもの。小さ目の岩を見つけると、三匹のうちの一匹が岩のそばに寝そべり、二匹目が岩の下に鼻を突き入れ、そのまま一匹目の上に乗る。そしててこの原理で岩を持ち上げると、三匹目が岩の下に体を突っ込み、ミミズなどの虫を捕まえるのだという。

ベン・C・クロウ編『ジャージーの悪魔』によれば、マリオン・ヒューズという人物が作った小冊子『アーカンソーの三年間』に記載されている不思議な豚の一種であるという。

【な】

ナイフで暴れるテディベア
［ないふであばれるてでぃべあ］

アメリカに現れた怪異。悪魔が憑いたテディベアとされ、二〇〇六年五月、オハイオ州クリーヴランドの骨董店の前の歩道に置かれていたという。このテディベアの持ち主となると部屋に幽霊が現れる、ラップ音が聞こえる、テディベアの目が光るといった現象が起きたという。さらにはテディベアがナイフを持って襲い掛かってきたため、インターネットオークションに掛けられ、落札されたとされる。

並木伸一郎著『最強の都市伝説2』にある。

泣き虫鮫
［なきむしざめ］

アメリカで語られた怪物。体長が二〇メートル近くある巨大なサメだが、ニューヨーク州イーストハンプトン沖で死体で見つかったという。このサメの両目には涙を流し続けた跡があったため、この名前で呼ばれるようになった。泣き続けた理由は、このサメの腹を裂いたところ、油の樽が丸ごと見つかったことから、樽を丸ごと飲み込んで、それを消化できないまま死んでしまったからだと考えられたという。

ベン・C・クロウ編『巨人ポール・バニヤン』にある。同書によれば、これは新聞に投稿された話だが、トール・テール（ほら話）の一種と考えられるという。

波間の幽霊
［なみまのゆうれい］

アメリカで語られた怪異。一九二九年のこと、アメリカのカリフォルニア州からパナマに向かっていたティーズ・サービス社のタンカー、ウォータートン号では、二人の水夫が船倉で作業中に煙を吸い込み、命を落とすという事故があった。二人は水葬に付され、タンカーは航路を進んだ。

しかしその翌日、ウォータートン号は二人と再会することとなる。二人が太平洋を泳ぎ、船を追ってきたのだ。三日の間、二人はウォータートン号と並んで泳ぎ続けた。時には船を先導し、スコールを避けさせようとしたこともあったという。

やがてウォータートン号はルイジアナ州のニューオーリンズの事務所に立ち寄ったが、その際に二人の幽霊のことも報告された。そこで幽霊たちの姿を写真に撮ることとなったが、計八枚撮られた写真のうち、一枚に間違いなく死んだ二人の水夫の姿が写っていたという。

N・ブランデル他著『世界怪奇実話集』にある。

ニオイトッキ［においとっき］

メキシコで発見された不思議な生き物。シエラ・マドレ山脈に生息している香りを出す。**平行植物**の一種で、幻覚を発生させる香りを出す。

平行植物の特徴である黒い色をしており、ミズの木の露出した根の間に生えるため、非常に見つけづらい。また平行植物の多くは人間には触れることができないか、触れたとしてもすぐに崩壊してしまうが、このニオイトッキは毎年ごく短期間、人間が手で運ぶことができる。そのため、現地の人々はその幻覚効果を利用して儀式を行うなどしているという。

レオ・レオーニ著、宮本淳訳『平行植物』にある。同書に登場する平行植物と称される生き物は、通常の物理法則が通用しない、静止した時間もしくは現実と平行して存在する別の時間に生きているといった特徴を持つとされる。しかし同書にある植物は実在する体裁で書かれているものの、すべて著者であるレオーニの創作である。平行植物の特徴そのものについては、当該項目を参照。

偽幽霊フィリップ［にせゆうれいふぃりっぷ］

カナダに現れた怪異。カナダのオンタリオ州のトロント心霊調査協会を主宰していたオーエン夫妻が生み出した架空の幽霊。オーエン夫妻は降霊の実験の際に一七世紀のイングランドに生きた架空の人物として、フィリップを考え出した。このフィリップは愛人が魔女として火あぶりにされて殺されたため、その後を追ったと設定した。そうして霊の交信を行ったところ、実際にフィリップを名乗る霊が現れ、夫妻が設定した以上の経歴を披露し始めたという。

羽仁礼著『超常現象大事典』による。

二段ベッドの悪霊［にだんべっどのあくりょう］

アメリカに伝わる怪異。このベッドは同国ウィスコンシン州でデビー・トールマンとその妻、アランの夫妻が中古で購入したというもので、見た目は普通の二段ベッドと変わらない。

しかしこのベッドには悪霊が取り憑いていたと考えられ、家に置くようになってからドアが勝手に開閉し、椅子がひとりでに動き、ベッドを使っていた子どもたちは、不思議な光を放つ長い黒髪の老女を目撃するようになった。また彼らは赤い色の瞳が自分を見つめている光景や、霧と炎の光景を見たという。この悪霊は二人の子どものうちダニーという幼い息子に執着した。彼は他の家族よりも多くの怪現象に遭遇し、子どもたちのために雇った、かなりの現実主義者のベビーシッターまで怪現象に遭遇したため、ついに一家はこのベッドを破壊した。それ以降は怪異は発生しなくなったが、やがてこの家を出たという。

この怪異は一九八八年、アメリカのテレビ番組『Unsolved Mysteries: Ghosts』など、多くのメディアに取り上げられたことで広まった。

ニューヨーク沖のジェリー状の怪物［にゅーよーくおきのじぇりーじょうのかいぶつ］

アメリカに現れたという怪物。ニューヨーク市の南沖に現れたという透明なジェリー状の怪物で、骨格も鼻も口も目もなかった。体長は四メートルから五メートルもあり、太さは一二〜一八センチと細長く、上下にうねりながら海中を進んだという。

ジョン・A・キール著『不思議現象ファイル』によれば、一九六三年、科学者を多数乗せた「チャレンジャー」という調査船の側を通り過ぎて行ったという。

沼地の怪物［ぬまちのかいぶつ］

アメリカに現れたという怪物。ミズーリ州南東部にある沼地で目撃されたというゴリラに似た何者かで、牛や馬を簡単に引き裂き、食らうこともせずに放置したとされる。

ジョン・A・キール著『不思議現象ファイル』によれば、一九四九年代後半に目撃されたという。

呪いのチェスト［のろいのちぇすと］

アメリカに伝えられる怪異。人を次々と呪い殺すチェストで、その由来は一九世紀半ばまで遡る。

当時、ジェイコブ・クーリーという人物が子どものため、アフリカ系アメリカ人の奴隷、ホセアに作らせた木製のチェストであったが、クーリーは完成品が気に入らなかったため、ホセアを殺してしまった。これを知った奴隷の仲間たちは復讐のためチェストを呪わせた。乾いたフクロウの血をチェストのある引き出しに振りかけ、聖歌を歌った。

それ以来、このチェストはクーリーの家族や子孫を次々と呪い殺すようになった。ある者は事故で、ある者は殺人により、ある者は病に倒れ、死亡した。彼らに共通するのは、このチェストに衣服をしまっていたということだった。

一六人が犠牲になった頃、このチェストを引き継いだハドソン夫人という人物が、友人であるアフリカ系アメリカ人のアニーという魔術師を呼び、このチェストの呪いが解かれることとなった。その方法はまず死んだフクロウを用意し、それを見つめながら柳の葉を一日煮込み続ける。最後に日が昇る頃、太陽の方を向き、柳の葉を煮込んだ液体を花壇に撒くというものだった。

それによるものか、アニーはそれからしばらくして亡くなり、一七人目の犠牲者となったが、それが最後であった。

ＷＥＢサイト「THE CLERMONT SUN」などによる。

チェストは一九七六年、ケンタッキー州の歴史博物館に寄贈され、現在もそこで眠りについている。

【は】

ハイアンポム・ホグ・ベア
［はいあんぽむ・ほぐ・べあ］

アメリカで語られた怪物。カリフォルニア州北西部に棲み着いているという、先端の尖った鼻を持つ小さなヒグマのような生物とされる。

この熊は人間に飼われている肥えた豚を好んで捕食するため、養豚場の人々は大きな被害を受けているという。

ウィリアム・トーマス・コックス著『木こりの森の恐ろしい動物たち、砂漠と山の獣たち』にある。同書の挿絵では、肥えて動きが鈍くなった豚に襲い掛かろうとしているホグ・ベアの姿が描かれている。

同書に登場する他の怪物たちと同じく、アメリカの開拓期に開拓に関わった人々が焚火を囲んで語ったというトール・テール（ほら話）に出てくる怪物のひとつと思われる。

ハイズヴィル事件
［はいずゔぃるじけん］

アメリカで起きた怪異。同国ニューヨーク州の小村ハイズヴィルで発生したため、この名前で呼ばれる。事件の概要は以下のようなもの。

この村にあったフォックス家が住む一軒家にて、一八四八年三月頃、ポルターガイスト現象が頻繁に発生するようになった。ラップ音が聞こえ、二階を歩く靴音や地下への階段を何かを引きずりながら下りる音、ドアが開いたり閉じたりする音がするようになり、一家四人は睡眠不足になる。

そんなある日、七歳の娘、ケイトがその音に向かって「ひづめの割れた化物さん、私の通りにしてごらん」と言い、手を数回叩くと、ラップ音がそれと同じ回数だけ鳴った。姉で一〇歳のマーガレットがこれに倣うと、やはりラップ音がそれに続く。

これにより怪異とコミュニケーションが取れることに気が付いたフォックス家は、ラップ音に対しイエスなら音を二回、ノーなら音を一回出してほしいというような形で会話を求め、その正体を探った。

それで分かったことでは、ラップ音を出している者の正体はかつてこの家で殺された男だった。フォックス夫人は事の重大さに近所の人たちを大勢呼んできて、皆で質問したところ、この霊について様々なことが分かった。

霊の生前は行商人で、資料によっては「チャールス・ロスマ」と言い、五年前、深夜に包丁で首を切られ、階段を引きずられて地下室に運ばれ、埋められた、ということだった。これによりフォックス家の地下が調べられたが、当時は有効な証拠は出てこなかった。しかし五六年後、実際に家の壁の間で白骨死体が発見され、事件が実際にあったことが判明した。

内容は三浦清宏著『近代スピリチュアリズムの歴史』や春川栖仙著『心霊研究辞典』を参考にした。この事件は一九世紀の出来事だが、後に世界中に大きな影響を与えた心霊ブームの火付け役であったことから、本書でも紹介する。

マーガレットとケイトのフォックス姉妹はこの後、家を離れてもラップ音や不思議な現象がついて回るようになり、見物人が家に押し掛けるようになったため、姉妹はそれぞれ家を離れていた姉と兄の元に送られた。マーガレットはロチェスターに住んでいた姉の元に行ったが、そこでも怪現象が続くため、その現象はやがて「ロチェスターのノック音」と呼ばれるようになり、近隣でも有名になった。

この姉妹の事件を契機として、同様の現象を起こすことができるという女性が次々と現れた。また、フォックス姉妹に同調する者たちが定期的に集まって会合を開き、霊界からのメッセージを求めるようになる。そしてマーガレットとケイトの姉、リーが霊媒を職業として自立すると、妹たちもそれに続いた。これらの活動は米国中に霊界や霊能の存在を広めることとなり、やがてアメリカはこのスピリチュアリズム（心霊主義）に熱狂していく。そのブームは海外にも広がり、人々は死者との交流や新たな死後の世界を求めるようになる。

ハイドビハインド［はいどびはいんど］

アメリカで語られた怪物。体長一メートル八〇センチほどで、直立して行動する。その体は細く、木の幹の後ろに完全に隠れることができ、毛皮は黒く、尾は反り返って体にくっついており、夜行性なこともあってこれを見つけるのはかなり困難とされる。

前足にはグリズリーのような爪があり、ハイドビハインドは樹木に隠れながら獲物を尾行し、突然飛び出してきて獲物に飛びつき、その爪で解体する。そうして獲物の腸を食らうという。またハイドビハインドは一度獲物を取れば、七年間は何も摂取せずに生きることができるという。

ウィリアム・トーマス・コックス著『木こりの森の恐ろしい動物たち、砂漠と山の獣たち』にある。同書の挿絵では、木の後ろに隠れるハイドビハインドの姿が描かれている。

同書に登場する他の怪物たちと同じく、アメリカの開拓期に開拓に従事した人々が互いに語り合ったトール・テール（ほら話）にて生まれた怪物のひとつ。

ハガッグ［はがっぐ］

アメリカで目撃された怪異。ミネソタ州北部やカナダに現れたという奇妙な動物で、ヘラジカに似ているが、足には関節がなく、長い上唇を持っている。頭には毛がなく、耳は垂れ下がっており、先史時代の獣を思わせる姿をしているという。一日中歩き続けることができ、樹皮を剝いで食べるという。また足に関節がないことから横になることができず、眠る際は木に寄り掛かって眠るという。これを捕らえる際には、寄りかかっている木ごと切り倒し、一緒に倒れて動けなくなったハガッグを捕まえると良いとされる。

ウィリアム・トーマス・コックス著『木こりの森の恐ろしい動物たち、砂漠と山の獣たち』にある。アメリカの開拓期に樵や船乗りたちが互いに語り合ったというトールテール（ほら話）の中で生まれた怪物のひとつ。

墓場のブルーレディ［はかばのぶるーれでぃ］

アメリカのカンザス州で語られた怪異。同州の都市トピカ北部にあるロチェスター墓地に現れるという幽霊で、夜中に白い髪、青白い肌、ピンク色の瞳の女性が犬を散歩させるという。これはこの墓地近くに住んでいた実在の女性で、アルビノだった。そのため か差別を受けており、夜に犬を散歩させていたという。その最後はならず者に殺され、墓地に埋められた、と伝えられる。

並木伸一郎著『ムー的都市伝説』によれば、この女性の霊は近年でも目撃されており、二〇一三年にはこの幽霊を見ようと待ち受けていた人間に襲い掛かり、首を絞めようとした、といった話が語られているようだ。

八七三号室の怪［はちななさんごうしつのかい］

カナダに伝わる怪異。アルバート州にあるバンフ・スプリングス・ホテルには様々な怪異が出現すると言われており、八七三号室は怪奇現象が多発する部屋として知られている。

この部屋に泊まると、眠っている間に枕を頭の下から引き抜かれたり、夜中に悲鳴を聞いたり、鏡に付着した血まみれの手形を見たりするという。しかしその超常的な現象が原因で、現在ではこの部屋はレンガで封鎖されており、宿泊することができなくなっている。

ＷＥＢサイト「Avenue Calgary」などを参考にした。同サイトによれば、かつてこの部屋では一家が惨殺される事件があり、その霊が出現すると考えられているようだ。

バッツカッチ［ばっつかっち］

アメリカのワシントン州レイニア山麓で目撃されたという怪物。体長七メートルの巨人のような姿をしており、紫色の体毛に覆われ、背には翼竜のような翼が生えている。夜行性で、夜になると家畜を襲って食べるという。

並木伸一郎著『未確認動物ＵＭＡ大全』によれば、バッツカッチの名前の由来は、バット（蝙蝠）とサスカッチ（カナダの先住民が使用する**ビッグフット**の呼び名）の両方の特徴を持っていることから、その名前を組み合わせたものなのだという。

バットマンの呪い［ばっとまんののろい］

アメリカで語られる怪異。クリストファー・ノーラン監督によって撮られた、アメリカン・コミックスの代表的ヒーローであるバットマンを主役としたダークナイト三部作。中でも二作目である『ダークナイト』には、呪いの噂が囁かれている。

この作品を撮影中、事故で一人の特殊効果技師が死亡。公開直前には、バットマンの宿敵、ジョーカーを演じたヒース・レジャーが急性薬物中毒によって亡くなった。また主役のバットマン及びブルース・ウェインを演じたクリスチャン・ベールが逮捕されたり、バットマンを助ける役を演じたモーガン・フリーマンが事故を起こしたりといったこともあった。これはバットマンの呪いなのではないかと密かに噂されているという。

並木伸一郎著『最強の都市伝説3』にある。同書では触れられていないが、アメリカのコロラド州では、バットマン原作及び『ダークナイト』に登場するジョーカーに影響を受けたとして、二〇一二年、続編である『ダークナイト ライジング』公開初日、その上映中に映画館に侵入した男が銃を乱射するという「オーロラ銃乱射事件」が起こっている。この事件では死者一二人、負傷者五八人という多くの被害者が出た。

このように、様々な不幸な事故・事件に見舞われた映画作品であるが、無論、『ダークナイト』は呪いのために作られた作品ではない。たとえ偶発的な事件や事故が重なろうとも、映画の評価そのものに影響すべきではない。

バットマンの場合、同じくＤＣコミックスを代表するヒーロー、**スーパーマンの呪い**が有名であるため、対になる形で語られやすいのかもしれない。

しかしバットマンもスーパーマンも、呪いを振りまく存在などではなく、長年にわたり人々を楽しませ、勇気づけてきたヒーローであることを忘れてはならないだろう。

バニー・マン［ばにー・まん］

アメリカに現れる怪異。一九七〇年代に噂されるようになったウサギの着ぐるみを纏った殺人鬼、という特異な出で立ちの怪人で、バージニア州フェアファックス郡クリフトンに毎年ハロウィンの夜に現れるという。主に斧を凶器とし、特にある高架橋の下に出現することが多い。

バニー・マンの正体も詳しく伝えられており、元は一九〇四年にこの橋の近くにあった精神障害の犯罪者を収容していた刑務所に拘留されていた殺人鬼なのだという。この刑務所は同年に閉鎖されることとなり、囚人を別の刑務所に移動させることとなったが、囚人たちを乗せたバスが事故を起こし、ダグラス・J・グリフォンという囚人が逃げ出した。それ以来、周辺の森で体を半分食いちぎられ、木に吊り下げられたウサギの死体が度々見つかるようになり、いつしかグリフォンはバニー・マンと呼ばれるようになった。

そして翌年のハロウィンで、地元の三人の若者が姿を消した。捜索が行われたが、三人は無残な姿で高架下のトンネルで見つかった。彼らはウサギの死体と同じようにに体を切り刻まれ、トンネルに吊るされていたという。

それからこの高架橋及びその下のトンネルは「バニー・マン・ブリッジ」と呼ばれるようになり、毎年ハロウィンになるとこの周辺でバニー・マンに襲われたという報告が後を絶たなくなった。またこのトンネルで「バニー・マン」と三回唱えると、バニー・マンが現れるという噂も語られているという。

並木伸一郎著『最強の都市伝説2』にある。一九七〇年一〇月には、バニー・マンの出現がワシントンポストで報じられるなど、出現当時から大きな話題を提供していたようだ。

ハロウィンのサディスト
[はろうぃんのさでぃすと]

アメリカで語られた怪人。毎年ハロウィンの日になると現れるという謎の人物で、仮装してお菓子をねだる子どもたちに、毒や薬、刃物入りのお菓子を渡すのだという。

ジャン・ハロルド・ブルンヴァン著『くそ!なんてこった』によれば、この怪談の原型は一九四〇年代のお菓子をねだる子どもたちにフライパンで熱した一〇セント硬貨を与える人間の噂(うわさ)だという。一九六〇年代末から一九七〇年代にかけては毒物や薬物、刃物などを混入させたお菓子を配るハロウィンのサディストの噂が記事になっていたと記載されている。実際、一九七四年にはハロウィンの日に毒を入れたキャンディを自分の子どもに食べさせ、殺害した父親の事件が発生した。

また、同書には一九七九年に公開されたジョン・カーペンターの映画『ハロウィン』をはじめとする『ハロウィン』シリーズなど、ハロウィンを舞台としたホラー映画が、毎年ハロウィンの近くになると真夜中に放映されたことが、ハロウィンのサディストへの恐怖を煽(あお)った可能性についても記されている。

梃子豚鼻(ハンドスパイク)
[はんどすぱいく]

アメリカで語られた不思議な生き物。尖(とが)った鼻を持ち、群れを成してトウモロコシ畑に押し掛けては、鼻を柵の下に突っ込み、一斉に持ち上げて侵入するという。

ベン・C・クロウ編『ジャージーの悪魔』によれば、マリオン・ヒューズという人物が作った小冊子『アーカンソーの三年間』に記載されている不思議な豚の一種であるという。

バンフ・スプリングス・ホテルの花嫁
[ばんふ・すぷりんぐす・ほてるのはなよめ]

カナダに伝えられる怪異。このホテルは

様々な幽霊が出現することで知られている。その中でも有名なのが、「花嫁」と呼ばれる幽霊で、一九二〇年代に階段で転落死した女性だという。その後、花嫁の幽霊は死んだときのウェディングドレスの姿のままで、同じ階段を行き来したり、新郎と踊るため、舞踏室で待機している姿が目撃されているという。

ロバート・グレンビル著『絶対に出る 世界の幽霊屋敷』にある。このホテルには他にも様々な怪異が出現する。詳細は**ベルマンのサム、八七三号室の怪**を参照。

非行少年収容所の悪霊［ひこうしょうねんしゅうようじょのあくりょう］

カナダに現れたという怪異。同国のモントリオールには、一八〇五年、非行少年収容所として建設された家があった。この家では二人の少年が家主夫婦を殺害するという事件があり、未成年であったにもかかわらず、この二人は絞首刑となった。それから家の大部分が火事で焼けたが、修繕が終わった後も放火や殺人などの不幸が頻繁に起こる場所となり、また家の中にいると冷たい空気の塊が部屋から部屋へと移動するという怪現象が起きることで知られていた。

そしてこの家ができて一〇〇年後の一九〇五年、ポール・フォルティエという作家がこの古い家を気に入り、購入する。彼にはデニーズという妻と幼い娘のジゼルがいたが、暮らしているうちにデニーズとジゼルはこの家に住むことに不安感を持つようになり、ジゼルはあの冷たい空気の塊に遭遇してしまう。

そしてある夜、ジゼルが悪夢を見て目が覚めると、部屋の中に煙が充満していた。慌てて部屋を出ると、家の至るところで炎が燃え上がっている。悲鳴を上げながら両親の寝室に急ぐと、今度はハサミを喉に突き立てられた父親の死体が待ち構えていた。そしてベッドの上では、母親が小さな笑い声を上げる裸の少年二人と取っ組み合っており、少年らに拳で殴られ続けていた。

しかしジゼルが隣人を呼んで戻ってくると、顔の見分けがつかなくなるほど暴行を受けて気を失った母親と、父親の死体がある以外には家は元通りになっていた。警察はポールとデニーズが激しい夫婦喧嘩をした上でデニーズがポールを殺害したと考えたが、デニーズは病院に運ばれて三ヶ月後に死んでしまった。それから悪霊の出たあの家は、翌年に本当に火事に遭って全焼してしまったという。

N・ブランデル他著『世界怪奇実話集』にある。

ビッグフット［びっぐふっと］

アメリカ及びカナダで目撃される怪物。巨大な足跡が残されていたことからこの名前が付けられた。またインディアンの間に伝わる「サスカッチ」の名で呼ばれることもある。

体長は二メートル以上あるとされ、褐色もしくは灰色の毛に覆われた類人猿のような姿をしているという。一八一〇年には既

北アメリカ

に目撃例が存在しており、その後も何度も目撃され、映像や写真に記録されているが、捕獲には至っていない。

　その正体は遥か太古に絶滅した大型の類人猿、ギガントピテクスの生き残りであるという説や、新種の猿という説などがある。

　並木伸一郎著『未確認動物UMA大全』による。類人猿型の未確認生物は数多く報告されているが、その中でもビッグフットはヒマラヤの**イエティ**と並び、世界的に有名。

ヒツジ男［ひつじおとこ］

　アメリカで目撃される怪人。カリフォルニア州ベンチュラのアリソン渓谷でよく目撃される。その名の通り灰色の体毛に覆われ、体長二メートルのがっしりとした体格をしており、角のある羊のような頭部を持つ。目は猫に酷似しており、一九二五年頃から出現している記録が残る。

　その正体については、以下のような説が語られることが多い。この怪人が出現する地域ではかつて酪農工場を装った秘密化学工場があり、この工場で実施された実験により生み出されたのがヒツジ男であるという。

　並木伸一郎著『未確認動物UMA大全』にある。余談だが、日本にも似たような姿をしたヒツジ男が現れるという噂があり、その正体は筑波大学の実験で生まれた人と羊の混合生物である、などとされることが多い。

人食いダコ［ひとくいだこ］

　アメリカに現れる怪物。オクラホマ州の湖に現れる巨大なタコで、湖上にいる人間を水中に引きずり込み、殺してしまうとされる。その大きさは六メートル以上、赤褐色のなめし革のような皮膚を持つ。また肉食で、引きずり込んだ人間を食い殺しているという噂もあるようだ。

　並木伸一郎著『最強の都市伝説2』にある。同書では実際にはこの怪物の目撃情報はなく、アメリカ人がジョークとして語った話ではないかと記されている。

人殺しの雄牛［ひとごろしのおうし］

　アメリカで語られた怪異。一八九〇年から一九二〇年にかけてカウボーイたちの間で語られたという怪談で、「人殺し」の焼印を押された雄牛の幽霊が現れた、という話だったという。

　この雄牛は元々テキサス州ブルースター郡でザック・スペンサーとジル・スペンサーという兄弟に飼われていた雄牛だった。

　この雄牛は立派な角を持っていたため、兄弟はどちらがこの牛を所有するかで言い争いになったが、ザックはくじ引きをしようという弟の提案を無視して、銃で弟を撃ち殺してしまった。

　正気に返ったザックは自分のしでかしたことに噎び泣き、そして牛に自分に押された焼印と同じ「人殺し」という焼印を押し、一〇〇〇年の間この周辺を歩き回ることを神に祈って牛を放した。そして自分自身は弟を埋葬した後に自殺した。

それから数ヶ月後、「人殺し」の焼印を押された雄牛がこの地域の広範囲にわたって出現するようになった。それだけでなく、この雄牛を目撃した人間は、短期間のうちに誰かを殺すか、逆に殺される、という現象が起きるようになった。

雄牛は長年にわたって目撃され続け、いつからか雄牛は既に死んでいて、幽霊となって現れていると語られるようになった。またその体の焼印は、一切癒えることなく、まるで押したばかりのように生々しい傷跡を晒していたという。

しかし一九二〇年になって、アランという牧場主がこの雄牛と遭遇し、銃弾を撃ち込んでからは一切姿を見せなくなった。頭を撃たれた雄牛は銃弾に倒れる様子もなかったが、ただ悲しそうな目でアランを見てから去って行った。またアラン自身も、この雄牛の呪いからは逃れられず、自分を騙そうとした隣の牧場主を決闘の末に殺した。

しかしそれが人殺しの雄牛が起こした最後の事件となり、この雄牛はいつしか人々の記憶から消えていったという。

N・ブランデル他著『世界怪奇実話集』にある。

一人分の余裕 [ひとりぶんのよゆう]

アメリカで語られた怪異。カロライナ（ノースカロライナ州またはサウスカロライナ州か）の親戚の家に招かれた若い娘が、その農園の一室に泊まっていたときのこと。窓の外から馬の蹄の音が聞こえ、外を見てみると、旧式の立派な馬車がやってきて、彼女の部屋の前で止まった。そして馬車から飛び降りた御者が娘を指さし、「もう一人乗る余裕がある」と言う。しかしその御者は見るからに恐ろしい姿をしていたため、娘が後ずさると、御者は馬車とともに消えてしまった。

しかしその光景は毎晩繰り返され、ついに耐え切れなくなった娘は予定を切り上げて家に帰った。

帰宅してからすぐ、娘はタクシーを呼んでかかりつけの医者のところに向かい、医者から幻覚を見たのだと説明してもらったことで安堵した。その帰り、エレベーターの前で待っていると、すぐにエレベーターの扉が開いた。中は満杯だったが、エレベーターを運転している男が言った。

「もう一人乗る余裕がある」

その姿は、娘が親戚の農園で見たあの御者の姿と一緒だった。娘が悲鳴を上げて後ろに下がると、エレベーターの扉が閉まった。直後、轟音とともに建物が揺れた。

娘が乗ろうとしていたエレベーターが落下し、中にいた人々は全員無惨な姿で見つかることとなったのだ。

ベン・C・クロウ編『ジャージーの悪魔』にある。同書によれば、一九四四年に記録された話だという。これに似た話は日本にも輸入されており、前段となる馬車の話はないものの、地獄から来た女がエレベーターに現れ、「もう一人、お乗りになれます」と誘うも、拒否するとそのエレベーターが落下して中の人間が全員死亡する、という話となっている。また河野一郎編訳『イギリス民話集』にはロンドンを舞台として同様の話が載せられており、渡辺節子他編著『夢で田中にふりむくな』では、一九一二年、イギリスのロンドンから日本に来た客が同様の話をしていたと記されている。そのため、もっと歴史を遡ることが可能な怪談かもしれない。

ビルダッド［びるだっど］

アメリカで語られた怪物。メイン州のバウンダリー池にのみ生息しているとされ、ビーバーほどの大きさだが、カンガルーのような長い後ろ足を持ち、その指には水かきがあるという。また猛禽類のような嘴と平らな尾を持ち、昆虫の多い草の茂った場所に潜む。そして虫を食べに現れた魚をその尾で叩いて気絶させ、食すのだという。

また非常に強力なジャンプ力を持ち、五〇メートル以上の跳躍が可能とされる。

基本的に人前に姿を現さないため、捕獲するのは難しいが、もしビルダッドを捕まえてその肉を食べると、まるでビルダッドに取り憑かれたようになり、とんでもない跳躍を見せた後、自ら水に沈んでそのまま死んでしまうという。

ヘンリー・H・トライオン著『恐ろしい生き物』にある。同書の挿絵では、月夜を跳ぶビルダッドの姿が描かれている。

同書に登場する他の怪物たちと同じく、アメリカの開拓期に開拓に関わった人々が焚火を囲んで語ったというトール・テール（ほら話）に出てくる怪物のひとつと思われる。

ファンション・モンカール［ふぁんしょん・もんかーる］

アメリカに現れたという怪異。ファンション・モンカールは小人症の女性で、自分の年齢を偽り、少女として振る舞いながら後見人と見せかけた共犯者の女性とともに窃盗を繰り返していた。

その方法はファンションが常に持ち歩いている中国人形のねじ込み式の頭を外し、人形の中に宝石を入れてアメリカに持ち帰るというものだった。盗みを働くのは主に中国であったが、見た目が少女のファンションは税関に怪しまれることなくすり抜けてアメリカに戻ることができたという。

しかしそんな生活は、ファンションがマグダ・ハミルトンという女性と一人の男性を取り合ったことで終わりを告げる。マグダがファンションのことを警察に密告したことでその悪事が露見。ファンションは捕まって終身刑に処せられたのだ。

マグダはそれによって意中の男性を射止めたものの、わずか六ヶ月で離婚することとなる。しかし相手が気前よく離婚条件を飲んだため、その資金を元に投資を行い、やがてマグダはニューヨークでも有数の資産家となっていた。

そんなある日、マグダの元に刑務所にい

るはずのファンションが出現した。その姿は少女のものではなく、年相応の腰の曲がったしわだらけの老婆であったという。しかしファンションが現れたのは、彼女が独房で首を吊って死んだ一週間後のことであった。

それを知ったマグダはファンションの亡霊から逃れるため、ヨーロッパ行きの船を予約した。だが彼女がその船に乗ることはなかった。マグダは船出の前日、死体となってベッドの上に横たわることとなったのだ。

その死体は両目が飛び出し、口の両端には流れ出た血が乾いてこびりついていた。死因は自分の血を喉に詰まらせての窒息死で、喉の粘膜は何か大きなものをねじ込まれたように大きく裂けていた。

そして奇妙なことに、その粘膜には数本の頭髪のようなものが残っていた。その頭髪は、子ども用の中国人形の頭髪に使われていた。

そう、ファンションがいつも持ち歩いていた、あの中国人形の頭髪と同じものだったのだ。

N・ブランデル他著『世界怪奇実話集』にある。

ファントム・ウルフ
［ふぁんとむ・うるふ］

アメリカで目撃された怪物。アメリカ南西部のインディアン居留地で家畜を襲うなどと語られていたという犬や狼に似た巨大な獣とされる。二〇一七年には動画投稿サイト「ＹｏｕＴｕｂｅ」にてファントム・ウルフを撮影したという動画が投稿され、インターネット上でも広まった。

並木伸一郎著『ムー的未確認モンスター怪奇譚』にある。

ファントム・クラウン
［ふぁんとむ・くらうん］

アメリカに出現したという怪人。一九八一年五月のこと、正体不明の道化師がワゴン車に乗って現れ、登校中の小学生を誘拐しようとした。この事件はボストン、カンザス、デンバー、オマハ、アーリントン・ハイツと連続で発生し、殺人道化師が子どもたちを狙っているとニュースになった。

しかしこのワゴンはパトカーに追跡されても煙のように消えてしまったとされ、捕まることはなかったという。また、二〇〇八年にも類似した事件が起きたが、やはり犯人は捕まらなかったという。

並木伸一郎著『ムー的都市伝説』では、「幽霊道化師」と訳されている。ピエロの格好をする人物が子どもを攫い、殺害した事件は実際にあった。一九七二年から一九七八年の間、ジョン・ゲイシーという人物が三三人の少年を殺害している。ゲイシーはパーティなどでピエロに扮することが多かったため、「キラー・クラウン」などと呼ばれた。またスティーヴン・キングの小説『ＩＴ』にも子どもたちを襲う道化師が登場し、映像化されて有名となっている。この事件はそういった殺人道化師たちに影響された人間が引き起こしたものかもしれないが、車ごと煙のように消えてしまうといった現象を起こしていることから、その名が示す通りこの世のものではなかったのかもしれない。

フィッシュ・フォックス
［ふぃっしゅ・ふぉっくす］

アメリカで語られた怪物。魚の尾びれのような形の尾を持ったキツネで、水中を自由に泳ぐことができる。飼うこともでき、魚を取ってくるように命じると、湖や海に飛び込んで魚を取ってくるという。また大変に人間に懐き、あるフィッシュ・フォックスは自分の主人が死んだとき、悲しみのあまりその後を追うようにして死んでしまったという。

アート・チャイルズ著『大きな森の物語』にある。同書には、その尾を使って水中を泳ぐフィッシュ・フォックスの姿が描かれている。

同書に登場する他の怪物たちと同じく、アメリカ北部の森林地帯、ノースウッズにてガイドをしていた人々が語ったという物語に出てくる怪物のひとつと思われる。

漁師豚（フィッシングホッグ）
［ふぃっしんぐほっぐ］

アメリカで語られた不思議な生き物。川辺や沼に浮かんだ丸太の上にいるという豚の一種で、水に潜って魚を取るという。また取った魚は自分で捌（さば）くことができるとされる。

ベン・C・クロウ編『ジャージーの悪魔』によれば、マリオン・ヒューズという人物が作った小冊子『アーカンソーの三年間』に記載されている不思議な豚の一種であるという。

フィラ・マ・ルー・バード
［ふぃら・ま・るー・ばーど］

アメリカで語られた怪物。知的好奇心が非常に低い鳥で、なぜか自分のいた方向を見つめ続けているため、後ろ向きに飛ぶという。その姿は銀色の鱗（うろこ）がまばらにちりばめられた長い緑色の首、七面鳥のような頭、黒い右翼、ピンク色の左翼という奇妙なもので、巣も普通の鳥とは上下さかさまに作られるという。

ヘンリー・H・トライオン著『恐ろしい生き物』にある。同書の挿絵では後ろに向かって飛ぶ姿や、地面の方を向いて枝に作られた巣などが描かれている。

同書に登場する他の怪物たちと同じく、アメリカの開拓期に開拓に関わった人々が焚火を囲んで語ったというトール・テール（ほら話）に出てくる怪物のひとつと思われる。

ブーガー
［ぶーがー］

アメリカに出現したという怪物。アラバマ州クラントンの付近で目撃され、その姿は毛むくじゃらで背の高い類人猿のようであったという。象に似た声で鳴き、畑の作物を奪うなどしたとされる。

ジョン・A・キール著『不思議現象ファ

イル』によれば、一九六〇年にアラバマ州に出現したという。

ブードゥー教の女王
［ぶーどぅーきょうのじょおう］

アメリカに伝わる怪異。ブードゥー教の女王とはルイジアナ州ニューオーリンズに住んでいたマリー・ラビューのことで、髪結いをしながらお守りを渡したり、カウンセリングを行うなど、ブードゥー教の呪術者であり、多くの人々に慕われていた。現在では彼女はニューオーリンズのセントルイス第一墓地に眠っているが、現在でも赤と白のターバンを巻いたマリーの幽霊が出現すると言われている。人によっては、彼女の墓を訪れると、突然具合が悪くなったり、何者かに触れられたりするのだという。

ロバート・グレンビル著『絶対に出る 世界の幽霊屋敷』にある。この墓には悪い噂（うわさ）だけがあるのではなく、墓に×の字を三回記すと、願いを叶えてくれるという伝説もある。またブードゥー教の歴史の中でも著名な人物であるため、現在でも、彼女の墓を訪れる人は数多い。

プーパ
［ぷーぱ］

アメリカに現存する怪異。元はイタリアで作られた人形で、ある一人の女性の所有物だった。人形の外見は体はフェルト生地でできているが、髪の毛だけは人間のものが使われている。人形の所有者は二〇〇五年に亡くなったが、生涯プーパを大切にした。彼女はプーパが生きていると信じ、いつもプーパに話しかけていた。そして彼女が亡くなった後、プーパはガラスケースに入れられて飾られたが、それから怪奇現象を起こすようになった。ある日、ガラスケースが曇り、内側から「プーパ嫌い」という言葉が書き込まれていた。また勝手に配置が変わっていたり、ガラスに手を押し付けたり、足を組んだりする様子が目撃されている。その動きは非常に緩慢だが、動画に撮るなどして確認するとよく分かるという。

「pupa」はラテン語で蛹（さなぎ）を意味する言葉。この人形はアメリカにあるらしいが、現存する詳細な場所は不明である。

フープ・スネーク
［ふーぷ・すねーく］

アメリカで語られた怪物。その名の通り自分の尾を口で嚙（か）み、輪っかの形になった姿で高速で転がってくるという。これから逃げるためには、フェンスなどを乗り越えると良いとされる。またその尾には猛毒があり、これに刺されると腫（は）れ上がってすぐに死んでしまうとされる。

ヘンリー・H・トライオン著『恐ろしい生き物』にある。同書の挿絵では、転がりながらウサギを追いかけるフープ・スネークの姿が描かれている。

同書に登場する他の怪物たちと同じく、アメリカの開拓期に開拓に関わった人々が互いに思いついた話を語ったというトール・テール（ほら話）に出てくる怪物のひとつ。

フォグ・ホグ［ふぉぐ・ほぐ］

アメリカで語られる怪物。ウィスコンシン州北部のスター・レイクという湖に現れるとされる豚のような怪物で、霧の深い日にのみ姿を見せるという。この地域では、魚は霧と水の区別がつかず、霧の中を泳ぎ出すことがある。このフォグ・ホグも霧の中を泳ぐことができ、フォグ・ホグが現れると魚たちが霧の中を逃げ惑うため、窓を閉めておかないと大変なことになる、と伝えられているという。

アート・チャイルズ著『大きな森の物語』にある。同書には、霧の中を泳ぐフォグ・ホグの姿が描かれている。

同書に登場する他の怪物たちと同じく、ノースウッズで森のガイドをしていたという人々が語った物語に出てくる怪物のひとつと思われる。

不思議な足［ふしぎなあし］

アメリカで語られる怪異。メイン州のバックスポートの町の建立者であるバックス大佐の墓には、こんな話が伝わっている。

ある年、この町で女性のバラバラ死体が見つかった。発見された体を繋(つな)ぎ合わせ、やっと女性と分かったが、なぜか片足だけが見つからなかった。しかし犯人は分からず、自分の名声が傷つくことを恐れた大佐は、辺りを一人で歩いていた知的障害者を捕まえ犯人として死刑を宣告した。

その後、絞首刑となったその男は、処刑される様子を見ようと集まった人々に自分が無実であること、そしてその証拠が自分の死後に現れることを告げた。

それから間もなくバックス大佐が亡くなり、彼の墓が作られたが、その墓に人間の足がくっきりと描かれるようになった。その足は何度消しても出現し、人々に無実で殺されたあの人物のことを思い出させたという。

またこの足は今でもバックス大佐の墓に残っているとされる。

加藤恭子他著『ニューイングランドの民話』にある。このバックス大佐の墓に出現する足には、他にもバックス大佐がでっち上げた魔女裁判の犠牲者によって刻印されるもの、という話もある。詳細は**魔女の刻印**の項目を参照。

フューネラル・マウンテンズ・テラショット［ふゅーねらる・まうんてんず・てらしょっと］

アメリカで目撃された怪物。棺桶(かんおけ)のような四角い体から四本の脚が生えているという奇怪な姿をしており、大きさは一メートル八〇センチから二メートル四〇センチほどもある。背中は固い殻に覆われ、歩行する際は不安定で、前後に揺れながら歩くという。

この怪物はカリフォルニア州のフューネラル・マウンテン付近で目撃され、テラシヨットたちは山脈から砂漠へと一列の群れを形成して移動することで知られており、砂漠に入ると、直射日光と高熱によって膨張し、次々と爆発する。

テラショットたちが生息しているフューネラル・マウンテンはすなわち葬儀山という意味であるが、テラショットの棺桶のような姿、自爆によって墓穴を作る性質などが、山の名前の由来となったとも言われている。

ウィリアム・トーマス・コックス著『木こりの森の恐ろしい動物たち、砂漠と山の獣たち』にある。同書に登場する他の怪物たちと同じく、アメリカの開拓期に開拓に関わった人々が焚火を囲んで語ったというトール・テール（ほら話）に出てくる怪物のひとつであり、フューネラル・マウンテンの名前の由来となったというのももちろん嘘である。

ブライディ・マーフィー
［ぶらいでぃ・まーふぃー］

アメリカに出現した怪異。アイルランド人の女性とされる。一九五二年、アマチュア催眠術師のモーリー・バーンスタインがシカゴの女性であるバージニア・タイに退行催眠をかけたところ、マーフィーがタイの前世であると別人格として出現した。この人格が現れたとき、タイはアイルランドに行ったことがないにもかかわらずアイルランド訛りで話し、アイルランドのヨークでの生活について語った。この内容が一部真実であったため、マーフィーの存在はアメリカで転生を信じる人間を増やすこととなった。

羽仁礼著『超常現象大事典』による。同書によれば、タイが子どもの頃、向かいの家にブライディ・マーフィーというアイルランド人の女性が住んでいたため、その記憶が催眠術によって呼び起こされたのではないかという説が載せられている。

また、ブライディ・マーフィーについての記録は一九五七年、バーンスタインによって本としてまとめられ、大ベストセラーとなった。映画化もされ、アメリカだけでなく世界中の輪廻転生観に影響を与えたのは確かなようだ。

フライパンマス
［ふらいぱんます］

アメリカで語られた不思議な生き物。メイン州のオースヘッド湖である釣り師がマスを釣り上げ、油で揚げて食べようとした。しかし少し目を離したところ、マスはフライパンごと飛び上がって湖に飛び込んで逃げてしまった。

その次の春、釣り師が再びオースヘッド湖で釣りをしていると、あのマスが尾にフライパンをくっつけたまま釣り上がった。しかも次に釣り上げた五匹のマスは、尾に小さなフライパンをくっつけていたという。

ベン・C・クロウ編『巨人ポール・バニヤン』にある。同書によれば、これは新聞に投稿された話だが、元はアメリカの民間伝承の一種であるトール・テール（ほら話）の一種と考えられるという。

ブラッディ・メアリー［ぶらっでぃ・めありー］

アメリカで語られる怪異。「ブラッディ・メアリー」と鏡に向かって三度唱えると、鏡の中に血まみれの女性が現れるという怪談。現れた女性は鏡の中からこちらに危害を加えてくるとされ、時には命を奪われてしまうという。

ジャン・ハロルド・ブルンヴァン著『メキシコから来たペット』などによる。名前の由来は、一六世紀にプロテスタントを何百人も処刑し、「ブラッディ・メアリー（血まみれメアリー）」と呼ばれたイングランド女王、メアリー一世だという説もある。またハンガリー王国の貴族であり、数百人の娘を殺害したという、「血の伯爵夫人」と呼ばれたエリザベート・バートリーとの関連が語られることもある。

その正体も様々に語られ、子どもを失った女性、交通事故で死んだ女性、処刑された魔女などのバリエーションがある。また**メアリー・ワース**、メアリー・ルーといった具体的な名前で幽霊の物語が語られることもあるようだ（メアリー・ワースの項目も参照）。

アメリカではメジャーな都市伝説のひとつで、多くの子どもたちが鏡に向かってメアリーを呼び出すゲームに興じるという。名前を三度呼んで幽霊を呼び出す、という方法は日本の学校の怪談である**トイレの花子さん**と共通点を見出すことができ、よく比較される。花子さんの場合、三度名前を呼ぶ他にもドアを三度ノックするなど、何かと三という数字に結び付けられることが多い。

ブラフ・モンスター［ぶらふ・もんすたー］

アメリカに現れた怪物。一九三六年頃、ウィスコンシン州ジェファーソン郡で目撃された怪物で、鋭い牙、長い指と爪、犬か狼（おおかみ）のような鼻を持っていた。尻尾はなく、人間のように二足歩行していたが、目撃者に気が付くと「ガラダ」という謎の言葉を発し、森の中へ消えたという。

並木伸一郎著『最強の都市伝説2』にある。ジェファーソン郡では七〇年後に**ジャギー**という獣人が出現しており、これらはこの地域に伝わる精霊ウェンディゴと同一ではないかと噂（うわさ）されているという。

ブルードッグ［ぶるーどっぐ］

アメリカに現れる怪物。その名の通り青い体色の犬の姿をしており、体毛はない。家畜を襲って生き血を吸うとされ、二〇〇五年頃からテキサス州を中心に目撃談が語られている。

並木伸一郎著『未確認モンスター怪奇譚』によれば、ブルードッグは何度か写真や動画で撮影されており、はく製も残っている。その正体は悪性の疥癬（かいせん）を患ったコヨーテと言われているが、後ろ足を使って二足歩行するブルードッグも目撃されており、その正体は明確になっていない。

ブルックスヴィルの怪物
［ぶるっくすゔぃるのかいぶつ］

アメリカに現れたという怪物。フロリダ州ブルックスヴィルのハイウェイで、一人の女性が車のタイヤを交換していると、毛むくじゃらで大きな緑色の目をし、胴体の片側から緑がかった輝きを放つ怪物が現れた。この怪物は非常に不快な臭いを放っていたという。

ジョン・A・キール著『不思議現象ファイル』によれば、一九六六年に現れたとされる。同書によれば、ブルックスヴィルでは他にも六六年から六七年にかけて何件かの毛深い動物の目撃情報があり、奇妙な三本足の足跡も見つかったという。

フレンチ・エンジェルの幽霊
［ふれんち・えんじぇるのゆうれい］

アメリカに現れたという怪異。フレンチ・エンジェルはプロレスラーであったモーリス・ティレットの通称。彼は末端肥大症を患っており、顔が変形し、手足は肥大化するという症状で苦難を味わっていた。しかしその肉体のアイデンティティを生かし、フランスからアメリカに渡ってプロレスラーとして大成した彼は、ついに世界チャンピオンにまで上り詰めたという。その人柄からフレンチ・エンジェル（フランスの天使）と呼ばれた。

そんな彼は、病気のために一九五五年、五一歳の若さで亡くなったが、彼はその後も幽霊となって、友人パトリック・ケリーの元を訪れた。

ケリーはコンピューターを使って対戦するチェス盤を持っていたが、ティレットの生前の顔を象った石膏のデスマスクがあるときだけ、電源を入れなくてもパソコンが立ち上がり、ケリーとチェスの対戦を楽しむのだという。

N・ブランデル他著『世界怪奇実話集』にある。

ペイシェンス・ワース
［ぺいしぇんす・わーす］

アメリカに現れた怪異。一七世紀のクエーカー教徒の少女の霊であり、一九一三年、ミズーリ州セントルイスにて**ウィジャ盤**を行っていた主婦、パール・カランの元に降霊した。この少女の霊は自動書記を通じて詩や散文を著したことで有名で、『悲しみの物語』『希望・真実の血』といった作品が残る。

コリン・ウィルソン著『世界不思議百科』によれば、ペイシェンス・ワースは一六四九年、もしくは一六九四年、イギリスのドーセット州で生まれ、アメリカに移住したが、その直後にネイティブアメリカンによって殺されたと語ったという。ワースの作品はカランがウィジャ盤を通して聞き取り、書き上げたが、初めは死者の文章として評判を呼んだものの、次第にその文章の冗長さなど完成度の低さから、ブームは下火となった。

このワースの正体は霊であるというほか、カランの別の人格であったという説もある。

木割り豚（ヘイゼルスプリンター）

「へいぜるすぷりんたー」

アメリカで語られた不思議な生き物。ホットスプリングス西方の山々を駆け回る豚の一種で、大きく尖った鼻先が特徴。この鼻先は固く、藪に突っ込むと細枝を木っ端微塵にしてしまうという。ベン・C・クロウ編『ジャージーの悪魔』によれば、マリオン・ヒューズという人物が作った小冊子『アーカンソーの三年間』に記載されている不思議な豚の一種であるという。

ベイトラバー

「べいとらばー」

アメリカで語られた怪物。「餌泥棒」を意味するその名が示す通り、水中に潜み、釣り糸が下がってくると釣り針から餌を奪って小さな魚に与えるという存在だという。その姿は大きな水泡のような球体の体に目、鼻、口、角、腕があるというもので、この腕を使って器用に餌を釣り針から外すという。

アート・チャイルズ著『大きな森の物語』にある。同書には、水中でまさに釣り針から餌を外そうとしているベイトラバーの姿が描かれている。

同書に登場する他の怪物たちと同じく、アメリカ北部のノースウッズで森のガイドたちが語ったという物語に出てくる怪物のひとつと思われる。

ベイビーブルー

「べいびーぶるー」

アメリカに伝わる降霊術。やり方は以下のようなもの。夜、トイレに行って照明を消し、ドアに鍵をかける。それから鏡を見つめ、抱いた赤ん坊をあやすように腕を揺らして「ベイビーブルー、ベイビーブルー」と二三回繰り返す。すると、突然赤ん坊を抱いたような重みが腕の中に生じる。これは次第に重くなっていくので、抱いていられなくなる前にこれをトイレに流し、個室から出なければならない。そうしなければ、恐ろしい顔の女性が鏡の中に現れ、「私の赤ちゃんを返して！」と叫んで襲ってくる。この時、赤ん坊を抱いたままである場合、この女性によって殺されてしまうという。

この話はＷＥＢサイト「Scary For Kids」によったが、この降霊術には他にもバリエーションがあるらしく、バスルームで行うものもある。そのやり方は、まずバスタブに湯をはって鏡を曇らせる。その鏡に指で

「Baby Blue」と書き、明かりを消して一分待った後、赤ん坊を抱くように腕を動かす。すると赤ん坊の重さを腕に感じるが、この時赤ん坊を落としてしまうと、鏡が割れ、自分自身も命を落とすことになるという。

この怪談は**ブラッディ・メアリー**とも関連付けられ、鏡の破片で自分の赤ん坊を殺してしまったメアリーが、赤ん坊を生き返らせようと行った儀式、と解説されることもある。ブラッディ・メアリーについては当該項目を参照。

ベルナルド・デ・ガルベスの肖像画
［べるなるど・で・がるべすのしょうぞうが］

アメリカで語られる怪異。テキサス州ガルベストンのガルベスホテルに飾られている肖像画で、ガルベストンの名前の由来にもなったスペインの提督、ベルナルド・デ・ガルベスの姿を描いている。

このホテルは一九〇〇年代初頭に建てられたが、以来、肖像画の飾られたホテルの廊下を通ると、絵の中のガルベスの目が追ってくる、その近くにいると不安が生じるなどの怪現象が起こるようになった。またこの肖像画の写真を撮る際には、カメラの焦点が合わなかったり、霧がかかったようにぼやけるといったことも起きるようになる。これを回避する際には、ベルナルドの肖像画に写真を撮る許可を得ると良いという。

ベルの魔女
［べるのまじょ］

アメリカに現れた怪異。一八一七年に発生した「ケイト」と名乗る精霊によって引き起こされた事件を示す。

テネシー州アダムスの近くに農場を持っていたジョン・ベルという男性の家で、ベルが大きな犬のような怪物や巨大な七面鳥を目撃したことから事件は始まった。その後、ベルの娘であるベッツィーを中心として、ベッドカバーを引きはがされたり、見えない手に平手打ちされたりするという被害に遭い、ラップ音や大きな犬が床を引っかくような音が聞こえるなどの怪現象も起きた。

それからこの現象を引き起こしていた精霊が言葉を発し始め、自身の正体をいくつか語ったが、最終的にベルの家の周辺の人々はこの精霊を魔女と考えるようになった。さらに精霊も自分のことを「ケイト・バッツの魔女」と名乗り、ベルが生きている間は彼を苦しめ続けると語った。

この時から精霊はケイトと呼ばれるようになったが、その後も出現はやまなかった。

ケイトは南北戦争と第一次、第二次世界大戦を予言した。そして一八二〇年、ジョン・ベルが死亡した際には奇妙な薬瓶が見つかり、ケイトはそれは自分が用意した毒薬で、ベルを殺したのだと告げた。また娘のベッツィーを苦しめ続け、婚約を解消させるなどした。

その後、ケイトは七年間家を去ることを宣言し、実際七年間は何もなかったが、七年後にきっかり戻ってきて、家の人々を苛（さいな）んだ。

一八二八年、再びケイトは家を去ったが、その際に一〇七年後、一九三五年に戻ってくることを宣言した。

現在でも、ベルの農場の周辺では、怪異が出現するという。

ローズマリ・E・グィリー著『妖怪と精霊の事典』にある。

ベルマンのサム［べるまんのさむ］

カナダに伝わる怪異。アルバート州にあるバンフ・スプリングス・ホテルには様々な怪異が出現すると言われている。ベルマンのサムもそのひとつで、一九七〇年代に亡くなった、サム・マッコリーという人物の幽霊とされる。彼は長年このホテルで働いており、ホテルを愛していたため、死後もこのホテルで仕事を続けているのだという。

ロバート・グレンビル著『絶対に出る 世界の幽霊屋敷』にある。WEBサイト「Avenue Calgary」では、ある夫婦が部屋に閉じ込められた際、このサムが鍵を開けて彼らを救出したというエピソードが紹介されている。

このホテルには他に**バンフ・スプリングス・ホテルの花嫁**、**八七三号室の怪**といった話がある。

ホイータ号の怪［ほいーたごうのかい］

アメリカで語られる怪異。ホイータ号は一九三一年に進水式が行われた軽帆船だが、船に乗った人間を次々と不幸に遭わせたことで知られている。ロサンゼルスの映画監督、ローランド・ウェストによって造られたこの船は、一九三六年に売却された。しかし機関室で大火災が起きたり、乗客のひとりが失踪したりといった事件が起こり、第二次世界大戦中にはアメリカ海軍に引き取られたが、戦後はまた売り出され、最終的にダスティ・ミラーという人物に貸し出され、一九五五年にトケラウ諸島のファカオフォ島に向かう途中、消息を絶った。その後、船は見つかったが、乗っていたはずの乗客二五人は見つからず、遺体さえ残っていなかったという。

N・ブランデル他著『世界怪奇実話集』にある。メアリー・セレスト号に代表される、乗客が消え去った船の怪談だが、同書によれば、この船にはもうひとつ奇妙な点があったという。それはこの最後の航海に出る少し前から、ホイータ号は謎の黒い船に追われていた。その船は古いガリレオ船で、ファカオフォ島への航海の際にも、船が出発したサモアの沿岸から、ホイータ号を追う謎の黒い船が目撃されていたという。

ボート・ハウンド［ぼーと・はうんど］

アメリカで語られた怪物。「ボートの猟犬」という名前の通り、ボートを襲う怪物で、カエルのような足、周囲の音をすべて拾うことができる四つの耳、ワニのような裂けた口、そしてボートの形をした巨大な胴体を持つ。昼間は湖底で眠っているが、夜になると湖面近くまで上がってきて、ロープに繋ぎ忘れたボートを見つけると、一口で飲み込んでしまうという。

アート・チャイルズ著『大きな森の物語』にある。同書には、湖畔を歩くボート・ハウンドの姿が描かれている。

同書に登場する他の怪物たちと同じく、ノースウッズの森のガイドたちが語った物語に出てくる怪物のひとつと思われる。

ボールテイルドキャット
［ぼーるているどきゃっと］

アメリカに現れた怪物。オレゴン州ハーニー郡からペンシルベニア州サリバン郡にかけてのみ生息しているとされる。山猫に似ており、山猫と同様に鋭い爪を使って木の上に上ることができるが、その性質は遥かに狂暴だという。

この猫の最大の特徴は尾の先端にある骨が球状に発達した部位で、獲物や外敵にこれを叩きつけて殺害する。その威力は人間を一撃で殺してしまうとされる。またこの部位は求愛行動にも使用され、オスのボールテイルドキャットは中が空洞の丸太をこの球で叩き、メスを呼ぶという。

ヘンリー・H・トライオン著『恐ろしい生き物』にある。同書の挿絵では木の枝から下を覗くボールテイルドキャットの姿が描かれている。また、**シルバーキャット**、**ディンモール**という類似した種がいることも記されている。

同書に登場する他の怪物たちと同じく、アメリカの開拓期に開拓に関わった人々が焚火を囲んで語ったというトール・テール（ほら話）に出てくる怪物のひとつと思われる。

ポール・バニヤン
［ぽーる・ばにやん］

アメリカやカナダで語られる巨人。一九世紀末にはカナダ東部やアメリカの北東部の民話の中に登場していたという大きな樵で、その身長は数十メートルにも及ぶとされる。生まれながらの巨人で、地上で寝ると周りの木々をなぎ倒してしまうため、海の上にゆりかごが造られた、という話が有名。また成長した後は、主にカナダとアメリカの国境地帯の森林を舞台として、時には北アメリカ大陸全土を股にかけ、数十メートルの斧を振り回し、木を伐採し、ベイブという雄牛や仲間たちとともに樵としてアメリカの開拓のために活躍したという。

ポール・バニヤンの活躍はアメリカの大地そのものを変えてしまったと語られることもあり、彼の流した涙がグレートソルト湖となった、何の気なしに斧で岩山を叩いたところ、そこに深い割れ目ができ、グランドキャニオンとなった、といった話が残る。また五大湖はベイブのために水を貯めるようにポールが掘った穴が始まりである、ミシシッピ川はポールが作った貯水槽が水漏れしたことでできた、という話もあるようだ。

ポール・バニヤンの物語には不思議な動物たちも登場する。前述したポールの家族である雄牛のベイブや、氷のように溶ける蛇の**スノースネーク**、樵を襲う巨大な蚊やそれと戦う巨大なマルハナバチなどが、ポール・バニヤンの物語を彩る。

　このようにアメリカの新たな神話的英雄として語り継がれた巨人、ポール・バニヤンは、今でも人々に親しまれている。

　ベン・C・クロウ編『巨人ポール・バニヤン』、西川秀和編訳『ポール・バニヤンの驚くべき偉業』、日本民話の会編『決定版 世界の民話事典』などによる。

『ポール・バニヤンの驚くべき偉業』によれば、ポール・バニヤンの物語が生まれたのは一八八〇年代で、一九〇四年には初めて印刷物にその名が登場したという。同書や『巨人ポール・バニヤン』によれば、その後、一九一四年にミネソタのレッド川木材会社がパンフレットに描くキャラクターとしてポール・バニヤンを用いたことで、一躍有名となった。

　基本的に巨人として語られるポール・バニヤンであるが、話によっては二メートル数十センチのそれなりに現実的な大きさの場合もある。いずれにせよ、民話の中で語られるポール・バニヤンは、人間とは価値観の隔たった神話の巨人のような存在ではなく、家族を持ち、友人を持ち、仕事に勤しみ、食事を楽しむといった、人間味を持つ巨大な英雄として語られるようだ。

ホダッグ【ほだっぐ】

アメリカで目撃された怪物。ウィスコンシン州とミネソタ州に現れたとされ、その体は巨大な角や棘で覆われており、体毛はない。スペードの形をした鼻を持ち、動きは遅く、ヤマアラシを主食とする。また樹皮や枯れ葉を体に纏わせ、寒さを防いで冬を過ごすなどの生態が知られているという。

　ウィリアム・トーマス・コックス著『木こりの森の恐ろしい動物たち、砂漠と山の獣たち』にある。この怪物については一九一〇年に発刊されたこの本以前からよく知られていたようで、WEBサイト「HODAG FAN CLUB」によれば、一八九三年にはウィスコンシン州でホダッグの目撃情報が報告されている。それによれば、カエルの頭、象のような顔、巨大な爪のある足、恐竜のような背中、槍のような棘のある尾、といった特徴が語られており、その姿が撮影された写真も掲載された。この写真では、成人男性の膝ほどの高さの大きさの、四足歩行の動物が写っており、作り物のようにも見えるが、頭部には牛のような角、背中には一列に並ぶ巨大な棘が生えているのが分かる。また足に関節がないという特徴も見える。

　これ以降、アメリカではホダッグは人々に愛されるモンスターとして活躍しており、ウィスコンシン州のラインランダーの公式シンボルにもなっている。この町では、ホダッグを模した造形物がよく展示されているようだ。また二〇一七年にはJ・K・ローリングの『幻の動物とその生息地』にホダッグの項目が追加され、ハリー・ポッターの世界にも進出を果たしている。

ポニック［ぽにっく］

カナダで目撃される怪物。同国ケベック州のポヘネガムーク湖に出現し、角の生えた馬もしくは牛のような頭部を持つ巨大な魚のような姿をしているとされる。

ジャン＝ジャック・バルロワ著『幻の動物たち』によれば、この怪物は一九世紀の終わり頃には既に目撃談があり、行方不明になった死体はこの怪物と何らかの関連があると考えられることもあるようだ。

またひれを足のように使って陸上を歩いている姿が目撃された例もあり、背中に背びれがあるという情報も存在している。

ポリビウス［ぽりびうす］

アメリカで語られた怪異。一九八一年に稼働していたアーケードゲームの名称とされるが、中毒性があり、プレイすると不眠症や夜間恐怖症を患う、幻覚を見るようになる、ひどいと自ら命を絶つ人物もいたとされ、短期間で撤去されたという。

二〇〇〇年頃にゲームサイト「Coinop.org」で語られたのが初出とされ、このゲームが実在したのかは定かではない。名前の由来は同名のギリシャの歴史家とされる。

このゲームの背景にはＣＩＡやアメリカ政府、時にはメン・イン・ブラックが関わっているなどとされることもあり、ゲームを通してデータを回収している、ゲームの中にサブリミナルメッセージを埋め込んでいる、などと語られる。

ホロポーの類人猿［ほろぽーのるいじんえん］

アメリカに現れたという怪物。フロリダ州のホロポー郊外にある牧場の主が目撃したという類人猿のような生き物で、身の丈一メートル五〇センチ以上、全身に毛が生えており、恰幅（かっぷく）の良い体をしていたという。

ジョン・Ａ・キール著『不思議現象ファイル』によれば、この類人猿のような怪物は一九六三年に現れ、さらに六六年から六八年にかけても同様の怪物が出現したという。

ホワイト川の怪物［ほわいとがわのかいぶつ］

アメリカで目撃される怪物。同国アーカンソー州のホワイト川に出現する巨大なウナギと考えられているが、その頭部には角があり、出現する際には気泡か油を出すとされる。

ジャン＝ジャック・バルロワ著『幻の動物たち』によれば、ホワイト川はミシシッピ川と合流しており、これらの川と海とを行き来する巨大ウナギだと考えられていたという。

【ま】

マービン［まーびん］

アメリカに現れたという怪物。元々はカリフォルニア州サンタバーバラの漁師たちの間に伝わっていた巨大なウミヘビのこと。

一九六七年、油田開発会社シェル・オイルが海底で掘削作業を行っていた際にモニター画面に現れた。その姿はイボのある節を幾つも巻き、それが繋（つな）がったような形状で、頭部には目と口らしき器官があったという。

この怪物はモニターを通してビデオカメラに記録されたが、その正体は現在も不明であり、地元の巨大ウミヘビの伝説を元にマービンと呼ばれるようになったようだ。

並木伸一郎著『ムー的未確認モンスター怪奇譚』にある。

マグ・ランプ［まぐ・らんぷ］

アメリカで語られた怪物。川に沿って湿った森林地帯に棲（す）み着いているという大きな虫で、その顔は犬のようであり、片側に大きなしこりがあるという。ウォークラブ（ネイティブアメリカンが使ったこん棒の一種）のような尾を持ち、外敵と出会うと後ろを向いてこれを振り回す。また体に毒を持ち、小川の水を飲む際などに誤ってこの虫を飲むと、顔や喉が腫（は）れ上がるという。

アート・チャイルズ著『大きな森の物語』にある。同書には、マグ・ランプと思（おぼ）しき節足動物の姿が描かれている。

同書に登場する他の怪物たちと同じく、アメリカのノースウッズで森のガイドをしていた人々が語った物語に出てくる怪物のひとつと思われる。

魔女の刻印［まじょのこくいん］

アメリカで語られる怪異。一六九二年、マサチューセッツ州セイレムにて悪名高い魔女裁判が行われていた頃のこと、メイン州バックスポートのバックス大佐は、自分の村でも魔女裁判を行うべきだと考えた。

そこで彼はコンフォート・エインズワースという老女を魔女に仕立て上げ、反論も許さず裁判で魔女として認定し、絞首刑とした。しかし裁判が終わった直後、他の者たちが止める間もなく、老女は立ち上がってバックス大佐を指さし、叫んだ。それは彼女が生涯で一度も人を呪ったことなどなかったこと、そして冤罪（えんざい）によって殺されるからには、必ずバックス大佐を呪う。その証拠に、大佐は間もなく死に、作られた墓にこの日を忘れないよう自分の足跡を刻印する、というものだった。

翌日、コンフォートは無実の罪で絞首刑

に処せられたが、はたして老女の言っていた通り、その三ヶ月後にバックス大佐は死亡した。そしてバックス大佐の墓は遺言に沿って絶対に傷がつかない最高級の大理石で作られたが、その墓石にはいつの間にかコンフォートのものと思しき足跡が刻まれていた。

そこで秘密裡にこの墓は地面に埋められ、全く同じ墓石が新たに作られたが、やはりその墓石にも老女の足跡が刻まれた。

遺族は躍起になり、さらに高い石で墓石を建てたが、老女コンフォートの足跡はそれでも出現した。それでついに遺族も諦め、今でもバックス大佐の墓にはコンフォートの足跡が刻まれているという。

N・ブランデル他著『世界怪奇実話集』にある。

マッド・ガッサー［まっど・がっさー］

アメリカのバージニア州に現れたという怪人。同州のポテート郡へイマーカータウンに現れ、ある一家の窓の隙間から甘い匂いのする毒ガスを流したという。このガスは麻痺や吐き気、頭痛などの症状を引き起こした。これは一九三三年一二月二二日のことであったが、二日後の二四日には近くの町のクオーバーデールで同様の毒ガス事件が起き、犯人はマッド・ガッサーと名付けられ、近隣住民を恐怖に陥れた。

さらにこの事件はこれだけでは終わらず、翌一九三四年、さらに一〇年後の一九四四年に毒ガス事件が発生した。これらの事件には、共通して女性用の靴の跡が残っていたが、目撃者の証言では筋肉質で長身の男性だったとされる。四四年には男物の服を着た女性の目撃談もあり、正体は女性であった可能性もある。

この一連の事件が同一人物による犯行なのか、それとも模倣犯によるものだったのかは不明。現在はガスを使うという特徴からか、ガスマスクを被った人物像が描かれることが多いが、当初の目撃談ではガスマスクを被っていたという証言はなく、帽子を被っていたとされる。

マニポゴ［まにぽご］

カナダで目撃される怪物。同国マニトバ州のマニトバ湖に現れるとされ、その姿は大蛇や首長竜のようであるとされ、背中にコブがあるという。

ジャン＝ジャック・バルロワ著『幻の動物たち』によれば一九六二年にマニポゴが撮影されたという。この写真は現在でも見ることができ、そこには湖面を這う巨大なミミズのような姿が写されている。また同書によれば、この怪物が出現する際には、そのおこぼれをもらうためか、たくさんのカモメたちがついてくるという。

マポリアン［まぽりあん］

アメリカで語られた怪異。ネイティブアメリカンの間で語られていた羽の生えた小人のような存在で、メープルの木から樹液を採取する際、それを手伝ってくれるという。

アート・チャイルズ著『大きな森の物語』にある。同書には、樹液の採取を手伝うマポリアンの姿が描かれている。

同書に登場する他の怪物たちと同じく、アメリカの開拓期に開拓に関わった人々が焚火を囲んで語ったというトール・テール（ほら話）に出てくる怪物のひとつと思われる。

ミオドリフェア・コルペルカウダ

［みおどりふぇあ・こるぺるかうだ］

アメリカで発見されたという不思議な生き物。サウスダコタ州のモロー河畔で捕獲された、リスのような体に蛇のような尾を持つ動物。尾の蛇は消化器官以外はリスの体と全く独立した機能を持っており、まるで哺乳類と爬虫類が混合したような動物なのだという。

ジョアン・フォンクベルタ及びペレ・フォルミゲーラ著『秘密の動物誌』にある。

同書は謎の失踪を遂げた動物学者、ペーター・アーマイゼンハウフェン博士の資料を元に記されたという体裁の書籍で、通常ではありえない多数の動物が写真や解剖図、観察日記などとともに掲載されている。

しかしこれは「存在するとは写真に写るということである」という逆説を利用して未知の動物たちを紹介するものであり、掲載された動物たちは、すべてこの本のために創作されたものである。

ミシシッピ川の悲鳴

［みししっぴがわのひめい］

アメリカで語られる怪異。アメリカ大陸を流れるミシシッピ川の沿岸の街では、「お願い助けて！　男どもに襲われてるの！」というフランス語の悲鳴が聞こえてくることがある。この悲鳴が最初に確認されたのは一八七五年で、それから一世紀以上にわたって確認されているが、悲鳴を上げる人物は見つかったことがないという。

またミシシッピ川沿岸の地域では、この悲鳴は川船アイアン・マウンテン号の失踪事件と関連するのではないかと噂されている。一八七四年六月、アイアン・マウンテン号は五七人の乗客を乗せてミシシッピ川をヴィックスバーグからニューオーリンズに向かって出発した。しかし川の曲がり角に差し掛かった時、この船は行方が分からなくなった。捜索が始まったが、見つかったのはアイアン・マウンテン号がロープで牽引していたはしけの列だけで、アイアン・マウンテン号そのものは見つからなかった。遺体も船の残骸さえもなかったという。

当時、ミシシッピ川には川船を狙う海賊が出たという背景があり、アイアン・マウンテン号は海賊に襲われ、乗客ともども殺害された後、船は解体されて持ち去られたのではないかという噂もある。女性の悲鳴は、その時の断末魔ではないのか、と言われているのだ。

N・ブランデル他著『世界怪奇実話集』にある。

メアリー・ワース［めありー・わーす］

アメリカで語られる怪異。あるゲームによって呼び出されるという女の幽霊で、人々を暗い部屋に集め、鏡を覗いて「わたし、メアリー・ワースの存在を信じるわ」と一定回数告げると鏡の中に現れるなどという。

その正体はイリノイ州ワッズワースの近くで処刑された魔女などと言われるが、自動車事故で顔がめちゃくちゃになって死亡した女性とされる場合もあり、その際にはメアリーの霊がヒッチハイクを行い、目的地に着く前に消えるなどとされる。

ジャン・ハロルド・ブルンヴァン著『メキシコから来たペット』にある怪異。同書によれば、女性の幽霊が自分が殺した我が子たちを探して永遠にさまようこともあるという。

名前もメアリー・ワース以外にもメアリー・ワージントン、メアリー・ウェールズ、メアリー・ジェーンなどのバリエーションがあり、似た内容の怪談である**ブラッディ・メアリー**と同一視されることもあるようだ。

メンテナンスマン［めんてなんすまん］

アメリカで語られる怪異。ウェストバージニア州立刑務所に現れるという用務員の幽霊で、一九九五年に刑務所が閉鎖される前から出現している。その正体は刑務所の看守に告げ口をしたため、囚人に殺された男だという。

ロバート・グレンビル著『絶対に出る 世界の幽霊屋敷』にある。同書によれば、複数の幽霊が出現するこの刑務所でも最も目撃談が多いという。

モールトン屋敷の悪魔［もーるとんやしきのあくま］

アメリカに伝わる怪異。ニューハンプシャー州のハンプトンには、モールトン屋敷と呼ばれる黄色い家がある。この家にはジョナサン・モールトン将軍という欲深い人物が住んでいた。

今の屋敷ができる前のある夜、彼の元を悪魔が訪れた。黒のビロードの服を優雅に纏った悪魔は、将軍の魂を買いたいと申し出た。そこで将軍は長靴を毎晩炉辺に置いておくから、それを金と銀で満たしてくれるなら魂を売ろうと約束した。

それ以来、悪魔は毎晩煙突から金貨と銀貨を落として長靴を埋めるようになった。そこで将軍はより大きな長靴を使ったり、長靴の先端を切って中身が埋まらないようにするなどしたが、これに気付いた悪魔は激怒し、家を灰にしてしまった。

しかし将軍は隠して埋めておいた財産を使い、同じ場所に家を建てた。これが今に知られるモールトン屋敷だが、それからしばらくしてモールトンは自分の欲のために騙した薬局の主人に毒を盛られたと思しき形で死亡した。しかし彼の死体は死後二日経って突然消え、悪魔に死体を持ち去られたと噂された。

それから一〇〇年、今度はモールトン将軍や彼の二人の妻の幽霊がこの屋敷に出続けていた。そこで悪魔祓いが行われ、やっと幽霊は出現しなくなったという。

加藤恭子他著『ニューイングランドの民話』にある。

モカの吸血鬼［もかのきゅうけつき］

プエルトリコに現れたという怪物。一九七五年、モカという小さな町を中心に、家畜が何者かに血を吸われるという事件が起きた。犠牲となった家畜は何か鋭い器具で穴を開けられたような傷がつけられており、そこから血を吸われたものと思われた。

その後、この地域で謎の飛行生物を目撃した者が現れた。それによればこの怪物は窓をコツコツと叩いた後、金切り声を上げて飛び立ったという。

モカ周辺ではこの吸血鬼により数十頭の家畜が犠牲となったという。

テリー・ブレヴァートン著『世界の神話伝説怪物百科』によれば、この二〇年後、同地域に吸血生物である**チュパカブラ**が現れたという。チュパカブラについては当該項目を参照。

モスマン［もすまん］

アメリカで語られる怪異。ウェストバージニア州ポイント・プレザント一帯に出現した謎の飛行生物で、巨大な鳥、もしくはその名の通り巨大な蛾を思わせる姿をしている。

目は丸く、赤く光り、体色は灰色で、巨大な翼を持つ。体長は二メートル前後あり、翼を羽ばたかせることなくその巨体を垂直に上昇させ、自由に飛び回る。またモスマンが出現した時期に、この一帯では二メートル以上ある巨大なダチョウなど、怪鳥の目撃が多発した。また同時期には、空飛ぶ円盤が幾度も目撃されたという。

ジョン・A・キール著『プロフェシー』にある。同書はモスマンに関する調査報告であるが、内容の精度については疑問が残る部分もある。また同書を原作として、二〇〇二年には映画『プロフェシー』が公開された。

モンスター・マン［もんすたー・まん］

アメリカに現れたという怪物。オハイオ州クリーヴランドにあるリヴァーサイド墓地近くのトンネルに棲み着いていたと考えられており、巨大な毛むくじゃらの人間のような姿であったという。

ジョン・A・キール著『不思議現象ファイル』によれば、このトンネルが道路建設のために破壊されると、今度はグリーヴランド動物園の裏手の林に棲み着いたとされる。

【や】

藪のけだもの ［やぶのけだもの］

アメリカに出現したという怪物。毛髪は緑色で、体は苔と泥に覆われた身の丈二メートル以上の人型の生物であったという。

ジョン・A・キール著『不思議現象ファイル』によれば、一九六六年七月、少女によって目撃され、報告されたという。

ヤンクトンの怪物 ［やんくとんのかいぶつ］

アメリカに現れたという怪物。オレゴン州ヤンクトンでは、毛むくじゃらの人型生物が多数目撃されており、走行中のトラックと並行して走ったり、タクシーを覗き見たりしたのだという。

ジョン・A・キール著『不思議現象ファイル』によれば、この怪物たちは一九二六年に目撃されており、この年には付近一帯の子どもたちの不可解な行方不明事件も発生したという。

幽霊憑きの杖 ［ゆうれいつきのつえ］

アメリカに現れた怪異。同国インディアナ州に住むメアリ・アンダーソンという人物が父から受け継いだ木製の杖であったが、父親の幽霊が取り憑いていたとされ、彼女の息子が何度も幽霊を目撃したという。そのためメアリは二〇〇四年、ネットオークションでこの杖を売却した。その際には、杖に取り憑いた幽霊も出品対象とされていたという。

この杖は六万五〇〇〇ドルでゴールデン・パレス・オンライン・カジノ社に購入された。

幽霊の絵 ［ゆうれいのえ］

アメリカで目撃された怪異。ある写真と、それを写した絵画に纏わる怪談で、その絵画が「幽霊の絵」と呼ばれる。

一九九四年のこと、ローラという画家がアリゾナ州で開かれたギャラリーに自分の絵を展示していたが、そこでジェームズ・キッドという写真家の撮った一枚の写真に出会う。この写真は古いワゴン車と停留所を写していたが、ローラがこの写真を自分のカメラで撮って写真を現像してみたところ、予想外のことが起こった。写真の中のワゴン車の横に、写真を撮ったときにはなかったはずの首のない男の姿が出現していたのだ。

この写真を見たローラは、許可をもらって写真を元にした絵画を描いたが、自分自身なぜその絵を描きたいのかが分からなかった。しかし、絵を完成させた後、彼女の周りでは奇妙な現象が発生し始める。

初めはこの「幽霊の絵」をある会社に譲ったところ、壁に掛けておいた絵がいつの間にか歪(ゆが)んでいるという現象が起きた。そのため絵はローラに再び引き取られたが、今度は彼女の家で、「幽霊の絵」を置いた部屋において何度屋根を直しても雨漏りが起こる、塩を入れたシェーカーが勝手に倒れ、塩をまき散らしている、飲んでいる途中のコップがいつの間にか割れており、その割れた破片が見つからない、もやのかかった人影のようなものが現れる、といった怪奇現象が起きるようになったという。

この話は二〇一七年八月二〇日、WEBサイト「liveaboutdotcom」に読者のローラから投稿された話として絵画とともに掲載されている。ローラが撮ったという写真は「TombstoneArizona.com」というサイトに掲載されており、二〇二〇年五月現在も確認することができる。

幽霊飛行士［ゆうれいひこうし］

アメリカで語られる怪異。アメリカのイースタン航空で起きた怪異とされ、一九七二年のイースタン航空四〇一便墜落事故で死んだ飛行士や整備士たちの幽霊が飛行機に出現するというもの。

この幽霊たちはイースタン航空の大型機に現れ、機内の調理室のオーブンのガラス扉や、計器盤などに写り込むこともあれば、直接操縦室に現れることもあった。どうやら彼らは自分たちと同じ悲劇を起こさないよう、飛行機の機械を確認したり、異常を事前に知らせたりしてくれていたようだが、あまりに頻繁に現れるため、悪魔祓(ばら)いの儀式が行われた。それ以来、幽霊が出現することはなくなったという。

N・ブランデル他著『世界怪奇実話集』にある。イースタン航空四〇一便墜落事故は一九七二年一二月二九日に実際に起きた大事故で、機長が気付かぬうちに自動操縦のスイッチを切ってしまったことで高度が落ち、そのまま沼地に墜落し、乗っていた一七六名中一〇一名が亡くなった。目撃された幽霊の中でも、この機長であるボブ・ロフトや、共に乗っていたドン・レポ整備士が頻繁に目撃されていたという。

#【ら】

ラヴァーズ・レーンの猿

［らゔぁーず・れーんのさる］

アメリカに現れたという怪物。フロリダ州エルファーズ近くの恋人横丁（ラヴァーズ・レーン）にて、四人の若者たちが車を止めていると、チンパンジーのような姿をした何かが車に飛び乗ってきた。その体色は緑がかっており、瞳もまた緑色に光っていたという。

ジョン・A・キール著『不思議現象ファイル』によれば、この猿のような怪物は一九六六年に現れたという。また、この怪物が出現する前には異臭があり、この周辺で緑色のねばねばした物質が発見されたこともあったようだ。

ラブランド・フロッグ

［らぶらんど・ふろっぐ］

アメリカで目撃された怪人。二足歩行する巨大なカエルのような姿をしており、オハイオ州のラブランドでよく目撃されるため、この名で呼ばれる。他にも単に「カエル男」と呼ばれることも多い。

リトルマイアミ川に生息していると考えられ、体長は約一メートル二〇センチ、背中にはトゲ状の突起がある。古い目撃談では一九五五年で、その後も一九七二年、二〇一六年に目撃された記録があるなど、半世紀以上にわたって出現している。

並木伸一郎著『未確認動物UMA大全』、『ムー的未確認モンスター怪奇譚』による。

ラミティフューゼル

［らみてぃふゅーぜる］

アメリカで語られた怪物。上から見ると毛皮のコートのように見えるなど、薄っぺらく、平らな姿をしている。

ラミティフューゼルはその形態を利用して人間の住む地域で地面に伏し、何かが落ちてくると近づいてきた人間に襲い掛かる。そして完全に犠牲者を包み込んだ後、腹側にある無数の微細な吸引孔により骨ごと吸収してしまうという。

この怪物の食事の後には猛禽類のペリットのようなものが残されているが、犠牲者が着ていた服が丸められて捨てられたものなのだという。

ヘンリー・H・トライオン著『恐ろしい生き物』にある。同書の挿絵では、獲物に覆いかぶさっているかと思われるラミティフューゼルの姿が描かれている。

同書に登場する他の怪物たちと同じく、アメリカの開拓期に開拓に関わった人々が焚火を囲んで語ったというトール・テール（ほら話）に出てくる怪物のひとつと思われる。

リトル・バスタードの呪い
［りとる・ばすたーどののろい］

アメリカで語られる怪異。俳優ジェームズ・ディーンの自動車に纏わる怪異譚。ジェームズ・ディーンが自動車事故によって死亡した一九五五年以降、彼の乗っていた車が呪われていたという噂が囁かれるようになった。彼が乗っていたのは一九五五年型ポルシェ、スパイダーの新車であったが、彼はこの車に「リトル・バスタード」という名前を付けていた。

この車は事故でズタズタになったが、その部品は中古品として出回ることとなった。ジェームズの友人であったバリスがこの部品を買ったが、バリスがそれを倉庫に運ぶと、倉庫が崩れて彼の上に降りかかってきて、足を折った。

またほかの部品を買った二人の医師は、それぞれレースに挑んで事故を起こした。また残されていた二本の無傷のタイヤを買った若者は、二本同時にパンクしたタイヤによって事故を起こしかけた。

このほかにもリトル・バスタードの部品を買ったり、持って行こうとした者はことごとく事故を起こしたり怪我をしたりした。その後、リトル・バスタードの成れの果てはハイウェイ交通安全展示品として展示されることになったが、三回目の展示の際にガレージが火事を起こし、リトル・バスタードの部品を除き、中にあった車は使いものにならなくなった。しかしリトル・バスタードの部品は少しペンキが焦げた程度であった。

この後も様々な場所でリトル・バスタードの部品は展示されたが、やはり事故や怪我が多発し、一九六〇年に最後の怪異が起きた。

マイアミの交通安全展示のために貸し出されるため、トラックに載せられたリトル・バスタードの部品は、道のどこかで消えてしまったのだ。

ローズマリ・E・グィリー著『妖怪と精霊の事典』にある。ジェームズ・ディーンは『理由なき反抗』『エデンの東』などに出演した俳優で、当時の若者たちに大きな影響を与え、現在もハリウッドを代表する俳優の一人に数えられている。

リンカーン大統領の幽霊
［りんかーんだいとうりょうのゆうれい］

アメリカで語られる怪異。アメリカ合衆国第一七代大統領エイブラハム・リンカーンは、幽霊の目撃談が多いことでも知られている。一八六五年の暗殺で命を奪われて以来、リンカーンはワシントンのホワイトハウスの様々な場所に現れる。かつての寝室はもちろんのこと、薔薇の間（ローズルーム）や職員の寝室、廊下などだ。特に有事の際には執務室に頻繁に出現したとされ、第二次世界大戦中にはよく見られたという。

N・ブランデル他著『世界怪奇実話集』にある。

ルスカ［るすか］

バハマ諸島で語られる怪物。巨大なタコのような姿をした存在と伝えられる。その体長は数十メートルに及び、船を転覆させ、バハマ諸島周辺の海にできたブルーホールと呼ばれる穴に引きずり込むとして、漁師たちに恐れられているという。

ジャン＝ジャック・バルロワ著『幻の動物たち』では、このルスカは巨大なタコを表す**オクトパス・ギガンテウス**とともに紹介されている。オクトパス・ギガンテウスについては当該項目を参照。

ルファーラング［るふぁーらんぐ］

アメリカで語られた怪物。馬に似た姿をしているが、背骨に沿った縞模様や尾が臀部ではなく背中の中央にあることなどの特徴で普通の馬と区別することができる。また四本の脚には関節が三つあり、前後左右どの方向にも同等の速さで走ることができる。

七月初旬に狂暴化するとされ、年に一度だけ人を咬むという。この咬傷は治療する方法がなく、被害者は必ず死んでしまうという。ルファーラングは緑色のものを襲うため、この時期は緑色のものを着用してはならないとされる。また逆にオレンジ色のものを避けたり、鏡を見せると混乱する性質があるため、襲われた際にはオレンジ色のものを見せたり、鏡を自分の隣に置くと良いという。

ヘンリー・H・トライオン著『恐ろしい生き物』にある。同書の挿絵では、襲おうとした人間に鏡を見せられるルファーラングの姿が描かれている。

同書に登場する他の怪物たちと同じく、アメリカの開拓期に開拓に関わった樵や船乗りなどが語ったというトール・テール（ほら話）に出てくる怪物のひとつと思われる。

剃刀背（レイザーバック）［れいざーばっく］

アメリカで語られる不思議な生き物。アーカンソー州に生息する豚の一種で、恐らく背中が剃刀のようになっていると考えられる。この豚を真っ向から銃で狙っても歯が立たないため、横を向いているときを狙うしかないという。

ベン・C・クロウ編『ジャージーの悪魔』によれば、マリオン・ヒューズという人物が作った小冊子『アーカンソーの三年間』に記載されている不思議な豚の一種であるという。

レプラコーン［れぷらこーん］

カナダで目撃された怪物。レプラコーンは本来アイルランドで伝承される妖精で、靴を修理する小人のような姿をしているなどとされる。しかしこの妖精がカナダに渡ったとき、その性質は凶悪な方向に変質した。

アイルランド人がカナダのマダワスカ川に仕事のため、入植したとき、レプラコーンもまたともにこの国へとやってきた。やがてその土地に棲み着いたレプラコーンの多くは沼地を駆けたり、乾燥した泥炭に爪で穴を開けて空気を噴出させるといった程度のいたずらを行った。しかしその一部は食糧難から凶悪化しており、その爪や歯を使って人間を攻撃するようになったという。

ウィリアム・トーマス・コックス著『木こりの森の恐ろしい動物たち、砂漠と山の獣たち』にある。

レプラコーンは実際にアイルランドに伝わる妖精だが、同書に登場する他の怪物たちと同じく、アメリカの開拓期に開拓に関わった人々が語ったというトール・テール（ほら話）に出てくる怪物のひとつと思われ、アメリカに渡ってきた、というところからアメリカでは嘘話として語られたのだと考えられる。

ローゼンバーグの巨人［ろーぜんばーぐのきょじん］

アメリカに現れたという怪物。オレゴン州ローゼンバーグにて、二人の少年に目撃されたという巨人で、全身毛むくじゃらの四メートル以上の人型の怪物だったという。この巨人は直立して二足歩行で移動し、猫のような鳴き声を上げたとされる。

ジョン・A・キール著『不思議現象ファイル』によれば、一九五九年にこの怪物が目撃されたという。

ロープライト［ろーぷらいと］

アメリカで語られた怪物。カリフォルニア州で目撃されるが、その歴史は全く不明という特殊な動物とされ、卵生か胎生かも不明で、洞窟の中で自然発生するのではないかなどと言われているという。ロープのように長く、先端が輪になった不思議な形状の嘴を持ち、その輪の部分で獲物を捕らえ、引きずり回して殺す、という狩りの仕方をする。体表は硬く、チャパラルという棘のある植物の間を走り回っても傷ひとつつかない。逆に捕らえられた獲物はその棘によって弱り、やがて死んでしまうという。

ウィリアム・トーマス・コックス著『木こりの森の恐ろしい動物たち、砂漠と山の獣たち』にある。

同書に登場する他の怪物たちと同じく、アメリカの開拓期に開拓に関わった人々が焚火を囲んだり、酒場で語ったというトール・テール（ほら話）の中で生まれた怪物のひとつと思われる。

ロバート人形［ろばーとにんぎょう］

アメリカのフロリダ州にあるイースト・マーテロー博物館に現存する呪いの人形。犬のぬいぐるみを抱え、セーラー服を着た可愛らしい少年の人形だが、幽霊が取り憑いているとされる。この人形は元々、アメリカのアーティスト、ロバート・ユージン・

オットーの持ち物で、一九〇四年、彼が少年の頃に祖父から贈られたものだという。ロバートはこの人形をすぐに気に入り、どこにでも連れて行き、自分が赤ん坊の頃に着ていたセーラー服を着せた。しかし、それからオットー家で奇怪な現象が起き始めた。ロバートは人形の声を聞くようになり、ポルターガイスト現象が起きるようになった。両親がロバートの仕業かと問い詰めると、決まってロバートは人形がやったと弁解したという。

それでもロバートはこの人形を大切にし続けた。彼は人形をまるで人間のように扱い、食事の際にはテーブルを共にした。その間も人形がひとりでに動くなどの怪異はあったが、ロバートが人形に呪い殺されるといったことはなく、その後一九七四年に亡くなった。

それから人形はロバートの家とともにマートル・ロイターという女性に売却され、やがて所有者であったロバートの名前を取ってロバート人形と呼ばれるようになった。

ロバート人形は新たな所有者の元でもひとりでに動く、笑い声を上げるなどしたが、それによってマートルが直接危害を加えられることはなかった。彼女は二〇年間をこの人形と過ごし、一九九四年、ロバート人形はイースト・マーテロー博物館に寄贈された。

ロバート人形は現在、博物館でガラス張りのケースの中に保管されているが、写真を撮ると奇妙なものが写り込む、彼に失礼な振る舞いをすると、事故が起きるなどと噂(うわさ)される。ただし、その場合は謝罪の手紙を彼に送ると、呪いを解いてくれるという。

このロバート人形はアメリカのホラー映画『チャイルド・プレイ』に登場する、人形の姿をした殺人鬼「チャッキー」のモデルとなった、という説もあるが、無関係な人間を次々と殺害し、持ち主の体を乗っ取ろうと画策するチャッキーに比べると、何十年も同じ持ち主に大切にされたり、たとえ呪っても謝れば許してくれたりと、温厚な印象を受ける怪異だ。

【わ】

ワイルドマン・オブ・ウッズ

［わいるどまん・おぶ・うっず］

アメリカに現れたという怪物。テネシー州で捕獲されたというこの生き物は、身長二メートル弱、目が普通の人間の倍ほどの大きさで、体表は魚の鱗(うろこ)のようなもので覆われていたという。

ジョン・A・キール著『不思議現象ファイル』によれば、この怪人は一八七八年に捕獲された後、ケンタッキー州ルイヴィルで展示されていたとされる。

ワセット［わせっと］

アメリカで語られた怪物。スノー・ワセットとも呼ばれる。冬に活動し、夏の間は眠り続けるという変わった生態を持ち、夏季はカナダのバレングラウンズやラブラドール地方にいるが、冬になると五大湖周辺やハドソン湾に移動する。夏に休眠する際には毛の色が緑色に変わり、草木に紛れるようにして眠る。またたまに起きて日陰に移動するという。

冬になると毛の色が白に変わり、足がなくなって雪の中を移動するようになる。この季節のワセットは非常に狂暴で、クズリの何十倍も活動的であるとされ、その上体はクズリより四倍も大きく、食欲はクズリに匹敵するため、雪の中に潜んでいる動物を見つけて食らったり、雪の中から突然現れて獲物を捕食するという。

ウィリアム・トーマス・コックス著『木こりの森の恐ろしい動物たち、砂漠と山の獣たち』にある。ワセットと比較されるクズリは別名クロアナグマと呼ばれ、非常に旺盛な食欲を持つ動物として知られる。また同書には挿絵として、雪の中から飛び出し、狼（おおかみ）と思（おぼ）しき動物に食らいつくワセットの姿が描かれている。

同書に登場する他の怪物たちと同じく、アメリカの開拓期に開拓に関わった人々が焚火（たきび）を囲んで語ったというトール・テール（ほら話）に出てくる怪物のひとつと思われる。

ワニ男［わにおとこ］

アメリカで目撃される怪人。その名の通りワニに似た半人半獣の怪物で、一九七三年に頻繁に目撃された。人間よりも大きな体軀（たいく）を持ち、時折人里に現れて餌を探していたという。

並木伸一郎著『未確認動物UMA大全』による。

ワパルージー［わぱるーじー］

アメリカで語られた怪物。太平洋沿岸の湿った森林からアイダホ州北部のセントジョー川に現れた小さな獣で、ダックスフントほどの大きさだという。

キツツキのような足、ビロードのような柔らかな毛皮、スパイクのある尾を持ち、イモムシのように体を屈伸させて移動する。主食はキノコで、どんなに高い樹木でも上り、高い枝で成長する好物のキノコを食すという。

またワパルージーの毛皮を使って手袋を作った者がいたが、その手袋が勝手に動き出し、樹木を求めて這（は）い回ったという。

ウィリアム・トーマス・コックス著『木こりの森の恐ろしい動物たち、砂漠と山の獣たち』にある。同書にはワパルージーの姿がイラストとして描かれているが、そこでは丸く大きな耳を持ち、細長い胴体を持ったネズミのような姿で描かれている。

同書に登場する他の怪物たちと同じく、アメリカの開拓期に開拓に関わった人々が語ったというトール・テール（ほら話）にて生み出された怪物の一種と思われる。

ワンパス・キャット［わんぱす・きゃっと］

アメリカに伝わる怪異。元は先住民であるネイティブアメリカンの間に伝わる存在で、頭は人間の女性、体は山猫、魂は悪魔、という怪物であったとされる。ワンパス・キャットは元は美しい女性であったが、夫の浮気を疑って山猫の皮を被り、夫を尾行したときに魔法を目撃し、呪術師によって姿を変えられた、などと伝えられる。

このワンパス・キャットの名で呼ばれる怪物が近年のアメリカでも目撃されており、二〇〇八年にはテネシー州にて人間大の猫が二本足で立っているのを目撃された。二〇〇九年には巨大な猫のようなものが写真に写っていたが、肉眼では見えなかったということがあったという。

並木伸一郎著『ムー的未確認モンスター怪奇譚』にある。伝説として伝わるワンパス・キャットと、近年目撃された大猫の怪物は猫であるという以外共通点はない。しかしアメリカでは数多くの黒豹のような姿をした怪物が現れたという目撃談があり、それと同種かもしれない。詳細は**黒豹の怪**の項目を参照。

ワンプ［わんぷ］

アメリカで語られた怪物。沼地に現れるソルトサックのような形をした灰色の生き物で、尾の先に塩・胡椒入れ容器のような形をした器官があり、実際に塩が入っている。ワンプはこの塩を木の根元に振りかける。鹿は塩を好むため、この塩を見つけると仲間を呼びに行くという。

アート・チャイルズ著『大きな森の物語』にある。同書には、木の根元に塩を振りかけるワンプが描かれている。

同書に登場する他の怪物たちと同じく、アメリカ北部のノースウッズで森のガイドをしていた人々が語った物語に出てくる怪物のひとつ。

column

03

トール・テール

アメリカで伝統的に語られてきた、「ほら話」「馬鹿話」「荒唐無稽な話」「冗談話」といった意味合いを持つ民話。フィクションであることが前提でありながら、まるで実際にそんな話があったかのような体裁で人々の間で語られる。

19世紀頃から西部や南部の開拓者である樵(きこり)や猟師、船乗りなどの間で生まれた。その中にはトール・テールの代表的な例としてよく挙げられる巨人、ポール・バニヤン、ペコス・ビルなどの開拓期の英雄たちや、ハイドビハインド、スクォンクといった不思議な怪物たちの活躍もあった。

これは北アメリカ大陸という未知の土地の開拓に従事する人々が、酒場で集まったり、キャンプ地で焚火(たきび)を囲んだりした際に互いに自分の武勇や強さ、頭脳を誇って英雄譚をほら話を交えて大声で語り合ったことが始まりだったという。やがて彼らは自分自身でなく、そのシンボルとして超人たちの活躍を語ったり、自然動物よりも恐ろしい不思議な動物と出会った話をしたりするようになった。それは20世紀になっても人々の間で語り継がれ、それらをまとめた書籍も発行された。ウィリアム・ラーヘッド著『ポール・バニヤンの驚くべき偉業』、ウィリアム・トーマス・コックス著『木こりの森の恐ろしい動物たち、砂漠と山の獣たち』といった著作がそれにあたる。これらの著作では、英雄たちや怪物たちのエピソードが紹介されるとともに、彼らの姿が挿絵としても描かれている。

そんな世界を開拓する超人たちや想像上の動物たちが闊歩(かっぽ)するトール・テールの世界は、まるでアメリカの新しい神話だとも評される。

この事典に収録されているのは、その中でも特異な性質を持つ超人や、怪物たちだ。近現代に生まれたアメリカの新たな神話の世界を少しでも伝えられたなら、幸いである。

World Modern
Mysteries
Encyclopedia

South America

南アメリカ

#【あ】

アメーバのような宇宙人

［あめーばのようなうちゅうじん］

ペルーに現れたという宇宙人。リマに住むある男性が、円盤状の物体に出会い、それに近づいたとき、二匹のアメーバのような生物と出会った。その生物はバナナを幾つも繋ぎ合わせたような姿をしており、皮膚は砂色かつタオルのような体表で、一メートル六五センチほどであったという。この生物は男性に向かって拡声器を通したような声で英語で話しかけてきたかと思うと、自分たちが無性であることを教え、アメーバのように分裂してみせた。そして円盤内の殺風景な光景を見せた後、飛び去ったという。

ジョン・A・キール著『不思議現象ファイル』によれば、この宇宙人は一九四七年に現れたとされる。

エル・シルボン

［える・しるぼん］

コロンビアやベネズエラに伝わる怪人。姿は農作業用の帽子を被り、大きな嚢を担いでいるとされる。その伝説は以下のようなものだ。

エル・シルボンという少年が、ベネズエラのロスリャノスに住んでいた。彼の家族は農業を営んでおり、甘やかされて育った。ある日、少年は父親に鹿肉が食べたいとねだり、父親は鹿を狩るために出かけたが成果が得られず、手ぶらで帰ってきた。それを見た少年は、狩猟用のナイフで父親を殺してしまった。

そしてその肉を切り取り、何の肉か言わないまま母親に調理させる。しかし違和感を覚えた母親は、それが自分の夫の肉であることに気付いてしまう。そして少年のしでかしたことが明らかになり、少年の祖父は少年を木に縛り付け、鞭でその背を血が出るまで叩き、その傷口にレモンやトウガラシを擦り込んだ。

最後に、祖父は少年に父親の遺骨が入った袋を渡し、平原まで運ばせた。そして少年に対し呪いをかけると、犬を放って彼を追いかけさせた。その犬によって少年は殺されるが、その間際にドレミファソラシドの音階で口笛を吹いた。そして、死後の少年の魂は呪いによって地上をさまよわねばならなくなった。

それ以来、エル・シルボンは地上のどこかをさまよっている。このエル・シルボンが近づいてくると、口笛の音が聞こえる。それは最初、間近に聞こえるため、エル・シルボンがすぐ近くにいると思わせる。しかしそれは間違いで、彼の口笛の音が遠くに聞こえれば聞こえるほど、実はエル・シルボンは近づいているという。そして彼と遭遇してしまうと、必ず命を奪われてしまうのだ。

黄金の母［おうごんのはは］

ブラジルに現れる怪異。「マイン・デ・オーロ」とも呼ばれる。一八三〇年代からブラジルの至るところで確認される怪火。黄色っぽいオレンジ色をした、人の頭ほどの大きさの球体で、この火が横切った最初の水域を覗くと、黄金に輝く自分の運命を見ることができると伝えられる。

ジョン&アン・スペンサー著『世界怪異現象百科』にある。

【か】

クレム＝アカローレ［くれむ＝あかろーれ］

アマゾンの密林地帯に現れたという巨人。平均身長が二メートルを超える人間に近い種族で、狂暴であるという。

ジョン・A・キール著『不思議現象ファイル』によると、ブラジル空軍兵学校の一団によって、この巨人族についての情報が報告されたという。クレム＝アカローレが実在するのかは現時点では不明である。

ケルコピテクス・イカロコルヌ［けるこぴてくす・いかろこるぬ］

ブラジルで発見されたという不思議な生き物。アマゾンに棲む、リスザルの腕が翼になり、額に角が生えたような姿をした動物で、哺乳類であるという。しかしその翼は飾りではなく実際に飛ぶことができ、飛行しながら昆虫や果物をその角で突き刺して捕獲し、食すとされる。

ニガラ・テボ族というアマゾンの原住民と共存関係にあり、ニガラ・テボ族はイカロコルヌを聖なる動物として祀り、巨大な小屋を提供する。イカロコルヌはこの小屋で出産し、子どもは飛べるようになると小屋を出るが、その際にニガラ・テボ族によってアマゾン川で取れた銀色の魚の皮膚を胸から腹にかけて移植される。それ以降もニガラ・テボ族の神聖な祭りが行われる際には必ず姿を現し、彼らに提供される酒を飲んで酩酊する。その際には、荘厳な歌を歌うのだという。

ジョアン・フォンクベルタ及びペレ・フォルミゲーラ著『秘密の動物誌』にある。同書は謎の失踪を遂げた動物学者、ペーター・アーマイゼンハウフェン博士の資料を元に記されたという体裁の書籍で、通常ではありえない多数の動物が写真や解剖図、観察日記などとともに掲載されている。

しかしこれは「存在するとは写真に写るということである」という逆説を利用して未知の動物たちを紹介するものであり、掲載された動物たちは、すべてこの本のために創作されたものである。

【さ】

サリータ［さりーた］

ペルーのカヤオに現存する呪いの人形。二〇一〇年頃、カヤオの母と娘二人の三人家族に、母親の姪から譲り受けられてきたというブロンド髪で青い瞳の少女の人形で、一見すると普通の人形である。しかし、それから姪は亡くなり、やがて形見の人形が怪異を起こすようになる。

例としては、ボタンを押していないにもかかわらず、人形に内蔵された音楽が鳴り出す、見ていないうちに勝手に居場所を変えている、真夜中に子どもたちの元を訪れ、殴ったり引っかいたりするなどだ。

この人形には何らかの霊が取り憑いていると考えられているが、姪の形見であるため、捨てられずにいるのだという。

二〇一七年、動画投稿サイト「ＹｏｕＴｕｂｅ」で紹介されてから有名になった人形の怪異。現在でもサリータの画像や映像は、ネット上で見ることができる。

サンパウロの石投げ［さんぱうろのいしなげ］

ブラジルで確認された怪異。一九五九年、サンパウロのドン・シッド・デ・ウローン・セントロの一家を襲った怪現象。四月一二日、この家で昼食を用意しているとき、突然大きな音が響き、何者かが二つの石を一家に向かって投げつけた。その数分後、どこからともなく雨のように石が降り始めた。この石は家族には誰にも当たらなかったが、壁や床に当たって跳ね返り、一面に転がった。それから二日間にわたり石は降ったりやんだりしたが、さらに家具や日用品、食事などが勝手に飛び交い始めるという現象まで起き、ついに悪魔祓い（ばら）が行われた。

これにより一時的に怪現象は収まったが、その後も四〇日ほど同様の現象が発生し、突然止まったという。

ローズマリ・E・グィリー著『妖怪と精霊の事典』にある。

ジャブーティカバルのポルターガイスト
［じゃぶーてぃかばるのぽるたーがいすと］

ブラジルに現れた怪異。一九六五年、サンパウロ近郊のジャブーティカバルのある家で発生したポルターガイスト現象で、かなりの凶暴性を持っていた。

レンガがはがれて飛び回るのはまだ良い方で、家に住む少女、マリアに直接噛（か）み付いたり平手で打つ、着ている服を発火させる、鼻や口の上に物を置いて窒息させようとするなど、命に関わる攻撃もしてきたという。

マリアは一三歳の若さで殺虫剤を飲んで死んでいるところを発見されたが、それが自殺だったのか、それともポルターガイストによる他殺だったのか、いまだ不明であるという。

ジョン&アン・スペンサー著『世界怪異現象百科』にある。

スクルジュ
［すくるじゅ］

ブラジルに現れたという怪物。体長一八メートルはあるという巨大な大蛇で、砂上で月の光を浴びていたという。

ジャン＝ジャック・バルロワ著『幻の動物たち』によれば、デンマークの旅行家であるアルゴット・ランゲが遭遇したという。また同書には他にも、ブラジルにて三五メートルもの体長の大蛇が現れた話が載せられている。

【た】

テレパシー・モンスター
［てれぱしー・もんすたー］

チリに現れたという怪物。カラマ市にて少年たちが出会ったとされ、その姿はラグビーボール状の胴体から手足が伸びており、丸い頭に赤い目があり、丸い耳が生えているというものだったという。尾は短く、体には毛が生え、後ろ足はアヒルのようで水かきがあった。

この怪物は体から淡い光を発し、出会った少年たちにテレパシーで「見るな、行け」と警告するなど、通常の生物では考えられない奇妙な行動を見せたとされる。

並木伸一郎著『ムー的未確認モンスター怪奇』にある。

トレスケロニア・アティス
［とれすけろにあ・あてぃす］

ガラパゴス諸島のヘノベーサ島に生息するという奇妙な生物。亀のような甲羅を持つ鳥で、危険を感じると甲羅の中に身を隠す。またヘノベーサ島民の方言では「ヘンゴゴ（姿を消すもの）」と呼ばれており、毎年九月になると海を渡る渡り鳥だが、他の鳥ではありえない急上昇を見せるため、追跡が不可能とされる。その上、ヘノベーサ島以外ではこの怪鳥は発見されておらず、毎年五月三日になると突然ヘノベーサ島に戻ってくるという。

ジョアン・フォンクベルタ及びペレ・フォルミゲーラ著『秘密の動物誌』にある。同書は謎の失踪を遂げた動物学者、ペーター・アーマイゼンハウフェン博士の資料を元に記されたという体裁の書籍で、通常ではありえない多数の動物が写真や解剖図、観察日記などとともに掲載されている。

しかしこれは「存在するとは写真に写るということである」という逆説を利用して未知の動物たちを紹介するものであり、掲載された動物たちは、すべてこの本のために創作されたものである。

【は】

フェフキトッキ
［ふえふきとっき］

ペルーで発見された不思議な生き物。アンデス山脈の西側台地の不毛地で見られる**平行植物**で、高さ二〇センチほどの突起物のような姿をしており、互いにくっつくようにして群生する。ブロンズのような光沢をもった黒っぽい鼠(ねずみ)色をしており、一月と二月の晴れた晩に三〇〇メートル離れた場所でもはっきりと聞こえるような口笛のような音を出す。これは近づくとやむため、多くの場合コオロギの鳴き声と間違われるが、フェフキトッキが群生する高地はコオロギが生息できない標高であるという。

レオ・レオーニ著、宮本淳訳『平行植物』にある。同書にある平行植物は、実在する体裁で書かれている通常の植物にない特徴を持った植物だが、すべて著者であるレオーニの創作である。平行植物の特徴そのものについては、同項目を参照。

ホラディラ［ほらでぃら］

アマゾンに現れる怪物。アマゾン川の支流にある湖のひとつに出現する未確認生物で、その名前は現地の言葉で「地獄の牙」を意味する。ぎざぎざの背びれを持つ水生の動物であることは分かっているが、目撃例は少ない。

一九三八年にイギリス人のジャーナリストがこの怪物を探したところ、一枚の写真の撮影に成功したとされ、そこには丸鋸（まるのこ）のような背びれが写されている。

並木伸一郎著『未確認動物ＵＭＡ大全』にある。

【ま】

マイポリナ［まいぽりな］

フランス領ギアナとスリナムの国境であるマロニ川に出現する怪物。短い黄褐色の手と鉤爪（かぎづめ）を持ち、背中に一筋の模様がある。体長は三〜四メートルあり、巨大な牙を持っている。哺乳類のようだが、その正体は分かっていない。

ジャン＝ジャック・バルロワ著『幻の動物たち』によれば、一九六二年、マロニ川に落ちた少年が何者かに食われた死体で見つかった際には、この怪物の仕業ではないかと疑われたという。また並木伸一郎著『未確認動物ＵＭＡ大全』によれば、その姿はカワウソに似ているとされる。

ミニョーサオ［みにょーさお］

ブラジルの高地に出現するという怪物。巨大なミミズで、その体長は四五メートルに及ぶという。またミミズにもかかわらず、その体表は鎧（よろい）のように硬いとされる。地中を移動するほか、川を泳ぐこともでき、家畜を襲って食らうなど、肉食だと伝えられる。

並木伸一郎著『未確認動物ＵＭＡ大全』によれば、日本では「ミニョコン」という名前で知られるが、これは日本人が作った呼び名で、現地では「ミニョーサオ」のほか、「ミニョカオ」「ミニュコン」などと呼ばれているという。

メマイトッキ［めまいとっき］

ボリビアで発見された不思議な生き物。

平行植物の一種とされる。レアル山脈に生息する突起物のような形をした植物のような生き物で、写真で写そうとすると白くぼやける。特徴的なのはメマイトッキを見た人間は一時的に不快感を覚え、それからしばらくの間、不定期にこの平行植物のイメージが何度も蘇(よみがえ)り、反復されるようになるという。

レオ・レオーニ著、宮本淳訳『平行植物』にある。同書に登場する平行植物と称される生き物は、通常の物理法則が通用しない、静止した時間もしくは現実と平行して存在する別の時間の中で生きているといった特徴を持つとされる。しかし同書にある植物は実在する体裁で書かれているものの、すべて著者であるレオーニの創作である。平行植物の特徴そのものについては、同項目を参照。

【や】

ヤドカリトッキ［やどかりとっき］

ブラジルで発見された不思議な生き物。サモナ川一帯の熱帯地域に群生している**平行植物**の一種で、見た目はアスパラガスに似るが、表面はなめらかで黒色、ブロンズのような光沢があるとされる。枯れた木の幹や枝に生えているように見えるため、この名前がついた。しかし平行植物は現実の物体とは別の時間軸に生きているため、枯れ木から養分を吸っていることは考えられず、なぜ枯れ木に生えるのかは不明である。

一本の枯れ木に数センチ間隔で一直線に並んで群生し、真ん中のトッキが最も長い。この並びは計算されたかのように正確だという。

レオ・レオーニ著、宮本淳訳『平行植物』にある。同書に登場する平行植物は、色を持たず、灰色一色に見える、静止した時間もしくは現実と平行して存在する別の時間の中で生きているといった特徴を持つ。しかし同書にある植物は実在する体裁で書かれているものの、すべて著者であるレオーニの創作である。平行植物の特徴そのものについては、同項目を参照。

幽霊ブランコ［ゆうれいぶらんこ］

アルゼンチンに現れた怪異。二〇〇七年、サンタフェ州のフィルマットという町の児童公園で、ブランコがひとりでに動き始めた。これは三列に並んだブランコのうち、真ん中のひとつだけが数ヶ月にわたって動き続けたため、テレビやネットでも取り上げられるようになった。その後もこのブランコが止まったり動き始めたりする現象は、現在も続いているという。

このブランコを動かしているのは幽霊という説もあるが、ＡＳＩＯＳ著『「新」怪奇現象41の真相』によれば、このブランコは風が吹くことで振り子運動が始まる構造となっており、それが原因で誰も動かしていないのにもかかわらず、長時間にわたる揺れが始まるのだという説が記されている。

column

04

心霊主義

心霊主義は19世紀半ばにアメリカで生まれた、死者との交信等により生物が死後も生存することを支持する宗教的な思想。科学的な立場で研究する場合は、心霊科学と呼ばれることもある。

1848年にアメリカのニューヨーク州で発生したハイズヴィル事件（詳細は当該項目参照）が発端として誕生したと考えられており、これが世界中に知れ渡ったことにより霊との交信が大流行し、1855年には心霊主義を信奉する人々は200万人を超えていたという。特にイギリスでは盛んで、1882年には心霊現象研究協会が設立している。

心霊主義に関わる運動は現在でも続いており、先の心霊現象研究協会のほか、アメリカには全国心霊主義者協会連合、イギリスには大英心霊主義者協会及び心霊主義者全国連合といった大きな組織が現存している。これらの組織では現在も心霊現象についての収集、研究が行われており、様々な事例がこれらの組織によって記録として残されている。一方、心霊主義の発足前から心霊現象に数えられるような事例は世界中で確認されており、遡（さかのぼ）ってこれらが研究対象になることもある。また守護霊、地縛霊（じばくれい）といった、日本でも今では一般的になった言葉の中には、元々は心霊主義で使われていたものが広まった場合も多い。また明治時代の日本に流入し、1970年代に大流行したこっくりさんも、元は自動筆記等、心霊主義において霊との交信を行うために行われた儀式が元になっている。

このように、英米や日本をはじめとして、心霊主義の思想は世界中の幽霊文化に影響を与えている。心霊現象を研究対象としていない人々の間にも、心霊主義が広めた言葉や霊との交信方法、心霊主義が残した記録が広まり、語られていくことは多いのだ。

それによって、新たな怪異が生まれることもある。今後もそんな話にも注目していきたい。

World Modern
Mysteries
Encyclopedia

Europe

【あ】

アーサー王の幽霊
［あーさーおうのゆうれい］

イギリスで語られる怪異。イングランド南西部の都市、ヨーヴィルの北東、サウス・カドベリーにあるカドベリー城は、『アーサー王物語』に登場するアーサー王の王都、キャメロットであったと考えられている。今でも夏至の前夜にはアーサー王のゴーストが白馬に跨り、騎士団の先頭に現れるとされる。その腰には伝説の剣エクスカリバーを帯び、頭には龍を象った頂飾を付けた兜を被り、体には鎖帷子の上に銀色の鎧を纏っているという。背後には黄金と赤の龍を図案化した軍旗を掲げた二人の旗手と、カタクラフティと呼ばれる軽騎兵の精鋭部隊が続くという。

石原孝哉著『幽霊のいる英国史』にある。アーサー王は五世紀後半から六世紀初めのブリトン人の君主と考えられており、中世の騎士道物語、通称『アーサー王物語』では魔法の剣、エクスカリバーを武器とし、フランスやイタリアを支配する巨大な王国を築いた後、妻の不貞や部下である円卓の騎士の裏切り、内乱によって悲劇的な最期を辿る人物として描かれる。

アッシュ屋敷の幽霊
［あっしゅやしきのゆうれい］

イギリスに現れた怪異。一九三四年、サセックスにあるアッシュ屋敷という屋敷に現れた幽霊で、緑のうわっぱりを着て、泥だらけの半ズボンをはき、ゲートルをつけ、片方の縁を垂らした帽子を被り、首にハンカチを巻いている老け気味の男、という容姿をしている。またその顔は真っ赤で、目は悪意に満ちており、その首の周りはぐるりと切られていたという。

幽霊はこの屋敷に引っ越してきたキール夫妻の前に何度も現れたため、悪魔祓いが行われることとなったが、その際に行われた交霊会では幽霊は霊媒の体を通して自分をチャールズ・エドワードと名乗り、ハンティントン伯爵という人物に土地を奪われ、旧友のバッキンガムに裏切られた、という話をした。

また幽霊は、この屋敷に越してきた夫婦は互いに相手を困らせるために自分の存在を必要としているため、本心から自分に去ってほしいとは思っていないと宣言した。

事件の解決のために招かれていた心霊研究家ナンドア・フォドーがこれを確かめると、夫婦は確かにその傾向があると認めた。それから幽霊は現れなくなったため、フォドーはこの幽霊はキール氏の潜在意識が生み出したもので、交霊会に出現した幽霊はこの潜在意識に霊媒が影響され、まるで本物の幽霊が霊媒に憑依したかのような現象が発生したものと考えた。しかしこの幽霊はキール夫妻以外の使用人などにも目撃されていた。フォドーはこの屋敷が一三世紀に造られたことを含め、歴史的記憶に満ちた場所に何の心理的な防備もない状態で入ると、稀に自分自身のものではない力や知恵と交渉してしまうことがあるのだろう、と結論を出したという。

ローズマリ・E・グィリー著『妖怪と精霊の事典』にある。

アニー［あにー］

イギリスに伝わる怪異。エディンバラのメアリー・キングス・クロースには、アニーという少女の霊が棲み着いていると考えられている。この場所は一七世紀にペストが大流行した際、遺体を残したまま封鎖されたという。アニーもペストの犠牲者のひとりで、この場所で家族に置き去りにされて死んだ少女なのだそうだ。

一九九二年、日本人の霊能者がこのアニーと出会って以来、アニーを求めて生前の彼女の部屋だった場所を訪れる人々が増えたという。

ロバート・グレンビル著『絶対に出る 世界の幽霊屋敷』にある。訳者の片山美佳子氏の注によれば、日本人の霊能者とは宜保愛子とみられるという。宜保愛子は一九六〇年代から二〇〇〇年代にかけてテレビで活躍した霊能者で、日本の心霊ブームにも大きな影響を与えた。

アフリマン［あふりまん］

主にヨーロッパで語られる怪異。悪魔の一種で、元はゾロアスター教におけるアンラ・マンユ（アーリマン）のことであるが、一九世紀から二〇世紀にかけての哲学者、人智学者であるルドルフ・シュタイナーによって**ルシファー**と対立するデーモンとして語られた。嘘の王、闇の支配者、亡霊じみた地上の君主などと形容され、人間に霊的なものではなく、物質世界とそれに基づく肉体的欲望のみがもっとも重要であるという嘘を信じ込ませることが目的とされる。またシュタイナーは、このアフリマンはメフィストフェレスと同様の存在であるとも語っている。

フレッド・ゲティングス著『悪魔の事典』にある。同書によれば、シュタイナーが提唱するアフリマンの宿敵、ルシファーはゾロアスター教におけるアンラ・マンユの対になる存在、アフラ・マズダと同一のものであるという。詳細はルシファーの項目を参照。

雨の女［あめのおんな］

ウクライナにある絵画に纏わる怪異。その絵画は現在同国ビニツァ州ビニツァのある店に飾られているが、それまでに三人の人間に購入され、多くの怪現象を引き起こしたという。絵の外見は雨の中、黒い帽子に黒い服を着た女性が目を伏せているというもので、スヴェトラーナ・トーラスという画家によって描かれた絵画。彼女はこの絵画を描く六ヶ月前から何者かに見られているような感覚があったが、ある日、突然この絵の構想が浮かび、すぐに下描きを終え、約一ヶ月で完成させた。

「雨の女」と名付けられたこの絵は初めある女性実業家に買われたが、二週間後に返品された。女性実業家によれば、この絵を家に置くようになってから誰かが隣にいるような感覚が常に付きまとったという。次に若い男性がこの絵を買ったが、絵の女性が毎晩自分の周りを歩き回るように感じ始め、やはり絵を返品した。

三人目の購入者も男性であり、最初は絵の中の女性に好意的であったが、絵の中の女性の目を見てから頭痛や漠然とした不安が付きまとい始め、どこにいても何者かが現れるような感覚に陥った。そしてやはり雨の女はスヴェトラーナの元に返品されたという。

初出は不明だが、二〇一一年七月にはインターネット上でこの怪異が語られているのが見える。

アロペクス・ストゥルトゥス
［あろぺくす・すとぅるとぅす］

ロシアで発見されたという不思議な生き物。一九四〇年、シベリアのタイガ地域で捕獲されたというホッキョクギツネが特異な進化を遂げた動物とされる。その姿はキツネの体にウミガメの頭が生えている、というようなもので、この頭部は鉛を含む甲で覆われているのだという。またキツネとは違い草食で、かなり臆病な性格をしている。外敵が近づくと頭を地面に突っ込み、体を垂直に立てて灌木に擬態する。しかしその肉が大変美味であるために、人間を含む捕食者は動かなくなったアロペクス・ストゥルトゥスを捕まえて食べてしまうという。

ジョアン・フォンクベルタ及びペレ・フォルミゲーラ著『秘密の動物誌』にある。同書は謎の失踪を遂げた動物学者、ペーター・アーマイゼンハウフェン博士の資料を元に記されたという体裁の書籍で、通常ではありえない多数の動物が写真や解剖図、観察日記などとともに掲載されている。

しかしこれは「存在するとは写真に写るということである」という逆説を利用して未知の動物たちを紹介するものであり、掲載された動物たちは、すべてこの本のために創作されたものである。

アンドリュー・クロスのダニ
［あんどりゅー・くろすのだに］

イギリスで生まれた怪異。アンドリュー・クロスという人物によって人工的に作られたという生命体で、ダニの一種だと考えられている。

一八三六年、クロスは炭酸カリの珪酸塩と塩酸を混ぜ、その中にイタリアのヴェスビオス火山から採れた握り拳ほどの大きさの酸化鉄鉱石を入れ、溶液に電流を流して珪土から人工水晶を作る実験をしていた。その際、偶然に何か白く小さな粒のようなものが生じ、次第にそこから触手のようなものが生えてきて、針で突くと動いた。それから二六日後、顕微鏡を覗（のぞ）くとそこには昆虫のようなものが出現しており、六本から八本の足を備えていた。

　これが外部から昆虫の卵が入り込んだのか、それとも化学反応により新たな生命が生まれたのか、それを確かめるため、クロスはさらに実験を行った。すると絶対に他の生命体が侵入できない条件で実験を行ったところ、やはり生命体が生まれた。この生き物は繁殖能力を備えていたが、秋を越すことができなかった。

　クロスが昆虫学者にこの生物の検査をしてもらったところ、この生物はダニの一種ではないかという結論になった。

　しかしこの生物は科学者たちに受け入れられることなく嘲笑され、また生命を生み出したという彼を魔術師扱いする人間も現れた。クロスの元には悪魔祓（ばら）いが訪れ、クロスはついにこのダニについて沈黙を守るようになった。

　クロスは不遇のまま、一八五五年に亡くなった。彼が生み出したというダニの実態は謎のままであり、現在に至ってもその正体は解明されていない。

　桐生操著『ヨークシャーの幽霊屋敷』にある。

アントワーンの油絵
［あんとわーんのあぶらえ］

　イギリスで語られた怪異。ロンドンの中古品店に売られていた赤いベルベットガウンを着た若い女が描かれた油絵に纏（まつ）わる怪異譚。この油絵には「アントワーン」というサインが記されていたとされる。

　この絵画を飾った人間は次々に神経衰弱に陥ったため、サイコメトリーを得意とする霊能者が呼ばれた。その人物が絵画と対面したところ、すぐに恐怖と苦痛を感じ、音楽が聞こえる、血が見える、電気ショック治療されるかもしれない、などといった支離滅裂なことをしゃべり始めたという。

　ジョン&アン・スペンサー著『世界怪異現象百科』にある。アントワーンとは何者なのか、この絵画に描かれている女性は誰なのか、なぜ絵画を飾ると苦痛にさいなまれるのか、といったことは不明のようだ。

アンネ・マルグレーテとアンネ・ズザンネ
［あんね・まるぐれーてとあんね・ずざんね］

　ドイツで語られる怪異。ゴーリッツ湖に纏（まつ）わる話で、この湖のあった場所にはかつてゴーリッツ村という村があったとされる。村人が神を信じなくなり、傲慢（ごうまん）に振る舞うようになったため、神によって水底に沈められたのだという。

　今でも晴れた日には水の中に教会の塔が見え、正午になると二つある鐘の音が水の中から聞こえてくるというが、この鐘を水中から陸に引き揚げようとした漁師は、この鐘が言葉を話すのを聞いた。

　それによれば、二つの鐘はこう話していたという。

「アンネ・ズザンネ、一緒に陸に上がらない？」

「アンネ・マルグレーテ、ドンと底へ落ちましょうよ」

その後、鐘はすぐに湖底に向かって沈んでいったという。

H・シュライバー著『ドイツ怪異集』にある。

アンネリーゼ・ミシェル事件

［あんねりーぜ・みしぇるじけん］

ドイツで起きた怪異。悪魔祓いに纏わる事件として有名で、アンネリーゼ・ミシェルという女性が犠牲となったことからこの名で呼ばれる。

ミシェルは一六歳の頃にてんかんと診断され、その治療を受けていたが、次第に身体機能に異常が発生し始め、やがて幻聴や幻視の症状が出始める。彼女はそれを地獄の人々の声や悪魔の姿であると考え始め、自分は悪魔に取り憑かれたのではないかと思い込むようになる。そのうちに彼女は自傷行為をしたり、突然人格が変わったようになる、聖地に入れなくなるといった症状を見せ始めた。

そのため、ミシェル本人だけでなく、両親も彼女が悪魔に取り憑かれたと信じるようになり、教会に悪魔祓いの要請を行うが、拒否される。しかしミシェルの異常行動はその後も続き、ついに悪魔祓いが許可され、二名の神父が派遣された。その悪魔祓いの過程でミシェルに取り憑いているのはルシファー、カイン、ユダ、ネロ、バレンティン・フライシュマン、アドルフ・ヒトラーといったものたちであることが分かった。

悪魔祓いは一〇ヶ月にわたり続けられたが、一九七六年、その甲斐もなくミシェルは二三歳の若さでこの世を去った。その体は痩せ細っており、わずか三〇キロしか体重がなかったという。

その後、悪魔祓いを行った聖職者及び両親は過失致死で逮捕され、この事件は死亡事故として報道された。

この事件で記録された音声は現在でも残されており、神父と悪魔の対話を聞くことができる。またこの事件について詳細を記したガスパーレ・ブリンガー著『悪魔の返答』という本があるが、日本語訳はされておらず、ドイツ語版や英語版も入手が困難となっている（インターネット上で全文が公開されているサイトはある）。

本当に悪魔に憑かれていたのか、それとも精神疾患による症状がミシェルにこのような行動を起こさせたのかは分からない。

この事件は映画『エミリー・ローズ』の題材になったことでも知られている。

アン・ブーリンの幽霊

［あん・ぶーりんのゆうれい］

イギリスで語られる怪異。イングランドのノーフォークにあるブリックリング・ホールという邸宅に出現するとされる女性の幽霊で、「灰色の貴婦人（グレイ・レディ）」とも呼ばれる。

この邸宅があった場所には、ヘンリー八世の妻で、エリザベス一世の母でもあったアン・ブーリンのマナーハウスが建てられていた。アンは男児を出産できなかったことや、姦通の罪で一五三六年に斬首により処刑されたが、以来、彼女が処刑された五月一九日の夜になると、首のない御者の引く馬車に乗った彼女の幽霊が、自分の首を膝に抱えてこの屋敷に向かう丘を上っていく姿が見られるようになった。この馬車は正面玄関に到着すると消えてしまうとされる。

シャーン・エヴァンズ著『英国の幽霊伝説』にある。同書によれば、この幽霊は二〇世紀に入ってからも様々な目撃談があり、灰色のドレスを着たアンの幽霊が湖のほとりに現れたということがあった。そうとは知らずこの邸宅に仕えていた当時の執事が彼女に「何か探しておられるのですか」と尋ねたところ、「私が探していたものは永遠に失われてしまいました」と答えたという。また一九七〇年には、修復のために預けられていた絵画が返却された際、アンの幽霊が受け取りサインを記したということもあったようだ。この絵画は、アンの娘であるエリザベス一世を描いた『ディッチリーの肖像画』であったという。

イーデール村の黒犬

［いーでーるむらのこっけん］

イギリスに伝わる怪異。ダービシャーにあるイーデール村という村で目撃された怪異で、一九二〇年代には新聞記事にもなった。それによれば、この怪異は巨大な黒い犬の亡霊で、一晩に数十四の羊を嚙み殺したという。またその数年後には、近くに住む少女が巨大な黒犬を目撃したが、その犬は金網を通り抜けて姿を消したと語られている。

シャーン・エヴァンズ著『英国の幽霊伝説』にある。

イエレ

［いえれ］

ルーマニアに伝わる怪異。白ずくめの服装の美しい乙女の姿をした妖精であるとされ、湖や沼、泉などまだ人間に踏み荒らされていない場所に棲む。夜に出歩いて歩き回ったり歌ったりするとされ、彼女たちが通った場所は草が焦げて円形に残る。またその後は何も育たないと伝えられる。

一般に悪霊の類と考えられており、彼女たちの踊りに混ざると叩かれ、歌声に聞き惚れると耳が不自由になり、声をかけられて返事をすると口がきけなくなる。

イエレが最も危険なのは精霊降臨節の時と考えられているが、それ以外の日でも危害を加える危険性があり、真夜中から夜明けまでが特に危ないとされる。

ジャックリーン・シンプソン著『ヨーロッパの神話伝説』によれば、一九七六年に行われた調査において、先述したような話が記録されたという。東欧においては、近年でもこの妖精の存在が信じられているようだ。

生き埋めのローザ

［いきうめのろーざ］

イタリアで語られた怪異。一九五〇年、ジュゼッペ・ストッポリーニという心理学教授が大学で講義を行った際、マリア・ボッカという女性を紹介した。

しかしこの女性は突然昏睡状態になり、何人かの死者の声で話をした後、ローザ・マニケルリという女性の声で話し始めた。それによれば、このローザという女性は昏睡状態のまま死亡したと判断され、カステル＝ライモンドの墓地に生き埋めにされ、そこで死んだというのだ。

そこでストッポリーニ教授がローザについて調べると、彼女は確かに実在した人物で、一九三九年に埋葬されていることが分かった。そのため、人を集めてこの墓を掘り起こしたところ、棺の中には必死で蓋を開けようともがいた後に死亡したと思しきローザの人骨があった。蓋の内側には、彼女がどうにかして蓋を開けようと爪で何度も引っかいた跡が残っていたという。

N・ブランデル他著『世界怪奇実話集』にある。土葬文化のある地域では、このように生きた状態で死んだと判断され、埋葬された人間は多くおり、棺桶の中で息を吹き返した例も多かった。医療知識が発展していない時代には、これは死者が生き返り、吸血鬼と化したのだと考えられたこともあったようだ。

イザベラ王妃の幽霊
［いざべらおうひのゆうれい］

イギリスで語られる怪異。イザベラ王妃、もしくはイザベラ・オブ・フランスは一四世紀、イングランド王エドワード二世の王妃であり、フランス王女でもあった人物で、美しい女性として有名だった。

しかしイザベラ王妃は国王との溝が深まると、愛人と共謀して彼を退位させ、事実上女王として君臨した上、最後にはエドワード二世を暗殺した。このため、「フランスの雌狼」などと呼ばれる。

しかし息子のエドワード三世のクーデターに遭い、失脚。ライジング城に軟禁され、そのまま生涯を閉じた。

このイザベラ王妃の幽霊は、現在もイギリスのノーフォークに残るライジング城に現れるといい、深夜に城郭の中でイザベラ王妃の笑い声が響き渡るとされ、特に冬の寒い晩に聞こえるという。

歴史上に紡がれた彼女の話とは違い、地元の人々にとってイザベラ王妃は大変に愛される人物で、逆にエドワード二世は失政を重ねた愚王として語られている。これはエドワード二世が同性愛に耽り、政治をおろそかにしたためで、イザベラ王妃が政治を乗っ取った際は、国民に大歓迎されたのだという。

石原孝哉著『幽霊のいる英国史』にある。地元に伝わる歴史が史実なのかは不明だが、イザベラ王妃の幽霊が地元の人々に愛される存在なのは確かなようだ。

また同書によれば、イザベラ王妃が捕らえられたノッティンガム城の地下通路でもイザベラ王妃の声が聞こえるという。

ヴァッサーガイスター
［ゔぁっさーがいすたー］

ドイツに伝えられる怪異。水の精霊を表

し、地方や時代により様々な姿がある。この精霊たちが持つ特徴として例を挙げると、半人半魚である、緑色の肌を持つ、髪に藻が生えており、歯は苔のようである、目は魚眼で、口は蛙のようである、手には水かきがあり、泳ぎが得意で、三歳から一二歳くらいまでの子どものようだ、といったものがある。また女性がこの水の精霊に見つめられると病気になるとされることもあるようだ。

また水の精霊も人間と同じように家庭生活を営み、中には人間と婚姻を結ぼうとするものもいるという。男の精霊の場合は人間の娘を誘惑したり、水の中に引き込んで家庭を作り、子どもを一定数生むと地上に帰すなどと伝わる。逆に女の精霊の場合は美しい姿と歌、音楽で人間の男を誘惑し、水に引き入れるが、七日後に屍が浮かぶなどとされる。

植田重雄著『ヨーロッパの祭と伝承』にある。この名前は水の精霊の総称であり、**ホウラート**、**バッハバルバラ**、**ニッケル・カーター**など個別の名前を持つ精霊もいる。詳細は当該項目参照。

ウィシュトの猟犬［うぃしゅとのりょうけん］

イギリスに現れた怪異。イングランドのデヴォンシャーにあるダートムア周辺とウィストマンズ・ウッズに出没する犬の怪異。頭がなく、黒く光っており、狩りの角笛と棒を持った主人、オーディンとともにさまようとされる。この猟犬はキリスト教の洗礼を受けなかった子どもたちを追いかけるという。また別の話では、この猟犬たちは洗礼を受けずに死んでしまった子どもたちの魂で、自分たちの親を探しているともされる。この猟犬に遭遇した人間はその後、少なくとも一年以内に死んでしまうという。

もし遭遇した場合には、手足を組み、顔を下にして伏せ、彼らが去るまで神に祈り続けなければならない。

ウィシュトの猟犬は日曜日の夜遅くに最も頻繁に出現し、火と煙を吐きながら荒野を駆けるという。

ローズマリ・E・グィリー著『妖怪と精霊の事典』にある。同書によれば、猟犬を率いるのはオーディンではなく悪魔やフランシス・ドレイクの場合もあるという。オーディンは北欧神話に登場する主神で、こういった**ワイルドハント**の伝承にてよく語られる。フランシス・ドレイクもワイルドハントの伝承に現れるほか、彼の太鼓が怪異を起こした話も残る。詳細は**フランシス・ドレイクの太鼓**及び**フランシス・ドレイクの幽霊**を参照。

ヴィトゲンシュタインの王女［うぃとげんしゅたいんのおうじょ］

ドイツで語られる怪異。ノルトライン＝ヴェストファーレン州のジーゲン＝ヴィトゲンシュタイン郡にかつてあったというヴィトゲンシュタイン城。この城には、金持ちの騎士とその娘が住んでいた。この娘には将来を誓った若い騎士がいたが、娘の美貌から彼女を手に入れようと何人もの騎士が争い、ついには一人の王子が現れ、彼女に求婚した。父親は名誉心からこの王子を婿に迎えようとするが、娘は頑なに首を縦に振らない。最終的には恋人とともに逃げ出そうとしたが、それを知った父親は、娘の恋人を殺害し、死体を娘の部屋へと運ばせた。それを見た娘はショックのあまりそのまま死んでしまった。

それからというもの、娘を城から連れ出そうと、黒い馬に乗った騎士の亡霊が城に向かって走ってくるようになった。また娘自身も幽霊と化し、城の部屋から部屋へと歩き回って人々を恐怖させた。

そのため、城主である娘の父親は、悪魔祓いを依頼した。これにより二人の幽霊はそれぞれが住んでいた城の中に閉じ込められることとなり、死してなお互いに会うことが不可能となった。

現在でも、騎士の亡霊は自分の城の領地に出現し、呻き声を上げながら城の周りを馬で走り回るのだという。

一方の娘はヴィトゲンシュタイン城のあった場所に出現し、徘徊する。彼女は七年に一度、地上に出現することを許されているとされ、「ヴィトゲンシュタインの王女」と呼ばれるようになった彼女に出会ったという話は、今でも語られている。

H・シュライバー著『ドイツ怪異集』にある。同書によれば、この王女は城があった場所の近くを流れているエルプ川にも現れるとされる。その川には小さな橋が架かっているが、夜になるとこの橋に明かりが見えることがあり、この光は良い人間がその場所を訪れた場合にのみ見えるとされ、ヴィトゲンシュタインの王女が灯すのだという。また王女はよく旅人の前に現れるが、怖がらずに近づくと慈善を施してもらえる。一方、彼女を侮辱すると災いが起こるという。

ウィリアム・コーダーの頭蓋骨
［うぃりあむ・こーだーのずがいこつ］

イギリスに現れたという怪異。医師のジョン・キルナーは頭蓋骨の収集を趣味としていたが、中でも夢中になっていたのは、自分の所有物ではなく、勤務先の病院に標本として置かれていたある頭蓋骨だった。

この頭蓋骨はウィリアム・コーダーという殺人犯のもので、我慢できなくなったキルナーはこの頭蓋骨を盗んで自宅に置いた。すると家の中をコーダーの悪霊がうろつき始め、息遣いやすすり泣きの声が聞こえるようになった。最後には、白い腕が現れ、頭蓋骨を納めたショーケースを叩き割った。

恐ろしくなったキルナーは頭蓋骨を友人に譲ったが、その友人も同じように怪異に遭い、たまらなくなってキリスト教式に埋葬した。それ以来、怪異は止んだという。

N・ブランデル他著『世界怪奇実話集』にある。

ウィリアム・コーダーは一九世紀に実在した殺人鬼で、マリア・マーティンという婚約者を殺害したことで知られる。この事件は殺害現場や遺体が埋められた場所が赤い屋根の納屋であったため、「赤い納屋殺人事件」とも呼ばれる。

コーダーはマリアを妊娠させ、結婚を迫られたことでしぶしぶ了承するが、二人の子どもは出産後すぐに死んでしまう。そしてなお結婚を迫るマリアの殺害を決意したコーダーは、赤い納屋で二人だけの結婚式を挙げようとマリアを連れて行き、そこで殺害して納屋の床下に死体を埋めた。

マリアの両親にはロンドンで挙式を挙げると騙し、逃げたコーダーだったが、マリアの母親は夢で赤い納屋の床下に娘が埋められていると知らされ、実際に調べてみると、本当に死体が見つかった。マリアの殺害は一八二七年、死体の発見は翌年の一八二八年だったという。

これにより同年、コーダーは絞首刑に処せられた。またこの殺人事件は芝居としてイギリスで上演され、人気を博したため、英国では有名な殺人事件であったという。

ウィリアム・テリスの幽霊
［うぃりあむ・てりすのゆうれい］

イギリスで語られる怪異。ロンドンのコヴェント・ガーデン駅には、一九世紀の人気俳優、ウィリアム・テリスの霊が現れることで知られている。

テリスはアデルフィ劇場という劇場で俳優兼舞台監督を務めていたが、一八九七年に俳優仲間に刺殺され、この世を去った。その死の直前、「必ずここに戻ってくるよ」という言葉を残したとも言われている。

その遺言通り、アデルフィ劇場では誰もいない廊下で足音がしたり、舞台上にテリスと思しき影が現れるようになった。またテリスが生前よく利用していたコヴェント・ガーデン駅では何度もテリスの霊が目撃されるようになった。初めは誰の幽霊なのか判然としなかったが、目撃者である駅員の一人がアデルフィ劇場でテリスの写真を見たところ、幽霊はテリスそっくりの姿をしていることが分かったという。

平井杏子著『ゴーストを訪ねるロンドンの旅』にある。二一世紀になってもこの幽霊は出現するらしく、イギリスでは何度かテレビなどでテリスの幽霊に関する特集が組まれている。

ウィル・オー・ザ・ウィスプ
［うぃる・おー・ざ・うぃすぷ］

ヨーロッパ各地で語られる怪異。鬼火の一種とされ、これが現れるのは死の前兆などと伝えられる。その名前は「干し草を持ったウィリアム」を意味し、干し草に火をつけてさまようウィリアムという男の霊という伝承がある。ウィリアムは天国にも地獄にも行けなくなった男で、魂のままこの世を永久にさまよう、といった話も残る。

ピーター・ヘイニング著『世界霊界伝承事典』、ローズマリ・E・グィリー著『妖怪と精霊の事典』による。同様に鬼火と語られ、**ハロウィン**でも有名な**ジャック・オー・ランタン**と同一視されることも多い。

ウェアの大寝台［うぇあのだいしんだい］

イギリスに伝わる怪異。現在ロンドンのヴィクトリア・アンド・アルバート博物館に保管されている天蓋つきの大きなベッドで、幽霊が出ることで知られている。このベッドは一五九〇年頃にハートフォードシャー州のウェアの宿で使われていたため、この名前で呼ばれているが、元は一五世紀半ばに当時のイングランド王であるエドワード四世のために作られたもの、という話も残る。そのベッドを作った職人がドイツ人のジョナス・フォスブルックで、この大寝台に出る幽霊というのは、彼なのだとされる。

ウエアの宿ではこのベッドで様々な人々が同衾したというが、王のために作ったベッドで身分の低い者たちが寝るのが気に入らなかったのか、フォスブルックの霊が眠ろうとする客をつねったり引っかいたりして、安眠を妨害したという。そのため、宿に泊まる際にはまずフォスブルックとそのベッドのために祈りを捧げることが恒例となったとされる。

平井杏子著『ゴーストを訪ねるロンドンの旅』にある。

ヴォジャノイ［ゔぉじゃのい］

ロシアで語られる怪異。水中に棲み着いている魔物と考えられており、水中にあるものすべてを支配下に置くことができるという。

人間の前に現れるときは老人の姿をしていることが多いが、その全身は藻に覆われている。また体はぶよぶよとしていて締まりがなく、頭部に毛はない。体は大きく、人間の倍以上はあるとされる。

人間を水中に引きずり込んで殺す恐ろしい存在としても伝えられており、ヴォジャノイに連れ去られた人間は決して見つからない。ロシアではこの犠牲を防ぐために、川の氷が溶けてヴォジャノイが目を覚ます前に川に小麦粉やタバコを投じ、ヴォジャノイに捧げものをすることで家族の安寧を願うとされる。また時には馬をも水中に引き込んでしまうという。

斎藤君子著『ロシアの妖怪たち』にある。同書によれば、変幻自在に姿を変えられるヴォジャノイもおり、木に化けて川を下ったという。月の満ち欠けによって年齢が変わり、月が満ちると若者に、月が欠けると老人になるという話もある。そのためか、ヴォジャノイは決して死ぬことはないとされる。

またヴォジャノイは水底にある水晶の宮殿に棲んでいるという伝承も多いという。

ウォルペルティンゲル・バッカプンドゥス［うぉるぺるてぃんげる・ばっかぷんどぅす］

ドイツで発見されたという不思議な生き物。カモと齧歯類が混合したような奇妙な動物で、モグラのような足を持つ。遊び好きでほとんどの時間を巣の外で過ごす。ある人間がこれを捕まえようとした際には、まるで幻であったかのように手の中で消えてしまったという。

ジョアン・フォンクベルタ及びペレ・フォルミゲーラ著『秘密の動物誌』にある。同書は謎の失踪を遂げた動物学者、ペーター・アーマイゼンハウフェン博士の資料を元に記されたという体裁の書籍で、通常ではありえない多数の動物が写真や解剖図、観察日記などとともに掲載されている。

しかしこれは「存在するとは写真に写るということである」という逆説を利用して未知の動物たちを紹介するものであり、掲載された動物たちは、すべてこの本のために創作されたものである。

ウピール［うぴーる］

ロシアで語られる怪異。吸血鬼の一種で、オピールともいう。人、馬、犬など様々な姿に変化することができ、水辺に棲み着く。家畜を追いかけまわしたり、水辺で行き会った人間を殺害するという。また魚を一匹渡すと荷車一杯の魚が取れる、出会っても決して言葉を交わしてはいけない、といった話も伝わるようだ。

P・G・ボガトゥイリョーフ著『呪術・儀礼・俗信』にある。

海に生まれたメァリ［うみにうまれためぁり］

イギリスに現れる怪異。ニューハンプシャーのヘニカーに近いある家に現れると語られる。このメァリは数奇な運命を辿った女性とされ、その出生は一七二〇年、ニューハンプシャーに向かう途中、ボストン湾で海賊に襲われた船の中でのことだった。この船、ウルフ号の船長の妻がちょうど娘を生んだのだ。海賊の船長であったペドロ船長は、赤ん坊に「メァリ」の名を付けることを条件に、ウルフ号に乗る人々の命を助けることを約束した。

それから時が経ち、一七六〇年、ペドロ船長は既に海賊をやめ、ヘニカーの近くに豪邸を建てていたが、メァリを探し出して彼女とその子どもたちをよく自分の家へ連れて行き、最終的には家の管理人としてメァリを指名する代わりに、その生活を見ることとなった。

そんな生活の中で、メァリは旅行から帰ってきたペドロ船長が家の外に大きな衣装箱を埋めるための穴を掘っているのを目撃した。その一年後、ペドロ船長は何者かに胸を短剣で刺され、死亡した。メァリは彼の遺言通り、台所の炉に面した炉石の下にペドロ船長を埋めた。

それからメァリは一八一四年、九四歳で死ぬまでこの家に住み続けた。

メァリの死後、この家に財宝が眠っているという噂が立ち、何人もの人間がそれを求めたが、誰も財宝を見つけることはできなかった。ペドロ船長が眠っているという炉石を動かそうとする者は皆死んでしまったからだ。

メァリの幽霊はこの家に現れ、家が何か危険に晒されればそれを防ぎ、また家に移り住んできた人間が家を愛し、よく手入れするならば、その人間を守ることもあった。メァリは現在でも出没すると言われており、毎年一〇月のハロウィンの頃には、メァリは家を離れ、夜中に四頭立ての馬車に乗って去る、という言い伝えも残っている。

ローズマリ・E・グィリー著『妖怪と精霊の事典』にある。

海のお化け［うみのおばけ］

ドイツで語られる怪異。ドイツの海には、灰色のマントを纏い、大きな帽子を被り、灯火を持った幽霊が出ると考えられている。この海のお化けはまるで船乗りたちに道案内をするように灯火を振るが、これを信じてついていくと必ず惨めな最期を遂げると伝えられている。

この幽霊は元々封建家臣であったが、悪魔に魂を売り、嵐の夜に海で灯火を振って船を誘導し、沈没させて岸に流れ着いた財貨を奪って富をなした。そのため、この男は死後永遠に砂州の上で過ごすことになったのだという。

H・シュライバー著『ドイツ怪異集』にある。

海の騎士［うみのきし］

ドイツで語られる怪異。リューゲン島には、かつて海の中からやってきた騎士が浜辺にいた娘を踊りに誘ったという伝説がある。この騎士は首に黄金の飾りをつけ、海の青い色の王冠を頭に載せており、見事なステップで娘と踊ったという。しかし踊りをいつまでもやめず、娘はだんだん苦しくなってきたため、やめてほしいと願うと、騎士は「もう私はあなたを離さない。自由にしない。お前は水の精の妻となるのだ」と言って、海に引き込んでしまったという。それ以来、今でもこの海辺では、娘の叫び声が聞こえてくるという。

植田重雄著『ヨーロッパの祭と伝承』にある。

運命を予言する女［うんめいをよげんするおんな］

ロシアで語られる怪異。ある女に子どもが生まれ、その子が三ヶ月の時、母親が夜眠っていると、何者かが窓をトントンと叩いた。そこで窓を開けてみると、白い服を着て白いプラトーク（ロシアのウールストール）を被った女が「水をください」と言う。そこで水を飲ませてやると、今度は「お前の息子を私によこしなさい」と言う。母親はそれを断ったが、女は「一八年後にお前の息子は自分から私のところにやってくる」と予言した。

はたしてその言葉通り、子どもは一八歳で死んでしまったという。

斎藤君子著『ロシアの妖怪たち』にある。同書によれば、こういった人の死の運命を予言する怪異は「スヂバー」や「ドーリャ」と呼ばれることがあるという。

エイヴベリーの怪［えいゔべりーのかい］

イギリスで語られる怪異。イングランドにある新石器時代の遺跡で、三つのストーンサークルが存在する。

この遺跡では第一次世界大戦中、一〇〇年以上前の村の景色が現れたという話があったり、この場所にある立石を使って建物を造ると、ポルターガイスト現象が起きるなどと言われる。また現在でも真夜中になると石の周りに幽霊のような人影が現れる、亡霊が歌を歌うなど、奇妙な現象が度々起こっているようだ。

シャーン・エヴァンズ著『英国の幽霊伝説』にある。

エイヴベリーの村祭り［えいゔべりーのむらまつり］

イギリスに現れた怪異。一九一六年のこと、イーディス・オリヴィエという人物がウィルトシャーのエイヴベリーを移動中、ずらりと並んだ古代の巨石の間を通り抜けた。そして遺跡の中央にある小山に登った時、薄暮れと雨の中で祭りの屋台や船の形をしたブランコ、祭りに集まった群衆の姿を見た。

しかしそれから何年か経ち、彼女はエイヴベリーの祭りが一八五〇年に廃止されていたことを知った。そしてオリヴィエが通り抜けたあの古代の巨石も、一九世紀に入る前に焼失していたのだ。

ジョン&アン・スペンサー著『世界怪異現象百科』にある。エイヴベリーにはストーンサークルがあることで有名だが、オリヴィエが間を通ったという巨石は別のものであろうか。

エドモンド・ヴァーニー卿の幽霊［えどもんど・ゔぁーにーきょうのゆうれい］

イギリスに伝わる怪異。バッキンガムシャーのクレイドン・ハウスという邸宅に出現する幽霊で、エドモンド・ヴァーニーは一六世紀から一七世紀にかけて実在した人物。ヴァーニーは一六四二年のエッジヒルの戦いで国王の旗手を務め、敵軍に捕らえられて処刑された。その際、一切軍旗を摑んで離さなかったため、手首ごと切り落とされたという。

それ以来、彼が生前暮らしていたクレイドン・ハウスでは取り乱した様子のヴァーニーの霊が二階に現れたり、階段に立っている姿が目撃されるようになったという。また時には切り落とされた彼の手が寝室のドアをノックするとも語られている。

シャーン・エヴァンズ著『英国の幽霊伝説』にある。クレイドン・ハウスには他にも、ナイチンゲールのために用意されていた専用の寝室があり、そこに現れる女性の幽霊の話もある。詳しくは**ナイチンゲールの客室の女性霊**を参照。

エミリー姫の怨霊［えみりーひめのおんりょう］

イギリスに伝わる怪異。スコットランドに現存するダンスタフニッジ城は、美女の亡霊が現れることで有名で、その亡霊は一五世紀に実在したダグラス伯家の娘、エミリー姫であると考えられている。

当時、エミリー姫は美女として評判で、国王ジェームズ二世に見初められ、後に王妃として迎えられるはずだったエミリー姫だが、クリットン公という人物が自分の娘を王妃にすべく、娘を王の元に送り込み、さらにダグラス伯家の一族を皆殺しにした。

そして最後に、エミリー姫の元に刺客を送り込み、彼女を凌辱（りょうじょく）した上に子どもたちを生きたまま暖炉に投げ込んで焼き殺した。これによりエミリー姫は怒り狂い、クリットン家を永遠に呪い続けると宣言して殺された。

それからエミリー姫の怨霊は次々と怪異を引き起こした。手始めにダグラス伯家を襲った兵士数百人が原因不明の奇病で死に、クリットン公は罪人の処刑を指揮している際に事故でギロチンの刃に当たり、即死した。クリットン公の娘もまた生家であるエジンバラ城で足を滑らせて転落死する。そしてジェームズ二世の元にもエミリー姫の亡霊が三人の子どもを連れて現れるようになり、ジェームズ二世の子どもでもある彼らを次々と暖炉に投げ込んでみせた。子どもたちは狂ったように泣き叫び、これを毎晩のように見せられたジェームズ二世はついに発狂し、国の将来を危ぶんだ謀反人により殺害される。

これ以降もエミリー姫の怨念は絶えず、クリットン家に生まれた男性は若くして変死を遂げるようになった。二〇世紀に入ってもその呪いは衰えず、彼女の命日である三月一三日には、当時の城主であったキャンベル卿（きょう）の元に突然の来客があったが、客たちは事故で暖炉の中に転んでしまい、焼け死んだ。その直後、エミリーの亡霊が現れ、クリットン家の者への呪いを叫んだ。キャンベル卿が後で調べてみると、その来客はクリットン家の血を引くものであったという。

桐生操著『ヨークシャーの幽霊屋敷』にある。

エリングル・トローの幽霊

［えりんぐる・とろーのゆうれい］

アイルランドに現れる怪異。アイルランドのモナガン郡のエリングル・トローにある古い墓地には、一人の幽霊が現れることで知られている。この幽霊は埋葬が終わり、若い男性か女性が一人になった際に現れる。

その時いるのが男性であれば美しい女性に、女性であれば美しい男性の姿となり、その人物を誘惑する。するといつの間にか次に会う約束をさせられ、その印にとこの幽霊とキスをすることになる。その唇は氷のように冷たく、我に返ると既に幽霊の姿は消えている。

そして幽霊と出会った人間は、それ以来気が狂ったようになり、幽霊と再会する約束の日にこの世を去る。そしてエリングル・トローの墓地に埋葬されることとなるという。

桐生操著『ヨークシャーの幽霊屋敷』に

ある。

エンフィールドのポルターガイスト
［えんふぃーるどのぽるたーがいすと］

イギリスで発生した怪異。ミドルセックス（現グレーター・ロンドン）のエンフィールドで一九七七年から七九年にかけて起きたポルターガイスト事件を指す。

一九七七年八月三〇日、エンフィールドのある一軒家の、二人の子どもが住む部屋にて、ひとりでにベッドが上下に揺れるという現象が起きた。さらに夜の九時半頃になると家具が動くような音が聞こえたが、家具が移動した様子は見受けられなかった。

しかしそれからしばらくして、今度はタンスが勝手に動き始めた。隣人たちや警官が呼ばれたが、その間もひとりでに鳴るノック音や床を滑る椅子などの怪現象が続いた。

そして翌日、今度はレゴのブロックなどが宙を飛ぶようになり、それからは娘のジャネットが空中に浮かぶ、老女や子どもの霊が目撃される、硬貨の幻が浮かぶなど、様々な怪異が起きた。

このポルターガイストは二年間にわたって徹底的に調査され、様々な研究者がこの家を訪れた。それによりいくつかの現象はジャネットら子どもたちがわざと起こしたものだということが分かったが、原因が不明なものを幾つも残したまま、ポルターガイスト現象はあっさりと終焉（しゅうえん）したという。

ローズマリ・E・グィリー著『妖怪と精霊の事典』、ピーター・ヘイニング著『世界霊界伝承百科』、ジョン&アン・スペンサー著『世界怪異現象百科』による。この事件は歴史上最も詳細に調査されたポルターガイスト事件であり、歴史上最長のポルターガイストとされることもある。

二〇一六年には死霊館シリーズと知られる映画シリーズの二作目として、この事件を題材にした『死霊館　エンフィールド事件』が公開されている。ちなみに一作目はアナベルという名前の人形を題材にしている。アナベルについては**アナベル人形**の項目を参照。

エンフィールド・フライヤー
［えんふぃーるど・ふらいやー］

イギリスに現れる怪異。ロンドンのエンフィールドで目撃される幽霊馬車で、暗闇の中から突然道行く人に向かって走ってきて恐怖させるが、人に当たる直前に消えるという。その際、馬車が地面から一八〇センチ以上離れた空中を走ってくるため、この名前で呼ばれるのだという。

この馬車には、黒い大きな帽子を被（かぶ）った貴婦人が二人乗っており、かつて事故を起こして馬車から氾濫したテリー川に落ちてしまった乗客なのではないかと囁（ささや）かれているようだ。

J・A・ブルックス著『倫敦幽霊紳士録』にある。

老いた狂女
［おいたきょうじょ］

イギリスに伝わる怪異。ロンドンのハイ

ゲート墓地に出現するという幽霊で、その正体は自分が殺した子どもを錯乱状態で探す老女なのだという。

ロバート・グレンビル著『絶対に出る 世界の幽霊屋敷』にある。ハイゲート墓地は他にも様々な怪異が出現することで知られる。詳細は**布を被った悪鬼**、**ハイゲイト・ヴァンパイア**の項目を参照。

王家の呪い［おうけののろい］

イギリス及びエジプトで発生した怪異。一九二二年、エジプトの岩窟墓群である王家の谷で発掘を行ったカーナヴォン卿（ジョージ・ハーバート）らイギリス人が、発掘作業の直後に次々と急死した事件を指す。

コリン・ウィルソン著『世界不思議百科』などによる。

彼らの死はまるでツタンカーメンの呪いによるものであったかのように語られているが、実際には急死した人物はカーナヴォン卿一人であり、その死因も蚊に刺された跡を髭剃りの際に傷つけてしまい、そこに細菌が侵入しての熱病であったことが分かっている。

しかしカーナヴォン卿の死が脚色されて当時の人々に広まったのは確かであり、この噂は現代のモンスター文化に多大な影響を与えるある作品の誕生のきっかけとなった。それがユニバーサル・スタジオで製作され、一九三二年に公開された映画『ミイラ再生』だ。この映画はこの王家の呪いの噂をヒントに作られ、ミイラがモンスターとして登場する初の作品となった。さらにユニバーサル・スタジオは一九四〇年に『ミイラの復活』という映画を公開した。こちらでは『ミイラ再生』にはなかった包帯を巻いたグロテスクな怪人が人を襲うシーンが描かれ、後の怪物としてのミイラのイメージが決定づけられた。

現在ではミイラ、もしくはマミーなどと呼ばれ、映画や文学、漫画やゲームなどに当たり前のように登場するようになった生ける屍の怪物は、王家の呪いの噂から生まれた映画の世界的ヒットにより誕生したモンスターなのだ。

大晦日の尼僧［おおみそかのにそう］

イギリスに現れた怪異。グロスターシャーにかつてあった女子学校には、大晦日にのみ現れる尼僧の幽霊がいた。この幽霊が最初に確認されたのは一九三九年で、午後六時一五分に学校の運動場の端で、まるで見えない椅子があるかのように腰を下ろしている姿が目撃された。

翌年の大晦日の同時刻にもこの尼僧が現れた。学校の校長はもっとよく見ようと幽霊に近づき、懐中電灯を向けたが、その途端に懐中電灯の明かりが消え、二度と動くことはなかったという。

現在、この女子学校があった場所は個人の邸宅となっているため、この幽霊がまだ現れるのかは不明だという。

ジョン＆アン・スペンサー著『世界怪異現象百科』にある。

オールド・ジミー［おーるど・じみー］

イギリスで語られる怪異。ロンドンの聖ジェイムズ教会にあるミイラ化した遺骸の幽霊とされる。一九四二年、この教会に不発弾が落ちてきて人々が騒ぎを起こした頃からあちこちに姿を見せるようになったが、このミイラの生前を知るものはいない。しかし中世においてはかなりのステータス・シンボルであったガラス製の棺（ひつぎ）に入れられていることから、ロンドン市長のひとりではないかと言われているという。

J・A・ブルックス著『倫敦幽霊紳士録』にある。

オールド・チャペル・レーンの猫［おーるど・ちゃぺる・れーんのねこ］

イギリスに現れたという怪異。ハンプシャーのオールド・チャペル・レーンには、猫に取り憑（つ）かれた小屋があったという。この小屋に住んでいた女性によれば、猫は階段や暖炉の側に現れ、普通の猫のように過ごすが、唐突に姿を消してしまったとされる。

ジョン＆アン・スペンサー著『世界怪異現象百科』にある。

お化けの飛び出し屋［おばけのとびだしや］

イギリスに現れるという怪異。同国では複数、道路に突然飛び出してくる幽霊が現れるというスポットがある。バースとブラッドフォード・オン・エイヴォンを繋（つな）ぐ道路では、ロマ民族の老婆の霊がよく飛び出してくるため、自動車が道路から外れて事故を起こしてしまうという。

またA三八号線道路のバローガーニー辺りでは、白いコートの女が突然道路に現れては消える、ということをしでかすため、事故が発生するのだという。

N・ブランデル他著『世界怪奇実話集』にある。

オブヂェリーハ［おぶぢぇりーは］

ロシアで語られる怪異。産屋としても使われるバーニャ（ロシア式蒸し風呂）に棲（す）み着いているという妖怪で、お産があったバーニャに居着く。子どもを守ってくれる存在でもある。

ある時、少女が礼拝堂の側に骨が転がっているのを見て、「骨さん、骨さん、私たちのところに遊びにおいで」と言った。すると夕方になって少女のところに鉄の歯と骨の足を持った若者たちがやってきて、一緒に遊んだ。しかし彼らの正体に気付いた少女は用を足してくると言って逃げ出したが、骨たちは追いかけてきた。そのためバーニャに逃げ込み、「オブヂェリーハ母さん、どうか私を匿（かくま）って！」と叫んだところ、オブヂェリーハが少女を石で隠し、蒸気を放った。直後、骨たちがやってきてバーニャを探したが、少女を見つけられなかった。そのまま朝が来て雄鶏が鳴き、骨たちは散り散りに逃げて行ったという。

斎藤君子著『ロシアの妖怪たち』にある。

オラミュンデ伯爵夫人

［おらみゅんではくしゃくふじん］

ドイツに現れる怪異。バーデン＝ヴュルテンベルク州の都市、バーデン＝バーデンには、死の前兆として現れる白い貴婦人の幽霊の話が伝わっている。この婦人の物語は、以下のようなものだ。

かつてバーデンに若い辺境伯が住んでおり、人々の心と生き方を学ぶため、旅に出た。その旅の途中、辺境伯はデンマークで美しい寡婦であるオラミュンデ伯爵夫人と出会う。二人の子どもを持つ彼女と辺境伯はすぐに恋に落ち、二週間の間ともに過ごしたが、やがて国へ帰る日がやってきた。

辺境伯は両親の許しがない限り彼女と結婚できないことから、「二組の目がある限り、一緒にはなれない」と告げた。するとオラミュンデ伯爵夫人はそれさえなければ結婚できるのかと問い、辺境伯が頷（うなず）くと、とても喜んだ。

やがて辺境伯は国に帰ったが、そこで両親の許しを得ることができて、喜び勇んでデンマークに向かった。

しかしオラミュンデ伯爵夫人の家に着いたとき、彼女は病床に伏していた。そこで何があったのかと問うと、オラミュンデ伯爵夫人は辺境伯と結ばれるため、邪魔な二組の目を消したのだと言った。しかしバーデン辺境伯の両親はまだ生きていたため、それを話すと、オラミュンデ伯爵夫人は絶望した顔で言った。バーデン辺境伯と結ばれるため、自分は二人の子どもたちを殺したのに、と。

オラミュンデ伯爵夫人は、バーデン辺境伯の言った二組の目とは自分の子どもたちだと考え、彼らを殺害し、辺境伯が帰ってくるのを待っていたのだ。そうすればバーデン辺境伯と結ばれると信じて。

バーデン辺境伯は恐ろしくなり、伯爵夫人を置いてドイツに逃げ帰った。しかしオラミュンデ伯爵夫人は彼との間に血の契約が結ばれたと叫び、それを証明するように、彼の死の間際、伯爵夫人が彼の前に現れた。

それ以来、オラミュンデ伯爵夫人は、バーデン大公家の人が死ぬ間際、彼らの前に姿を現すようになったという。

ギイ・ブルトン及びルイ・ポーウェル編著『西洋歴史奇譚』にある。

オランダ人形のようなもの

［おらんだにんぎょうのようなもの］

イギリスで目撃される怪異。ロンドンの高級住宅街であるチェルシーのチェイニー・ウォークの川沿いの家の中に、幽霊が出ることで有名な家がある。この家の側を通ると、二階の窓からオランダ人形のような、グロテスクなものが身を乗り出しているのが目撃されることがあるという。

J・A・ブルックス著『倫敦幽霊紳士録』にある。

女好きのピープス 「おんなずきのぴーぷす」

イギリスで語られる怪異。ロンドンのバッキンガム通りにある一二番地の家に現れるという幽霊で、玄関ホールにほほ笑みながら立っているピープスの霊が何度も目撃されている。

実在したピープスは一七世紀後半にこの通りの一四番地の家に住んでいたが、一二番地の家に現れるのには理由がある。彼が住んでいた一四番地の家は、かつて画家のウィリアム・エティが住んでいた。彼は女性のヌード画を描くのが得意であったが、今でもこの家の二階の窓からは、ヌードモデルであった女性の霊が、裸のまま通りに笑顔を振りまくことがあるのだという。この霊を見ると幸運になるなどと言われているが、ピープスはこの女性の霊を見たいがために自分の家ではなく、一二番地の家に現れると言われている。これはピープスが生前、女好きとして知られていたためのようだ。

平井杏子著『ゴーストを訪ねるロンドンの旅』にある。

女盗賊の怨霊 「おんなとうぞくのおんりょう」

ベルギーで語られる怪異。ダンメ市の人々が「殺しの穴の山」と呼んでいる山には、こんな伝説が残されている。この山にはかつて盗賊が住み着いており、道行く人々を襲ってはその財を奪ったり、時には殺していた。ある時、盗賊は商人とその娘を襲ったが、抵抗した商人は打ち殺し、娘は山に連れ去って身の回りの世話をさせていた。それから一年が経った日、娘は父親の最初の復活祭のため、ダンメのミサに行きたいと申し出て、盗賊の首領の許可を得て教会へ向かった。しかし長く盗賊とともに暮らした彼女の髪はざんばらで、服も町娘とは違ったために教会の司祭に止められ、ついにミサに参加することができなかった。

そこで娘は絶望した後、怒りがこみ上げてくるのを感じ、盗賊の仲間になることを決意した。やがて首領が死ぬと、部下たちは満場一致で彼女を新たな首領にすることに決め、彼女の指示により新たな盗賊団は暴れ回った。

そんなある時、娘を止めた司祭が殺しの穴の山の側に仕掛けた罠に引っかかった。部下たちは止めたが、娘はかつての恨みから司祭を殺害した。

この事件により、ダンメの村の人々も目が覚め、盗賊たちの住む穴を待ち伏せて、穴から出てきたところを一斉に襲い掛かって殺害した。

それ以来、復活祭の日になると、女盗賊となった娘の霊が、自分の父親の墓の上で嘆きの声を上げるようになった。また、その姿をじっと見つめていると、その人間は体を壊し、心も生涯明るさを取り戻すことがなくなると言われている。

H・シュライバー著『ドイツ怪異集』にある。

【か】

カール・クリント［かーる・くりんと］

イギリスに現れたという怪異。同国ケント州ミンチェスターの町はずれにある城に棲み着いていたという幽霊で、ポルターガイスト現象を起こしていた。

しかしこの城を買ったガブリエル卿という人物がこのクリントと交流を試み、アルファベットを一文字ずつ話し、該当する文字の部分で幽霊に音を鳴らしてもらうよう頼んだ。そこで幽霊はカール・クリントと名乗り、一〇〇年以上前にこの城で暮らしていたと語った。しかし女性を巡って一人の男を殺害し、地下に埋めたのだと語った。

ガブリエル卿がその真偽を確かめたところ、実際にカール・クリントという人物がその城に住んだ記録があり、また殺人事件も起こっていた。

これに気をよくしたガブリエル卿は霊媒を呼んで再びカール・クリントと対話を試みた。今度は顎髭を生やした赤毛の中年男性の姿で現れたカール・クリントは、恋人のシャルロットとともにこの城で死後も暮らしていることを語り、自分たちの領域である地下室に人間が干渉しないこと、逆に幽霊である自分たちもこれ以降は人間の生活を脅かさないことを約束した。

それから数年後、ガブリエル卿が城から引っ越すことになり、再び霊媒を呼んで最後の挨拶をしたところ、なぜかカールとシャルロットの幽霊はガブリエル卿の引っ越し先についていくことを望んだ。ガブリエル卿はこれを許諾し、彼の引っ越し先に二人の幽霊が付いていくこととなったという。

桐生操著『ヨークシャーの幽霊屋敷』にある。

骸骨吸血鬼［がいこつきゅうけつき］

イギリスに現れたという怪異。一八七五年、カンバーランド（現カンブリア）にあった私有地のクローリン・ホールという館に出現し、そこで眠っていたアメリア・クランズウェルという女性の首に牙を突き立て、血を吸ったという。その様相は、骸骨のようであったとされる。またこの吸血鬼の出現と同期して近隣で飼われていたたくさんの羊たちが血を吸われた。同様の事件が一九〇五年、グロスタシャー州バドミントン村で発生し、三〇頭の羊が血を吸われた。これら犠牲になった羊は、他の肉食動物に襲われた場合と違い、肉は食われずに血だけが吸われていたという。

ジョン・A・キール著『不思議現象ファイル』によれば、骸骨のような吸血鬼は、一九〇五年の事件を最後に突然消え去ったという。

顔の出る家［かおのでるいえ］

スペインに現れたという怪異。アンダルシア州にあるベルメスには、顔の出る家と呼ばれる家がある。

この家がそのような名前で呼ばれるようになったのは、一九七〇年代に起きた怪奇現象に由来する。

事の発端は一九七一年、この家のキッチンに突然顔のような形のしみができ、擦り落とすと今度は別の場所に顔の形をしたしみができた。そこで今度は石の床ごと顔の部分を切り取ったが、やはり違う場所にしみができる。そんなことが何度も続いた。

一九七二年になるとこのしみについての調査が行われ、過去に近隣で殺人事件があったことや、その家の周辺がかつて墓場だったことなどが分かった。また現れた顔の形のしみが時間が経つにつれて表情を変えるなどしたため、様々な実験が行われ、結果として薬局で買えるような化学物質によりこのしみを作ることができると判明した。しかし顔が現れた場面を見た人物や、表情を変える様子を見た人物もいたため、一概にいたずらによるものとは言えないようだ。

ジョン&アン・スペンサー著『世界怪異現象百科』にある。

家系図の首なし婦人［かけいずのくびなしふじん］

イギリスで語られる怪異。リンカンシャー州のベルトン・ハウスという古い邸宅の廊下に掛けられた家系図に纏わる怪異で、その家系図は一九世紀に実際にこの屋敷に住んでいたブラウンロー家の家系図となっている。いつしかこの家系図の余白にある人物の姿が浮かび上がるようになった。その姿は年代もののドレスを着て、真珠のネックレスをした影のような女性だが、首から上だけが存在しないという。

シャーン・エヴァンズ著『英国の幽霊伝説』にある。この屋敷には他にも多数の幽霊が出現するという話がある。詳細は**ベルトンのブライト・レディ**の項目を参照。

影がない男［かげがないおとこ］

ロシアに現れた怪異。かつて仲の良いカップルがいたが、男の方が金持ちの連中に殺された。金持ちたちは男は戦争に行ったと嘘をついた。

しかし夜中の一二時、この男が恋人の元に現れた。

男は恋人を連れて月夜の下を歩き始めたが、「お前には影があるが、僕にはない」と言った。それで女は、自分の恋人が生きた人間ではないと気付いた。

墓地に着くと、男は彼女を自分の墓へ連れて行き、墓穴に入るように促した。そこで女は彼を先に穴に入らせ、持ち物を一つずつ渡すことで時間を稼いだ。

やがて渡すものがなくなり、ついに自分が墓穴に入ったとき、雄鶏が鳴き、地面がひとりでに閉じた。

女は悲鳴を上げ、近くにいた人々が慌てやってきたが、墓を簡単に掘り返すことはできなかったため、司祭を呼んでから墓を掘った。しかし既に女は死んでおり、結局恋人とともに墓に埋め戻されたという。

斎藤君子著『ロシアの妖怪たち』にある。

過去から現れたコテージ
［かこからあらわれたこてーじ］

イギリスに現れた怪異。一九六八年のこと、チェシャーのウォリントンにて、ある男性がバスを待っていた際、こぎれいな庭がついたわらぶき屋根の小さなコテージが二つ並んでいるのを見た。片方のコテージの壁には一八三七年と記されていた。

彼がそのコテージのことを同僚に話すと、そこにはそんなコテージはなく、レンガ造りの家があると返ってきた。そこで確かめると、同僚の言う通りそこにあったのはレンガの家であったという。

そのため、地元の人に尋ねると、かつてそこにはたしかにわらぶき屋根のコテージがあったが、もう何年も前に取り壊されたと教えられたそうだ。

ジョン&アン・スペンサー著『世界怪異現象百科』にある。

カスマンドル
［かすまんどる］

ドイツで語られる怪異。バイエルン地方に伝わる精霊で、聖マルティヌスの日になるとアルプスの山から下りてくるため、その日は外に出てはならないとされる。伝えられる話では、これを無視して外にいた若者が、「このことを一年間忘れるな」と言われて背後からカスマンドルに殴られたという。

アルプスでは夏の間、高原の地アルムに家畜を連れて行き、バターやチーズを作って秋になると家畜を下ろす。この時、山小屋にチーズなどを一部残していく。これはカスマンドルへの供え物なのだという。

植田重雄著『ヨーロッパの祭と伝承』にある。同書によれば、カスマンドルは元々チーズの精霊であるケーゼメンラインに由来する精霊で、チーズやバターを作れたことに感謝するために供えていた風習であったという。

カスマンドルファーレン
［かすまんどるふぁーれん］

ドイツで語られる怪異。冬に現れる山の精霊で、山を徘徊（はいかい）し、時には村に下りてきて人々に害を与えるという。これは夏から秋にかけては牧人の手助けとして牧草を成長させたり、牛乳の発酵を手伝ったりしていた山の精霊の**カスマンドル**が、冬になって牧人と別れるのを嫌がって悪霊となったのがカスマンドルファーレンだとされる。

また昔の人々は、冬の山や谷に迷い込むと、この精霊に引きずり込まれて二度と帰れないと信じていた。そのため村の若者は太鼓やブリキ缶を鳴らし、村境で「カスマンドル、カスマンドル、うろつくな」「カスマンドル、山へ帰れ」と叫び、悪霊を祓（はら）うのだとされる。

植田重雄著『ヨーロッパの祭と伝承』に

ある。カスマンドルについては当該項目を参照。

金縛りの上衣［かなしばりのじょうい］

イギリスに現れた怪異。一九四八年、ロンドンのスイス・コテージの劇場で『女王様がやってきた』という芝居が行われた時のこと。ヴィクトリア女王時代の針子を演じる女優が、衣装にぴったりの上衣を見つけたことから始まる。女優はこの上衣を使って演技に臨んだが、一週間もすると、初めはサイズがぴったりだった上衣が次第にきつくなり始めた。これは代役が演じた際も同じで、締め付けられるような感覚がしたうえ、夜に夢でこの上衣を着たヴィクトリア朝風の若い女を見たという。

この上衣の噂は広まり、舞台に関わっていた人々が試しに着てみたが、誰もが不快な苦しさを感じた。ある女性はこの上衣を脱いだ後、首の両脇に、まるで誰かに首を絞められたかのように血がにじんだ痕がついていた。

そのため、この上衣の由来を知ろうと降霊会が行われた。その最中、一人の霊媒がある若い女が男に捕らえられ、水の入った樽に頭を押し込まれて殺される場面を見たと語った。女の死体は、あの上衣を含む彼女の衣服を剥がし、毛布にくるまれたという。

それから女優はこの上衣を手放し、あるアメリカ人に買われていったが、やはりアメリカにおいてもこの上衣を着た人間は締め付けられるような苦痛を感じたという。

現在、上衣の行方は分かっていない。

J・A・ブルックス著『倫敦幽霊紳士録』にある。

狩人ハーン［かりうどはーん］

イギリスで語られる怪異。狩人ハーン（ヘルラ）はヨーロッパ各地に伝わる猟師やそれらが従える馬、猟犬の幽霊の群れ、**ワイルドハント**の一種として語られる存在。ウィンザーの森に棲むとされ、ウィリアム・シェイクスピアの詩『ウィンザーの陽気な女房たち』にも登場する。ワイルドハントとしてのハーンは中世から目撃談があるが、現代になっても出現しているようで、一九七六年にはウィンザー城の大庭園で鹿の毛皮を身に纏い、枝角の生えた帽子を被ったハーンの姿が目撃されたという。

また、この他にもハーンが幽霊犬を引き連れて城内を音もなく疾走したという目撃談が、ここ三世紀ほどの間に何百件も報告されているようだ。

N・ブランデル他著『世界怪奇実話集』にある。

ハーンは元々は古代ブリテンの王で、妖精の国で三日を過ごした後、元の世界に戻ると二〇〇年が経っていた。以来、馬から下りるとこの年月の重みが一気に降りかかり、塵に帰ってしまうため、馬から下りることなく駆け続けている、という伝承がある。

カンテラを持った女［かんてらをもったおんな］

イギリスで語られる怪異。コーンウォールのセント・アイヴスに伝わる怪異で、この湾にある「島」と呼ばれる岩場に現れるという。

この女はかつて船の難破により子どもを失い、自身もそれを知って絶望し、息絶え、教会墓地に埋葬された女だった。しかしその後も女は墓を抜け出して浜辺へ行き、「島」で我が子を探し続けるようになった。そして子が見つからぬと分かると溜息（ためいき）をつき、教会の墓場へと戻るのだという。またこの女は荒れ模様の夜や真っ暗な夜にはカンテラを持って現れ、晴れた夜にはカンテラを持たなかった。そしていつの間にかこの周辺では、カンテラを持った女は災害の前触れと見なされるようになったという。

河野一郎編訳『イギリス民話集』にある。

黄色い少年［きいろいしょうねん］

イギリスに伝わる怪異。東イングランドのハートフォードシャーにあるネブワースハウスに出現するという少年の姿をした幽霊。この怪異は死の前触れとして現れると考えられており、実際に出会った人間は自分の死を予感するのだという。一九世紀には、外交官のカスルリー卿（きょう）という人物が黄色い少年を目撃し、直後に自殺したこともあったようだ。

ロバート・グレンビル著『絶対に出る 世界の幽霊屋敷』にある。

黄色い人［きいろいひと］

フランスに現れた怪異。顔が黄色く、喉の部分に赤印がある人間の姿をした存在で、初めて現れたのは一八七〇年、普仏戦争の直前であったという。それ以来、黄色い人はフランスが大きな戦いに参じる直前に現れるようになり、最後に現れたのは第一次世界大戦が勃発する数日前であったという噂（うわさ）もあるようだ。

ピーター・ヘイニング著『世界霊界伝承事典』にある。

消えたランナー［きえたらんなー］

イギリスで語られる怪異。靴屋のジェームズ・ウォーソンはマラソンが得意で、足が速いことで有名だった。一八七三年のこと、ジェームズはウォリックシャーのレミントンからコヴェントリーまで走り、その足の速さを証明することとなった。

途中までは順調で、ジェームズも特に疲れた様子はないまま四分の一ほどを走った。しかし舗装のない道を走っていた時、突然ジェームズは躓（つまず）いて転んだように見え、直後鋭い悲鳴を上げたかと思うと、突然消えてしまった。大規模な捜索が行われたが、彼の姿は地上からなくなってしまったかのように見つかることはなかった。

しかし彼の失踪後からしばらくの間、レミントンからコヴェントリーに向かう道を夜に見ると、不気味な緑色のランナーが走っている姿が目撃されたという。

N・ブランデル他著『世界怪奇実話集』にある。同書には他にも、一八八〇年、アメリカのテネシー州に住んでいたデヴィット・ラングが家族の目の前で突然消えてしまった事件についても記されている。

この事件においてもデヴィットは見つからなかったが、一八八一年、デヴィットが消えた場所の周りに謎の輪が出現し、デヴィットの叫び声が聞こえたという。

キキーモラ［ききーもら］

ロシアに現れる怪異。家の中に出没する女の妖怪で、その名前は雄鶏の鳴き声を表す「キキー」と、古代スラヴ神話に登場する死神「モラ」によって構成されている。

この名前の通り、キキーモラは雄鶏のような泣き声を上げて人の死を悼む存在であるという。その姿は背中の曲がった老婆で、ぼろを身に纏い、髪を振り乱している。体は小さく、風に吹き飛ばされるのを恐れて屋外には出ないともされる。姿を現すことはめったになく、足を踏み鳴らしたり食器を割るなどして音で自分の存在を知らせ、時に気に入らない住人を追い出すという。

キキーモラが姿を現すのは災厄の前触れとされ、特にクリスマス週間の夜に現れることが多い。また糸紡ぎや機織りなどが好きで、これを片付けずに寝ると勝手に続きをするが、たいていの場合台無しにしてしまうという。また家族に不幸がある場合には、その直前に現れ、糸を紡いで家族に知らせる。クリスマスに現れるのも、糸紡ぎによって次の年の運命を紡いでいるためとされる。

またキキーモラの人形を使ってキキーモラを家に放つことができると考えられており、金の支払いなどの待遇が悪かった際などは大工がこの人形を作り、家の中心となる柱の下や家の隅に仕掛け、キキーモラにいたずらをさせるなどしたという。

斎藤君子著『ロシアの妖怪たち』にある。

紀元前七〇〇年の亡霊［きげんぜんななひゃくねんのぼうれい］

イギリスに現れた怪異。ドーセット北部の街ボトルブッシュタウンには、青銅器時代の幽霊が現れるという。この幽霊は馬に乗って現れ、自動車や自転車と並走することで知られているが、ある考古学者がこの幽霊と遭遇し、その容貌を詳しく観察するということがあった。その考古学者によれば、幽霊の風姿は青銅器時代末期、紀元前七〇〇年から紀元前六〇〇年前に生きた人間の姿であったという。

N・ブランデル他著『世界怪奇実話集』にある。

騎士の丘［きしのおか］

イギリスに伝わる怪異。チェシャーにあるライム・パークに残る物語で、この邸宅と庭を取り囲む鹿園を横切る騎士の亡霊たちが何世紀もの間目撃されている。この騎士たちは「騎士の丘」と呼ばれる丘に向かって進むとされ、行列の後ろにはブランシュと呼ばれる白い服の女性が歩いているという。

この「騎士の丘」は一四二二年、フランスのムーの戦いで負った傷が原因で死亡したサー・ピアーズ・リーという人物が埋葬されているとされ、その愛人がブランシュという女性だったという。この騎士の列はピアーズ・リーの葬列であると考えられているが、現在では騎士たちの姿がなくなり、取り乱したブランシュの話だけが語られることも多いようだ。

シャーン・エヴァンズ著『英国の幽霊伝説』にある。

キノコや苔の主［きのこやこけのぬし］

ロシアで語られる怪異。土の中にいる老爺の姿をした妖怪であると考えられており、子どもたちがキノコをきちんとした方法で採らないと土の中から現れて「どうしてそんなドジをするんだ！」と注意するという。

斎藤君子著『ロシアの妖怪たち』にある。同書によればこれは森の主でもあり、同じく森の主として伝えられる**レーシー**に類似するものとして紹介されている。

また同書には、キノコを採りに来た人間を柱岩という巨大な岩の上に導き、そのまま消えてしまった老爺の怪の話も載せられている。

キャッスルリグ・ストーンサークル［きゃっするりぐ・すとーんさーくる］

イギリスで語られる怪異。イングランドのカンブリアにある遺跡には、直径約三〇メートルの石の環が並んでいる。この石は数える度に数が変わるなどとされ、地元に伝わる物語ではこの石は人間が変化してできたものと言われているという。またこのストーンサークルは怪火が発生することでも知られており、これは死者の魂であるなどと言われている。それはこのストーンサークルが元々死者の追悼のための集会場所として使われていたからなのだという。

シャーン・エヴァンズ著『英国の幽霊伝説』にある。

狂女メアリー［きょうじょめありー］

イギリスに伝わる怪異。ヨークシャーのノートン・コンヤーズ・ハウスという屋敷には、かつてその一室に、気がふれてしまったメアリーという女性を監禁していた伝説が残されている。メアリーは現在でも霊となってこの部屋に留まっているとされ、狂女メアリーと呼ばれているという。

ロバート・グレンビル著『絶対に出る 世界の幽霊屋敷』にある。同書によれば、このメアリーの伝説はシャーロット・ブロンテの小説『ジェーン・エア』に登場するロチェスター夫人のモデルとなったという。

極小幽霊屋敷［きょくしょうゆうれいやしき］

イギリス及びアメリカに現れたという怪異。イングランドのグレーター・マンチェスターのある家には、コテージの形をした小さな陶器の入れ物が置いてあったが、それがいつどこからやってきたのか分からなかった。そのため、入れ物はこの家を訪れ、入れ物を欲しがったアメリカ人の女性に譲られたが、それからその女性の家に幽霊が現れるようになった。コテージの陶器が原因だと気付いた女性は気味悪がったが、ある時娘が訪ねてきて、その陶器と幽霊に興味を示したため、娘がそれを譲り受けることとなった。

それから娘は様々なものを陶器に入れ、幽霊の撃退を試みたが、何も効果はなかった。しかし、何も入れないでいると幽霊も現れなかったため、どうやら幽霊が出てくるのはこの小さなコテージに物を入れられて住めなくなるのが原因だということが分かったという。

ジョン＆アン・スペンサー著『世界怪異現象百科』にある。

切り裂きジャックの亡霊［きりさきじゃっくのぼうれい］

イギリスに伝わる怪異。ロンドンのテムズ川では、大晦日（おおみそか）の夜になるとウェストミンスター橋の欄干に黒い人影が現れ、テムズ川に飛び降りるという。この影の正体はかつてロンドンを恐怖に陥れた切り裂きジャックの亡霊であるという説がある。これは切り裂きジャックの容疑者のひとりとされる弁護士のモンタギュー・ジョン・ドルイットの死体が大晦日にテムズ川から浮上したという事件に由来している。ドルイットは切り裂きジャック本人であり、生前の非道を悔いて、贖罪（しょくざい）のため、死後もテムズ川への身投げを繰り返しているのだという。

平井杏子著『ゴーストを訪ねるロンドンの旅』にある。もちろん切り裂きジャックの正体はいまだ不明であるため、ドルイットが犯人かどうかは分からない。

霧虹［きりにじ］

アルプス山脈に現れる怪異。アルプスを旅する人々によって何百年にもわたり報告され続けてきた怪異で、濃霧に映る円形の虹を指す。この虹の中には十字が二つ現れ、不思議な形を作る。

これは長らく霊的なメッセージだと思われていたが、現在では光の屈折や反射によって生じる物理的な現象だということが判明している。

ピーター・ヘイニング著『世界霊界伝承事典』にある。このように、不可思議な現象だと長らく考えられていた事象が解明された例として有名なものにブロッケン現象がある（**ブロッケン山の怪物**参照）。

キングズ・ヘッドの幽霊［きんぐず・へっどのゆうれい］

イギリスで語られる怪異。キングズ・へ

ッドは一四五〇年頃から存在する古いパブだが、たくさんの幽霊が棲み着いているという。例えば「クロムウェル・ルーム」と呼ばれる部屋には、狂ったように甲高い声を上げる女性の霊がおり、霊が見えなくとも部屋に入るとどこか威圧的で不安にさせる空気が流れているという。また真夜中に時計が止まる怪現象もこの部屋で起こるようだ。

二〇〇四年に行われた調査では他にもカトリックの司祭、ヴィクトリア朝時代の子ども、火事で死んだ使用人など、様々な幽霊が住み着いていることが分かった。

また、先のクロムウェル・ルームの名前の由来となった、このパブ兼宿屋に泊まったオリバー・クロムウェルの幽霊が目撃されることもあるようだ。

シャーン・エヴァンズ著『英国の幽霊伝説』にある。オリバー・クロムウェルはイングランドの政治家、軍人であり、初代護国卿でもあった実在の人物。

グウェンリン［ぐうぇんりん］

イギリスに伝わる怪異。カーマゼンシャーのドラウコシ金鉱に残る伝説に登場する女性のこと。この金鉱は二〇〇〇年以上前に古代ローマ人によって切り開かれたが、その内部にある水は薬になると言われていた。グウェンリンという女性はリウマチの治療のため、金鉱で水浴びすることを日課としていたが、ある夜、水底に沈んでしまい、姿は消え、遺体も見つからなかった。以来、嵐の夜になると、霧の中にグウェンリンの姿が浮かび上がるようになったという。

シャーン・エヴァンズ著『英国の幽霊伝説』にある。

空軍中佐の幻視［くうぐんちゅうさのげんし］

イギリスで語られる怪異。第二次世界大戦中、エジプトのイギリス空軍基地で兵士たちが夜、食堂で談笑していた際のこと、ポッターという空軍中佐がロイという同じ空軍中佐の死後の姿を幻視した。その姿は深い藍色を背景に頭と両肩の部分だけが空中に浮いており、目はなく、唇は耳まで裂け、肌は緑がかった紫のもので覆われ、ところどころ皮膚が剝がれ落ちていた。

その時、ロイ中佐はまだ生きていたが、翌日出撃した。そして予兆の通り彼は死体となって帰ってきた。

死体の姿はポッター中佐の前に現れたものと同じだった。肩から上しか見えなかったのは、ロイ中佐の死体が深い藍色の海に浮かび、肩から上を水面に浮上させていたからだった。ポッター中佐は、海面に浮かんできたロイ中佐の死体を前夜に幻視していたのだ。

ジョン&アン・スペンサー著『世界怪異現象百科』にある。

クオリー・バンク・ミルの幽霊
［くおりー・ばんく・みるのゆうれい］

イギリスに伝わる怪異。クオリー・バンク・ミルは現在のイギリスに残る稼働可能な最古の商業用紡績工場だが、その徒弟用住居には何人もの女性の幽霊が出現すると言われている。

頻繁に幽霊が出現するのは屋根裏で、女性の姿が見えたり、屋根裏部屋に近づいた犬が毛を逆立ててそれ以上前に進もうとしなかったなどのことがあったという。またかつて子どもたちの教室だった部屋に邪悪な霊が棲み着いている、住居に付属したコテージに古くさい洋服を着た女性が現れた、という話もあるようだ。また、工場本体の最上階にも幽霊がさまよっている姿が目撃されている。しかしこの工場では、女性の死亡事故はひとつもなく、現れる幽霊たちの正体はまったく不明なのだという。

シャーン・エヴァンズ著『英国の幽霊伝説』にある。

口笛を吹く聖職者
［くちぶえをふくせいしょくしゃ］

イギリスで語られる怪異。ロンドンの中心部にあるセント・ポール大聖堂では、訳もなく寒気に襲われることがあるが、これはこの聖堂に棲み着いている聖職者の幽霊が出現する前触れと考えられている。

この幽霊は灰色の髪を束ね、古いローブを纏った老齢の男性という姿をしており、口笛を低く吹き鳴らしながら壁の中に消えていくとされる。

平井杏子著『ゴーストを訪ねるロンドンの旅』にある。同書によれば、第一次世界大戦後にこの聖堂の改修が行われた際、礼拝堂の壁に隠し扉が見つかり、秘密部屋があることが分かった。この隠し扉があった場所は聖職者の幽霊が消えていく場所であったという。

クマの咆哮
［くまのほうこう］

イギリスで語られる怪異。サセックスに遺跡が残るヴァードレー古城では、雪の日に食物を求めてさまよい歩いてきたクマが城内に入り込み、殺されたという事件があった。それ以来、この城では今でも追い詰められたクマの咆哮がどこからか聞こえてくるという。

平井杏子著『ゴーストを訪ねるロンドンの旅』にある。

暗い日曜日
［くらいにちようび］

ハンガリーで発表された楽曲の名前、及びそれに纏わる怪異。

「自殺の聖歌」などと呼ばれるこの歌は、ハンガリーをはじめとして聞いた人々が次々と自ら命を絶った、という都市伝説がよく語られる。具体的には、自殺した人の部屋にあった遺書に、「暗い日曜日」の歌詞の一部が引用されていた、首吊りをした人の足元に「暗い日曜日」の楽譜が落ちていた、などとされる。

そのため、この歌はイギリスのBBCで放送禁止にされるなどの事態が起きた。「暗い日曜日」はヤーヴォル・ラースロー作詞、シェレシュ・レジェー作曲の曲で、恋人と離縁した女性が、過去を思い返しながらその悲しみを語り、最後は自ら命を絶つ決意をする、という歌詞が歌われる。また、作曲のシェレシュ・レジェーは後に自殺するが、それはこの曲の発表から三〇年以上経ってからのことであるため、曲と関係があるかは定かではない。

この曲が発表された当時は世界情勢が不安定な時期であり、それが自殺の後押しをしたのではないかとも言われるが、「暗い日曜日」が自殺の直接の原因になったのかは定かではない。この曲は世界各国でカバーされており、日本でも多くの歌手が「暗い日曜日」を歌った。決して自殺を誘発するだけの歌ではないようだ。

クラウゼ・ベルベル［くらうぜ・べるべる］

ドイツで語られる怪異。一二月四日の聖バルバラの日、ドイツのオーバーアルゴイのオーベルストドルフで、夜に牛の鈴を鳴らしながら現れる精霊。醜い老人、動物のような毛で覆われた仮面をつけた者、白い布で顔を覆った者などが頭巾を被り、黒い歯を付け、華やかな上衣と藁を付着させたズボンといった装いで代父と洗礼を受けた子どもを探す。そして子どもを見つけると、菓子やプレゼントを与えることもあれば、手に持った箒や鞭、こん棒で脅すこともあるという。

この精霊が現れると、若者たちがこれを追いかけ、精霊は逃げるが、たまに若者を返り討ちにして雪に投げ飛ばす場合もあるようだ。

植田重雄著『ヨーロッパの祭と伝承』にある。

クランプ［くらんぷ］

イギリスに伝わる怪異。ドーセット州にあるロッジ・パークは一六三四年にジョン・クランプ・ダットンという人物が建造した建物と考えられているが、このクランプはいまだロッジ・パークに住んでいるという。例えば今はもうなくなった木製の階段を上り下りするクランプの足音が、かつて階段のあった空間から聞こえてきたりするのだそうだ。

シャーン・エヴァンズ著『英国の幽霊伝説』にある。

クランプス［くらんぷす］

ヨーロッパで語られる怪異。クリスマスに聖ニコラウスの従者としてやってくる悪霊で、聖ニコラウスが悪い子どもと判定した子どもをお仕置きするという。

若林ひとみ著『クリスマスの文化史』にある。

ある。その姿は地域によって異なるが、どれも恐ろしげな容姿をしている。悪い子どもに罰を与える怪物であるため、近年ではしつけのためにクランプスや聖ニコラウスの名前が語られることもあるようだ。

クリストファーの大足
［くりすとふぁーのおおあし］

イギリスに現れた怪異。ある家で階段のない場所にて階段を下りてくるような足音を立てていた幽霊。その家があった場所には元々農家があり、足音が聞こえてくる場所はその農家にあった階段が位置していた空間であった。また次第に足音に加えて二階を歩く音、銃声などが聞こえるようになったため、村の老婦人にこのことを話したところ、その幽霊の正体が判明した。幽霊となったのはかつて農家に住んでいたクリストファーという男性で、人よりも足が並外れて大きかったため、このことをからかわれ続け、一九一二年、銃を使って自殺したのだという。それからこの家で悪魔祓いが行われ、足音が聞こえてくることはなくなった。

ジョン&アン・スペンサー著『世界怪異現象百科』にある。

クレイファルハトン湖の怪馬
［くれいふぁるはとんこのかいば］

アイスランドで目撃される怪物。真っ黒な馬のような姿をしているが、水中を生息の場としており、たまに湖から出てきて岸辺を走るなどするという。

ジャン＝ジャック・バルロワ著『幻の動物たち』によれば、一九八四年に二頭目撃されたという。

スコットランドには湖や川に棲むケルピーという馬の魔物が伝わっているが、これも似たものだろうか。

クレイフ・ハイツの修道士の怨霊
［くれいふ・はいつのしゅうどうしのおんりょう］

イギリスに伝わる怪異。同国のヴァンダミア湖の西岸には、クレイフ・ハイツという樹木に覆われた丘がある。この丘にはある伝説が残されており、一八世紀頃まで恐ろしい叫び声を上げる幽霊が出現したと言われている。この幽霊の正体は中世にファーネス修道院という修道院にいた修道士とされ、禁欲の誓いを破って女性に恋をしたものの、その女性に拒絶される。それにより、現世での幸福も、来世での神の祝福も失い、狂気に陥った修道士はクレイフ・ハイツで自殺する。以来、この丘で恐ろしい叫び声を上げる幽霊と化したが、一八世紀に神父が祈禱を行い、幽霊を湖畔の採石場と森から出ないように閉じ込めた。

現在でも風が強い日にはこの幽霊の叫び声が聞こえてくるといい、採石場の近くを通った人がフードを被った何者かに追われたという話もあるようだ。

シャーン・エヴァンズ著『英国の幽霊伝説』にある。

グレイミス城の怪物
［ぐれいみすじょうのかいぶつ］

イギリスに伝わる怪物。スコットランドのアンガス州のディーン河畔に実在するグレイミス城には、毛むくじゃらの怪物が閉じ込められているという噂がある。

ある説によれば、この怪物は城主であったストラスモア伯爵家に一七世紀に生まれた、イノシシのような顔、ビール樽のような体の毛むくじゃらの子どもであるとされ、家族はこの怪物を表に出すことができず、城に秘密の部屋を造ってそこに閉じ込めた。彼らはその部屋で彼がそのまま死んでしまうことを望んでいたのだろう。しかしこの子どもは、二〇〇年以上にわたって生き続けた。

一八六九年、モンローという一家がこの城に泊まった際、巨大な毛むくじゃらの何者かが現れ、夫人や子どもの部屋を訪れた。また一九世紀にこの噂を確かめようとして城を訪れ、すべての部屋にタオルをかけて回ったところ、外から見ると一ヶ所だけタオルがかかっていない窓があった。そこで女性がその部屋がある場所の壁を崩してみたところ、その奥から恐ろしい怪物が唸り声を上げて襲い掛かってきたという。

一九二〇年には、ブルームフィールドというジャーナリストが当時の城主のグレイミス卿に一六二一年に死亡した男児がいる、という記録が残されていることを発見し、発表した。この死亡したという男児こそが、実は秘密部屋に隠された奇形の子どもだったのではないか、と考えられている。

桐生操著『ヨークシャーの幽霊屋敷』にある。

グレイ・レディ
［ぐれい・れでぃ］

イギリスに現れたという幽霊。二〇一五年二月、ロンドン南西部のハンプトン・コート宮殿を少女たちが撮影した際、ひとりの少女がスマートフォンで撮影した写真に背が高く、髪が腰下まで伸びた女性が写り込んだ。この女性はグレイ・レディと呼ばれ、その正体は一五六二年にこの宮殿で天然痘で亡くなったシビル・ペンという看護師の霊ではないかと噂された。一八二九年に宮殿内の教会を再建する際、彼女の墓を移動してから幽霊の目撃談が多発しているのだという。

ASIOS著『「新」怪奇現象41の真相』によれば、iPhoneのパノラマ撮影機能を使った際にカメラの目の前を横切った人間がいると、写真同士の合成に失敗してこのような写真が生まれることがあるという。少女が撮った写真に写った幽霊は、本物の幽霊ではなく、この現象によって写り込んだ人間だと思われる。しかしグレイ・レディの幽霊自体はそれ以前から目撃されているため、彼女の幽霊の存在を否定するものとはならないようだ。

クレオパトラの方尖塔の怪
［くれおぱとらのほうせんとうのかい］

イギリスで語られる怪異。テムズ川の川

岸にはクレオパトラの方尖塔と呼ばれる古代エジプトのオベリスクがある。これは紀元前一四五〇年頃に古代都市ヘリオポリスの大神殿前に建てられていた二本の石碑のうちの一本で、紀元前二三年にアレクサンドリアに移され、その地で亡くなったクレオパトラが建設した寝殿に飾られたため、この名で呼ばれている。

これは一七九八年、ナイル海戦、アレクサンドリアの戦いでイギリスが勝利した記念に当時のオスマン帝国の君主であったムハンマド・アリーによって寄贈の申し出があったものだが、当時はコストが膨大で輸送できなかった。その後、一八七七年になってロンドンに移送されたが、それからというもの、この方尖塔の周辺では、テムズ川への投身自殺が相次いだ。

それに付随するようにこの周辺では自殺者の霊が出現するようになり、自殺の場面を繰り返す霊や、自分の死を知らせにくる霊などが目撃されているという。

平井杏子著『ゴーストを訪ねるロンドンの旅』にある。

グレックラー［ぐれっくらー］

ドイツで語られる精霊。トラウン渓谷のシュタイナッハ村に残る行事の名前であり、精霊の名でもある。この行事は一月五日の夕方ごろから行われ、若者たちが白い衣服を纏い、牛用の鈴を腰に付け、リヒトカッペという木製の灯籠を頭に載せて歩く。この灯籠の周りには聖画の描かれた紙が貼られ、中で二、三本の蠟燭が立てられているという。

グレックラーは本来夜に踊る精霊で、大地を強く踏むことで春を目覚めさせるのだとされる。そのためグレックラーに扮した若者たちは、村の広場に集まって鈴を鳴らしながら踊り、雪を踏みつけて春の精霊を目覚めさせるのだと考えられている。

植田重雄著『ヨーロッパの祭と伝承』にある。

グレムリン［ぐれむりん］

イギリスで語られた怪異。第一次世界大戦の最中、イギリス人が乗る軍用機に現れた妖精で、機械にいたずらをして不調にさせたなどという。

ピーター・ヘイニング著『世界霊界伝承事典』にある。同書やローズマリ・E・グィリー著『妖怪と精霊の事典』によれば、近年では飛行機だけでなく工場などに現れ、いたずらを行っているという。

グレムリンという名前は『グリムの妖精物語』とビールの銘柄の「フレムリン」が合わさって生まれた名前だという説がある。

他にも『妖怪と精霊の事典』によれば、第二次世界大戦中に目撃されたグレムリンは角が生え、黒い革の長靴を履いた一五センチほどの大きさの妖精だったり、体長三〇センチほどの人間そっくりの妖精で、しわくちゃの赤い上着と緑色のズボンを身に纏っていたなどの姿をしていたようだ。また最近では、遭難しそうな飛行機に現れ、操縦士に正しいルートを教えたり、指示した事例もあるという。

一九八四年にはアメリカにて映画『グレムリン』が公開されたが、この映画では「モグワイ」というぬいぐるみのような生き物が、夜一二時過ぎに食べ物を食べると変貌する小さなモンスターとして描写されている。このグレムリンたちは機械だけでなく人間に直接様々ないたずら、時には暴力行為を働き、伝承にあるグレムリンとは性質や姿が大きく異なっている。しかし、現在ではこの映画に登場したキャラクターたちもグレムリンのイメージの形成に大きな影響を及ぼしている。

黒いドレスの女［くろいどれすのおんな］

イギリスに伝わる怪異。ノーフォークのシェリンガムという邸宅に現れたと語られる幽霊。一九六〇年代、この家に住んでいたある女性が夜中に目を覚ますと、見知らぬ黒いドレスの女性が立っていた。この女性にどなたですかと尋ねると、女性は答えずに背を向け、そのまま壁を通り抜けて姿を消してしまったという。

シャーン・エヴァンズ著『英国の幽霊伝説』にある。同書によれば、第二次世界大戦中からその終戦にかけての頃、ある女性が自転車でシェリンガムに向かう途中、トラックにぶつかって死んだ。彼女はシェリンガムで働いていた女性で、黒いドレスの女の正体はこの女性であったかもしれないという。

黒猫の少女［くろねこのしょうじょ］

スイスで語られる怪異。ベルン州の州都、ベルンでは、魂が黒猫の姿になって肉体を離れ、数々の悪事を働く一族がいると信じられている。この魂が遊離するとき、肉体は一切の活動を止め、まるで死人のようになるとされる。ある時、若い男が一人の少女の部屋に侵入した際には、満月に照らされた死体のような少女の体があり、直後、犬に追われて帰ってきた黒猫が部屋に入り込んできて、男が何とか部屋から逃げ出した直後に少女が息を吹き返したという。

H・シュライバー著『ドイツ怪異集』にある。

クロンベルク旅館の一三人の亡霊［くろんべるくりょかんのじゅうさんにんのぼうれい］

ハンガリーで語られた怪異。ティサクルトでラツィオ・クロンベルクとその妻、スシーの夫婦によって経営されていた旅館に纏（まつ）わる怪異譚で、事の発端は一九一九年まで遡（さかのぼ）る。二人は第一次世界大戦から旅館を守り抜くため、財産のほとんどを使い果たしており、さらに子どもたちは家を出たり戦死したりと一人もいなくなっていた。

そして夫婦は、旅館に泊まりに来る客を殺害し、その金品を奪うことで生き延びる道を選ぶ。

夫婦は旅館の周りに深さ一メートル八〇センチほどの溝を掘って中を生石灰で満た

した。他人には、新しく納屋を建てるためだと言い訳した。また狼（おおかみ）を殺すためと偽り、毒性の強いストリキニーネを買い求めた。

これで準備は整った。クロンベルク夫婦は一九一九年から一九二二年の三年間で、一〇人の客を殺害した。その方法は夕食の後にストリキニーネの入った上等なワインを振る舞い、毒殺する、というものだった。しかし殺人を繰り返した夫婦は事件の発覚を恐れ、殺人は次のひとりで最後にしようと決めた。

そして一九二二年の八月一四日、三〇半ばの男性が金貨で膨らんだスーツケースを持って泊まりにやってきた。夫婦は旅の思い出を楽しく聞かせてくれるこの男性を好きになっていたが、後戻りはできず、いつものようにワインにストリキニーネを混ぜて殺した。

そして客の宿泊部屋に行き、カバンを漁（あさ）ると、そこには確かに莫大（ばくだい）な量の金貨が入っていた。しかし客の衣類を調べていると き、クロンベルク夫婦はふと自分たちが写ったスナップ写真を見つけてしまう。

この男性客は、かつてこの家を出て行った彼らの息子だったのだ。

それを知った夫婦は、息子が座ったまま死んでいる食卓に戻り、彼の横に腰掛けた。そして短い告白文をしたため、ともにワインを飲んだ。

やがて三人の死体が旅館で見つかり、クロンベルク夫婦の犯した殺人も知れ渡ることになった。

しかしそれ以来、この旅館に足を踏み入れようとする者はいなくなった。なぜならこの旅館に入って一夜を過ごすと、旅館で毒殺された一一人の客と、自殺したクロンベルク夫婦、計一三人の幽霊が食卓を囲んでいるのを目撃するからだ。彼らの顔は、ストリキニーネを飲んで死んだ直後と同じように、唇をめくり上げ、歯をむき出しにした凄（すさ）まじい形相をしているという。

そのような理由からこの旅館の土地は誰も買い取ろうとしなかったが、一九八〇年になって何者かが旅館に火を点（つ）けた。それにより、ティサクルトの人々はようやく恐怖から解放されたという。

N・ブランデル他著『世界怪奇実話集』にある。

ケースネスの怪火［けーすねすのかいか］

イギリスで語られる怪異。スコットランドのハイランド州にあるケースネスにて、一九世紀末から二〇世紀初頭にかけて目撃された怪火。この火は元旦の夜から三、四日連続して道の最も高い地点で灯ったが、最後の火が目撃された翌日、近海で漁船が数隻沈没し、二名が死亡した。その死体はあの怪火が灯った地点から見えた場所で発見されたという。また引き揚げられた遺体は、偶然にも怪火が灯った場所と寸分たがわぬ地点に横たえられた。

それ以来、怪火は災厄の前触れとして恐れられるようになり、明け方近くに怪火を見ると災厄も同じ時間にやってくるなど、伝承として伝えられるようになったという。

ジョン&アン・スペンサー著『世界怪異現象百科』にある。

下水道ゾンビ［げすいどうぞんび］

イギリスに現れた怪異。二〇〇八年、イーストボーンの町の下水道の管理をしていた会社の職員たちが、作業中にゾンビのような怪物に襲われるという事件があった。そのため調査が行われたが、ゾンビや幽霊の類は見つからなかったという。

並木伸一郎著『最強の都市伝説2』にある。同書には調査の際に下水道の中に磁場が強い特定のスポットがあり、その磁場によって従業員が幻覚を見た可能性について記されている。

結婚式を見守る霊［けっこんしきをみまもるれい］

イギリスに伝わる怪異。タイ・アンド・ウィアにあるワシントン・オールド・ホールに現れるという幽霊で、少女の姿をしているという。

この霊は結婚式が好きらしく、時々大広間で行われる結婚式を見守っているとされる。また、披露宴の写真を現像したところ、花嫁の頭の部分にオーブが写っていた、ということもあったようだ。

シャーン・エヴァンズ著『英国の幽霊伝説』にある。

同書によれば、タイ・アンド・ウィアには他にも霊がいるらしく、両手を固く握り合わせた白い服の女性の姿をしているという。またこの邸宅では他にも長い灰色のドレスを着た女性の幽霊などが目撃されているようだ。

ゲフ［げふ］

イギリスで語られた怪異。マン島中南部の町、ドールビにある古い農家から怪音が聞こえ、屋内で何かが動き回るということがあった。その存在は家主に向かって話しかけ、自分を「ゲフ」という名のマングースだと明かした。

ゲフはこの農家に何度か声のみで現れたが、次第にその回数は減っていき、やがて現れなくなったという。

ピーター・ヘイニング著『世界霊界伝承事典』にある。同書によれば、これが本当にしゃべるマングースだったのか、立証はされていないようだ。

毛むくじゃらの手の化け物［けむくじゃらのてのばけもの］

イギリスで語られる怪異。デヴォンのダートムーアにある道路には、毛むくじゃらの手だけの化け物が出現すると言われている。この化け物は一九二〇年代当初から出現し始め、自動車を押したり、引っかいたり、車の中に侵入してハンドルを持つ運転手の腕ごと摑み、車を動かしたりするのだという。

N・ブランデル他著『世界怪奇実話集』にある。

獣と化したベルトルト五世
［けものとかしたべるとるとごせい］

スイスで語られる怪異。ベルン州の首都、ベルンに現れるという獣人で、地元の噂（うわさ）では最後のツェーリング公であるベルトルト五世は子食いであり、その罰で天から後継ぎを奪われたという。そして彼を象（かたど）った立像は、夜になると邪悪な獣のように見え、またその姿で路地に出現するのも目撃されているという。

H・シュライバー著『ドイツ怪異集』にある。

原野の怪光
［げんやのかいこう］

イギリスに現れた怪異。一九六九年一月四日のこと、イングランドのワイト島にてある夫婦が車で走っていると、前方の原野が上下に動く光で覆われていることに気が付いた。そこで近づいてみると、農場へ続くはずの暗い田舎道が街灯の点（つ）いた街路に見えた。しかし道の入り口に立つといつもの田舎道に戻っていた。不思議に思い、馴染みのホテルに行ってみると、そのホテルも光に覆われており、懐中電灯のようなものを持った複数の人間が前方を横切った。その中でも男はジャーキン（一六世紀から一七世紀にかけての男子用の短い上着）に幅の広いベルトを身に着けていた。そのため車を止めて何事かと尋ねようとすると、今度は人影が消えていつも通りのホテルの景色に戻っていた。

その翌朝、夫婦が早朝に同じルートを引き返したところ、昨日の光の名残はなにもなかったという。

ジョン&アン・スペンサー著『世界怪異現象百科』にある。同書ではこの夫婦はタイムスリップを繰り返していたのではないかと考察されている。

郷士マンセル
［ごうしまんせる］

イギリスに伝わる怪異。ガウアー半島にあるロッシリ海岸には、一八〇〇年から語り継がれるマンセルという騎士の幽霊譚がある。

マンセルは欲深い男で、ある時、ロッシリ海岸の潮が引き、隠されていた黄金が見つかった際、馬車でその現場に急ぎ、既に集まっていた村人を追い払って黄金を自分のものとした。さらに黄金を持ち帰った村人を追いかけ、彼らから黄金を強奪した。しかしその数年後、有り金を使い果たした彼は、再びロッシリに戻り、残った黄金はないかと探したが、無駄骨に終わった。それ以来、嵐の夜になると、四頭に引かせた馬車に乗ったマンセルの幽霊が砂浜に現れると信じられるようになったという。

シャーン・エヴァンズ著『英国の幽霊伝説』にある。

コーフ城の首なし幽霊
［こーふじょうのくびなしゆうれい］

イギリスに伝わる怪異。ドーセットのコーフ城は廃墟（はいきょ）となっているが、この場所で

は現
は清教徒革
破されたが、この
た王党派を裏切り、議
女性がいた。この城では白い
ない女性の幽霊がさまよっているが
がこの女性だと考えられている。

シャーン・エヴァンズ著『英国の幽霊伝説』にある。同書によれば、この廃墟では他にも時折子どもの泣き声が聞こえてくるという。

ゴールヌィ［ごーるぬぃ］

ロシアで語られる怪異。山の主の親爺（おやじ）であると考えられており、坑夫たちの間でよく語られる。ゴールヌィは坑夫たちに好意的で、落盤を事前に知らせて事故から命を助けてくれたり、彼らの待遇改善のために尽力してくれたりしたのだという。

斎藤君子著『ロシアの妖怪たち』にある。

平井
の旅』にあ
はスーザン・ヒル
台化され、一八年以上に
を続けているという。この物
黒衣の女もまた怨霊と化すため、そ
で生まれた噂（うわさ）なのかもしれない。

黒衣の尼僧［こくいのにそう］

イギリスに伝わる怪異。ロンドンのイングランド銀行とその前にある縫い針通りには、サラ・ホワイトヘッドという名の女性の幽霊が現れると考えられている。サラの

平井杏
旅』にある。

古代エジプト人の幽［こだいえじぷとじんのゆうれい］

イギリスで語られる怪異。ロンドン

一九〇〇年から三三年間にわたって使用されていた大英博物館駅という地下鉄の駅がある。この駅は現在でも残されているが、この廃駅には夜中になると古代エジプト人の幽霊が出現すると言われている。

この幽霊は短い腰布を巻き、頭に布製の被(かぶ)り物をしているという。

平井杏子著『ゴーストを訪ねるロンドンの旅』にある。大英博物館には、エジプトが返還を求めているロゼッタ・ストーンをはじめとして、エジプトから持ってきた数多くの品が展示されている。中でもミイラの展示室は有名で、何人もの古代エジプト人のミイラが展示されている。一九三二年には、ユニバーサル映画製作の『ミイラ再生』というホラー映画が公開され、これが後のミイラ型モンスターの始祖となったが、このミイラを発掘するのも大英博物館の調査団として描写されている。こういったところから、大英博物館に古代エジプト人の幽霊が出る話が生まれたのだろうか。

また大英博物館には、実際にミイラの呪いが起こったという話もある。詳細は**アメン・ラーの呪い**の項目を参照。

コナン・ドイルの幽霊

［こなん・どいるのゆうれい］

イギリスで語られる怪異。ロンドンのパブ・シャーロック・ホームズはホームズの部屋を再現した展示室があり、世界中からホームズファンが集まるパブとして有名だが、ファンの間ではこのパブに『シャーロック・ホームズ』シリーズの生みの親、コナン・ドイルの霊が現れると語られている。

また一九六八年には、ドイルが生前住んでいたイースト・サセックスのクロウバラにあるウィンドルシャム・マナーという屋敷にて、庭にドイルの霊が現れた、という話が伝わっている。

平井杏子著『ゴーストを訪ねるロンドンの旅』にある。アーサー・コナン・ドイルは『シャーロック・ホームズ』シリーズや『チャレンジャー教授』シリーズなどで著名な作家で、後世の作品にも多大な影響を与えた人物。その一方、心霊主義に傾倒しており、心霊現象研究協会の正式会員でもあった。降霊会に頻繁に参加したり、心霊主義に纏(まつ)わる著作を残すなどしている。またその著作には『大空の恐怖』『樽(たる)工場の怪』など、不可思議な怪物が出現するものも多い。

五本のオークの怪

［ごほんのおーくのかい］

ドイツで語られる怪異。ニューダーザクセン州のエレツェンからゼルクセンへ行く道の途中に、五本のオークの木がある。この場所では頻繁に白いガチョウが目撃されるが、このガチョウは普通のガチョウではないとされる。

ある人物がこの場所を通ったとき、ガチョウが勝手に背負った籠(かご)に入ってきたが、進んでいるとどんどん重くなり、ついに進めなくなった。そのため籠を下ろすと、そこにはガチョウではなく老婆がおり、自分をオークの木の元に戻すように命令したという。

また別の人物はこの場所を通った際、五人の白い娘が黄金のボールを使ってボウリングをしていたのを見た。このボールは道を転がってそれを見ていた人物の足元に転がってきたため、その人物はボールを拾い上げて一目散に逃げた。白い娘の幽霊たちは彼を追いかけてきたが、流れる水を越えることができないため、橋を渡った彼に追い付くことはできなかった。

この黄金のボールは確かに純金製で、その人物は家を買えるほどの大金を手に入れたという。

H・シュライバー著『ドイツ怪異集』にある。

コラル・ポルグの霊能画［こらる・ぽるぐのれいのうが］

イギリスに残されている怪異。コラル・ポルグはロンドンに住む霊能者の女性で、生前に一度も面識がなかった人間の姿を霊界から送られてくる波長を受けることで、生前そのままに描くことができるという能力を持つ。その方法は自分に描こうとしている人物の霊を乗り移させ、そのまま自動書記によって描くのだという。その数は、現在では何千枚にも及んでおり、彼女の自動書記の様子は映像や写真に残されている。

桐生操著『ヨークシャーの幽霊屋敷』にある。

コルンキント［こるんきんと］

ドイツで語られる怪異。麦小僧を意味し、昼間に麦畑で見知らぬ子どもが泣いていたらコルンキントだといわれている。この精霊は時折人間の子どもをとんでもないところへ連れ去ってしまうため、注意が必要だとされる。

植田重雄著『ヨーロッパの祭と伝承』にある。同書によれば、この精霊は**コルンムーメ**の子どもなのだという。

コルンムーメ［こるんむーめ］

ドイツで語られる怪異。麦の精霊と考えられており、麦が穂孕み（ほばらみ）の時期に風に吹かれ、波のように揺れるのは、この精霊が畑を見守っているからなのだと伝えられている。

植田重雄著『ヨーロッパの祭と伝承』にある。

【さ】

ザ・クエア・フェラー

［ざ・くえあ・ふぇらー］

イギリスで語られる怪異。一九六八年、ロンドンの地下鉄を通すトンネルを掘削工事していた際に現れた幽霊で、アイルランド出身の作業員たちに「あの変な野郎（ザ・クエア・フェラー）」と呼ばれていた。

この幽霊は身の丈二メートル以上あり、恐ろし気に両手両足を突き出している様子が目撃されたという。

この幽霊が出現するようになったのは、工事の際にペストで死んだ人々を埋めた集合墓穴を暴いてしまったからだと信じられていたようだ。

J・A・ブルックス著『倫敦幽霊紳士録』にある。

サー・ハリー・フェザーストンホーの幽霊

［さー・はりー・ふぇざーすとんほーのゆうれい］

イギリスに伝わる怪異。ウェストサセックスのアップパークと呼ばれる邸宅に出現する幽霊で、元々はこの邸宅の持ち主であったという。彼の幽霊は自分の肖像画のある赤の応接間と呼ばれる部屋によく現れる。この部屋のレイアウトを変えると、暖炉の前にある衝立（ついたて）が勝手に裏返っていたり、誰もいないときに物音がするといったことが起きるという。

シャーン・エヴァンズ著『英国の幽霊伝説』にある。

サギー・コード

［さぎー・こーど］

イギリスに現れたという怪異。中東の殺人強盗団が人を殺害する際に使っていたという絹の組み紐（ひも）で、一メートル弱の長さがある。

一九一〇年、イングランドに住むジョージ・ギャフニーという人物がこの紐を買い求め、その二週間後にこの紐を使って恋人を殺害する。理由は恋人のベシー・グレイヴズという女性を妊娠させ、結婚を迫られていたものの、もっと条件の良い相手を見つけていたことから、ベシーが邪魔になった、という自分勝手なものであった。

死体の首に食い込んだまま放置されていたサギー・コードは警察に回収され、捜査が始まったが、警察はなかなかギャフニーの元に迫ることができなかった。

一方、ギャフニーは新しい恋人の元に通いながら悠々自適に暮らしていたが、ある夜、二人乗りの辻馬車（つじばしゃ）に乗っていた彼は、ふと隣の座席に死んだ直後の姿でベシーが座っていることに気が付いた。

ギャフニーは悲鳴を上げて逃げ出したが、怪異はそれでは終わらなかった。恋人の家の地下室に酒を取りに行った彼は、暗闇からサギー・コードをネックレスのようにぶらさげたベシーと遭遇してしまう。それにひどく驚いたギャフニーは階段を転げ落ち、怪我（けが）をして入院することとなった。

そして退院後、イングランドを出てベシーの幽霊から逃れるために、ケベック行きの定期船モントローズ号に乗ることとした。

しかし出発の前夜、ギャフニーは泊まっていたホテルの暗がりでまたしてもベシーと遭遇する。ベシーは首から外したサギー・コードを、彼の方へと差し出していた。

すべてを悟ったギャフニーはその組み紐を受け取った。ベシーの姿はもう消えていたが、ギャフニーは最後に自分の罪を紙に記し、もうベシーの幽霊から逃れられないと書き加えて、幽霊から手渡された組み紐で首を吊った。

それから、警察はギャフニーの死体と彼の残した書により事件のあらましを知ることになったが、ひとつ奇妙な点が残っていた。

ギャフニーが首を吊るのに使ったのは、警察が保管していたはずのサギー・コードそのものだったのだ。

N・ブランデル他著『世界怪奇実話集』にある。

さまよえるオランダ船

［さまよえるおらんだせん］

世界中の海に現れる怪異。「フライング・ダッチマン」の名でも有名な幽霊船の伝説で、ヨーロッパ各国で語られる。オランダではファン・ストラーテンという船長が悪天候の中を喜望岬を回って航海すると神に豪語したが、それが神の怒りを買い、船は沈没し、船長と乗組員は呪われ、その周辺を永遠に航海することとなった、とされる。この幽霊船は天候が荒れ模様の日に喜望峰に出現し、遭難の前触れであると信じられている。

ドイツでは船長はフォン・ファルケンベルクという人物とされ、北海を航海していた際、悪魔との賭けに負けて魂を奪われ、船も呪われた幽霊船となったという。

イギリスでは喜望峰を航海していた船が嵐に遭遇したが、船長は嵐を避けようとする船員の言葉を退け、嵐の中を進んだ。しかしそこに幻霊が現れ、船長はピストルで撃とうとしたが、ピストルは船長の手の中で炸裂（さくれつ）した。幻霊は船長を呪い、いつまでも航海を続けよと言った。それ以来、この船は今でもさまよい続けており、目撃した者を呪うのだという。

この物語はドイツの作家ハインリッヒ・ハイネによって『フォン・シュナーベレヴォプスキー氏の回想記』という詩となり、それに着想を得たリヒャルト・ワーグナーにより『さまよえるオランダ人』としてオペラとなっており、そちらも有名。

この幽霊船は一九二三年に喜望峰で目撃されており、それによれば不思議な光を放ちながら目撃者たちの乗る船に近づいてきたが、突然消えたという。

ローズマリ・E・グィリー著『妖怪と精霊の事典』などにある。ジョン&アン・スペンサー著『世界怪異現象百科』によれば、一八八一年にも南大西洋上でこの幽霊船が目撃されたという。

サラエヴォの呪われた自動車［さらえゔぉののろわれたじどうしゃ］

オーストリアで語られる怪異。オーストリア皇太子であったフランツ・フェルディナンド大公は、ボスニア州の首都、サラエヴォを巡行するため、一台の自動車を造らせた。これは赤い六人乗りのオープンカーであったが、当時の情勢不安定のヨーロッパでは、格好の標的となった。セルビア人民主義者の過激派がこの車に飛び乗り、皇太子とその妻にピストルを撃ちこんで暗殺したのだ。これは一九一四年六月二八日のことで、第一次世界大戦が起こるきっかけとなった。

戦後になり、暗殺の舞台となったこのオープンカーは修繕され、新任のユーゴスラヴィア統治者によって使用されたが、四度も事故を起こし、右腕を失うまでになって手放された。それから車は友人の医師の手に渡ったが、この医師も路上にひっくり返った車の下から死体として見つかった。

その後も持ち主を転々としたが、ほとんどの持ち主はその命を奪われるきっかけとなった。最終的にはウィーン博物館に送られ、展示されることとなったが、この博物館もまた第二次世界大戦中、爆撃によって瓦礫（がれき）と化した。しかしその中から、この車は欠片（かけら）も見つからなかったという。

N・ブランデル他著『世界怪奇実話集』にある。最初の持ち主が不幸な目に遭ったことで呪われた自動車の話は世界中にあり、ジェームス・ディーンが乗っていたポルシェ・スパイダー五五〇の話などが有名。

サラゴーサの妖魔［さらごーさのようま］

スペインで語られた怪異。一九三四年、スペイン北東部のサラゴーサにあるパラソンという一家の住居で、ストーブの煙突の上から何者かの声が話しかけてくるという怪異現象があった。そこで多くの人々が家に殺到し、この声と談話したが、声は「サラゴーサの妖魔」と自称し、その正体は分からなかった。

人々はまずパラソン家で働く一六歳の女中を疑ったが、誰かが煙突の上にいた形跡はなく、結局いたずらであることを証明できる人間はいなかった。この声は一九三四年の一二月まで現れたが、それ以降は聞こえなくなったという。

ピーター・ヘイニング著『世界霊界伝承事典』にある。

幸せの雌鶏［しあわせのめんどり］

ドイツに現れる怪異。デュッセルドルフのガラートのある畦道（あぜみち）では、雛（ひな）を連れた雌鶏が現れることがある。この雌鶏は穀粒の散らばる広場で穀粒をついばむが、残った穀粒を保管しておくと、それが純金に変わるのだという。

H・シュライバー著『ドイツ怪異集』に

ある。

ジェップ空襲の事例［じぇっぷくうしゅうのじれい］

フランスに現れた怪異。第二次世界大戦において、フランスのジェップ近くで行われた空戦、海戦の音が終戦後の一九五一年になってから響き渡ったという怪異。

これは同年七月から八月にかけてジェップ近郊のピュイで休暇を取っていたイギリスの二人の婦人によって報告され、それによれば八月四日の朝四時頃から始まった。

彼女らは海から響く轟音（ごうおん）により眠りを妨げられ、銃声、砲弾を撃つ音、兵士たちの阿鼻叫喚（あびきょうかん）が立て続けに聞こえてきたが、その音の出所となるものは何も見えなかった。それは二時間以上にわたって断続的に発生したが、午前六時五五分には何の音も聞えなくなった。

この不可思議な音の怪は、一九四二年八月一九日、まさに婦人らが体験したのと同じ時間に行われていた戦闘と一致していたという。

ローズマリ・E・グィリー著『妖怪と精霊の事典』にある。

屍鳥［しかばねどり］

イギリスに現れる怪異。ウェールズ特有の怪鳥とされ、死の前兆と考えられている。死ぬ間際の人間がいる建物の窓枠に止まり、窓を叩（たた）いて耳障りな音を立てるという。

ピーター・ヘイニング著『世界霊界伝承事典』にある。

屍蠟燭［しかばねろうそく］

イギリスに現れる怪異。ウェールズでよく知られた怪火で、死人が出る直前の家の近辺に現れるという。その火の形は蠟燭の火に似ており、小さく青い光であれば子どもが、大きく赤い光であれば働き盛りの大人が、光の寸法が大きく、色が薄い青や白なら老人が死を迎えようとしている知らせとされているようだ。

ピーター・ヘイニング著『世界霊界伝承事典』にある。

死刑囚監房の鐘［しけいしゅうかんぼうのかね］

イギリスで語られる怪異。ロンドンにあったニューゲイト監獄に纏（まつ）わる話。この監獄は一九〇二年に取り壊されたが、その取り壊しが始まる前夜、誰もいないはずの死刑囚監房の鐘が鳴り響いた。そこで急いで監獄にいた人間が死刑囚監房に向かったところ、そこにはやはり人の姿はなく、鐘だけが揺れていたという。

J・A・ブルックス著『倫敦幽霊紳士録』にある。

シシーガ［ししーが］

ロシアで語られる怪異。バーニャ（ロシア式蒸し風呂）に出現する精霊で、祈りをしないでバーニャに入ると出現する。ヴラジーミル県では、ある少女が祈りを捧げずにバーニャに入ったところ、死んだ叔母が体を洗っており、その正体がシシーガであったという。

斎藤君子著『ロシアの妖怪たち』にある。同書によれば、バーニャに出現する精霊は数多く、シシーガもその一種であるという。

死者の街［ししゃのまち］

イギリスで語られる怪異。ロンドンの中心部であるシティ・オブ・ロンドンは一四世紀や一七世紀のペストの大流行で数多くの死者を出した場所でもあり、地下鉄の建設に際して彼らの遺骨が何度も発見されている。

そのためか、ロンドンの地下鉄ではどこからかもの悲しい呻き声が聞こえてきたり、腐臭が漂ってきたり、白い影が目撃されたりしている。

こうした理由から、イギリスのゴースト・ハンターたちの間では、シティ・オブ・ロンドンは「死者の街」と呼ばれているという。

平井杏子著『ゴーストを訪ねるロンドンの旅』にある。

シショーク［ししょーく］

ロシアで語られる怪異。沼に棲む悪魔とされ、沼の近くにいる人間を騙し、服を脱がせるなどと言われる。

斎藤君子著『ロシアの妖怪たち』にある。

自転車の首なし幽霊［じてんしゃのくびなしゆうれい］

イギリスに現れたという怪異。その名の通り自転車に乗った首のない男の幽霊で、前が見えないためか覚束ない運転で道路を走っていくという。その正体は一九一五年、墓地の門の前で自転車に乗っているときに自動車に撥ねられ、首がちぎれてしまった男性なのだという。

N・ブランデル他著『世界怪奇実話集』にある。

死の樹［しのき］

イギリスに伝わる怪異。ロンドンのグリーン・パークという公園には、「死の樹」と呼ばれる樹が植えられている。この樹には鳥や犬が寄り付かず、陰気な雰囲気が漂っているとされ、なぜか数え切れないほどの人々がこの樹で首を吊っているのだという。また日が落ちてからこの樹の傍を通ると、幹の奥から不気味な笑い声が聞こえてくるという噂もある。

平井杏子著『ゴーストを訪ねるロンドンの旅』にある。

ジャーキン［じゃーきん］

イギリスに伝わる怪異。ヘレフォードシャーにあるクロフト城に出現する幽霊で、革製の袖のない上着を着た身長二メートル超えの大きな男だという。この幽霊は城の持ち主であったクロフト家の先祖、オワイン・グリンドゥールの幽霊であると考えられている。彼は城のあちこちで目撃されており、二〇世紀に入ってからも遭遇した人間がいるという。

シャーン・エヴァンズ著『英国の幽霊伝説』にある。このクロフト城には他にも様々な幽霊がおり、赤ん坊の泣き声が響き渡ったり、巻き毛の女性が窓から外を眺める姿や、灰色のドレスの女性が部屋に入ってくる様子などが目撃されたりしているという。

ジャック・オー・ランタン
［じゃっく・おー・らんたん］

イギリスおよびアイルランドで生まれた怪異。現在では、英語圏において**ハロウィン**の日、カボチャをくりぬいて人の顔のように象(かたど)り、中に火を灯してランタンにした飾りとして知られる。

その起源とされる話は複数あるが、よく知られているのは以下のような話。

アイルランドにジャックというやくざ者がおり、泥酔とむさ苦しい生活で知られていた。あるハロウィンの日、ジャックは地元のパブで泥酔し、そのために体から魂が抜けてしまった。すかさず悪魔が出現し、その魂を奪おうとしたため、ジャックは何とか死を逃れようと去る前に最後の一杯を飲みたいと懇願した。

悪魔はそれを了承したが、悪魔は金を持っておらず、ジャックの所持金も一杯飲むには届かなかった。そこでジャックは悪魔にコインに変化して、支払った後に元の姿に戻ることを提案する。悪魔はこれも承諾し、コインに化けたが、ジャックはこれをがま口に突っ込んだ。そして一年間自分を放っておいたら、悪魔を解放すると告げた。

それからジャックは改心し、家族に優しくして借金も支払い、教会へ行くようにもなった。しかしそれも長くは続かず、前と同じ生活に戻ってしまった。

そして次の年のハロウィンの夜、ジャックがパブから帰る途中、悪魔が出現した。魂を奪われそうになったジャックは悪魔をもう一度騙(だま)そうとし、木になっているリンゴをとらせようと指さした。そして悪魔に肩車をして木に登らせた直後、ナイフを取り出して木に十字を刻んだ。これにより悪魔は木から下りられなくなり、仕方なくジャックの要求を呑んで、彼に干渉しないことを誓った。

それからジャックはいつもの生活に戻ったが、次のハロウィンが来る前にその不摂生が祟(たた)って死んでしまった。そこで彼は天国に行こうとしたが、生前の生活のせいで拒否される。そのため仕方なく地獄に向かうと、悪魔はジャックに干渉しないことを約束したと言い、彼を突き返した。そしてジャックが暗闇で道を探すためにと石炭をひとつ投げた。

ジャックはこれをカブの中に入れ、ランタンとした。そうして彼はジャック・オー・ランタンと呼ばれる悪鬼となり、永遠に地上をさまようこととなったという。

現在でもジャックは地上をさまよっており、子どもを道に迷わせたりするという。

そのため、アイルランドでは子どもに上着を裏返しに着るように警告している。それにより、ジャックにとってその子どもが何の価値もないと示すことができるのだという。また遭遇してしまった際には、ジャック・オー・ランタンが通り過ぎるまで大地に身を投げ、目をつむり息を殺し耳を塞ぐのだと伝えられる。

　またジャック・オー・ランタンの逸話から、ハロウィンの祭りではカブや砂糖大根をくりぬき、中に蠟燭を入れて火をつけ、灯火とする風習が生まれたが、アメリカ大陸でカボチャの生産が増えてからはカボチャに変わったという。

ジャンヌ・ダルクゆかりの幽霊
［じゃんぬ・だるくゆかりのゆうれい］

フランスに現れた怪異。百年戦争でフランスを勝利に導き、その後、祖国に裏切られ、処刑されたジャンヌ・ダルク。後に復権され、聖人のひとりとして数えられるようになった彼女は、生誕地であるドンレミ＝ラ＝ピュセルのバジリカ聖堂に祀られている。

　一九二五年のこと、イギリスの観光客がこの聖堂を訪れ写真を撮ったが、その写真にジャンヌ・ダルクの別名でもあるオルレアンの乙女の記章であるアヤメ模様の白い僧衣を着た二人の司祭の幽霊が写り込んだ。この二人が何者なのかは不明なのだという。

　ピーター・ヘイニング著『世界霊界伝承事典』にある。

シャンボール城の亡霊
［しゃんぼーるじょうのぼうれい］

フランスで目撃される怪異。シャンボール城はロワール＝エ＝シェール県に現存する城で、観光地にもなっている。この城は一六世紀から一七世紀にかけて建てられ、フランソワ一世の時代には狩猟に使用する城として改築されたが、その後、何度か人は住んだものの、ほとんど放置されていた。それから一九世紀になり、普仏戦争が起こり、この城は野戦病院として活用されることとなる。このとき無念のまま死を迎えた兵士たちの亡霊が、今もさまよい歩いているのだと伝えられる。

　ロバート・グレンビル著『絶対に出る 世界の幽霊屋敷』にある。

獣人監視員
［じゅうじんかんしいん］

スイスで語られる怪異。ベルン州の州都、ベルンに現れる怪異で、新月の夜になると闇が濃縮し、獣の姿になって牢獄塔の上から落ちてくる。そしてすぐ近くにあるアンナ＝ザイラーの泉まで歩いていくが、水を飲むことができず、咆哮を上げるという。

　その正体はかつて牢獄塔で働いていた監視員であるという。当時、この塔の粗末な部屋に幽閉された犯罪者やそれと見なされた人間は塔から横腹を引きずり上げられて晒されていたが、この監視員はその上で囚人に飲み物を与えないなどの虐待行為を行ったという。その罪により、この監視員は新月の夜に獣と化すこととなり、自分が囚人にしたのと同じように、水を飲むことができなくなったといわれている。

H・シュライバー著『ドイツ怪異集』にある。

修道士ウィリアム［しゅうどうしうぃりあむ］

イギリスに現れた怪異。同国には五世紀頃に創設されたグラストンベリー大修道院という施設があり、イエス・キリストが訪れたという話や、アーサー王の墓地があるという伝説が残る場所であったが、一六世紀には建物自体が破壊されたと伝えられていた。

しかし一九〇七年、フレデリック・ブライ・ボンドという考古学者が残った建造物の発掘作業を開始する。しかし資料があまり残っていなかったため、ボンドは自動書記者として有名であった友人のジョン・アレイン・バーレットに協力を頼み、霊の力を使って修道院を見つけることにする。

同年、自動書記の準備をしたバーレットに、ボンドが修道院について質問すると、バーレットが持った鉛筆が動き出し、その質問に答えた。自動書記を行った霊は「修道士ウィリアム」と署名し、その他にもベア修道院長、時計職人ピーター・ライトフットなど様々な霊が交信者として現れた。彼らは文章や図面によって修道院の詳細を伝え、翌年、ボンドはその情報を元に発掘作業を行ったところ、彼らの言った通りに礼拝堂が現れた。

この発掘は大きく称賛されたが、発見から一〇年後の一九一八年、ボンドが『記憶の門』という本を記し、死者との交信により修道院が発掘された経緯を発表したところ、英国国教会の逆鱗に触れ、彼の著書は僧院内で販売を禁止されるなどした。しかしボンドはアメリカに渡って自身の体験を広く講演するとともに、心霊研究を続けたという。

桐生操著『イギリス 怖くて不思議なお話』による。

シュタット・ボック［しゅたっと・ぼっく］

ドイツで語られる怪異。ドイツ南西部にあるブロインリンゲンという小都市で伝えられる悪霊で、年に一度の謝肉祭、ファストナハトにおいて魔女**ヘクセ**に刺殺されることで、冬の終わりと春の始まりの象徴となるという。この一連の流れが、今でもブロインリンゲンでは仮装した人々によって再現されているようだ。

植田重雄著『ヨーロッパの祭と伝承』にある。

浄罪火［じょうざいか］

ドイツで目撃された怪異。ヘルゼルベルク沿いに伸びる通商街道を、夜にワイン運搬人が何人か歩いていた時のこと。ある岩山に見たこともない洞穴が空いているのが見えた。そこで運搬人たちがその中を覗いてみると、穴の真ん中で盛んに火が燃えており、その中でたくさんの人々の姿が見えた。既に死んでいる者も、生きながら焼かれている者もいたが、中には運搬人らがよく知っているワイン商人の姿もあった。運搬人らはこれはワインに水を混ぜて薄めたり、毒を入れたりした彼らが浄罪火によって焼かれているのだと考え、一人が「神様の憐みを！」と叫んだところ、幻は消え失せたという。

H・シュライバー著『ドイツ怪異集』にある。

ジョージ［じょーじ］

イギリスで語られる怪異。ロンドンの王立裁判所の向かい側にある「ザ・ジョージ」というパブには、一七世紀の議会派の清教徒であったという男の幽霊が棲み着いている。その姿は頭を短く刈り上げた騎士という出で立ちで、よく暗がりに立っているとされる。しかし特に悪さはしないため、パブの名にちなんでジョージと呼ばれて親しまれているのだという。

平井杏子著『ゴーストを訪ねるロンドンの旅』にある。

ジョージ・インの幽霊［じょーじ・いんのゆうれい］

イギリスに伝わる怪異。ロンドンにある宿泊施設、ジョージ・インには、女性の幽霊が出現すると考えられている。その正体はかつてこの宿屋を経営していたアメリア・マリーかその娘、アグネスとされているが、どちらにせよ現代的テクノロジーを大変憎んでいるようだ。

マリー親子は生前、技術の進歩を嫌って宿に入浴施設をひとつも作らなかった。一九三四年にアグネスが亡くなってから施設は改築されたが、それ以来、この親子のどちらかの霊が最新技術でできた機器を妨害するようになった。この宿で電気製品を導入すると突然調子が悪くなるが、しばらくするときちんと使えるようになる。それは、幽霊が新しい機器を受け入れるまでに数週間はかかるからだという。

シャーン・エヴァンズ著『英国の幽霊伝説』にある。

ジョーンズ氏［じょーんずし］

イギリスで語られる怪異。ウェールズ北部のコンウィという町にあるアバコンウィ・ハウスという建物に現れる幽霊で、一九世紀後半に実際にこの建物に住んでいた人物だという。ジョーンズ一家はこの建物をホテルにして生活していたが、一八八〇年に死去。その後、幽霊となって現れるようになったようだ。

ジョーンズ氏は紳士の姿をしており、ジャコビアン様式の部屋に頻繁に出現する。その前兆として、パイプたばこの匂いや花の香りが漂うという報告もあるようだ。

シャーン・エヴァンズ著『英国の幽霊伝説』にある。

処刑された男の足［しょけいされたおとこのあし］

ロシアに現れた怪異。ヴェールフニャヤ・クエンガの学校に出現した巨大な足で、遅くまで学校で勉強していた生徒たちの教室の窓の向こうに現れた。

そして足の後に三頭の白馬が引く馬車が窓の側を通って行った。馬車には白装束に身を包んだ人が二人乗っていたという。

馬車は校庭を二回りしたが、その後物置から楽器を奏でる音が聞こえてきた。それで恐ろしくなった生徒たちが守衛室に駆け込み、話を聞くと、こんな話が返ってきた。

かつて、この学校の隅に生えている松の木である男が吊るされ、銃殺されたことがあった。その時に流れた血が足となって、今も歩き回っているのだとされる。

そこで生徒たちが松の根元を掘ってみると、本当に人間の骸骨が出てきたという。

斎藤君子著『ロシアの妖怪たち』にある。同書によれば、この話は一九〇八年生まれの話者が三年生の時に遭遇した出来事だという。

ジョセフ・セリスの幽霊［じょせふ・せりすのゆうれい］

イギリスに現れる怪異。ロンドンのセント・ジェイムス宮殿で目撃される、首に骨に達するほど深い切り傷を負い、下顎(したあご)をだらりと下げたジョセフ・セリスというイギリス人の幽霊であるという。この幽霊が現れると、血の匂いがするとも言われている。

ジョセフ・セリスは元々アーネスト・オーガスタスという人物の従者であったとされる。オーガスタスはジョージ三世の息子でヴィクトリア女王の叔父にあたる人物だが、女癖が悪かった。ジョセフ・セリスはオーガスタスの寝込みを襲い、剣で怪我(けが)をさせた後、自室で喉を掻(か)き切って死んだと公表されたが、オーガスタスに悪い噂(うわさ)が絶えなかったため、オーガスタスがセリスの妻や娘に手を出し、挙句セリスを殺したと噂された。そうして強い恨みを持ったまま死んだセリスが幽霊となって現れたのだと人々は語り合ったという。

平井杏子著『ゴーストを訪ねるロンドンの旅』にある。

死を呼ぶ塔［しをよぶとう］

イギリスで語られる怪異。ロンドンのイーリングのモントペリア・ロードにかつてあった一六番地の屋敷には、高さ二〇メートル以上の塔があった。

この塔は多くの死者が出たことで知られており、その発端は一八八七年まで遡(さかのぼ)る。この年、アン・フィンチフィールドという一二歳の少女が塔から身を投げた。一九三四年には、ベビーシッターがこの塔から預かっていた子どもを投げ落とし、自分も飛び降りた。この事件から一〇年間、屋敷は空き家となっていたが、その間にも塔で自殺や殺人が発生した。そして一九四四年、アンドリュー・グリーンという人物が父親とともにこの屋敷を訪れた際、塔に上ると、なぜか欄干を乗り越えて飛び降りたいという衝動に駆られた。そうしても傷一つ付くことはないと信じ込んでいた。しかしまさに飛び降りようとした瞬間、父親が彼の襟首を摑み、事なきを得た。

それから屋敷は共同住宅となったが、不吉な評判は絶えず、一九七〇年には別の共同住宅に建て替えられた。しかしこの住宅でも、時折どこからか異常な物音が聞こえてくるという。

J・A・ブルックス著『倫敦幽霊紳士録』にある。

親切な召使い［しんせつなめしつかい］

イギリスで語られた怪異。ある公務員が一九八二年に体験したという幽霊譚で、幽霊は彼の住む家に出たという。この公務員の家は一七世紀に建てられた農家であったが、併せて作られた馬小屋は一時はチャペルとしても使われていたという。

この家には幽霊が何度も出現していたが、ある時、この幽霊が家の玄関を出て馬小屋に向かって行ったことがあった。もちろん馬小屋を覗いても誰もいなかったが、この幽霊が出て行った玄関のドアは鍵が壊れて開かなくなっているはずであった。そのドアを確かめてみると、鍵は直っており、ドアは簡単に開いたという。

ジョン&アン・スペンサー著『世界怪異現象百科』にある。同書によればこの幽霊は、馬小屋がチャペルとして使用されていた一九一〇年代にミサに通っていた女性の召使いの霊である説が有力だという。

スーキー［すーきー］

イギリスに伝わる怪異。ウェスト・ウィッカムのジョージ・アンド・ドラゴンというパブに現れる幽霊の名前で、一八世紀頃に生きていた女性なのだという。

スーキーは玉の輿を狙う、野心的な若く魅力的な女性だった。それを知っていた三人の若者が、彼女を見初めた裕福な老紳士がいて、真夜中に駆け落ちしようとしていると嘘をつき、スーキーを呼び出した。三人はただスーキーをからかおうとしていただけだったが、騙されたと知ったスーキーは羞恥のあまり駆け出し、途中で転倒して頭を打った。三人は急いでスーキーをジョージ・アンド・ドラゴンに運び、手当てをしたが、結局この怪我が元で亡くなってしまった。

それ以来、ジョージ・アンド・ドラゴンには白い室内着を着たスーキーが現れるようになり、階段の上に出現して寝室の敷居辺りで消えるようになったという。

シャーン・エヴァンズ著『英国の幽霊伝説』にある。

ストウ・ハウスの幽霊［すとう・はうすのゆうれい］

イギリスに伝わる怪異。バッキンガムシャーにあるストウ・ハウスと呼ばれていた家には、かつて大事故を起こした橋がある。一七三〇年代、家と外とを馬車が行き来するために作られたこの屋根付きの橋であったが、幅が狭く、高さも二メートル五〇センチほどしかなかったため、よく馬車が車体を擦るなど通行が難しい場所でもあった。ある時、ストウ・ハウスに馬車で向かっていた婦人がいたが、馬車の御者が猛スピードで馬を走らせ、この橋に激突した。御者は即死し、女性は助かったものの、ひどく動揺していたという。

それから時が過ぎ、一九四〇年代のこと、ストウ・ハウスはストウ・スクールという寄宿学校になっていたが、建物から二人の寮母がこの橋を見下ろしているとき、何か不吉な気配を感じた。直後、動揺した様子の人々が橋に向かって行くのが見え、突然消えた。それはかつて、この橋で事故が起きたとき、婦人を救出に向かった人々の姿の再現のようであったという。

シャーン・エヴァンズ著『英国の幽霊伝説』にある。

ストゥーシェ湖の怪物
［すとぅーしぇこのかいぶつ］

スウェーデンで目撃される怪物。同国のストゥーシェ湖では、一八二〇年頃からこの謎の生き物が目撃されている。その外見は頭は丸く大きく、目も巨大で、皮膚はつやつやと光っている。後方に折れ曲がった耳を持ち、時速七〇キロの速さで泳ぐことができるという。

ジャン＝ジャック・バルロワ著『幻の動物たち』によれば、一八九四年にこの怪物の捕獲が決まり、一年間にわたって探索が続けられたが、捕らえることはできなかった。その後もこの怪物は、ストゥーシェ湖で幾度も目撃されているようだ。

ストーノウェイの発光体
［すとーのうぇいのはっこうたい］

イギリスで語られる怪異。スコットランドのアウター・ヘブリディーズ諸島のうちのひとつ、ルイス島の東岸沿いにあるストーノウェイという都市で報告される怪火。

この発光体は死体が出る場所で予兆として出現するとされ、時には死体の動きを予兆して、運ばれる予定の道筋を辿（たど）ることもあるという。

ジョン＆アン・スペンサー著『世界怪異現象百科』にある。

スプリングヒルのオリヴィアの霊
［すぷりんぐひるのおりヴぃあのれい］

イギリスに伝わる怪異。ロンドンデリーにあるスプリングヒルという邸宅に現れる女性の幽霊。この家にはかつて、ノックス＝カニンガム一族が暮らしていたが、オリヴィアはジョージ・レノックス＝カニンガムという人物の二番目の妻であったとされる。一八一六年にジョージが現在でいううつ病を発症して自殺してから、オリヴィアは悲しみに暮れるとともに自責の念に駆られ、その無念から今でもこの家に幽霊として現れるのだという。

その姿を見た者によれば、オリヴィアは

閉じた扉を通り抜けながら移動し、子ども好きであったことから、その家に住む最も若い人間の元に現れることが多いという。今また幽霊としては珍しく昼間に現れ、黒い服を着た生真面目そうな女性であるとされる。人に危害を加えることのない、穏やかな霊であるという。

　シャーン・エヴァンズ著『英国の幽霊伝説』にある。

ズミッチャータ［ずみっちゃーた］

　ロシアで語られる怪異。カルパチア地方に伝わる洗礼を受けずに死んだ子どもが変化するという妖怪で、子どもの姿のままで人の前に現れるという。

　P・G・ボガトゥイリョーフ著『呪術・儀礼・俗信』にある。

スランエルフアイロンの幽霊［すらんえるふあいろんのゆうれい］

　イギリスに伝わる怪異。スランエルフアイロンは一八世紀の地主階級の領地であるが、現存していて一般公開されている。ここでは領地内で働いていた人々の幽霊が今も出現すると言われており、足音が聞こえる、ちらちらと人影が見えるといったことはもちろんのこと、二階のミーティングルームでは勝手に電気が点く、ドアが開かなくなるといった話がある。また使用人居住エリアだった場所では、部屋の中に閉じ込められ、ドアを壊すまで出られなかったということもあったようだ。他にもキッチンでは食器棚ががたがたと揺れることもあるという。

　シャーン・エヴァンズ著『英国の幽霊伝説』にある。

ズワルト・ピート［ずわると・ぴーと］

　オランダに伝わる怪異。クリスマスに現れる黒い怪物で、シント・ニコラスに連れられてやってくる。そして一二月二五日の晩、訪れた家の子どもが悪い子どもであれば、一年間スペインに連れ去ってしまうという。

　若林ひとみ著『クリスマスの文化史』にある。悪い子どもをスペインに連れ去るのは、かつてオランダのカトリック教会の司祭がスペインから派遣され、任期が過ぎるとスペインに戻って行ったことに起因しているという。またズワルト・ピートが黒い容姿をしているのは、北西アフリカに住むイスラム教徒であるムーア人が元になっているためだとされる。八世紀にイスラム教徒がイベリア半島に進出した際、原住のスペイン人が彼らをズワルト・ピートと呼び、またムーア人が異国からやってくる異人のイメージに重なったことで、クリスマスにやってくる存在の伝承に取り入れられたようだ。

聖夜の泉［せいやのいずみ］

　ドイツで語られる怪異。クリスマスの夜には、泉を覗いてはならないという言い伝えがある。それによれば、もし覗くと後ろから水の精に棒で頭を叩かれたり、暗い地下へと引きずり込まれるなどするという。

植田重雄著『ヨーロッパの祭と伝承』にある。同書によれば、逆にクリスマスや大晦日の夜一二時に泉に松明を投げ込む習俗も残っており、これはデーモンや魔女の**ヘクセ**が泉に悪さをしないよう、予防する目的があると伝えられているようだ。

世界一寿命の長い幽霊
［せかいいちじゅみょうのながいゆうれい］

イギリスに伝わる怪異。ヨーク州に現存するトレジャラーズ・ハウス、この邸宅の地下室には、共和制ローマ期、つまり紀元前のローマ人の幽霊が出ると言われている。この幽霊たちはローマの歩兵の姿をしており、円形の盾に槍や短剣を持ち、列を作って歩いている。またその姿は疲れ切って、ボロボロの服を着ており、必ず床よりも低い位置を歩いているため、体の一部が床に埋もれているように見えるという。

実はこのトレジャラーズ・ハウスの地下室がある場所は、デクマナ街道という古代ローマ時代の街道が通っていた場所だったという。この道は地下室の床より四五センチほど低い場所にあり、そこを兵士たちの幽霊が通っていたため、床より低い場所を歩いているように見えたようだ。

シャーン・エヴァンズ著『英国の幽霊伝説』にある。同書によれば、この幽霊たちは「最も寿命の長い幽霊たち」としてギネス記録にも登録されているという。共和制ローマ期の歩兵であったとすれば、この幽霊たちは二〇〇〇年以上の間、幽霊であり続けるということになる。

石器時代の幽霊
［せっきじだいのゆうれい］

イギリスに現れた怪異。ドーセットのクランボーン猟場に出現する幽霊で、毛皮を纏い、毛むくじゃらの愛馬に跨って、石斧を振りかざしているという。

ピーター・ヘイニング著『世界霊界伝承事典』にある。ドーセットには青銅器時代の幽霊も現れる（**紀元前七〇〇年の亡霊**参照）という話もあるが、同じものだろうか。

セント・ジェイムズ公園の首なし婦人
［せんと・じぇいむずこうえんのくびなしふじん］

イギリスに現れる怪異。ロンドンにあるセント・ジェイムズ公園には、こんな怪談が伝わっている。日が落ちてから公園の道を歩いていると、池の方から水音が聞こえてくる。そこで池を見ると、水面が波立ち、やがて首のない女性の体が浮かび上がってくる。この女性は水面をしばらく漂うが、岸辺に辿り着くと突然驚くほどの勢いで駆け出し、藪の中に消えていくという。

この幽霊の正体は一七八〇年代に殺害された女性なのではないかと言われている。当時、この公園の場所には兵舎があったが、そこに住んでいた連隊の曹長が不義を働いた妻を殺害し、その首を斬り落とした。そして妻の首を兵舎の庭に埋め、体を池に投げ込んだ。それから深夜になると、首を求めて女性の幽霊が徘徊（はいかい）するようになったという。

平井杏子著『ゴーストを訪ねるロンドンの旅』にある。

センドゥシヌィ［せんどぅしぬぃ］

ロシアで語られる怪異。ツンドラの主と伝えられる存在で、ツンドラの動物を統率しているという。また人間がツンドラで迷うと気が狂ったり、死んでしまうが、そうした人間はセンドゥシヌィに連れて行かれ、男なら下男か番人に、女なら女房や乳母にされる。

センドゥシヌィの姿は毛深い大男のようで、ソリに乗って移動する。しかし十字架を苦手としており、目の前で十字を切るとソリが壊れるという。またこの時、センドゥシヌィは十字を切った人間に向かって歩いてくるが、雪に円を描いてその中に入れば直接危害を加えられない。

センドゥシヌィにソリを壊したことを責められた際には、「ホッキョクギツネをくれれば、ソリを直してやる」と言えば良い。するとセンドゥシヌィは「必ずやる」と言うので、これに対し「とっとと行きな、ソリはもう直っている」と伝えると、本当にソリは直っている。それからはこの約束の通り、ホッキョクギツネがたくさん罠（わな）にかかるようになるという。

またセンドゥシヌィはトランプを好み、人間と一緒に楽しむこともある。この時ホッキョクギツネをたくさんくれと頼むと、やはり罠にたくさんのキツネが掛かっているという。

しかし、センドゥシヌィと付き合いのある人間は、死後サタンの元へ行くとも伝えられているようだ。

斎藤君子著『ロシアの妖怪たち』にある。同書によれば、センドゥシヌィは元々熊だったとも伝えられているようだ。

僧ラヒアの呪い［そうらひあののろい］

イギリスで語られる怪異。ロンドンのセント・バーソロミュー・ザ・グレート教会に現れるとされる幽霊に纏（まつ）わる怪異。ラヒアは一二世紀、時の国王ヘンリー一世に仕えた高官で、王子を失った国王のため、ローマ巡礼の旅に出ていた時にマラリアで倒れる。そこで生死をさまよう中、無事に祖国に戻れたら、貧しい人のために教会を建てると誓い、無事回復したラヒアはセント・バーソロミュー・ザ・グレート教会を建てた。その後、一一四五年にラヒアが亡くなった後は、彼の墓が教会の祭壇の左側に作られた。

それから時が過ぎた一九世紀のこと、ラヒアの墓が修復された際、ラヒアの遺骸が身に着けていたサンダルを盗んだ僧がおり、彼は直後に奇妙な死に方をした。それはラヒアの呪いだと恐れられ、サンダルは返されたが、ラヒアの霊は鎮まらなかった。

一九九九年になり、教会の防犯ベルが作動した際には、侵入者は見つからなかったが、何者かが廊下を歩いた音が見回りの僧侶によって聞かれた。そこでセキュリティ・システムを確認すると、ラヒアの墓の辺りにのみ何者かの足跡が確認されたという。

平井杏子著『ゴーストを訪ねるロンドンの旅』にある。

【た】

大災害を呼ぶイニシャル［だいさいがいをよぶいにしゃる］

イギリスで語られる怪異。ロンドンのストラットフォードの王立劇場は一八八四年に開業したが、一八八八年にフレデリックス家に引き取られ、一九五七年までその管理下にあった。その歴代の支配人の中でも最も有名なフレッド・フレデリックスは、幽霊となって毎日夜更けになるとこの劇場に現れるという。樽（たる）のように太った体を茶色のスーツに包み、舞台を囲む額縁枠に自分のイニシャルが残っているか確かめるが、もしこれが消えたりすると、劇場に大災害が降りかかると伝えられている。

J・A・ブルックス著『倫敦幽霊紳士録』にある。

ダウワー・ハウスの怪猫［だうわー・はうすのかいびょう］

アイルランドで語られる怪異。アイルランドのキラケーにあるダウワー・ハウスは、かつて詩人のマーガレット・オブライエンとその夫のニコラスが芸術センターとして使っていた家だったが、この家に中型犬ほどもある巨大な黒猫が現れるようになった。この黒猫は鍵が掛かった部屋の中にも突然現れ、ある時には「お前には私が見えない。私が何者かすら分からないだろう」と太く低い声で話しかけたという。

ジョン&アン・スペンサー著『世界怪異現象百科』にある。

タコのような化け物［たこのようなばけもの］

イギリスに現れたという怪異。ウェール

ズのある古い修道院に住み、修繕をしていた修道士が遭遇したという化け物で、湿った白い目をした真っ黒なタコのような姿をしていたという。

　これと出会った修道士は金縛りに遭ったように体が動かなくなったが、何とか手で十字架を作り、夜明けまで祈り続けたところ、気が付けば化け物は消えていた。

　それ以来、この修道院に化け物が現れることはなかったという。

　ジョン&アン・スペンサー著『世界怪異現象事典』によれば、J・イーウィル・ロバーツ著『聖なるゴーストバスター』に記録があるという。

ダニエル・パルトニー像の怪

［だにえる・ぱるとにーぞうのかい］

　イギリスで目撃される怪異。ロンドンのウェストミンスター寺院にある大理石製のダニエル・パルトニーの像は、時折右膝に置いた本のページをめくるとされる。

　平井杏子著『ゴーストを訪ねるロンドンの旅』にある。ダニエル・パルトニーは一七世紀から一八世紀にかけてのイギリスの政治家で、ウェストミンスター寺院に埋葬されている。

ダルムシュタットの黒婦人

［だるむしゅたっとのくろふじん］

　ドイツに現れる怪異。ダルムシュタットに出没する黒い喪服と長いヴェールを纏った幽霊で、死の前兆として現れるとされる。

　ピーター・ヘイニング著『世界霊界伝承事典』にある。

探究者ガイ

［たんきゅうしゃがい］

　イギリスに伝わる怪異。ノーサンバーランドに現存するダンスタンバラ城にはこんな伝説が残されている。ある大嵐の夜、ガイという騎士がこの城の楼門に避難してきた。そこに邪悪な魔法使いがやってきて、彼に助けを求めている貴婦人がいると話す。ガイが魔法使いに連れられて隠し部屋に行くと、そこには眠れる美女がいた。魔法使いは彼女を目覚めさせるため、剣か角笛のどちらかを選ぶように言い、ガイは角笛を選ぶ。しかしガイが角笛を吹いた途端、約一〇〇〇人の騎士が出現し、彼を襲った。

　その後、意識を取り戻したガイは楼門に一人でいた。それからあの美女をもう一度見つけることに取り憑かれたガイは残りの一生を廃墟の探索に費やし、探究者ガイと呼ばれるようになった。

　今でも嵐の日の真夜中には、ガイの虚しい声が聞こえてくるという。

　シャーン・エヴァンズ著『英国の幽霊伝説』にある。

チェリントンの投石現象

［ちぇりんとんのとうせきげんしょう］

　イギリスで発生した怪異。一九一七年、チェリントンで起きた怪現象で、第一次世界大戦の防空壕として作られた穴倉で工事を行っていたところ、蠟燭の火が消され、工員たちの視界が遮られた。直後、石が彼らの周りを飛び始め、石は穴から出た工員にまで飛んできた。この現象により、工事は甚だしく妨害されたという。

春川栖仙著『心霊研究辞典』にある。

チビのヒューイ［ちびのひゅーい］

イギリスに現れた怪異。スコットランドのキャンベル一家の家に現れたポルターガイストの一種で、その家の子どもであるヴァージニアによって「チビのヒューイ」という名前を付けられていた。

出現したのは一九六〇年で、同年一一月から翌年三月にかけて物を動かす、音を鳴らすといったことを行ったが、基本的にそれはヴァージニアの周辺で起こった。またヴァージニアをトランス状態にして、冒瀆（ぼうとく）的な言葉を吐かせたりもしたという。

しかし一九六〇年一一月以降、チビのヒューイは出現する機会が少なくなり、一九六一年三月を最後に途絶えたという。

ジョン＆アン・スペンサー著『世界怪異現象百科』にある。

ヂヤーヴォル［ぢやーゔぉる］

ロシアで語られる怪異。悪魔の一種と考えられており、溺（おぼ）れ死んだり、首を吊って死んだ人間を捕らえ、馬に代えてしまうとされる。

ある話では、一人の百姓が女のところで酒を飲み、あげく金をせびったが、女は応じずに外に食べ物を買いに行った。その途中、馬に乗った二人の大男に出くわしたが、その男たちが「馬の口を見よ」と言う。そこで馬が口を開けたため、覗いてみるとそこにあの百姓が立っていた。女は気を失ってしまった。

その後、意識を取り戻した女が家に帰ると、百姓がロープに首を突っ込んで死んでいたという。

斎藤君子著『ロシアの妖怪たち』にある。

チャーク城の幽霊［ちゃーくじょうのゆうれい］

イギリスで語られる怪異。チャーク城はクイールド州に存在する城で、数多くの幽霊が目撃されている。この城は現在住居として開放されているが、元々子ども部屋であったところに作られた部屋では、よく子どもが廊下を行き来するような足音が聞こえたり、寝ている間に子どもの手と思（おぼ）しきものに触られたりするのだという。

他にも緑色のパジャマを着た婦人の幽霊や、茶色の服を着た陽気な男性といった幽霊が目撃されている。これらの幽霊は頻繁に現れるが、住人や来客に危害を加えることはないという。

シャーン・エヴァンズ著『英国の幽霊伝説』にある。

茶色の貴婦人［ちゃいろのきふじん］

イギリスで語られた怪異。タウンゼンド

侯爵の公邸であるレイナム・ホールに出現するという幽霊で、イギリスの初代首相、サー・ロバート・ウォルポールの妹、ドロシーであるという。ドロシーは第二代タウンゼンド侯爵チャールズと結婚したが、ドロシーが別の男の愛人となったことでチャールズにより屋敷の一室に監禁された、もしくは不倫相手の妻の手によって人質にされ、いずれにせよ不幸な境遇で早死にしたという。

それ以来、茶色いブロケードのドレスを着たドロシーの肖像画が、夜になると目を光らせるようになった。またこのレイナム・ホールや、兄であるウォルポール首相のために建造されたホートン・ホールでドロシーの幽霊が目撃されており、その顔は目があるべき場所に空洞しかなかったという。

このように多くの人物に目撃されたドロシーの幽霊だが、一九三六年、ついにその姿が写真に捉えられた。シーラとブロヴァンドという人物がレイナム・ホールの大階段で撮った心霊写真で、階段を下りる半透明の人影が写っていた。この写真はカントリー・ライフ誌などの雑誌に掲載され、センセーショナルを巻き起こした。この写真は、現在でも見ることができる。

ロジャー・クラーク著『幽霊とは何か』によれば、レイナム・ホールには他にも多くの幽霊が出現したようで、「モンマスの間」と呼ばれる部屋では、赤い騎士の姿で現れる侯爵の幽霊が出たという。また「石の居間」と呼ばれる場所では、子どもの幽霊が出現したとされる。

チューリップ階段の心霊写真

［ちゅーりっぷかいだんのしんれいしゃしん］

イギリスで語られる怪異。ロンドン郊外のグリニッジ地区にあるクイーンズ・ハウスには、チューリップ階段と呼ばれる階段があるが、一九六六年、この階段で有名な心霊写真が撮影された。二つの人影が階段の手すりに縋(すが)りながら上って行こうとしている様子が写された写真で、撮影者のカナダ人は撮影時には階段には誰もいなかったと証言したという。

ジョン&アン・スペンサー著『世界怪異現象百科』にある。世界的に有名な心霊写真で、紹介される機会も多い写真である。

蝶々夫人

［ちょうちょうふじん］

イギリスで語られる怪異。ブリストルのバースにある国立劇場に現れるという幽霊で、一九四八年に初めて確認された。この年、劇場でクリスマスのパントマイム公演が行われており、演目の中に蝶のバレエ『蝶々夫人』があった。ダンサーたちはヒオドシチョウの衣装を身に着けて踊っていたが、突然本物のヒオドシチョウが現れ、ひらひらと飛んでいるのが目撃された。それ以来、この劇場でクリスマスのパントマイム公演を行うと、蝶の幽霊が現れるようになったという。

ジョン&アン・スペンサー著『世界怪異現象百科』にある。

チョールト［ちょーると］

ロシアで語られる怪異。チョールトは悪魔の一種とされ、馬車に乗って現れるという。この馬車の馬たちはどれも人間の脚を持っており、元々は人間であったが、川に身投げしたり、首を吊ったためにチョールトに馬にされ、水を運ばされるのだと伝えられる。

斎藤君子著『ロシアの妖怪たち』にある。同書によれば、キリスト教がロシアに流入する前から民間で語られていた悪魔で、一五世紀の文献に既に名前が見られるという。

しかし現在ではキリスト教の悪魔である**ヂヤーヴォル**の影響を受け、全身が黒い毛に覆われ、角と尻尾を持ち、足に蹄(ひづめ)のある姿が想像されることが多いようだ。

チョールトは天界から水に落とされた天使が悪魔になったものと考えられており、水中に潜み、人間を騙(だま)して水中に引きずり込むことも多いとされる。

翼ネコ［つばさねこ］

イギリスをはじめとした世界各国で目撃される怪物。その名の通り翼の生えた猫の姿をしており、一八〇〇年代から目撃されている。一九〇五年にはイギリスの天文雑誌で体長が三メートルある真っ黒な翼を持つ猫に似た生物が紹介されており、一九三三年には翼を持った黒猫が捕らえられた。それ以降も翼ネコは何度も目撃されており、時には写真や映像に撮られている。その正体については、ネコ型皮膚無力症という皮膚が伸びる病気をはじめとして、様々な説が唱えられている。

しかし翼を持つ猫が空を飛んだ姿が何度も目撃されているため、その正体はまだはっきりと判明したわけではないようだ。

並木伸一郎著『未確認動物UMA大全』による。

ディアトロフ峠事件［でぃあとろふとうげじけん］

ロシアで発生した怪異。一九五九年、当時のソ連において、ラウル山脈で発生した遭難事件を指す。この事件で男女九人が犠牲となったが、なぜか皆極寒の中で衣服をろくに身に着けず、靴を履いていなかった。死因は九人のうち六人が低体温症であったが、残りの三人は外傷によって死亡していた。それらの死体は肋骨(ろっこつ)を骨折していたり、頭蓋骨が陥没していたり、舌を失っている者があったとされる。しかし彼らの間に争った形跡はなかったという。

これら不可解な死により、この遭難事件は様々な憶測が語られるようになった。吹雪や雪崩などの自然現象から、放射能被爆やミサイルの発射実験といった陰謀、UFOや宇宙人の襲撃といったSF映画のようなもの、熊や脱獄囚の襲撃といった物理的なものなど、様々だった。また彼らが残した写真のひとつに、正体不明の光体が写っていたことも議論を加速させた。

しかし彼らが衣服を身に着けていなかったのは雪崩によるものであり、外傷も滑落により岩や氷にぶつかったことによるもの、と現実的な推測もなされている。ただひとつ間違いないのは、この山において、九人の若者が命を奪われたという、それだけの事実なのだ。

ドニー・アイカー著『死に山』による。

ディッキー［でぃっきー］

イギリスに現れる怪異。ダービーシャーの農場に出現する幽霊で、家の者が死にかかっていたり、非常事態が発生する場合、その前兆として現れたり、音を鳴らしたりするのだという。また余所者を嫌うため、他人が家に逗留すると現れる確率が高くなり、騒音を立てて眠りを妨害するなどするらしい。

この幽霊の生前については詳しい話は残っていないが、何らかの非業の死を遂げた人物と考えられている。

サラ・リトヴィノフ編『世界オカルト事典』による。

ディブク［でぃぶく］

ユダヤ人の間で語られる怪異。元々はイブルと呼ばれていたが、一七世紀以降、ドイツやポーランドに住むユダヤ人の言語からこのディブクという名前が創作されたという。

ディブクは元々病人の体に取り憑く邪悪な精霊であったが、一六世紀には罪人のなれのはてだと考えられるようになった。過去に犯した罪のために新しい体に入れず、生きている罪人に無理矢理取り憑く魂がディブクとなるとされた。また一部の人々は、正しい方法で埋葬されなかった人間が悪霊と化した存在と考えた。

ユダヤ教の神秘主義思想である「カバラ」においては、ディブクを追放するための方法がいくつも残されており、それは今なお採用されている。また、人の体からディブクが逃げ出す場合、彼らは足の小指を通るが、そこに小さな血の孔が残るのだとされる。

ローズマリ・E・グィリー著『妖怪と精霊の事典』にある。

ティムとジョージ［てぃむとじょーじ］

イギリスに伝わる怪異。ロンドンのサットン・ハウスに現れるという二人の幽霊で、大変仲が悪いとされる。この二人は生前、二つに分割されて貸し出されていたサットン・ハウスで暮らしていたが、折り合いが悪く、口論が絶えなかったという。その関係は死後も続いており、この家で今も頻繁に起こるポルターガイスト現象は彼らが引き起こしていると考えられている。

シャーン・エヴァンズ著『英国の幽霊伝説』にある。

デヴォンシャーの悪魔

［でゔぉんしゃーのあくま］

イギリスに出現した怪異。一八五五年、イングランド南西部のデヴォンシャー（現デヴォン州）で、積雪の上に奇妙な足跡が現れたことがあった。この足跡は馬の蹄（ひづめ）に似ており、長さ約一〇センチ、幅は約七・五センチで、約一六〇キロにわたって続いていた。

この足跡は壁面や屋根にも続いており、約二〇センチの歩幅を変えることなく通過していたという。このような足跡でできた道は古来、「悪魔の通り道」とされ、この足跡も「悪魔の足跡」と恐れられた。そして足跡の主は「デヴォンシャーの悪魔」と呼ばれるようになった。

二〇〇九年、この足跡は再びデヴォン州に出現し、住民たちを恐怖させたという。

並木伸一郎著『ムー的都市伝説』によれば、人々はこの足跡の出現により、悪魔が町に現れたと信じたという。欧州におけるキリスト教の悪魔は蹄を持つ姿で表現されることが多いが、この蹄が悪魔のものとされたのはそういった理由があるのだろうか。

鉄枷のジャック

［てつかせのじゃっく］

イギリスに現れる怪異。ヨークシャーの裏道に出現する悪霊で、体に鎖が巻かれた長身の男の姿をしており、夜一人で外出する旅人を怖がらせるという。

ピーター・ヘイニング著『世界霊界伝承事典』にある。

鉄道事故の未来視

［てつどうじこのみらいし］

フランスで発生した怪異。一九三三年一二月、フォンテーヌブローに住んでいたルネ・ベルティエという人物が、夢で濃霧の中、列車が正面衝突する夢を見た。その三日後の一二月二三日、パリ郊外のラニー＝シュル＝マルヌ－ポンポンヌ間で、クリスマス休暇の乗客を乗せた列車二台が正面衝突した。この事故により二三〇人が死亡し、フランスの鉄道史上最悪の事故となったという。

ギイ・ブルトン及びルイ・ポーウェル編著『西洋歴史奇譚』にある。

手長のネリー

［てながのねりー］

イギリスで語られる怪異。子どもたちをしつける際に登場する怪異で、見るからに薄気味悪い姿をしているとされる。実際には目撃談があるわけではなく、子どもたちを怖がらせる存在として「そんなことをすれば、手長のネリーに捕まるよ」といった形で語り継がれる想像上のお化けと考えられる。

ピーター・ヘイニング著『世界霊界伝承事典』にある。

テムズ川の死者の船

［てむずがわのししゃのふね］

イギリスに伝わる怪異。ロンドンを流れ

るテムズ川には、こんな言い伝えがある。霧の深い秋の早朝のこと、テムズ川をこの世のものとは思えない不気味なボートが漂ってきたことがあった。そのボートに三人の男が乗っていたが、ウェストミンスター橋の下に入ったあと、そのまま消えてしまったという。

平井杏子著『ゴーストを訪ねるロンドンの旅』にある。同書では、これはケルトの伝説である海の底に死者の国のティル・ナ・ノーグがあるという伝説の神秘性に基づいた話ではないかと考察されている。

天来の音楽 [てんらいのおんがく]

イギリスで語られた怪異。一九六八年一〇月一七日、イギリスのBBCラジオにて、ローズマリー・ブラウンという女性があの世のリスト、ショパン、ベートーヴェンから伝授されたという音楽を披露した。ローズマリーは幼いころから死者の霊と交流することができ、偉大な音楽家たちから直接音楽を教わった。初めにやってきたのはリストで、彼が現れた際、ピアノに手を置くと、彼らがローズマリーの手を導くように、自然に手が動いたという。

それからリストの仲介で、様々な音楽家が彼女の元を訪れた。彼らから教わったという音楽は、それぞれの音楽家の特色を的確に表現していながら、彼らが作曲した既存の曲とはどれも違っていたとされる。

ギイ・ブルトン及びルイ・ポーウェル編著『西洋歴史奇譚』にある。

毒婦フェラーズ [どくふふぇらーず]

イギリスに現れる怪異。ベッドフォードシャーの町ダンスタブル金鉱にある、通称マークイェイトセルという豪邸に出現する。一七世紀に男装して夜な夜な周辺の旅人を強盗、時には殺害していた美女であったが、ある時返り討ちに遭い、何とかマークイェイトセルまで戻ったが、そこで死亡したという。それ以来、彼女は幽霊となって現れ、この家に出現したり、地元の道を疾走したり、なぜか庭の木で首を吊ったりしていたとされる。

ピーター・ヘイニング著『世界霊界伝承事典』にある。同書によれば、この幽霊は二〇世紀に入ってからも頻繁に目撃されたという。

屠殺獣 [とさつじゅう]

スイスで語られる怪異。ベルン州の州都ベルンに出現する黒い獣で、元は肉屋の主人であったという。この主人は仕事をする際、屠殺する獣たちのことをまったく気に掛けないどころか、次第により残虐になっていったため、死後、死の世界からも追い出された。そうして生と死の狭間をさまようようになったため、屠殺された獣たちの苦しみを味わいながら地上をさまよっているのだという。

H・シュライバー著『ドイツ怪異集』にある。

ドモヴォイ［どもゔぉい］

ロシアに現れる怪異。家の守り神とされる存在で、家族の健康を守り、家畜の世話をしてくれるため、人々に愛されているという。

ドモヴォイは棲み慣れた家を自分から離れることはないため、引っ越しをする際にはドモヴォイに事情を話し、共に移り棲むよう説得しなければならないとされる。この説得を怠ると、ドモヴォイを怒らせてしまい、何をされるか分からないという。

またロシアでは古くから金縛りはドモヴォイによって引き起こされるものと考えられており、金縛りに遭った際には「吉か凶か」と尋ねるとドモヴォイが運命を予言してくれるという。また戦争時には、ドモヴォイがあと三日で戦争が終わると予言した話も残っているようだ。

ドモヴォイを自分から呼び出す方法も伝わっており、それによればバケツに綺麗な水を入れ、その中に綺麗な櫛を入れておくと、三日後にドモヴォイの髪の毛がそこに現れる。この髪の毛を手のひらでこするとドモヴォイがやってくるという。

斎藤君子著『ロシアの妖怪たち』にある。

ドモジーリハ［どもじーりは］

ロシアで語られる怪異。家の中に現れる妖怪で、その家の人間たちのために働き、富をもたらしてくれるという。また家に不幸が訪れる際には、床下で泣き声を上げるとされる。

斎藤君子著『ロシアの妖怪たち』にある。同書によれば、ドモジーリハは同じく家に現れる妖怪である**キキーモラ**と同様の存在であるという。

斎藤君子著『ロシアの妖怪たち』にある。

トリアノンの幽霊［とりあのんのゆうれい］

フランスで語られる怪異。ヴェルサイユ宮殿に出現する幽霊で、一八世紀、フランス革命で処刑されたマリー・アントワネットの亡霊なのだという。マリーの霊は生前彼女が好んでいたというプティ・トリアノンとその周辺に、生前彼女とともに暮らしていた人々と現れ、時には音楽さえも聞こえてくるとされる。

この事件が最初に有名になったのは、一九〇一年に起きたタイムスリップ事件だとされる。イギリス人のシャーロット・アン・モーバリーとエレノア・ジュールダンという女性がフランスを旅行した際、プティ・トリアノンを訪れ、そこで一八世紀の過去にタイムスリップした。そこでマリー・アントワネット本人と思しき人物や、彼女に仕えていた人々と遭遇した。二人がプティ・トリアノンを訪れた日は八月一〇日で、一〇九年前にマリー・アントワネットが夫のルイ一六世とともに捕らえられ、タンプル塔に幽閉された「八月一〇日事件」が起きた日であったという。

それから二人は何度かプティ・トリアノ

ンを訪れたが、あの日に見た光景は消えていた。そこでこの場所に纏わる話を調査したところ、昔からマリー・アントワネットの幽霊が出現する伝説が残されていること、マリー・アントワネットが信頼していた側近のひとりと同じ特徴を持つ人物を見たこと、マリー・アントワネットの肖像画と、モーバリーが見たプティ・トリアノンでスケッチをしていた女性の姿がそっくりであったこと、などが分かった。

　二人は一九一一年にこの体験や調査結果をまとめ、『アン・アドベンチャー』という本にした。これは当時ベスト・セラーになり、大きな話題を集めた。

　現在でもマリー・アントワネットはヴェルサイユ宮殿の庭園を歩いている姿が目撃されるなど、多くの人々の関心を集めている。

　エリザベス・モリソン及びフランシス・ラモント著『ベルサイユ・幽霊の謎』にある。これはエリザベス・モリソン及びフランシス・ラモントはシャーロット・アン・モーバリーとエレノア・ジュールダンの筆名であり、同書は二人が書いた『アン・アドベンチャー』を今村光一氏が全訳したものである。

　マリー・アントワネットはオーストリア出身で、後のルイ一六世であるフランスのルイ皇太子に嫁いだが、美貌を持つものの、浪費家、わがままな人物と評価され、民衆からの評価は低かった。フランス革命が起きると反革命の中心人物として反逆罪により処刑された。

　このように民衆に嫌われたマリーであったが、近年の研究では歴史上語られ続けてきたほどの悪人ではなかったとされている。浪費などがあったことは事実だが、有名な「パンがなければケーキを食べればよい」という発言は彼女のものではなく、民衆の評判を落とした首飾り事件も冤罪であったと考えられている。

【な】

ナイチンゲールの足音

［ないちんげーるのあしおと］

イギリスに伝わる怪異。ロンドンの聖トマス病院はフローレンス・ナイチンゲールが初めて看護学校を附設した病院であり、院内にはフローレンス・ナイチンゲール博物館がある。この博物館では閉館後に誰もいないはずの階段から物音が聞こえてくる、という怪奇現象が発生しており、これはナイチンゲールの幽霊が夜間に病室を見舞う足音だろうと噂されているという。

　平井杏子著『ゴーストを訪ねるロンドンの旅』にある。ナイチンゲールは言わずと知れた世界的な影響を与えた看護師であり、クリミア戦争において衛生状況の改善や情報分析により兵士の死亡率を劇的に下げるなどの功績を挙げた。また看護統計学の基礎を作る、看護教育学を完成させ、看護師の社会的地位を向上させるなど、現代に繋(つな)がる多大な業績を残している。

戦場でナイチンゲールはランプを持って兵士たちを見回ったことから、「ランプの貴婦人」と呼ばれていた。彼女は死後も、苦しむ患者を救うため、ランプを片手に見回りを行っているのかもしれない。

ナイチンゲールの客室の女性霊

［ないちんげーるのきゃくしつのじょせいれい］

イギリスに伝わる怪異。バッキンガムシャーにあるクレイドン・ハウスという邸宅は、かつてフローレンス・ナイチンゲールの姉が嫁いだ家だった。この家では当時ナイチンゲール専用の客室が用意されていた。現在、この客室の中や付近では、灰色のドレスを着た女性の霊が目撃されているという。

シャーン・エヴァンズ著『英国の幽霊伝説』にある。この女性の霊がナイチンゲールであるかどうかは不明のようだ。

ナイフを持ったエリザベス・ナイト

［ないふをもったえりざべす・ないと］

イギリスに伝わる怪異。サリー州にあるクランドン・パークという邸宅には、エリザベス・ナイトという女性の幽霊が現れると言われている。エリザベスはこの家の最初の主人で、一八世紀ごろ湖で自殺したと伝えられている。しかし一九世紀のこと、なぜか巨大なナイフを持ったエリザベスの幽霊がこの屋敷に現れ、冷酷な表情をして庭を横切り、壁の中に姿を消したという。

エリザベスの霊は一九世紀末になっても目撃されており、その際には舞踏会用のドレスを着て階段を上っていたという。また二〇世紀に入り、第一次世界大戦中にこの屋敷が病院として使われた際にも兵士たちがエリザベスの姿を目撃したという。

シャーン・エヴァンズ著『英国の幽霊伝説』にある。

泣く少年

［なくしょうねん］

絵画に纏(まつ)わる怪異。その名の通り泣いている少年の姿を描いた絵で、イタリアの画家ジョバンニ・ブラゴリンによって描かれ、複数の絵が存在する。一九五〇年代、彼の描く泣く少年、もしくは少女の絵画が人気を博し、複製画を含め多くが市場に出回った。しかし一九八〇年代中頃から、この絵を飾った家は次々と火事に見舞われるという都市伝説が生まれ、まことしやかに語られるようになった。またこの絵画のある家で火事が起こると、他は全焼しても泣く少年の絵だけは綺麗(きれい)に残っているのだという。

そのきっかけは一九八五年、イギリスで消防士が、火事の焼け跡で頻繁に泣く少年の絵が見つかったと語ったことだったされる。その後噂(うわさ)は物語を生み、この絵に描かれているのはロマ民族の子どもであり、その家族が絵に呪いをかけたという話などが生まれた。特に有名なのは、少年は自身の意志にかかわらず辺りに火を発してしまう体質で、「ディアブロ」と呼ばれていた。少年はその体質のため火事で家族を失い、ブラゴリンの養子として引き取られた。この少年の絵はよく売れたが、ある日画家のスタジオに突然火がつき、全焼してしまう。画家は少年を非難し、少年は泣きながらその家を出て行った、という物語のようだ。

　これらの話には根拠はなく、むしろ現在泣く少年の絵とされる絵画は、ジョバンニ・ブラゴリンが描いたものでないものも含まれているなど、噂が独り歩きをしている部分はありそうだ。

ナチのガス［なちのがす］

　ドイツに現れる怪異。一九四九年、当時の西ドイツのバイエルン州で初めて出現が記録されたポルターガイスト現象の一種で「ナチのガス」と呼ばれている。連合軍の占領兵士と懇意にしている女性を狙い、物を投げつけたりベッドから投げ飛ばしたりしたという。

　ピーター・ヘイニング著『世界霊界伝承事典』にある。

ナハツェーラー［なはつぇーらー］

　ドイツ、ポーランドで語られる怪異。吸血鬼の一種で、シュレージェン地方やバヴァリア地方、カシュービア人に伝承される。元々は人間の死者だが、ナハツェーラーとなった死体は棺の中で親指をもう片方の手で握り、左の目を開いているという奇妙な特徴を持つ。一種の遠距離共感魔術で自身の親族を殺害する力があるが、その方法は凄惨なもので、自分の肉体を食らうというもの。

　これはナハツェーラーとして蘇った死体が、棺の中に食べるものがないのでまずは自分の屍衣を、次いで自分の肉体を食うことであり、これに伴って、親族は生命力を奪われ、次第に衰弱していく。

　またカシュービア人の間では、ナハツェーラーはその後豚の姿になって墓から現れ、自分の家族を襲って血を吸うとされる。他にも教会の鐘楼に登って鐘を鳴らし、その音を聞く者全員を殺害したり、自分の影を人の上に落とし、その人間を殺すこともできるという。

　これを退治する場合は、墓地で咀嚼音がする墓を探し、棺を掘り返して口の中にコインを詰め、斧で首を切断する。その後屍衣に記されたすべての名前を取り除くことで殺害することができるという。

　マシュー・バンソン著『吸血鬼の事典』にある。同書によればナハツェーラーになるのは胞衣を纏って生まれてきた子どもだという。また、H・シュライバー著『ドイツ怪異集』によれば、ドイツのアルトマルク地方では死者を死の世界へ入らせるための渡し船賃として死者の舌の裏側に硬貨を一枚入れるという風習が残っており、これを忘れるとその死者がナハツェーラーと化し、生者を死の国へ連れて行こうとするようになるという。

ナハトイェーガー［なはといぇーがー］

ドイツで語られる怪異。ゲルマンの民間伝承に現れる魔群で、夜になると出現するとされる。主神ウォーダンに率いられ、嵐とともに魔物の群れが天空を疾駆し、その群れの中には犬、猫、異様な牛、馬、黒い馬に乗った首なし騎士、頭巾を被った半人半牛の怪物、竜、蛇、蟇蛙、井守、蜘蛛、百足、鴉、フクロウ、山の精、森の精など様々なものがおり、また死者の呻き声やすすり泣きが聞こえてくる。もし夜道でこれに出会い、嘲ったりからかったりすると「一緒に狩りに行こう、御馳走にあずかろうじゃないか」と言われ、たちまち踏み殺されてしまうという。

これに出会った際には身を伏せ、通り過ぎるのを待つか三つの十字架を前に置くと良いという。

植田重雄著『ヨーロッパの祭と伝承』にある。ヨーロッパ各地で語られる**ワイルドハント**に類似した怪異である。

生首トミー［なまくびとみー］

イギリスで語られる怪異。ヨークシャーやランカシャーにいる怪異で、沼や池に子どもをおびき寄せて溺死させ、魂を奪おうとするとされる。この怪異が本当に目撃されたのかは分からないが、現在でも親が子どもの寝かしつけの際などに、脅すときに使う存在として語られるようだ。

ピーター・ヘイニング著『世界霊界伝承事典』にある。

ニッケルカーター［にっけるかーたー］

ドイツで語られる怪異。滝の中に潜む水の精霊で、蛇の姿をしているとされる。子どもを見つけると水中に引き込んでしまうと伝えられている。

植田重雄著『ヨーロッパの祭と伝承』にある。

ニューゲイト監獄の魔犬［にゅーげいとかんごくのまけん］

イギリスで語られる怪異。現在、ロンドンにある中央刑事裁判所は、ニューゲイト監獄という名の刑務所の跡地に建てられた裁判所だ。

このニューゲイト監獄では数多くの死刑囚が殺されたためか、幽霊の目撃談が後を絶たないが、その中でも一風変わったものが、今でも目撃されるという魔犬の伝説だ。

時代は一三世紀、ヘンリー三世の治世、ロンドンは大飢饉に襲われており、ニューゲイト監獄でもひどい飢えに苦しんでいた。そこで囚人らは新しい入獄者がある度にその人間を殺して食べるようになったが、ある時、魔法を使ったという罪で一人の男が入獄した。

囚人たちは当然のようにその人間を殺して食ったが、それ以来、目から燃え盛る炎を吹き出し、口から真っ赤な血を滴らせた魔犬が出現し、囚人を襲うようになったのだという。

平井杏子著『ゴーストを訪ねるロンドンの旅』にある。この魔犬は**ブラックドッグ**とも呼ばれる。ブラックドッグはイギリスに広く伝わる怪異で、不吉の象徴として恐れられているほか、人に直接危害を加えることもあるとされる。

ヌチニーク［ぬちにーく］

ロシアで語られる怪異。夜の精とされる存在で、川に棲む。光る体を持ち、川岸にいる人間を見つけると近づいてきて殺してしまうという。

P・G・ボガトゥイリョーフ著『呪術・儀礼・俗信』にある。同書によれば、ヌチニークは吸血鬼の一種であるという。

布を被った悪鬼［ぬのをかぶったあっき］

イギリスに伝わる怪異。ロンドンのハイゲート墓地に出現するという鬼のような存在で、空中に浮かび、空を見つめているという。目撃者は多数いるが、人が近づくと消えてしまうとされる。

ロバート・グレンビル著『絶対に出る 世界の幽霊屋敷』にある。

ハイゲート墓地は幽霊をはじめ、たくさんの怪異が出現することで知られる。**老いた狂女**、**ハイゲイト・ヴァンパイア**の項目も参照。

ネス湖の先史時代の妖獣［ねすこのせんしじだいのようじゅう］

イギリスに現れたという怪物。一九三三年のこと、スパイサーという人物とその妻がネス湖の南岸をドライブしていたところ、道路を横断する何かに遭遇し、車を止めた。

それは何か巨大な動物の首のようなもので、やがてその胴体も茂みから現れた。大きさは長さ七メートル、高さ一メートル五〇センチ以上の巨大生物で、肉塊から首と尾の伸びたカタツムリのようであったという。

当時の新聞記事では、この怪物は「先史時代の種」と記されている。またスパイサーが描いたスケッチも残されており、そこでは森の中から現れる、肉塊から二本の太い首のようなものが突き出た巨大生物の姿が描かれている。

ネッシー［ねっしー］

イギリスに現れる怪異。スコットランドのネス湖で度々目撃されている首長竜の姿をした未確認生物で、一九三三年に目撃されて以降、絶えず目撃者が発生している。その正体は恐竜時代の首長竜、特にプレシオサウルスの生き残りとされることが多いが、恐竜の一種である竜脚類とされることや、巨大な蛇や魚と考えられることもある。

未確認生物の代表格として語られる巨大生物で、古くは西暦五六五年に記された『聖コロンバ伝』にて、ネス川に生息する怪物が退治される記述があり、これが最初のネッシーの記録とされることが多い。ネッシーの名称自体は一九三三年に付けられたもので、目撃談だけでなく写真でその姿の一部を撮られたものも多数現存している。一方、一九三四年に外科医のロバート・ケネス・ウィルソンが撮影した有名な湖面から首を出すネッシーの写真は、半世紀以上経(た)った一九九三年にねつ造であることが判明した。それ以外にも数多くの写真にてネッシーの姿は捉えられており、その真偽が問われている。

しかしネッシーが今までたくさんの人の心を摑(つか)んできたことは確かだ。いつかその正体が判明するその時まで、人類のロマンとして在り続けることだろう。

ネルソン提督の幽霊
［ねるそんていとくのゆうれい］

イギリスで語られる怪異。ロンドンにあるサマセット・ハウスには、イギリス海軍提督としてトラファルガー海戦でフランス・スペイン連合艦隊を破ったことなどで知られるホレーショ・ネルソンの幽霊が出ると言われている。これはサマセット・ハウスのある場所に元々海軍省があったため、と言われているが、現れるネルソンの幽霊は生前失った片腕がないままの、か弱そうな姿であるという。この幽霊が中庭を横切る際には、頭部は聖人のように霊魂の雲に包まれ、人が近づこうとすると消えてしまうとされる。

平井杏子著『ゴーストを訪ねるロンドンの旅』にある。

ノア婦人
［のあふじん］

イギリスに伝わる怪異。コーンウォールにあるオールド・ポスト・オフィスというマナーハウスに纏(まつ)わる物語で、この家の管理人を務めていた女性が体験したことによれば、毎朝、建物に入ると電灯が点滅したという。またある見学者がベッドに眠る老婦人を見た、という証言があったため、電灯の点滅と関係があるのかと電灯の点滅パターンを記録した。するとその点滅は繰り返しモールス信号で「ノア」という言葉を打ち出していた。ノアは以前この邸宅に住んでいた老婦人の名前であったという。

シャーン・エヴァンズ著『英国の幽霊伝説』にある。

ノリッチ城の黒い貴婦人
［のりっちじょうのくろいきふじん］

イギリスに伝わる怪異。ノリッチ城はノーフォークに現存する、かつて牢獄として使用されていた城。この城にはいくつかの幽霊が伝わっているが、城内のアートギャラリーには黒い貴婦人と呼ばれる幽霊がさ迷っているのだという。この貴婦人はかつて暴力を振るう夫の首を鉈で斬り落としたヴィクトリア朝時代の女性だという。

ロバート・グレンビル著『絶対に出る 世界の幽霊屋敷』にある。この城には他にも宙に浮かぶ骸骨が出るというが、これは殺された黒い貴婦人の夫のものではなく、一六世紀に一揆を起こして処刑されたロバート・ケットの幽霊らしい。詳細は**ロバート・ケットの空飛ぶ骸骨**の項目を参照。

呪われた絹の肩掛け

【のろわれたきぬのかたかけ】


イギリスで語られる怪異。コーンウォールの海辺の町、ニューリンで、ある時、不漁が続いたために漁師たちが海賊行為を行うということがあった。漁師たちは襲った人々に目隠しをし、板の上を歩かせて海に落とすという方法で次々と殺害していた。

そんなある日、襲った船の船長の妻が美しい絹の肩掛けをしていた。漁師たちは彼女もまた他の人々と同様に殺害したが、一人の海賊がこの絹の肩掛けだけ奪い、出所を告げずに自分の妻に渡した。

次の日曜日、妻はその肩掛けを自分の肩に掛け、鏡を見ていたが、そこに溺死したのであろう蒼白な顔の女が映り、片手で肩掛けを指さしていた。これを見た漁師の妻は狂気に陥り、そのまま死んでしまったという。

この肩掛けは、その後どうなって、今どこにあるのか分かっていない。

河野一郎編訳『イギリス民話集』にある。

【は】

バーエンニツァ

【ばーえんにつぁ】


ロシアに現れた怪異。ヴォログダ州に出現したという額に光る一つ目がある女性の妖怪。バーニャ（ロシア式蒸し風呂）は産屋としても使用されるが、そこに産婦と子どもを二人きりにしていたところ、バーエンニツァが現れ、肢を組んで十字を作っていた産婦に向かって「足を外して、十字をとって！」と言ったという。

斎藤君子著『ロシアの妖怪たち』にある。

同書によれば、これは同じくバーニャに現れる妖怪、**バーンニク**と同様のものであるという。

バークとヘア連続殺人事件の幽霊
［ばーくとへあれんぞくさつじんじけんのゆうれい］

イギリスに伝わる怪異。エディンバラの地下都市ブレア・ストリート・ヴォールトは、一八二七年から一八二八年にかけて起こったウィリアム・バークとウィリアム・ヘアの二人による連続殺人事件の現場となった場所とされる。この地下都市では一六人が犠牲となったが、今でもその犠牲者の霊がさまよっているなどと言われている。

ロバート・グレンビル著『絶対に出る 世界の幽霊屋敷』にある。バークとヘア連続殺人事件は、イギリスの医学校に売るための解剖用の死体を用意するため、バークとヘアの二人が引き起こした事件。この死体はエディンバラ医学校に売られ、ロバート・ノックスという医師が買い取っていたという。その背景には、医学の進歩により、研究に使う解剖用の死体が不足したこと、それにより墓荒らしが横行していた時代だったことがある。バークとヘアも最初は墓荒らしを企てたが、効率の悪さや新鮮な死体ほど高く売れる事実から、自分たちで死体を作り、売るという行動を始めた。

二人の犯行は露見し、逮捕され、彼らは「早く寝ないとバークとヘアがやってくる」といったように、子脅しに使われる一種の悪鬼のように語られるようになった。またこの事件は何度も映画や小説などの題材となっている。

ただし、事件にブレア・ストリート・ヴォールトが使われたという記録は見えず、死体を保管したという噂（うわさ）はあるようだが、それも証拠がないようだ。人々の噂が犠牲者の幽霊たちをこの場所に出現させているのかもしれない。

しかし、この地下都市には、彼らの犠牲者以外にも、バークとヘア本人たちの霊をはじめ、様々な幽霊が出現するとされ、世界でも有数の心霊スポットとして扱われている。

バークリースクエア五〇番地の化物
［ばーくりーすくえあごじゅうばんちのばけもの］

イギリスに現存する幽霊屋敷。ロンドンの高級住宅街、メイフェアに建てられた屋敷で、一九世紀にはイギリスの元首相ジョージ・カニングが居住していたこともあった。一八五九年にはマイヤーズという人物がこの屋敷を借りたが、この人物は婚約者に裏切られたことから精神を壊して屋敷の屋根裏部屋に引きこもるようになり、やがて屋敷は荒廃した。

そして二〇世紀に入ると、いつの間にかこの屋敷は幽霊屋敷として知られるようになった。この屋敷で雇われた女中が屋根裏部屋で何者かと遭遇して気がおかしくなったことをはじめとして、それ以降はこの屋敷の屋根裏部屋に入った者が変死するということが何度も続いた。

そのため屋敷は空き家となったが、ある時エドワード・ブランデンとロバート・マーティンという人物が偶然この屋敷を見つけ、そこで一夜を過ごすことにした。すると床をひっかくような音や何かがぶつかり合うような音が響いてきて、やがて階段を黒くて形のよく分からないものが下りてきて、彼らのいる寝室に侵入した。そのためマーティンは慌てて外に出て交番に赴き、警察を呼んで再び屋敷に入ると、中には奇妙な化物はいなくなっていたが、ブランデンの傷だらけの死体が屋根裏部屋の窓の真下にある鉄柵に突き刺さっていたという。

桐生操著『ヨークシャーの幽霊屋敷』によれば、この屋敷ではかつて屋根裏部屋に狂気に陥った兄弟を閉じ込めていた、という話もあるという。また、一九三八年には「マッグズ・ブラザーズ」という古書店がこの屋敷に店を構えており、それ以降は幽霊や怪物は目撃されていないらしい。

パーシー［ぱーしー］

イギリスに現れた怪異。ロンドンで最も長いアーケードであるとされるバーリントン・アーケードでは、一九七〇年代、ポルターガイスト現象が頻繁に起きていた。しかし商品の位置を入れ替えるぐらいで目立った悪さはしなかったため、この幽霊をパーシーと呼び、客の呼び込みのための宣伝に利用した。すると興をそがれたのか、ポルターガイスト現象は突然起きなくなったという。

平井杏子著『ゴーストを訪ねるロンドンの旅』にある。

バートン・アグネス・ホールの幽霊［ばーとん・あぐねす・ほーるのゆうれい］

イギリスに伝わる怪異。同国ヨークシャー地方に現存する一六世紀に建てられたバートン・アグネス・ホールは、幽霊屋敷として知られている。

その由来は以下のようなものだ。一六世紀当時、グリフィス家の三姉妹が父から莫(ばく)大(だい)な遺産を譲られ、バートン・アグネス・ホールの建築に着手した。しかし末の妹であるアンがロマ民族の一団に暴行を受け、頭に大怪我(おおけが)を負う。

それが致命傷となり、アンは命を手放すこととなったが、死の間際に姉たちにひとつ願いを残した。それが自分が生前に完成を見ることができなかったバートン・アグネス・ホールの壁に、切断した自分の頭を埋め込んでほしいというものだった。アンはもしこの望みが叶えられなければ幽霊となって祟(たた)りを起こすと姉たちに告げたが、二人の姉はそんなおぞましいことはできず、アンを墓地に埋葬した。

しかしそれ以来、本当にアグネス・ホールではドアが勝手に動く、階段を下りる足音が聞こえる、どこからか呻(うめ)き声が聞こえてくるといった怪現象が多発するようになる。これを恐れた姉たちは、アンの遺言を実行するため、墓を掘り返した。すると恐ろしいことに、アンの首は体から離れ、まるで新居を見に行こうとしていたかのように足元に転がっていた。

姉たちはこの首を邸宅に運んで遺言通り壁に埋めた。

それからというもの、この邸宅に住んだ人間がアンの首を別の場所に移そうとすると、決まって怪現象が起きるようになった。そのため、アンの首は必ず同じ壁の中に埋め戻されたのだという。

桐生操著『ヨークシャーの幽霊屋敷』にある怪異。

パームサンデー事件［ぱーむさんでーじけん］

イギリスで起こった怪異。一九〇二年から一九〇五年にかけてイギリス首相を務めたアーサー・バルフォアの恋人が死後、通信を送ってきたという事件。この通信を送ってきた霊は何人かいたが、アーサーの恋人だった女性はメアリー・キャサリン・リトルトンといい、一八七五年のパームサンデー（復活祭直前の日曜日）にチフスで亡くなっていた。その後一九〇一年からアーサーが亡くなる一九三〇年にかけて、Society for Psychical Research（SPR、心霊現象研究協会）に所属する霊媒を通し通信を行ったという。この三〇年間の記録は、SPRによってまとめられた。またメアリーの目的は、アーサーに自分が彼を愛していたことを伝えるためであったと考えられている。

彼らの通信は自動書記により単語や文節から記号、イラストといった様々な形で伝えられ、アーサーは死の間際にメアリーの姿を見て、彼女に人は死後も自分自身を失わず、生き続けることを教えられたともされる。

羽仁礼著『超常現象大事典』などによる。

この事件は霊との交信のほか、死後、人間の自我が残り続けた例として取り上げられることが多い。

バーンニク［ばーんにく］

ロシアで語られる怪異。バーニャ（ロシア式蒸し風呂）に棲み着いている精とされ、バーニャの礼儀作法をわきまえない人間を懲らしめるとされる。

バーニャを新築した際には黒い鶏を絞め殺して敷居の下に埋め、バーンニクに捧げる、新築のバーニャに初めて入るときはパンと塩を持って置いてくる、日常的にバーニャに入る場合にもきちんとバーンニクに挨拶する、といったことを欠かしてはならない。

他にも本来であれば祭りの前日に焚くべきだったバーニャを祭りの当日に焚いたためにいくら水を汲んでも水がなくなったという話もあるという。

また、バーニャは産屋としても使われ、産婦はここでお産当日から数日間過ごすが、この時に産婦と赤ん坊以外に誰もいないと、バーンニクが母子を殺してしまうという。

斎藤君子著『ロシアの妖怪たち』にある。同書によれば、バーニャには他にも様々な妖怪が出現するという。詳細は**シシーガ**、**バーエンニツァ**を参照。

灰色の淑女［はいいろのしゅくじょ］

イギリスで語られる怪異。ロンドンにある聖トマス病院に出現するという幽霊で、この病院を建てたフローレンス・ナイチンゲールと同時代に生きた女性の霊であるという。

この女性が幽霊となった理由には諸説あり、ナイチンゲールの叱責に耐えられず、屋上のバルコニーから飛び降りた看護師、投薬の量を誤って患者を死なせてしまった看護師、第八病棟の最上階で天然痘が原因で死んだ看護師、といったものである。

三つ目の説が最も古いようで、幽霊が目撃されるようになったのは一八八〇年代、幽霊は第八病棟に現れたという。この幽霊は二〇世紀に入っても度々目撃され、第二次世界大戦で聖トマス病院が大きな損害を被った一九四三年には、鏡越しにその姿を見せたが、恐ろしく冷たい冷気を伴っていたという。また戦後の一九五六年から一九六一年にかけては、五人の患者がこの灰色の淑女と出会ったが、いずれの患者もそれから数日で死んでしまったとされる。

J・A・ブルックス著『倫敦幽霊紳士録』にある。

ハイゲイト・ヴァンパイア［はいげいと・ゔぁんぱいあ］

イギリスで語られた怪異。ロンドンのハイゲイト墓地に現れたという吸血鬼で、一九六〇年代末頃から存在が噂されていた。一九七〇年三月、地元の人々が集まって大規模な吸血鬼狩りが行われ、翌日、その模様がメディアで発表されたことで、大量の野次馬がハイゲイト墓地に集まる騒ぎとなった。吸血鬼狩りを率いたのはデイヴィット・ファラントとアラン・ブラッドという人物だったが、彼らはその後も墓場への侵入を繰り返し、ファラントが逮捕されるなどした。またメディアはこの事件について扇情的な記事を掲載し、噂が人々の間に広がるにつれ、黒衣の男が現れた、若い女性が吸血鬼に襲われた、といった都市伝説が生まれることとなった。しかし、公式にはこの場所で吸血鬼が見つかることはなかったという。

マシュー・バンソン著『吸血鬼の事典』にある。

バズビーズチェア［ばずびーずちぇあ］

イギリスに現存する怪異。ノース・ヨークシャー州にて、殺人の罪で絞首刑となったトーマス・バズビーの霊が取り憑いていると伝えられる木製の椅子で、これに座った人間はことごとく死亡した。その数は六三人にも及ぶという。

トーマス・バズビーは、一八世紀に妻の父親を殺害した罪で死刑となった人物で、その死後、家財処分の一環でバズビーの椅子はパブに売り払われた。殺人鬼の持ち物であったということで有名になったこの椅子に多くの人が座り、やがて座ると呪われて死ぬ椅子、という噂が広まった。第二次世界大戦中には兵士たちが度胸試しで座ったが、その兵士の全員が戦死したなどと伝えられる。また、パブは二〇一二年に閉店し、椅子は地元のサースク博物館に寄贈されたが、かつての主人が絞首刑となったように、この椅子も誰も座ることができないよう、天井から吊るされて展示されている。

バッキンガム宮殿の幽霊たち［ばっきんがむきゅうでんのゆうれいたち］

イギリスに現れる怪異。ロンドンのバッキンガム宮殿には、何人かの幽霊が出現することで知られている。

ヴィクトリア女王の長男、エドワード七世の個人秘書であったグウェン少佐は二〇世紀の初めに妻との離婚問題を苦としてこの宮殿で拳銃自殺をしたが、以来、宮殿内で時折拳銃音を響かせるようになったという。

また宮殿が建つ前、一六世紀半ば頃までこの土地にあったという修道院の独房で死んだ修道士の幽霊も出ると言われている。毎年クリスマスの時期になると、この幽霊は茶色の僧衣を身に纏い、鎖を引きずった姿で宮殿裏側のテラスに現れ、呻き声を上げながら徘徊するという。

平井杏子著『ゴーストを訪ねるロンドンの旅』にある。

ハッケンベルク［はっけんべるく］

ドイツで語られる怪異。ドレームリングに現れるという魔王で、ハルツ山地から犬たちを引き連れて馬に乗り、ドレームリングへと降りてくるという。

ハッケンベルクは元々金持ちの貴族で、狩猟を趣味としていた。彼は日曜にも教会に行かず、森で猟をしていたが、そこに二人の騎士が現れた。右側の騎士は恐ろしげで、乗っている馬の口と鼻からは炎が噴き出ていた。一方、左側の騎士は穏やかに見えた。

この時、神に逆らって生きていたハッケンベルクは腹を決めて右側の騎士の方に向かい、彼と並んで馬を飛ばして去った。それ以来、彼は最後の審判の日まで猟をしなければならなくなったという。

H・シュライバー著『ドイツ怪異集』にある。**ワイルドハント**の一種と考えられ、死後天国に昇ることを望まず、代わりに永遠に狩猟を続ける人物として伝えられているようだ。

ハッケンマン［はっけんまん］

ドイツで語られる怪異。泉に現れる精霊で、夜の一二時に子どもが泉に近づくと、その子どもを攫ってしまうという。

植田重雄著『ヨーロッパの祭と伝承』にある。同書によれば、これは子どもが夜遅くに泉に近づく危険と、子どもが泉にいたずらしたりすることへの警告の役割を担っているという。

バッダー・スリー・クリントン［ばっだー・すりー・くりんとん］

イギリスに伝わる怪異。一五世紀に建てられた建物で、頻繁に幽霊が目撃されている。多いのは何者かの足音が聞こえるというもので、その足音は廊下を歩きながら人のいる部屋に近づいてくる。時にドアを開ける音まで聞こえることがあるが、決まってその足音の主の姿は見えないという。

また、トーマス・フェラーズ少佐という軍人の霊が出現したこともある。この幽霊は緋色の上着に白い帯をたすき掛けした男性の姿をしており、一八一七年、任務中に邸宅の城壁から落下して死亡したという。

シャーン・エヴァンズ著『英国の幽霊伝説』にある。

バッハバルバラ［ばっはばるばら］

ドイツに伝わる怪異。水の精霊の一種で、女の姿をしているという。またその名前は「川のバルバラ様」を意味するとされる。

植田重雄著『ヨーロッパの祭と伝承』にある。バルバラはキリスト教における聖人で、石工、砲手、消防士、鉱夫、囚人の守護聖人であるという。

鼻歌を歌う幽霊［はなうたをうたうゆうれい］

イギリスに現れた怪異。ウェールズ中部のカンブリア山脈にあるディライフという村の炭坑に現れる幽霊で、小さく、白または薄青の人間のような形をした存在。光を放っており、ふんふんと鼻歌を歌うという。

ジョン&アン・スペンサー著『世界怪異現象百科』にある。同書によれば、この炭坑では、夜になると時々光が現れ、空に向かって昇っていくという噂があったという。

バネ足ジャック［ばねあしじゃっく］

イギリスに現れた怪異。一九世紀のロンドンに出現したという怪人で、驚異的な跳躍力を持っていたことからこの名で呼ばれる。一八三七年に初めて姿を表し、マントを羽織り、目は赤く、鼻は尖り、口からは青い炎を吐いていたという。翌年には当時のロンドン市長サー・ジョン・コーワンによって正式にこの怪人の存在が発表され、その後も数多の人々によってその姿が目撃された。その最後の目撃例は一九〇四年と考えられており、リヴァプールに出現し、道路から近くの教会の屋根に跳び上がったという。その正体は様々に語られており、若い貴族が女性を脅かす人数を賭けていた説、幽霊であるという説、宇宙人であるという説などがある。

並木伸一郎著『最強の都市伝説』、J・A・ブルックス著『倫敦幽霊紳士録』による。

ハロウィン［はろうぃん］

ヨーロッパ及びアメリカ、カナダなどの祭日。一〇月三一日がその日にあたり、元は古代ケルト人が冬の始まりと新年を祝う「サワーン」という祭りであったとされる。現代では英語圏で大々的に行われる祭りとなっており、様々な人々がこの祭りを祝う。

　ハロウィンは本来悪魔や魔女が力を行使し、死霊が生者の世界を訪れる日だった。この日、人々は死者の霊を弔うとともに、魔物や精霊、死霊を追い出したり、家に入ってこないように篝火を焚いたりするなどしていたが、現在ではそういった宗教的な意味合いが失われている。

　また子どもたちが仮装して町を歩き、近隣の家を訪ねて「お菓子をくれなきゃいたずらするぞ」と唱える習慣が出来上がっている。また魔物や霊がやってくる日であった名残からか、ここで行われる仮装はモンスターや幽霊など、恐ろしいと思う存在を装うことが多い。しかしその仮装対象は伝統的な精霊や魔物から映画のモンスターまで多岐に及ぶ。

　ローズマリ・E・グィリー著『妖怪と精霊の事典』、ピーター・ヘイニング著『世界霊界伝承事典』による。ハロウィンの日に飾られることで有名なカボチャの装飾、**ジャック・オー・ランタン**については当該項目を参照。

　ハロウィンに何かがやってくる、何かが起こる、という俗信はまだ残っており、ハロウィンの日を舞台にして語られる怪談も多い（**スタル墓地**、**バニー・マン**、**ハロウィンのサディスト**を参照）。また一九七八年にはハロウィンの日にのみ現れる殺人鬼、ブギーマンことマイケル・マイヤーズの恐怖を描いた映画『ハロウィン』が公開された。この映画はシリーズ化されるとともに、一九八〇年公開の『13日の金曜日』をはじめとして多くのホラー映画、スプラッター映画に影響を与えた。

ハロルド二世の幽霊
[はろるどにせいのゆうれい]

　イギリスで語られる怪異。ハロルド二世もしくはハロルド・ゴドウィンソンは、ウェセックス朝最後のイングランド王であるとともに、最後のアングロ・サクソン民族の王として知られる。

　ハロルド二世がヘイスティングスの戦いで戦死し、ウィリアム征服王に敗れたことでイングランドはノルマン人により支配されることとなった。

　そんなハロルド二世の幽霊が、今でも出現するという。戦いの舞台となったヘイスティングスにはマイケルハム・プライオリという修道院が建てられているが、この修道院にハロルド二世の幽霊が現れ、修道院をうろついた後、ゆっくり古戦場の方へ歩いていくという。

　またイギリス南部にはハロルド二世が復活するという伝説も語り継がれている。実はヘイスティングスの戦いで死を免れていたハロルド二世は、いつの日かノルマン人の圧政に苦しむアングロ・サクソン人のため、復活するのだという伝説だ。これはいまだ、一部の人々の間に信じられているという。

　石原孝哉著『幽霊のいる英国史』にある。

バンシー［ばんしー］

アイルランド及びスコットランドに伝わる怪異。死を予告する精霊とされ、「泣き女」と訳されることが多い。アイルランドで語られ、「ベンシー」と書かれる精霊の話では、若い女の姿で現れる。この精霊は緑の衣に灰色の上衣を着た、長い髪を持った美しい女とされ、死者のために泣き続けているために目は真っ赤だとされる。ベンシーが家族に迫る死を知らせるときは、歌ったり叫んだりするが、姿は稀にしか見えない。しかしその叫びはとても悲しく、間違いなく死を告げる声のように聞こえるという。

またアイルランドやスコットランドの高原地方では、「ベンニーア」という名前でこの精霊が伝わる。この精霊は川の流れで血に染まった男の経帷子を洗うとされ、それによってその男の死を予告するという。

ベンニーアは産褥で死んだ女性と考えられており、ベンニーアになると本来の寿命が来るまで経帷子を洗い続けなければならないとされる。緑衣を着るこの精霊は邪悪で意地悪で醜い姿をしているとされる。

ローズマリ・E・グィリー著『妖怪と精霊の事典』による。

同書によれば、この精霊はアメリカに流入しており、ノースカロライナ州のター川に出現した話もあるという。このバンシーの話では、独立支持派のアメリカ人を殺害した三人の英国兵の元にバンシーが毎晩出現するようになり、彼らを溺死させたとされる。

ハンドルをもがれたポンプ［はんどるをもがれたぽんぷ］

イギリスに伝わる怪異。ロンドンに現れるという幽霊だが、ポンプとは人の名前ではなく、そのまま水を汲み取るための機械のことである。

一八五〇年代のこと、ロンドンでコレラが大流行した際、ジョン・スノウ博士という医師がブロード通り（現在のブロードウィック通り）にあったポンプを使用している人々のコレラ感染率が最も高いことに気付いた。それによりコレラの感染が水を飲むことによる経口感染であることが分かり、ポンプのハンドルが取り外されることとなった。これによりコレラの感染率が劇的に下がった。

しかしポンプはこの所業をひどく恨んだらしく、このポンプがあった場所に建てられたパブ、ニューカッスル・アポン・タインにポンプの幽霊が出現するようになった。

それからしばらくして、パブはコレラの発生から一〇〇年を記念してジョン・スノウという名前に変更され、一九九二年には、ポンプの霊を鎮めるためにポンプのあった場所に印がつけられ、パブの近くにポンプのレプリカがハンドル付きで建てられた。

その後、酔漢が水をまき上げる事件があり、再びポンプのハンドルが外されたが、現在では恨みもなくなったのか、ポンプの霊が現れることはないようだ。

平井杏子著『ゴーストを訪ねるロンドンの旅』にある。無機物さえも幽霊と化す、幽霊大国イギリスらしい面白い怪談である。

ヒースロー空港の変質者の霊
［ひーすろーくうこうのへんしつしゃのれい］

イギリスに現れるという怪異。ロンドンのヒースロー空港には、イギリスらしく複数の幽霊が出ることで知られているが、特に変わっているのがこの変質者の霊だ。この幽霊は目に見えず、女性のいるところにのみ現れ、はぁはぁというあえぎ声を耳元で聞かせてくる。そしてそっと背後から首筋に息を吹きかけるのだという。

N・ブランデル他著『世界怪奇実話集』にある。

ビールろば
［びーるろば］

ドイツに現れる怪異。ルール地方に現れるなぞのロバで、飲み屋で飲みすぎて千鳥足になっている人間がいるとその背中に乗っかる。そしてその人間が家に着くまで、乗ったままでいるが、家に着いたのを確認すると去っていくのだという。

H・シュライバー著『ドイツ怪異集』にある。同書によれば、このロバはルール地方の酒飲みに恐れられ、逆に飲み歩いて帰りが遅い夫を心配する妻には歓迎されたようだ。

ピッチフォークで刺してくる幽霊
［ぴっちふぉーくでさしてくるゆうれい］

イギリスに現れる幽霊。ロンドンのキングズベリ・グリーンとコリンデイルの近辺に出現する幽霊で、かつてピッチフォークで刺殺された干し草作りの男だという。この幽霊は三股のピッチフォークを持っており、出会った人間をピッチフォークで刺そうとしてくるとされる。

J・A・ブルックス著『倫敦幽霊紳士録』にある。

ヒロファグス・カタラナエ
［ひろふぁぐす・かたらなえ］

イタリアで発見されたという不思議な生き物。シチリア島に生息するとされる動物で、巨大な背びれを持つワニのような姿をしている。しかし分類としてはオオトカゲの一種であり、コモドオオトカゲと類縁関係にあるという。火山の近くに棲み、炎を食し、吐き出すという特異な特徴を持つ。しかし火炎放射は自由自在に行えるわけではなく、自分でもコントロールできないようで、時には川に飛び込んで自分で吐いた炎を消火するという。

ジョアン・フォンクベルタ及びペレ・フォルミゲーラ著『秘密の動物誌』にある。同書は謎の失踪を遂げた動物学者、ペーター・アーマイゼンハウフェン博士の資料を元に記されたという体裁の書籍で、通常ではありえない多数の動物が写真や解剖図、観察日記などとともに掲載されている。

しかしこれは「存在するとは写真に写る

ということである」という逆説を利用して未知の動物たちを紹介するものであり、掲載された動物たちは、すべてこの本のために創作されたものである。

ファティマの聖母 [ふぁてぃまのせいぼ]

ポルトガルに現れたという怪異。一九一七年、第一次世界大戦の最中、五月一三日のこと、三人の牧童がコバ・ダ・イリアの高台にて、虹色の光球が空に浮かんでいることに気付いた。その光球はやがて姿を変え、一八歳ほどの年齢の女性の姿に変わった。女性は三人の子どもたちに対し、自分は天国から来た存在であると告げ、いくつか言葉を残した。それは一〇月になるまで毎月この場所に来ること、自分のことを誰にも言わないこと、毎日欠かさずロザリオの祈りを捧げることなどを告げた。

しかし子どもたちのうち一番幼い子が親にこのことを話してしまい、翌月一三日にはコバ・ダ・イリアの高台に人が集まった。そして聖母は子どもたちに告げた通りに高台に現れた。以降、聖母は一〇月一三日に至るまで七回にわたって高台に現れ、様々な予言を残した。また最後の出現時には太陽がねずみ花火のように回転し、地表に急降下したり七色の光を放ったりした。この光景は少なくとも七万人の群衆に目撃され、当時の新聞記事になった。

WEBサイト「みこころネット」、松闇オルタ著『オカルト・クロニクル』などによる。この聖母はカトリック教会で公認されており、初めて聖母が現れた五月一三日は記念日に制定されている。

フィアナ騎士団の亡霊 [ふぃあなきしだんのぼうれい]

アイルランドに伝わる怪異。アイルランドのアッパー湖では、古くから湖面に浮かぶ火の玉が目撃されていた。地元の人の中には、これはケルト神話に伝わるフィアナ騎士団の亡霊であると考える者がおり、実際に古代の兵士の姿を湖の付近で見た人物もいるという。

シャーン・エヴァンズ著『英国の幽霊伝説』にある。フィアナ騎士団はケルト神話において騎士団長フィン・マックールと彼が率いる騎士たちで、彼らの物語はフランスの『ローランの歌』やイギリスの『アーサー王伝説』など、後に作られた伝説に大きな影響を与えたことで知られる。

フィングストル [ふぃんぐすとる]

ドイツに伝わる怪異。気味の悪い姿をした夏の訪れを告げる精霊とされ、現在でも北バイエルン地方の森では、仮装によりこの精霊の訪れを再現する。

フィングストルに扮する人物は体を白樺の若葉の枝でびっしり包み、樹皮で作った仮面を被る。そして村の若者がフィングストルを連れまわし、最後に小川に投げ込んだり、水を注ぎかけたりする。それにより、夏の豊穣を願うという。

植田重雄著『ヨーロッパの祭と伝承』に

ある。

フージェール城のアリス［ふーじぇーるじょうのありす］

フランスで語られる怪異。ブルターニュ半島にあるフージェール城には様々な幽霊がいると言われており、城に泊まった客が「出ていけ」という声を聞いたり、食べ物がないのに食べ物の匂いがしたりするのだという。中でも正体がはっきりしている幽霊にアリスという少女の霊がおり、一九二四年に亡くなったこの少女が童謡を歌う声が今でも聞こえるという。

ロバート・グレンビル著『絶対に出る 世界の幽霊屋敷』にある。同書によれば、この城には「フェリックス」という名前の一八九八年に死亡した男性の幽霊も出現するらしい。

ブーディカの亡霊［ぶーでぃかのぼうれい］

イギリスに伝わる怪異。リンカンシャー州では、一九世紀中頃からチャリオットを駆って疾走するブーディカの姿が相次いで目撃されるようになったという。

またロンドンの北東にあるエッピングの森は、ブーディカの最期の地であるという説があり、この森をブーディカの亡霊が徘徊するという話もあるようだ。

平井杏子著『ゴーストを訪ねるロンドンの旅』、石原孝哉著『幽霊のいる英国史』にある。ブーディカは一世紀頃、イギリスの東ブリタンニア、ノーフォーク地域を治めていたケルト人のイケニ族の女王で、当時ブリテン諸島を実質支配していたローマ帝国に対し反乱を起こしたことで知られている。

これはケルトの王であったブーディカの夫プラスタグスの遺言であった、彼の死後、領土の半分を継承させるとした娘たちの権利が認められず、逆にもう半分を相続するとしたローマ皇帝ネロの権利が認められ、そのままイケニ族の王国がローマ帝国に編入させられたことによる。さらにこれに抵抗したブーディカと娘たちが辱められたことで、ブーディカはイケニ族だけでなく近隣の部族とともに蜂起し、ローマ帝国に対する反乱を起こす。最終的にはブーディカ軍は敗北したものの、この反乱はローマ帝国に大打撃を与えた。またビクトリア朝時代にはブーディカの名前が当時の女王ヴィクトリアと同じ意味を持つ伝説の女性として知れ渡り、現在でもイギリスを象徴する人物のひとりとされている。

ブーデルフラウ［ぶーでるふらう］

ドイツで語られる怪異。植物の霊を表す言葉で、ペルヒタ、ホレといった魔女が率いる魔物の群れの中に存在するという。

植田重雄著『ヨーロッパの祭と伝承』にある。同書によれば、この植物霊は冬になって枯死した穀物や野菜を含む一切の植物が再び生命を得て繁殖することを願って形象化された精霊なのだという。

フーラ夫人［ふーらふじん］

ドイツで語られる怪異。バイエルン州のヴュルツブルク近郊で、聖マルティヌスの日である一一月一一日に現れると考えられている精霊。白いマントを被り、異様な羽帽子を頭に載せ、鞭を持っているという。

子どもたちと出会った場合、フーラ夫人は良い子にはリンゴやクルミ菓子を与え、悪い子は鞭で脅したり、叩いたりするとされる。

植田重雄著『ヨーロッパの祭と伝承』にある。同書によれば、この精霊は魔女ホレがルーツとなっているという（**ホレおばさん**の項目も参照）。聖マルティヌスもしくは聖マルティンはキリスト教における聖人であり、凍えている物乞いに自らのマントを半分与えたという伝説が残る。またこの日は冬の始まりの日とされ、収穫祭としての役割も担っている。

この祭りの日には同様の役割を担う精霊に**マルチンスペルタ**、**ペルツメルテル**などがいる。

ブギーマン［ぶぎーまん］

イギリスで語られる怪異。夜、子どもたちを脅かす存在で、親が子どもを寝かしつけるため、しつけとしてこのお化けの名前を聞かせるという。ボガード、バクベア、ボギーなど、同様の役割を持つお化けは多い。クローゼットやドアの向こうに潜んでいるとされ、子どもを攫うなどと語られる。

ローズマリ・E・グィリー著『妖怪と精霊の事典』、テリー・ブレヴァートン著『世界の神話伝説怪物百科』等による。

不幸な伯爵夫人［ふこうなはくしゃくふじん］

イギリスに伝わる怪異。ダーウェントバレーにあるギブサイドという邸宅は、幽霊が出ることで知られている。中でも「不幸な伯爵夫人」と呼ばれる幽霊は有名で、その正体はメアリー・エレノア・ボーズという女性であるという。彼女は父親が死んでこの邸宅を相続し、その後、彼女は二度の結婚を経験したが、二度目の結婚で夫に暴力を受け、それに耐えきれずに逃げ出した。それから静かに余生を過ごしたが、彼女の死後、まるで自分の家に帰ってきたかのように、ギブサイドで女性の幽霊が目撃されるようになったという。

シャーン・エヴァンズ著『英国の幽霊伝説』にある。

ブッツマンデル［ぶっつまんでる］

ドイツで語られる怪異。バイエルン州の南端にあるベルヒスガーデンの中でも一部の地域のみに伝わる怪異で、クリスマスに聖ニコラウスの従者としてクランプスとともにやってくるという。その姿は全身に藁を巻き付け、羊の毛皮で作った動物面を被った姿で仮装することで表されるが、キリスト教の風習に取り入れられる前は豊穣のシンボルであったと考えられるという。

若林ひとみ著『クリスマスの文化史』にある。ブッツマンデルとともに現れる**クランプス**については当該項目を参照。

プットマンデル［ぷっとまんでる］

ドイツで語られる怪異。ベルヒテスガーデンにおいて、聖ニコラウス祭の夜に人々が仮装して歩く「ニッコル行列」という行列において、先頭を歩く存在。元々は穀物霊とされ、仮装をする際には全身を麦藁で覆い、頭には一メートルに及ぶ触角を付けている。長い棒を鞭につけ、鳴らしながら歩く。これは悪霊を追い払い、眠った地霊を目覚めさせて翌年の豊穣を祈るためだという。

植田重雄著『ヨーロッパの祭と伝承』にある。ブッツマンデルとはクリスマスと聖ニコラウス祭に出るという違いがあるが、本来は同じものか。

浮遊するピエロの首［ふゆうするぴえろのくび］

イギリスで語られる怪異。ロンドンにあるドルアリー・レーン劇場は、空中を浮遊するピエロの首が目撃されることで知られている。このピエロは一九世紀に道化役として名を馳せたジョゼフ・グリマルディのものとされ、病によって舞台を下りたグリマルディが遺言として遺体の頭部を切り離してほしい、と伝えた話に由来するという。

平井杏子著『ゴーストを訪ねるロンドンの旅』にある。この劇場では初演直前に出るとその舞台が大ヒットするというジンクスのある美青年の幽霊がいたり、仲間の俳優を殺害したチャールズ・マックリンの幽霊や自殺した喜劇役者ダン・レノの幽霊など、様々な幽霊が出現するという。

ブラウト・レディ［ぶらうと・れでぃ］

イギリスに伝わる怪異。ヨーク州のナニントン・ホールに現れる幽霊で、その正体はかつてこの屋敷に住んでいた女性だとされる。この女性はナニントン・ホールの所有者の二番目の妻であったが、継子である息子を嫌い、実子に家を相続させたいと考え、夫が死んでから継子を屋根裏に監禁するようになった。しかし実子は彼を慕っていたため、おやつやおもちゃを運んで彼と交流していた。その後継子は屋根裏からの脱出に成功し、姿を消した。母親は喜んだが、実子はこれを悲しみ、腹違いの兄が戻ってこないかと窓から外を眺めているうちに窓から身を乗り出しすぎて下に落ち、亡くなった。母の悲しみは非常に大きく、それ以来家の中をぼんやりと徘徊するようになった。彼女は死後も家の中を歩き回っているとされ、これがブラウト・レディなのだという。

シャーン・エヴァンズ著『英国の幽霊伝説』にある。

ブラック・サリーの樹
［ぶらっく・さりーのき］

イギリスで語られる怪異。ロンドンのハイド・パークにはブラック・サリーの樹と呼ばれる樹があり、この樹の下で眠り、一晩を明かそうとすると、夜明けには死んでいるという噂がある。この樹はブラック・サリーと呼ばれていたロマ民族の女性が死んだ場所に生えているという話があり、ときどき呻き声が聞こえてくることもあるという。

平井杏子著『ゴーストを訪ねるロンドンの旅』にある。

ブラック・モンク
［ぶらっく・もんく］

イギリスで目撃された怪異。一九六六年以降、イーストヨークシャーのイーストドライブ三〇番に建つ家に出現するという幽霊で、その名の通り黒い装束を纏った僧侶のような姿をしている。

ブラック・モンクはこの家の娘に危害を加えたり、ポルターガイスト現象を引き起こしたりするという。またその姿が写真に撮られたこともあり、二一世紀を迎えた現在でも、この家に棲み着いていると考えられているようだ。

WEBサイト「THE Sun」などによる。この家に起きた怪奇現象は、二〇一二年公開の映画『サリー 死霊と戯れる少女』の元ネタとなっている。

ブラックウォッチ
［ぶらっくうぉっち］

イギリスに伝わる怪異。ノーサンプトンシャーにあるライヴデン・ニュービルドは建設途中で放棄された庭園住宅だが、そのミドルガーデンと呼ばれる庭には、スコットランド人の幽霊が取り憑いていると考えられている。この幽霊はスコットランドの歩兵部隊「ブラックウォッチ」の兵士たちで、一七四三年に英国軍に包囲され、降伏したものの、餓死や処刑によってそのほとんどが死亡した。この場所では、嵐の夜になると今でも兵士たちのバグパイプと太鼓の音が聞こえてくるという。

シャーン・エヴァンズ著『英国の幽霊伝説』にある。

ブラックドッグ
［ぶらっくどっぐ］

イギリスに伝わる妖精。その名の通り黒い犬の姿をしており、これを見ると近いうちに不幸が起きたり、死亡するとされる。

別称を「ヘルハウンド」と言い、口から硫黄のような匂いの炎を吐く、突然、轟音とともに現れ、轟音とともに消えるなども伝えられる。

ブラックリー
［ぶらっくりー］

イギリスで語られる怪異。ギネスにも登録された、イギリスで最も幽霊が出現するとされる村で、悲鳴を上げる男、剣で木に突き刺さり、固定された男、声だけが聞こえてくる男女の会話、炎に包まれた女性、など様々な幽霊が現れるという。

ブラッディ・タワーの幽霊
［ぶらっでぃ・たわーのゆうれい］

イギリスで語られる怪異。ブラッディ・タワーは現存するロンドン塔を構成する塔(とう)櫓(やぐら)のひとつだが、二人の少年が幽閉された場所でもある。一四八三年、父、エドワード四世の急逝によりわずか一二歳で王位を継承することとなったエドワード五世は、戴冠式に向かう途中、叔父のグロスター公リチャード（後のリチャード三世）によってこの塔に、弟のヨーク公リチャードとともに幽閉される。その後、一四八三年が終わる頃までは二人で遊ぶ姿が見られたが、いつの間にか彼らの姿は見えなくなり、殺されたのではないかという噂(うわさ)が流れるようになった。それから一六七四年になって、ロンドン塔から子どもの遺骨が二人分入った木箱が見つかった。これはエドワード五世らのものではないかと考えられたが、現在も特定されていない。しかしこの遺骨が見つかって以降、二人で仲良く遊ぶエドワード五世とヨーク公リチャードの幽霊の姿が目撃されるようになったという。

平井杏子著『ゴーストを訪ねるロンドンの旅』にある。同書によれば、ブラッディ・タワーにはエリザベス一世の廷臣、サー・ウォルター・ローリーが幽閉されたこともあった。ローリーは何度か赦免されており、最後は南米探検の失敗の責任を取らされて処刑された。しかしブラッディ・タワーには今でもローリーの幽霊が棲(す)み着いており、城壁の上を散歩したり、暖炉の傍にじっと佇(たたず)んでいたりするのだという。

フラナン諸島の幽霊
［ふらなんしょとうのゆうれい］

イギリスに伝えられる怪異。スコットランド西海岸沖の一九〇〇年一二月一五日のこと、フラナン諸島にあるイーリン・モー灯台に勤務していた三人の職員が一斉に消えた。残された灯台日誌には嵐が灯台を襲ったことが記されていたが、不思議なことにその日付を確認してみると、嵐などない穏やかな天気の日であった。

結局この三人が見つかることはなかったが、三人の失踪と同じ日、近くの海を通っていた船舶が、骸骨のような人々を満載したボートがイーリン・モー灯台に向かって行くのを目撃していた。このボートの正体も不明だったが、フラナン諸島には、古くから伝わるある怪談があった。

この島を夜に訪れると幽霊が現れるという話だ。そのため元々この島に住んでいた人々は、決して夜になるとフラナン諸島に近づくことはなかったという。

N・ブランデル他著『世界怪奇実話集』にある。灯台の職員たちは、ボートに乗った幽霊たちに連れ去られてしまったのだろうか。

ブランケンフィルトの呪われた部屋
［ぶらんけんふぃるとののろわれたへや］

ラトビア共和国に現れたという怪異。リ

トアニアとの国境付近にあるブランケンフィルトという農園には、幽霊がおり、呪われていると噂(うわさ)される部屋があった。ある時、女性の家庭教師が住み込みで働くこととなったが、新しくこの農園の主となった人物が、彼女にその部屋をあてがった。しかし農園にやってきた一日目の夜、家庭教師の上げる恐ろしい叫び声が響き、農園の者たちが駆けつけると、そこには髪が真っ白になり、部屋の隅で裸のままうずくまっている家庭教師がいた。彼女はそのまま精神を壊してしまった。

それから幽霊の存在を確かめるため、家の主人を含めた四人がその部屋に泊まったが、うち二人は死亡、家の主人は家庭教師の女性と同じように発狂、最後のひとりは麻痺(まひ)したように安楽椅子に座っていた。

後に安楽椅子に座っていた人物に何があったのかと尋ねたところ、ただ「恐ろしい目に遭った」としか答えず、詳細は分からなかったという。

H・シュライバー著『ドイツ怪異集』にある。

フランシス・ドレイクの太鼓
［ふらんしす・どれいくのたいこ］

イギリスに伝わる怪異。歴史上はじめて世界一周を成し遂げた人物として名高いフランシス・ドレイクだが、彼とともに世界を回った太鼓があった。ドレイクは死の間際、この太鼓を故郷のバックランド・アビーに送り返した。イングランドが危機に陥ったとき、この太鼓を鳴らせば、国を守るため自分も舞い戻るという言葉とともに。

以来、この伝説は独り歩きを始めた。第一次世界大戦の前夜、またその四年後、英国海軍の旗艦ロイヤルオーク号の上で、太鼓を打ち鳴らす音が聞こえた。また第二次世界大戦中の一九四〇年、ダンケルクの戦いにおいてもこの音が響いたとされる。

シャーン・エヴァンズ著『英国の幽霊伝説』、石原孝哉著『幽霊のいる英国史』にある。同書によれば、ドレイク自体の幽霊譚も英国に残されているという。詳細は**フランシス・ドレイクの幽霊**を参照。

フランシス・ドレイクの幽霊
［ふらんしす・どれいくのゆうれい］

イギリスに伝わる怪異。フランシス・ドレイクはイングランド人として初めて世界一周を達成し、海賊であるとともに海軍として艦隊を率い、スペインの無敵艦隊を撃破したなど、軍人としても知られる。

ドレイクは死の間際、ともに世界を旅した太鼓を故郷に送り、イングランドの危機にこれを鳴らせばいつでも駆けつけるという言葉を残した伝説が残る。またイングランドのデボン州にあるダートムーア国立公園には彼の幽霊が出現するとされ、首のない馬が引く黒い馬車に乗って公園を横切るとされる。この馬車の前には一二人のゴブリンを、後ろには猟犬の一群を従えているとされ、この猟犬のこの世のものとは思えない声を聞くと、普通の犬は即死するという。この姿は、かつてドレイクがスペインの無敵艦隊を破る際、悪魔と契約してイングランドの勝利を確約してもらった、という伝説が影響しているとも考えられている。

シャーン・エヴァンズ著『英国の幽霊伝説』、石原孝哉著『幽霊のいる英国史』にある。同書によれば、この伝説はアーサー・コナン・ドイルの小説『バスカヴィルの猟犬』に影響を与えた可能性があるようだ。

ブルーバードの生と死［ぶるーばーどのせいとし］

イギリスで語られた怪異。一九三五年のこと、イギリスのレーサーであるマルコム・キャンベルは、息子のドナルド・キャンベルとともにアメリカのユタ州にて、レーシングカーであるブルーバードで速度の世界記録を樹立した。しかしそのレースで車輪から火を吹き、衝突事故を起こした二人は、九死に一生を得た。

それから時が経ちマルコムは亡くなったが、一九六四年、息子のドナルドはレーサーとして活躍しており、同じブルーバードという名前の車に乗ってオーストラリアの干上がった塩水湖、エーア湖を走り、速度の世界記録を樹立した。

その際、ドナルドは父親の幽霊を風防ガラスに見たという。マルコムはドナルドに、自分が事故を起こした際と同じ感覚をドナルドが味わっていることを伝え、しかし、お前ならきっと成功できると言い残して消えたのだという。

ジョン&アン・スペンサー著『世界怪異現象百科』にある。見事世界記録を樹立したドナルドであったが、彼はこの三年後、一九六七年に同じブルーバードの名を関したモーターボートで、今度は水上の最速記録を樹立した。しかしこのユニストン湖での挑戦中、彼はボート事故で死亡することとなった。この時の映像は、記録として今でも残されている。

フレッドの幽霊［ふれっどのゆうれい］

イギリスに伝わる怪異。イングランド北東の海岸部にあるスーター灯台に棲み着いている幽霊は、この灯台で働くスタッフたちから「フレッド」と呼ばれている。この幽霊はいたずら好きで、スタッフの物を隠したり、階段を上る人間のお尻をつねったりするという。しかし大きな悪さはせず、スタッフたちに親しまれているようだ。

シャーン・エヴァンズ著『英国の幽霊伝説』にある。

フレディ・マーキュリーの幽霊［ふれでぃ・まーきゅりーのゆうれい］

イギリスで語られる怪異。ロンドンのドミニオン劇場は一九二九年にトッテナム・コート・ロード駅前に建てられた世界的に有名な劇場だ。この劇場の廊下や楽屋には、時折フレディ・マーキュリーの幽霊が出現するという。その姿は舞台衣装を身に着けた、現役時代と変わらぬものだという。

平井杏子著『ゴーストを訪ねるロンドンの旅』にある。

フレディ・マーキュリーはイギリスのロックバンド、クイーンのボーカリストであり、そのパフォーマンスや歌声、作曲した数々の名曲などから、音楽界の伝説的な人物として知られる。一九九一年にＨＩＶによって四五歳の若さで亡くなったが、死後も世界中のアーティストに影響を及ぼしている。

ドミニオン劇場はクイーンの曲で構成されたミュージカル『ウィー・ウィル・ロック・ユー』が初演された劇場で、二〇〇二年から二〇一四年に至るまでロングランを続けた。そういった縁から、フレディはこの劇場に現れるのだろうか。

ブロッケン山の怪物
［ぶろっけんざんのかいぶつ］

ドイツで語られた怪異。ハルツ山地の最高峰であるブロッケン山を登っている最中に古くから頻繁に目撃された巨人。現在ではその正体が解明されており、太陽光によって照らされた登山者の影が、前方三キロほどの距離のある雲に投射され、全長一五〇メートル以上ある影となって現れる現象が原因だったという。

この現象は、同時に影の周りに現れる虹色の輪を含めてブロッケン現象という名で知られており、名称もブロッケン山にちなんでいる。

ベーコンに殺された鶏の霊
［べーこんにころされたにわとりのれい］

イギリスで語られる怪異。ロンドン北部の高級住宅街、ハイゲイトには、哲学者であり造園家でもあったフランシス・ベーコンに纏わるこんな話が残されている。

かねてから死体の保存方法について考えていたベーコンは、一六二六年、雪を見てあるアイディアを思いつき、鶏を買い求めた。そしてその鶏の首を絞めて殺し、内臓をすべて取り出してから雪を詰め込むという、現在で言う冷凍保存を試みた。これは画期的なことであったが、ベーコンはこの実験のせいでひいた風邪をこじらせて死んでしまう。

その後、この付近では羽を抜かれ、白い幽霊となった鶏の姿が目撃されるようになったという。平井杏子著『ゴーストを訪ねるロンドンの旅』にある。

ペギー人形
［ぺぎーにんぎょう］

イギリスのシュロップシア州シュローズベリーに住む、超常現象研究家ジェーン・ハリスの元に現存する呪いの人形。この人形は元は別の持ち主のものであったが、ペギー人形のせいで悪夢を見ると訴えるその持ち主からハリスの元に送られてきたのだという。このペギー人形の姿はハリスによってネット上に公開されており、画像や動画で確認することができるが、見た目はいたって普通の女の子の人形である。しかし、画面越しであってもペギーの姿を見ると、頭痛や吐き気を引き起こすという事態が多発した。ハリス自身もこの人形の側にいると体調不良を起こすという。

ハリスがこの人形を霊媒師に見てもらったところ、この人形に憑いているのはユダヤ人の霊で、ホロコーストの犠牲者ではないかと伝えられたという。現在でもペギー人形の動画は「ＹｏｕＴｕｂｅ」などで確認することができる。興味がある人は見てみると良いかもしれない。ただし、それによって起こる体調不良や怪現象には責任は持てない。

ヘクサムの半獣人［へくさむのはんじゅうじん］

イギリスで語られた怪異。一九七一年のこと、ヘクサムのある家で庭から二つの石でできた頭蓋骨が見つかった。それ以来、この家では体の半分が人間、もう半分が羊という奇妙な化け物が現れるようになった。

そこでこの頭部はニューキャッスルの博物館のアン・ロス博士の元に送られ、調査されることになったが、今度は彼女の元に身の丈一メートル七〇センチ以上ある半分が人間、半分が狼の姿をした化け物が現れた。この化け物は彼女の家族にも目撃されたため、博士は頭蓋骨を手放すこととなった。

最終的にこの頭蓋骨はどこかの地面に埋められたが、今度はその場所で騒ぎを起こした。しかしいつの間にか、頭蓋骨は消え失せてしまったという。

ジョン&アン・スペンサー著『世界怪異現象百科』にある。

ヘクセ［へくせ］

ドイツで語られる怪異。毎年一一月一一日に始まる祭典「ファストナハト」の中で仮装される魔女。ヘクセは祭りの中心となる存在とされ、仮装する人物は黒の上衣に赤のスカート、藁で編んだ靴という出で立ちをしている。顔には太い眉に大きな赤鼻、目玉をぎょろつかせた老女の仮面を被り、手には箒や棒を持つ。またヘクセたちを指揮するウルヘクセという存在もいる。

ヘクセたちは広場で焚いた篝火「ファストナハトの火」に古いぼろ切れや腐った樹木などを投げ込んで燃やし、最後に冬と死を象徴するデーモンに見立てた藁人形を火に入れる。こうして魔女たちは冬を退散させ、春の恵みをもたらすのだという。

植田重雄著『ヨーロッパの祭と伝承』にある。

ベネディクトゥス神父の幽霊［べねでぃくとぅすしんぷのゆうれい］

イギリスで目撃される怪異。ヘンリー八世の時代にチャペルで祈りを捧げていた時に殺されたという神父で、ロンドンのウェストミンスター寺院に現在も現れるとされる。この幽霊は非常に穏やかで、夕刻になると回廊を滑るように移動し、時に行き会った人と言葉を交わす。そのため、彼が幽霊であると気付かない者もいるという。

平井杏子著『ゴーストを訪ねるロンドンの旅』にある。

ベルゼブブの馬車［べるぜぶぶのばしゃ］

ドイツに現れる怪異。ドルンゼンベルク

という山の麓に出現すると語られる怪異で、魔女を乗せた火の息を吐く馬がガラスの馬車を引いて走っていき、御者台には魔王ベルゼブブが座っているという。これは人間の魂を数多く持ってきた部下たちを、魔王自身が楽しませてやっている光景なのだという。

H・シュライバー著『ドイツ怪異集』にある。ベルゼブブはキリスト教における悪魔のひとつで、「蝿の王」などと称される。

ペルツメルテル［ぺるつめるてる］

ドイツで語られる怪異。聖マルティヌスの日に現れる精霊。この祭日になると大人は牝牛の毛皮を被り、腰に牛の鈴をつけ、仮面を被り、手に鎖と鞭を持ってペルツメルテルに仮装し、村の家ごとに子どもを訪ね、良い子には褒美を、悪い子には鞭で罰を与えるという。

植田重雄著『ヨーロッパの祭と伝承』にある。同書によれば、この祭日はかつては蕪、瓜、瓢箪などをくりぬいて目鼻を作り、中に蠟燭を灯す風習があり、イギリスのハロウィンに酷似した祭りが行われたとされる。

聖マルティヌスもしくは聖マルティンはキリスト教における聖人であり、凍えている物乞いに自らのマントを半分与えたという伝説が残る。またこの日は冬の始まりの日とされ、**ハロウィン**と同じく収穫祭としての役割も担っている。

ベルトンのブライト・レディ［べるとんのぶらいと・れでぃ］

イギリスで語られる怪異。リンカンシャー州にあるベルトン・ハウスという古い邸宅に出現すると伝わる幽霊で、その名の通り黄金の光に包まれて現れるという。この幽霊の正体は一七世紀初めにベルトンに住んでいたアリス・シェラード夫人と考えられている。

シャーン・エヴァンズ著『英国の幽霊伝説』にある。同書によればこのベルトン・ハウスには他にも様々な幽霊が出現するようで、黒い服を着た貴婦人の霊、黒い帽子に肩マントを羽織った「黒服の紳士」と呼ばれる霊、グレーの服を着た謎の紳士の霊などが目撃されているという。

また、家系図に纏わる謎の女性の怪異についての報告もある。これについては**家系図の首なし婦人**の項目を参照。

ペルヒタ［ぺるひた］

ドイツで語られる怪異。魔女のひとりで、魔物の群れを引き連れ、不思議な音楽を奏でながら夜に現れるという。多くの場合、この群れは廃墟や山小屋に集まり、寂しい道で歌ったり踊ったりしているが、たまに人がいる家の戸を叩く場合がある。その場合はついて行ってしばらく一緒に踊り、それからそっと見送らなければならない。そうしないと打ちのめされることがあるという。

またペルヒタや同じ魔女のホレは、猫に

車を引かせて猫の鳴き声や瀕死の女性の声を真似て夜を駆け回ることがある。その時、家畜を襲って引き裂いてしまうこともあるという。

植田重雄著『ヨーロッパの祭と伝承』にある。ヨーロッパ各地で語られる**ワイルドハント**の一種であろう。ペルヒタと同様に魔物の群れを率いる魔女、ホレについては、**ホレおばさん**の項目を参照。

ヘルマフロタウロス・アウトシタリウス
［へるまふろたうろす・あうとしたりうす］

スペインで発見されたという不思議な生き物。アラゴン地方のピレネー山脈に生息しているという動物で、二つの体に一つの頭がある鹿もしくは羊というような奇妙な姿をしている。その体の片方はオス、片方はメスの機能を持つ珍しい特徴を持ち、自分同士で交尾を行う。オスの部分は基本的に眠っており、性的刺激や夢に敏感に反応する。メスの部分は常に起床しており、恋愛や子どもたち、餌へ強い反応を示す。またその姿に似合わず肉食で、生息地である山岳の岩場にいる爬虫類などを食すという。

ジョアン・フォンクベルタ及びペレ・フォルミゲーラ著『秘密の動物誌』にある。同書は謎の失踪を遂げた動物学者、ペーター・アーマイゼンハウフェン博士の資料を元に記されたという体裁の書籍で、通常ではありえない多数の動物が写真や解剖図、観察日記などとともに掲載されている。

しかしこれは「存在するとは写真に写るということである」という逆説を利用して未知の動物たちを紹介するものであり、掲載された動物たちは、すべてこの本のために創作されたものである。

ヘレン研磨工場の幽霊
［へれんけんまこうじょうのゆうれい］

ドイツで語られる怪異。ヘレン研磨工場という工場では、かつて悲惨な事件があった。この工場で働いていた研磨工が、いつもより弁当を持ってくる時間が遅くなった妻に腹を立て、彼女を機械の歯車の中に突き飛ばし、妻を五体ばらばらにして殺してしまった。

それ以来、この妻は毎日昼になると研磨工場に現れるようになった。妻は機械に近づくと、ふと消えてしまう。しかし悲し気な叫び声だけが響き続けるという。

H・シュライバー著『ドイツ怪異集』にある。

ペロスムス・プセウドスケルス
［ぺろすむす・ぷせうどすけるす］

チェコスロバキア（現在のチェコ）で発見されたという不思議な生き物で、ボヘミアのチェスカ・ベラの松林で捕獲されたという牙を持つウサギのような姿の動物。しかしウサギとは異なり肉食で、昆虫を捕食する。昆虫を捕獲する際にはその長い耳で獲物の前後を塞いでから、鋭い牙で噛み付き、甲羅を噛み砕いて下にある吸盤で体液を啜る。残った殻は前足を使って器用に捨てるという。

また老衰で死んだ家族の死体からも同じように体液を吸うが、これは食事が目的ではないようで、後ろ足で掘った穴に飲み込んだ体液を吐き出し、埋葬する。以降、その場所では決して狩りを行わないという。

ジョアン・フォンクベルタ及びペレ・フォルミゲーラ著『秘密の動物誌』にある。同書は謎の失踪を遂げた動物学者、ペーター・アーマイゼンハウフェン博士の資料を元に記されたという体裁の書籍で、通常ではありえない多数の動物が写真や解剖図、観察日記などとともに掲載されている。

しかしこれは「存在するとは写真に写るということである」という逆説を利用して未知の動物たちを紹介するものであり、掲載された動物たちは、すべてこの本のために創作されたものである。

ベン・マクドゥーイの灰色の大男
［べん・まくどぅーいのはいいろのおおおとこ］

イギリスで語られる怪異。スコットランド北東部のケアンゴーム山群の主峰のひとつであるベン・マクドゥーイには、体長三メートルの巨人が現れると伝えられている。この巨人は長い腕をぶら下げながら現れ、ものすごい大声を上げることがあるという。

ピーター・ヘイニング著『世界霊界伝承事典』にある。

ベンジャミン・ディズレーリの幽霊
［べんじゃみん・でぃずれーりのゆうれい］

イギリスに伝わる怪異。ベンジャミン・ディズレーリは一九世紀の政治家、小説家で、バッキンガムシャーのヒューエンデンで晩年を過ごした。ディズレーリの住んだ邸宅、ヒューエンデン・マナーには今でも彼の幽霊が現れると言われており、実際に杖（つえ）を持った黒い服の紳士などの様々な姿で目撃されている。また姿は見えずとも、二階のある部屋で一日の終わりに鍵を掛けると、昔風の香水の匂いがする、といった話も有名だという。

しかしこの幽霊が気味悪く感じられることはあまりなく、基本的には穏やかだという。

シャーン・エヴァンズ著『英国の幽霊伝説』にある。

ペンドルヒルの魔女
［ぺんどるひるのまじょ］

イギリスで語られた怪異。二〇一一年、イングランド北西部ランカシャー州ペンドルヒルの墓地で、地下に埋まった小屋が発見された。

調査の結果、この小屋は一七世紀にあったという「魔女の小屋」の遺跡であることが判明し、その壁にはミイラ化した猫の死体が埋め込まれていた。一六一二年、ペンドルヒルでは魔女裁判で女性一〇名、男性二名が死刑に処されていたが、そんな魔女の犠牲となった一匹と考えられた。

この地域には、当時マルキン塔と呼ばれる塔があり、そこが魔女の集会場となっていた。ここでは農夫の一家が悪魔と手を組み、粘土で作った人形を使って人々を呪い殺したと伝えられる。
並木伸一郎著『ムー的都市伝説』にある。

ヘンリーとクララ［へんりーとくらら］

イギリスに伝わる怪異。ダービシャーのハイピークにある渓谷、ウィナッツ・パスには、恋人同士の幽霊が出現すると言われている。このヘンリーとクララという男女は一七五八年、駆け落ちのため、ウィナッツ・パス付近の宿屋に泊まったが、その際に付近の鉱山の鉱夫たちに金品目当てで殺害され、埋められた。その後、彼らを襲った鉱夫は無残な死に方をしたと伝えられるが、現在でも風の強い夜にはヘンリーとクララが命乞いをする声が聞こえてくるという。
シャーン・エヴァンズ著『英国の幽霊伝説』にある。

ポヴェーリア［ぽゔぇーりあ］

イタリアに伝わる怪異。同国北部のヴェネツィアの潟にある小さな島、ポヴェーリアは、数多くの幽霊が出現すると言われている。この島は元々ペストをはじめとした伝染病患者を隔離する場所として使われており、数え切れない人々がこの島で死に、葬られた。そんな彼らの無念が幽霊となって現れるとされ、世界一幽霊が出る島、などと呼ばれているという。
WEBサイト「HuffPost」などを参考とした。この島は一九〇〇年代には精神科病院が運営されており、感染症患者だけでなく精神障害により隔離された人々が数多く亡くなった場所でもあったようだ。

ボウクーン［ぼうくーん］

ロシアで語られる怪異。狼に変身できる人間のことで、大勢の人間を殺害するという。
P・G・ボガトゥイリョーフ著『呪術・儀礼・俗信』にある。

ホウラート［ほうらーと］

ドイツに伝わる怪異。水の精霊の一種で、「ホウホウ」と鳴くことからこの名で呼ばれる。
植田重雄著『ヨーロッパの祭と伝承』にある。同書ではこの短い説明しかないが、水の精霊全般の特徴として子どものような姿をしており、水生生物の特徴を持っていることが挙げられている。

ボーリー司祭館［ぼーりーしさいかん］

イギリスに伝えられる怪異。ボーリー牧師館とも呼ばれる。かつて実在した幽霊屋敷で、世界で最も心霊現象が発生した建物であったという。この館は一八六二年にサフォーク州に赴任してきたヘンリー・ブルという司祭が翌年に建てた建物で、ブルー家が館に移り住んで早々、幽霊たちが出現するようになったと記録される。それは一八個ある教会の鐘が一斉に鳴り出した日から始まったという。

幽霊の姿は様々で、二階の客用寝室に白衣の老修道女、娘の部屋に出た男、廊下に現れた尼僧、庭に現れた幻の四輪馬車などがあった。

このような幽霊の出現をはじめとした様々な怪奇現象が起きたこの館は、一年で五〇件以上、一九四四年に撤去されるまで二〇〇〇件以上の怪異が確認され、現在でもその跡地は観光名所となっている。

桐生操著『ヨークシャーの幽霊屋敷』、羽仁礼著『超常現象大事典』などによる。

ホーンテッド・ギャラリー【ほーんてっど・ぎゃらりー】

イギリスで語られる怪異。ロンドンのハンプトン・コートには、ヘンリー八世の五番目の妃、キャサリン・ハワードが出現すると言われている。彼女が出現するのはロイヤル・チャペルに至る回廊で、凄まじい叫び声を上げながら駆け抜けて行くため、この場所はいつしかホーンテッド・ギャラリーと呼ばれるようになった。

キャサリン・ハワードは三一歳上のヘンリー八世と結婚したものの、早々に愛想を尽かし、放蕩三昧の生活を送っていた。それがヘンリー八世に知られるところとなり、ハンプトン・コートの一室に幽閉される。あるとき、見張りを振り切ってロイヤル・チャペルで祈りを捧げるヘンリー八世の元に走って命乞いをするも、相手にされず廊下を引き戻された。そしてロンドン塔のタワー・グリーンで処刑された。そのような経緯があり、キャサリンの幽霊はチャペルに至る廊下を疾走するのだという。

平井杏子著『ゴーストを訪ねるロンドンの旅』にある。

ボクゼルン【ぼくぜるん】

スイスで語られる怪異。ヨーロッパでは各地方でクリスマスの訪れを知らせるため、変装した若者が家々の戸を叩くという習俗が残っている。スイスのトルガウに伝わるボクゼルンもそのひとつであるが、これは一七世紀に流行し、多くの人々を死に至らしめた感染病、ペストが元となって生まれたのだという。

当時、ペストがヨーロッパに蔓延した際、人々はその家の住人と接触せずに安否を確かめるため、戸を叩いたり、屋根や壁に石を投げ、合図をした。もし家の住人が無事であれば、それに反応して返事をしたという。

植田重雄著『ヨーロッパの祭と伝承』にある。

ボストン夫人の幽霊

［ぼすとんふじんのゆうれい］

イギリスで語られる怪異。ロンドンのブレントフォードにあるボストン荘園邸宅は、女性の幽霊が出現することで知られている。その霊は間男との情事を夫に目撃されたボストン夫人なる女性で、夫に殺された夫人の死体は公園に埋められたが、現在でもその幽霊が出現するという。夫人の幽霊は影のように家の裏手から出て、小路を行き、糸杉の巨木のところまで滑るように進んで樹の下で消えるという。まるで自分がここに埋まっていると示すように。

J・A・ブルックス著『倫敦幽霊紳士録』にある。

ボスルカーニャ

［ぼするかーにゃ］

ロシアに伝わる怪異。カルパチア地方で語られる魔女で、夜にしか姿を現さない。死者を従えるなどといった魔法を使うことができ、目撃した者を殺害する。一方、昼間は普通の人間として過ごしており、他の人間とも交流するようだ。

犬や猫に化けることもできるが、左手で一回叩くとその正体を現す。この時、もう一度叩くように懇願するが、無視すると朝には死んでしまう。しかし頼まれた通りにもう一度叩くと、悪魔の姿になって襲い掛かってくるという。

P・G・ボガトゥイリョーフ著『呪術・儀礼・俗信』にある。

ポルードニツァ

［ぽるーどにつぁ］

ロシアで語られる怪異。「真昼の女」という意味の名前を持ち、真昼の正午にライ麦畑に出現することが多いとされる。昼間、休むべき時間に働いている人間を見つけるとその人間の首を摑んで捻ったり、大鎌で斬りつけたりするという。その姿は白い服を着た、背の高い美しい娘とされ、冬に備えて夏にとにかく働かなければならないロシアの人々を戒め、過激な方法で休ませる妖怪なのかもしれない。

ただし子どもに危害を加えることもあり、ライ麦畑に誘い込んで迷わせたり、子どもを攫ったりするのだという。

斎藤君子著『ロシアの妖怪たち』にある。

ポレヴォイ

［ぽれゔぉい］

ロシアに現れる怪異。二〇世紀になっても語り継がれる真昼の一二時に出現するとされる畑や野原の守護神。白い服を着た姿で現れるとされることが多いが、オルロフやノヴゴロドといった地域では土のように黒い服を着て現れるという。

人を道に迷わせたり、酔っぱらいをからかったり、畑の畦道に寝ている人間を窒息させたりと人間に危害を加えることが多い。一方で、金や食物と引き換えに逃げた家畜を帰してくれるなど、人を助けることもあるという。

また悪い風を吹かせてライ麦畑に壊滅的

な被害を与えると伝えられる地域もあるようだ。

　斎藤君子著『ロシアの妖怪たち』にある。

ホレおばさん［ほれおばさん］

　ドイツで語られる怪異。ヘルゼルベルクという山脈には、昔から数多くの怪異が出現すると伝えられており、地下の洞穴からは幽鬼の軍勢が出てきて暴れ回る。この中にはホレおばさんもいて、たまに幽鬼の軍勢とともに地上に現れるという。

　H・シュライバー著『ドイツ怪異集』にある。ホレおばさんはグリム童話『ホレおばさん』に登場する人物で、継母に虐待されている娘が、井戸に落とした杼を取るため、井戸に落ち迷い込んだ不思議な世界に住む老婆として現れる。娘はホレおばさんの世話をし、やがて帰ることを望んだ娘のためにその全身に金を纏わせ、大金持ちにする。一方、この娘を見て自分の実の娘にも同じように幸運を得させたいと考えた継母は、同じように実の娘に井戸の中に入らせるが、この娘は先の娘のように心優しい人間ではなかったため、帰るときには全身にコールタールを纏わされたという。このコールタールは生きている間、この娘から消えることはなかったとされる。

　植田重雄著『ヨーロッパの祭と伝承』によれば「ホレ」とは「おおう」（hullen）という言葉に由来し、地下（hell）に埋められたもの、という意味もあるという。これは埋葬された死者の霊を表していたが、現在ではその意味は失われ、冬の自然への恐れの象徴となり、嵐の軍勢（**ワイルドハント**）の一員となったり、先述したように童話や民話に登場する老女となったりしているようだ。

【ま】

魔女集会［まじょしゅうかい］

　ドイツで語られた怪異。バーデン＝ヴュルテンベルク州のシュヴァルツヴァルトでは、近年になっても魔女集会が行われていた。ある日、農家の母屋から離れた納屋に泊まった旅人がいたが、そこで開かれていた魔女集会に遭遇した。魔女たちは宴を開きながら騒いでいたが、二人の魔女が旅人のすぐ側までやってきて、相談を始めた。

　その内容は寝る前に子どもを祝福しなかった家の子どもを攫って殺そうというもので、実際に数分後には赤ん坊を攫って来て、足を摑んで引き裂こうとしていたため、旅人は勇気を振り絞り、神の加護を叫びながら突進した。

この不意打ちに魔女たちも驚き、全員が風のように去って行った。子どもは無事だったが、魔女たちが残したものを見ると、どこからか盗んだ食器類だったり、盃だと思われたものは馬の蹄に、食事は家畜の糞に変わるなどしていた。

食器類は元の持ち主に返され、赤ん坊の両親も新聞を通して捜索されたが、見つかったのは一年経ってからだった。赤ん坊は、それほど遠くの国から攫われていたのだという。

H・シュライバー著『ドイツ怪異集』にある。

まばたきする少女のミイラ ［まばたきするしょうじょのみいら］

イタリアにて語られた怪異。シチリア島の都市、パレルモのカプチン・フランシスコ教会に安置されている少女のミイラで、生前の名前を「ロザリア・ランバルト」という。一九二〇年に二歳で亡くなったこの少女は、防腐処理によって生前のままの姿で眠り続けているが、二〇一四年に彼女がまばたきをしていることが確認された。

並木伸一郎著『ムー的都市伝説』によれば、この少女のまばたきには、光の錯覚という説のほか、教会の地下墓地に葬られた人々の霊が取り憑いている、という説があるという。

幻の家 ［まぼろしのいえ］

イギリスに現れた怪異。二〇世紀後半のこと、夜ある少女三人が父親と一緒にデヴォンのバックファストリーを訪れた際、父親とはぐれてしまい、道に迷ってしまった。そこで家がないか探していると、暗闇の中に一軒の古い家を見つけ、近づいてみた。窓にはカーテンがなく、暖炉の炎の光が漏れており、中を覗くと一組の老夫婦が暖炉の前に腰掛けていた。

しかしこの家は少女たちの目の前で突然消えてしまった。少女たちは、気が付けば暗闇の中に立っていたという。

ジョン＆アン・スペンサー著『世界怪異現象百科』にある。同書ではこの怪奇現象をタイムスリップの一種として掲載しているため、幻の家や老夫婦は、かつてその場所に実在したのかもしれない。

幻の黒煙 ［まぼろしのこくえん］

イギリスで語られる怪異。ウェスト・ヨークシャーのイングロ・トンネルでは、一九七〇年から一九八〇年代に、機関車が通っていないにもかかわらず黒煙が吐き出される現象が多数報告されたという。

またある話では、この黒煙はトンネルに向かって吹く風に逆らって出ていたとも言われている。

ジョン＆アン・スペンサー著『世界怪異現象百科』にある。

幻の湖［まぼろしのみずうみ］

イギリスに現れた怪異。ハンプシャーのニューフォレストに現れた湖で、その中央には丸石があり、『アーサー王伝説』に登場するエクスカリバーのように、剣が石に突き刺さっていた。しかしこの湖に偶然辿り着いた人々は、それ以降この湖を見つけることはできなかったという。

ジョン&アン・スペンサー著『世界怪異現象百科』にある。

マルセルとモーリスの幽霊［まるせるともーりすのゆうれい］

フランスに伝わる怪異。パリにあるペール・ラシェーズ墓地には様々な著名人が埋葬されている。その中のひとりである小説家マルセル・プルーストと、彼の友人であり、同じ墓地に埋葬されたモーリス・ラベルは、夜中になると二人とも墓を抜け出す。そして互いが互いの姿を探して墓地をさまようのだという。

ロバート・グレンビル著『絶対に出る 世界の幽霊屋敷』にある。

マルチンスペルタ［まるちんすぺるた］

ドイツで語られる怪異。毎年一一月一一日の聖マルティヌスの日に現れる精霊として中部フランケン地方に伝わる存在。醜い老婆に扮装して白い衣服を纏い、木靴を履いて農家のあちこちを徘徊する。そして子どもたちを見つけると、良い子にはリンゴやクルミ菓子を与え、悪い子は鞭で脅したり、叩いたりするという。

植田重雄著『ヨーロッパの祭と伝承』にある。同書によれば、この精霊は魔女**ペルヒタ**がルーツとなっているという（ペルヒタの項目も参照）。聖マルティヌスもしくは聖マルティンはキリスト教における聖人であり、凍えている物乞いに自らのマントを半分与えたという伝説が残る。またこの日は冬の始まりの日とされ、収穫祭としての役割も担っている。

この祭りの日には同様の役割を担う精霊に**フーラ夫人**、**ペルツメルテル**などがいる。

ミイラの手［みいらのて］

イギリスに現れたという怪異。古代エジプト第一八王朝の王のイクナートン（アメンホテプ四世）の娘の手とされる。その背景は以下のようなもの。紀元前一五三七年のこと、娘と宗教上の問題で口論したイクナートンは、僧侶たちに命じて娘を強姦させ、殺させた。僧侶たちは娘を殺した後、その右手を切り取って「王家の谷」に葬ったという。

その切断された右手は遥か時を経た一八九〇年、エジプトのルクソルにて、長老のマラリアを治した礼としてイギリスのルイス・ヘイモン伯という人物に贈られた。

ヘイモン伯は手だけのミイラを気味悪がったが、その謂れを知ってさらに嫌悪するようになった。どこかの博物館に寄贈しようとしたが、引き取り手がおらず、仕方なくロンドンの自宅の金庫に保管することとした。

そして一九二二年、ヘイモン伯とその妻が金庫を開けてみると、そこには新たな肉が付き始めたミイラの腕があったのだ。

ついに耐え切れなくなった夫婦は、このミイラの手を葬ることにした。同年のハロウィンの夜、ヘイモン伯はできるだけ手厚く葬ろうとミイラの手を暖炉の火の中に置き、エジプトの『死者の書』の一節を朗読した。しかし本を閉じた瞬間、雷鳴が響き渡り、家が揺れ、明かりが消えて闇に包まれた。

そして、夫婦の目の前に一人の女が現れた。古代エジプト王族の衣装を纏(まと)ったその女の右腕は、切断された傷痕を生々しく覗(のぞ)かせていた。

女の亡霊は暖炉の火に向かってかがみ込むと、次の瞬間姿を消した。その後には、火で焼いていたあのミイラの手も消えていたという。

N・ブランデル他著『世界怪奇実話集』にある。

ミスター・ノーバディ［みすたー・のーばでぃ］

イギリスに現れた怪異。「名無しの権兵衛」を意味する「ミスター・ノーバディ」のほか、「フレッド」とも呼ばれる。

ウェスト・ヨークシャーのポンティクラフトのある一家に出現したポルターガイストで、一九六六年八月から一九六九年九月にかけてこの一家を襲ったという。

発生した現象も多岐にわたり、うるさい息遣いが様々な時間に聞こえる、自動車の電気系統がおかしくなる、壁に逆さ十字架が刻まれる、台所にあるジャムなどがドアや階段に塗りたくられる、ポルターガイストを信じようとしない目撃者に頭から牛乳を注ぐ、マットレスごと寝ている人間をベッドから落とす、蛇口をひねると緑色の泡が噴き出るようになる、などが確認された。

この現象は、霊を締め出す際に使われる家の周りにニンニクを吊るす、という方法を試したところ、ぱったりとやんだという。

ジョン&アン・スペンサー著『世界怪異現象百科』にある。

ミスター・フリッツ［みすたー・ふりっつ］

イギリスで語られる怪異。戦時中、アメリカ人の腹話術師、ビリー・ブースという人物によって作成されたある腹話術人形の名前。

フリッツはナチス・ドイツの捕虜収容所で生まれ、ビリーとともに人々を楽しませたという。しかしビリーは銃殺され、フリッツは仲間の捕虜たちにより遺族の元に届けられた。その後、イギリスのアンティークモールまで旅し、現在はリヴァプールに住むマイケル・ダイアモンド氏という人物によって購入、自宅に保管されている。

この腹話術人形は怪奇現象を起こすとされ、人形が展示されているガラスケースがひとりでに開く、勝手に瞬(まばた)きをしたり口を動かす、といった現象を引き起こした。またマイケル氏の子どもたちが、この人形の置かれた小屋から笑い声を聞いた、という話もあるようだ。

マイケル氏はフリッツが表情を変える様子をビデオカメラで撮影し、その様子は動画投稿サイト「ＹｏｕＴｕｂｅ」等で見ることができる。しかしこれは怪奇現象ではなく、作り物の映像ではないか、と言われることも多いようだ。

水の妖精［みずのようせい］

ドイツで語られる怪異。ウェッティンのツオルニッツベルク辺りでは、夜が更けるとザーレ川から水の妖精が上がってきて踊ると伝えられている。この妖精たちは人間の子どもぐらいの大きさで、男女ともにおり、手を取り合って輪を作り、小刻みな足取りで踊るという。またその際に聞こえる歌声は、明るく楽しげなものであるとされる。

植田重雄著『ヨーロッパの祭と伝承』にある。

ミス・フーパーの幽霊［みす・ふーぱーのゆうれい］

イギリスに伝わる怪異。サマセットに現存するダンスター城は数多くの幽霊が出現することで知られているが、このミス・フーパーはその中でも近年死んだ幽霊だと考えられている。

フーパーはこの城において、ボランティアで案内係を務めていた女性で、病気によって案内係を辞め、そのまま亡くなった。しかしそれ以来、城を見学しに来た人物によって、スタッフ用の椅子に座ったフーパーの姿が目撃されるようになった。このフーパーの幽霊は、じっと見つめているとふと消えてしまうのだという。

シャーン・エヴァンズ著『英国の幽霊伝説』にある。

緑の貴婦人［みどりのきふじん］

フランスで目撃される怪異。ブリサックカンセに現存するブリサック城と呼ばれる城には、緑の貴婦人なる幽霊が現れると伝えられている。

この幽霊は「シャルロット・ド・ブレゼ」という一五世紀の人物で、愛人と密会しているところを夫に見つかり、惨殺されたと言われている。シャルロットは死後もお気に入りの緑のドレスを纏って現れるようになったが、その眼孔には目玉がなく、黒くぽっかりとした穴が空いているという。

ロバート・グレンビル『絶対に出る 世界の幽霊屋敷』にある。

ミニネッシー［みにねっしー］

イギリスに現れた怪物。同国の海岸に打ち上げられたという謎の生物で、大きさはイルカよりやや小さく、アザラシのような皮膚で、鯨のような尾びれを持っていたという。また上部と側面にもひれがあり、鋭い爪と歯を持っていたとされる。

並木伸一郎著『未確認動物UMA大全』によれば、この奇妙な生物の正体はイルカの胎児ではないかと言われているが、打ち上げられた現物がなぜか秘匿されているため、正確な正体は分からないままなのだという。

ミリーネ［みりーね］

イギリスに現れたという怪異。同国ストランレール郊外にあった古い館に住むカークという人物の娘で、交通事故で死亡してから父の前に現れるようになったという。

心霊研究家が集まった際に姿を現した時には、その姿はピンクのドレスを纏い、手足に真っ白な包帯を巻いていたとされる。

この幽霊の姿はカークや心霊研究家など限られた人間にしか見えず、通常人間が見るとミリーネの触れた物体がひとりでに動いているように見えたという。またミリーネは心霊研究家たちの質問に明瞭に答え、死後の世界や死後に出会った人物などについて語ったとされる。

桐生操著『ヨークシャーの幽霊屋敷』にある。

麦じいさん［むぎじいさん］

ドイツに伝わる怪異。中部ドイツでは風がライ麦畑を波打って走っていく様子を、精霊が竿で麦を叩いていく様子に見立てる。この精霊は、麦じいさんという名前で伝わっているという。

植田重雄著『ヨーロッパの祭と伝承』にある。同書によれば、ヘッセン州などでは同様の現象を精霊の羊飼いが羊を追い立てていく様子に見立て、東バイエルン地方では**ワイルドハント**に見立てるという。

麦ばあさん［むぎばあさん］

ドイツで語られる怪異。麦が収穫期になると麦畑に出現すると考えられている精霊の一種で、麦畑に入っていたずらしようとする子どもを襲うとされる。赤目、灰色の髪、黒い鼻をした老婆だが、素早く走ることができ、矢車草、芥子、えんどう豆の花を摘んだりする子どもがいるとたちまち見つけて捕まえ、頭から食らうという。

植田重雄著『ヨーロッパの祭と伝承』にある。同書によれば、この精霊は「ババ」「ブバ」「シュワルツ」「ポーペル」などと呼ばれるという。

無頭の巨鳥［むとうのきょちょう］

スウェーデンで目撃されたという怪物。その名の通り頭がなく、巨大な翼を持った巨大な鳥の姿をしており、**幽霊ロケット**と呼ばれる光を発する飛行物体とともに現れ、上空を飛んで行ったとされる。

ジョン・A・キール著『不思議現象ファイル』によれば、一九四六年に目撃された怪物だという。この怪鳥とともに目撃された幽霊ロケットはヨーロッパ各地で目撃されたが、巨鳥を目撃したのはスウェーデン人のみであったようだ。幽霊ロケットについては当該項目を参照。

無名戦士の墓［むめいせんしのはか］

イギリスで語られる怪異。ロンドンのウエストミンスター寺院にある、第一次世界大戦で亡くなった名前も分からない人々の眠る無名戦士の墓には、歩兵の制服を着た霊が出るという。この霊は墓に眠っている兵士本人とも、その兄弟とも言われているようだ。

J・A・ブルックス著『倫敦幽霊紳士録』にある。

メアリー一世の幽霊［めありーいっせいのゆうれい］

イギリスで語られる怪異。メアリー一世は一六世紀のイングランド及びアイルランドの女王。プロテスタントに対する迫害からブラッディ・メアリー（血まみれのメアリー）の名で呼ばれたことでも知られる。信仰のためには一切の妥協を許さず、プロテスタントの人々を次々と処刑した熱心なカトリック教徒、という面と、優しく聡明な女性という二つの顔があったという。

メアリー一世の幽霊はソーストン・ホールに出現する。ソーストン・ホールはかつてメアリー一世を匿ったことで焼き落とされ、後に彼女の手によって再建された館で、メアリー一世が使ったというベッドが残されている。メアリー一世はこのベッドのある部屋に戻ってきて、ヴァージナルという楽器を弾くのだと伝えられる。

石原孝哉著『幽霊のいる英国史』にある。

メアリー一世の異名、ブラッディ・メアリーは後の世にカクテルの名前として定着するとともに、同名の怪異に影響を与えたとも考えられている。詳細は**ブラッディ・メアリー**の項目を参照。

メーベル［めーべる］

イギリスに伝わる怪異。同国で産業革命に大きな影響を与えた発明家であるジョージ・スティーブンソンの生家は現在もノーサンバランドに残されているが、この家にはメーベルと名付けられた女性の幽霊が出現することで知られている。メーベルはヴィクトリア時代に生きていた女性とされ、なぜか電圧を上げてヒューズを飛ばしたり、電化製品を故障させたりするいたずらをするという。特に夏季や祝日など人の出入りが多くなる時期に興奮するらしく、おかしな現象を立て続けに起こしたりするらしい。

その姿を見た人物によれば、ヴィクトリア朝時代の黒い服に白いエプロンをした若い女性で、遭遇した人物は彼女を見かけてから熱っぽさと頭痛が一日中続いたとされる。

シャーン・エヴァンズ著『英国の幽霊伝説』にある。

メデタシ［めでたし］

イタリアで発見された不思議な生き物。通常の生物と比べると特殊な生物である**平行植物**の中でも特殊な存在で、複数の植物が組み合わさった構造をしている。

主に瓜（うり）やカボチャに似た形の部分（キューカンブラと呼ばれる）は通常の植物と変わらないが、キューカンブラの上部及び下部を突き破るようにして伸びるこの芽のようなものは並行植物の性質を持ち、異物に触れると粉末化する、姿かたちがまったく変わらない、写真や映像で奇妙な写り方をするなどの特徴を備えている。

これについては二つの説があり、一つはキューカンブラとメデタシの芽はまったく別種であるというもの。もう一つはメデタシの芽はキューカンブラの芽であったが、芽だけが平行植物化したというものである。

一方、このほかにも岩から突き出ているメデタシや水生の根茎から発生しているメデタシも発見されており、現実の時間とは別の時間に存在するはずの平行植物でありながら、現実に存在する有機物、無機物に直接生えるメデタシの存在は、大きな謎を呼んでいる。

レオ・レオーニ著、宮本淳訳『平行植物』にある。同書に登場する平行植物と称される生き物は、通常の物理法則が通用しない、静止した時間もしくは現実と平行して存在する別の時間といった特徴を持つとされる。しかし同書にある植物は実在する体裁で書かれているものの、すべて著者であるレオーニの創作である。平行植物の特徴そのものについては、同項目を参照。

モーガウル［もーがうる］

イギリスで目撃される怪物。同国のコーンウォール海岸のファルマス湾に出現するとされ､その姿は小さな頭と長い首を持ち、首の後ろには剛毛のようなものが生え、背中にはコブがあるという。体色は黒または濃い茶色で､皮膚はアシカのようだという。これは一九七五年に目撃され、翌年に写真が撮影されたことで有名になった。

ジャン＝ジャック・バルロワ著『幻の動物たち』によれば、他にも頭に小さな角が二つあった、ひれが四つあった、という証言も記録されている。その姿は蛇のような姿のほか、プレシオサウルスやエラスモサウルスのような首長竜に似た姿をしているという説があるようだ。

モータリニア号の怪［もーたりにあごうのかい］

イギリスで語られた怪異。怪人フー・マ

ンチューを生み出したことで知られる作家サックス・ローマーが、お気に入りだったモータリニア号という船を解体し、家や家具に使った。

　しかしこの家では天候が悪いと、まるで荒波を行く船のように木材が軋み、唸るような音を発するようになった。またこの家の周辺では門の前の通りで事故死が多発したり、庭師が首を吊ったり、火事で少女が死んだりと不幸なことが次々と起こったという。

　ジョン&アン・スペンサー著『世界怪異現象百科』にある。

木曜日のレコーダー［もくようびのれこーだー］

　イギリスで記録された怪異。二〇世紀のいつかのこと、イングランド北部のある家で、毎週木曜日になると男女の話す声や赤ん坊の泣き声、そして誰かが階段から落ちる音が一連の流れとして聞こえる、という怪現象があった。

　そこでこの家について調査したところ、二十数年前、妊婦とその夫がこの家に住んでおり、やがて子どもが生まれたことが判明した。

　赤ん坊は夜泣きがひどく、夫は夜遅くまで仕事して、夜中に何度も起こされることが続いた。妻もまた出産直後であったこともあり、夫婦ともに疲弊していた。

　そんなある日、赤ん坊の泣き声で起きた夫は、子どもにミルクを与えたが、子どもがそのミルクを放ったため、汚れたベビー服を替えなければならなくなった。そこで赤ん坊を抱いて階段を下りようとしたとき、日頃の疲れから落下してしまう。赤ん坊はその事故で死亡し、夫もまた後悔の念からその一年後に自ら命を絶った。

　この家で繰り返し再生されていたのは、その事故当日の夜の出来事だったのだという。この時、妻はまだ存命であったため、幽霊たちが事故を再現していたのではなく、家に染み付いた記録が、新たな居住者にその夜のことを伝え続けていたらしい。

　ジョン&アン・スペンサー著『世界怪異現象百科』にある。

モラーグ［もらーぐ］

　スコットランドで目撃される怪物。同国のモラー（モラール）湖に棲むと考えられており、全長六〜二〇メートル、体色は黒褐色であるという。背中にコブがあり、蛇もしくはウナギのような長い首と頭部を持つ首長竜のような姿をしているという。

　目撃された最古の例は一八九三年まで遡り、二〇世紀に入ると度々目撃された。また、この怪物が現れると、土地の名家であるマクダネル家の人物の誰かが死ぬ、という伝承も残っているとされる。

　羽仁礼著『超常現象大事典』、並木伸一郎著『未確認動物UMA大全』による。また、モラー湖がネス湖に近いことから、**ネッシー**と同一の生物であるという説もあるようだ。

貰い子殺しのダイアー［もらいごころしのだいあー］

イギリスに現れた怪異。一八九六年、ニューゲイト監獄に収監されていた、元託児所経営者のアメリア・ダイアー夫人が処刑された。ダイアー夫人は高額の報酬を得て望まれずに生まれてきた子どもの世話を請け負っていたが、その子どもたちを四〇〇人以上殺害していた。そしてそれを黙ったまま養育費を受け取っていたという。

この事件はアメリア・ダイアー事件と呼ばれ、一八九六年に逮捕されたダイアー夫人はその年のうちに処刑された。囚人であった時、ダイアー夫人は看守長であるスコットにいつも不愉快な視線を向けていた。そして処刑台に行く途中、彼の目の前で立ち止まり、「いつかまた、お目にかかりましょうよ」と言った。

それから数年が経ち、ニューゲイト監獄が閉鎖されることとなった一九〇二年、その最後の週に、スコットをはじめとする看守たちは最後の務めを記念して集まってウィスキーを飲んでいた。その時、スコットは不意に視線を感じ、同時に頭の中で「またお目にかかりましょうよ……いつかまた」という声がした。

その時スコットらは女囚用運動場の隣の看守室に座っていたが、ふとスコットが運動場を覗くための扉についたガラス窓を見ると、窓の中にダイアー夫人がにたにたと薄笑いをして彼を見ていた。ダイアー夫人はスコットを一瞥すると窓を通り過ぎて行ったが、慌てて扉を開いても女物のハンカチが落ちているだけで、彼女の姿はなかったという。

J・A・ブルックス著『倫敦幽霊紳士録』にある。同書によれば、刑場の外でスコットの写真を撮ったところ、ダイアー夫人の顔が彼の肩の後ろに写っていたこともあったという。

森の子どもたち［もりのこどもたち］

イギリスに伝わる怪異。ノーフォークのウェイランドの森には、こんな伝説が残されている。両親を亡くした幼い息子とその妹が、領地を横取りすることを目的とした叔父により森の中に置き去りにされ、餓死した。今でも風の強い夜にこの森に入ると、手を繋いでさまよう二人の子どもの泣き声が聞こえてくるという。

平井杏子著『ゴーストを訪ねるロンドンの旅』にある。この話は英国では有名らしく、バラードで謡われたりしているのだという。

モルヒネ投与を見守る霊［もるひねとうよをみまもるれい］

イギリスで語られる怪異。ロンドンにあるユニヴァーシティ・コレッジ病院には、二〇世紀の初めに働いていたリジーという名の看護師の幽霊が出るという。リジーは自分の婚約者に誤ってモルヒネを過剰投与し、死なせてしまった女性で、今でもモルヒネが投与される時には、二度と同じ間違いが起きないように作業を見守るのだとされる。

J・A・ブルックス著『倫敦幽霊紳士録』にある。

モンスの天使［もんすのてんし］

イギリスで語られた怪異。第一次世界大戦中、イギリス軍はモンスの戦いにて圧倒的に不利であった戦況のなか、ドイツ軍の包囲網を突破し生還した。この戦いに感銘を受けた著述家アーサー・マッケンは『モンスの天使』という短編を書き上げた。これはイギリス軍に所属する主人公がラテン語で祈りを捧げると、幻の弓兵の一団が現れ、ドイツ軍を倒してしまうという物語であった。しかしそれからというもの、進軍していたイギリス兵たちから、実際にモンスの戦いで幻の弓兵を見たという報告が相次いでなされた。マッケンは自分の作品はフィクションだと何度も主張したが、兵士たちの目撃談は後を絶たなかったという。

ピーター・ヘイニング著『世界霊界伝承事典』にある。

モンペッソン・ハウスの太鼓［もんぺっそん・はうすのたいこ］

イギリスに伝わる怪異。ウィルトシャーにあるこの家では数多くのポルターガイスト現象が起きた。それは物を投げつけられる、子どもがベッドから浮き上がるなどの典型的なものだったが、中でもこの家に住む人々を悩ませたのは、真夜中に絶え間なく打ち鳴らされる太鼓の音だった。この太鼓は軍隊の鼓手が打つ太鼓のリズムと同じだったが、それが毎夜続いた。

実はこの家の主人であったトーマス・モンペッソンはかつて、家の周りで太鼓を打ち続ける浮浪者に悩まされ、この浮浪者を拘束し、楽器を押収させたことがあった。この楽器はモンペッソン家に戻されていたため、かつての浮浪者が魔術を使ったとして逮捕されたが、結局無罪放免された。

この話は一七世紀の出来事であるが、時が過ぎて一九五〇年代、この家で太鼓がしまわれていたと思（おぼ）しき部屋から、鼓手のバッジが見つかったという。これは太鼓を鳴らし続けていた幽霊のものだったのだろうか。

シャーン・エヴァンズ著『英国の幽霊伝説』にある。

【や】

郵便配達員の殺し屋［ゆうびんはいたついんのころしや］

イギリスで語られる怪異。ノーフォークのグレートヤーマスからサフォークのロウスロフトを結ぶA一二号線道路には、年配の郵便配達員の姿をした幽霊が現れる。この幽霊は道路を走っている自動車の前に出現し、事故を誘発するという。

その正体は一八九九年に死体が見つかった郵便配達員ウィリアム・ボールズではないかと考えられているが、なぜか一九六〇年以降、現世に殺し屋として舞い戻ってきて、死亡事故を多発させているのではないかと言われているようだ。

N・ブランデル他著『世界怪奇実話集』にある。

幽霊タクシー［ゆうれいたくしー］

イギリスで語られる怪異。ロンドンのケンジントンのある教会で一九一三年に発生した怪異で、ある牧師が遭遇した。この牧師は聖歌隊の練習を終えて御堂から出てきたとき、一人の女性にある屋敷の主人が死に瀕（ひん）していると言われ、彼女とともにタクシーに乗ってその屋敷に向かった。そこで呼び鈴を鳴らし、事情を話すと、そんな重病人はいないという。そこで自分を連れてきた女性に話を聞こうとすると、彼女の姿はタクシーごと消えていた。

屋敷の執事は牧師のいたずらか、はたまた正気を失っているのかと思い扉を閉めようとしたが、屋敷の主人がやってきて牧師の話を聞いてくれた。そこで一時間ほど話をし、翌日屋敷の主人は牧師の教会に行くことになったが、はたして屋敷の主人は姿を見せなかった。牧師は気になって再び屋敷を訪ねたところ、牧師が屋敷を出て一〇分後に主人が亡くなったことを知らされた。

そこで執事とともに遺体が置いてある二階の寝室に上がると、貴婦人の肖像画がかけてあった。その絵は昨夜牧師に主人の危篤を知らせた女性とそっくりであったため、牧師がその女性について尋ねると、その女性は一五年も前に亡くなった、屋敷の主人の妻であったという。

J・A・ブルックス著『倫敦幽霊紳士録』にある。タクシーやヒッチハイクで乗せた人間が死者であった、という話は日本を含め世界中にあるが、タクシーごと消える話は珍しい。

幽霊ペルシア猫［ゆうれいぺるしあねこ］

イギリスで語られる怪異。ロンドンのバイワード街にあるオール・ハロウズ教会という教会には、ペルシア猫の幽霊が出るという。この幽霊はかつてオルガニストのリセット・リストという女性に飼われていた猫で、礼拝の時にいつも教会についてきていたのだという。この猫が死んだとき、リストは猫を墓地に葬ってほしいと頼んだが、それは断られた。そのために教会に出現するようになったのかもしれないと語られている。

J・A・ブルックス著『倫敦幽霊紳士録』にある。

幽霊ロケット［ゆうれいろけっと］

スウェーデン、フィンランド、ノルウェー、デンマーク、イギリス、ギリシャなど、様々な国で目撃された怪異。輝く謎の飛行物体で、上空を飛んで消えていったという。

ジョン・A・キール著『不思議現象ファイル』によれば、幽霊ロケットは一九四六年に目撃されたが、これはアメリカで初めて空飛ぶ円盤が目撃される一年前の出来事であったという。また、この幽霊ロケットとともに、頭のない鳥が出現したという記録もある。これについては**無頭の巨鳥**の項目を参照。

ユルフェスト［ゆるふぇすと］

北欧で伝えられる怪異。一二月二一日の冬至の日に行われる祭りを意味し、主神オーディンに収穫物を捧げ、次の豊穣（ほうじょう）を祈る祭りとされる。また死者の霊が返ってくる日ともされ、彼らに食物を供え、子孫の守護と恵みを祈るのだという。

植田重雄著『ヨーロッパの祭と伝承』にある。

ヨークシャーのポルターガイスト［よーくしゃーのぽるたーがいすと］

イギリスで発生した怪異。同国のヨークシャー州ロッチデールにてガードナー一家の住むプレハブのバンガローで起きたポルターガイスト現象で、水が自然発生するという奇妙な現象が起きたことで有名。この現象は一九九四年頃に起き始め、その後はタバコの匂いが漂うという現象も起きた。

羽仁礼著『超常現象大事典』による。

ヨークシャーの幽霊自動車［よーくしゃーのゆうれいじどうしゃ］

イギリスで語られる怪異。イングランド北部のヨークシャーのある教会には、勝手に自分で動き回る自動車が保管されているという。この自動車はハンドブレーキを入れていようがエンジンキーを外しておこうが、勝手にエンジンを起動させて走り去ると言われているという。

N・ブランデル他著『世界怪奇実話集』にある。日本でも運転手のいないまま走り回る自動車が**幽霊自動車**と呼ばれているが、どこからともなく現れる日本の幽霊自動車と違い、この幽霊自動車は実体がはっきりしているようだ。

鎧を奪われた霊［よろいをうばわれたれい］

イギリスに現れる怪異。ロンドンのグラフトン・ロードにある骨董屋で、スペインからやってきた鎧が売りに出されたことがあった。

その鎧はアラブ人の紳士によって買われて行ったが、それ以来、背の高い髭（ひげ）を生やした下着姿の男性の幽霊が、顔に悲し気な表情を浮かべて店に出没するようになった。この幽霊は自分の鎧を持っていかれてしまったために迷い出たのだと考えた店主は鎧を取り戻そうとしたが、既に鎧は船で中東へと運ばれてしまっていた。

そのため、この幽霊はいまだ店の中を徘徊（はいかい）しているという。

J・A・ブルックス著『倫敦幽霊紳士録』にある。

【ら】

ラーン河の怪物［らーんがわのかいぶつ］

ドイツで語られる怪異。ラーン川には、以下のような話が伝えられている。川底の深い淵（ふち）が急に波立ち「時は来た、それきた、一人だけで良い！」という声が聞こえることがある。この声がすると、人間が溺（おぼ）れる事故が発生するという。

植田重雄著『ヨーロッパの祭と伝承』にある。同書によれば、これは生贄（いけにえ）を求める水の精に対する原始的な恐れを伝える話なのだという。

落雷のデーモン［らくらいのでーもん］

ドイツで語られる怪異。ゲルマン民族に伝わる神、ドナールは雷の神であるが、ドナールが雷雨を起こすとき、それはデーモンと戦っている場合がある。この時、落雷とともにデーモンが地上に降りてきて、家に飛び込もうとする。そのため、雷雨が近づいてきた場合には、窓を必ず閉めねばならないという。

植田重雄著『ヨーロッパの祭と伝承』にある。

ラネラ庭園の白夫人［らねらていえんのしろふじん］

イギリスで語られる怪異。ロンドンにかつてあったラネラ庭園に現れる幽霊で、かつてこの女性に横恋慕していた男に恋人を殺されたのだという。この場所では満月の夜になると、馬に乗った殺人者が狂ったように車寄せを走り、古い門番小屋を通り過ぎて外のロウワー・リッチモンド・ロードに出ていき、その後ろを「ポール、ポール」と殺された恋人の名前を呼んで、涙を流しながら足を引きずって歩く貴婦人の姿が現れるという。

J・A・ブルックス著『倫敦幽霊紳士録』にある。

ラビンキル湖の怪物［らびんきるこのかいぶつ］

ロシアで目撃される怪物。ラビンキル・デビルとも呼ばれる。巨大な魚類、もしくは両生類のような姿をした怪物とされ、湖の近くにやってきた動物に襲い掛かり、一飲みにしてしまうという。

ジャン＝ジャック・バルロワ著『幻の動物たち』によれば、その体表は灰色もしくは黒色で、一九六四年頃から目撃されているようだ。

ランカスター伯トマスの亡霊［らんかすたーはくとますのぼうれい］

イギリスに伝わる怪異。ノーサンバランドに現存するダンスタンバラ城に住んでいたというランカスター伯トマスは一三二二年、バラブリッジの戦いにて反逆罪で処刑された。その処刑は、首の切断がうまくいかず、処刑人が首を刎ねるのに一一回も剣を振り降ろさねばならないという悲惨なものだった。

それ以来、トマスは亡霊として現れるようになった。その首には頭がなく、自分の腕で切り落とされた頭を摑んで地をさまよっている。その顔は恐怖に引きつったままであるという。

シャーン・エヴァンズ著『英国の幽霊伝説』にある。

ランタン男［らんたんおとこ］

イギリスに伝わる怪異。ケンブリッシャーのウィッケン・フェンという沼地に出現する怪異で、沼や池の上を動き回る不思議な火のことをいう。この怪火は行き会った者を迷わせ、葦原で溺れさせようとするという。このランタン男は口笛に呼び寄せられるため、この周辺を歩く際には口笛を吹いてはならないと伝えられている。

シャーン・エヴァンズ著『英国の幽霊伝説』にある。同書によれば、ランタン男は何世紀も前から現在に至るまで語り継がれている怪異なのだという。

ランドルフ・チャーチルの幽霊［らんどるふ・ちゃーちるのゆうれい］

イギリスに伝わる怪異。ランドルフ・チャーチルはイギリスの政治家で、イギリス首相のウィンストン・チャーチルの父親として知られる。このウィンストンがランドルフの霊と遭遇したという話が有名だ。ウィンストン自身が書いた記事によれば、一九四一年、彼は父の肖像画の複製を描いていたが、ふと目を上げるとひじ掛け椅子に座る父親の姿があった。ランドルフは生前の若かった頃の姿でおり、ウィンストンは父親が死んでから半世紀の間に起きたことを伝え、ランドルフはそれに答えたという。

シャーン・エヴァンズ著『英国の幽霊伝説』にある。

ランハイドロックの幽霊たち
［らんはいどろっくのゆうれいたち］

イギリスに伝わる怪異。コーンウォールに現存するこの邸宅には、大量の亡霊が棲み着いていると考えられている。

一七六〇年代に心臓病で死んだエミリーという少女、一七九五年に馬に踏みつけられて死んだ少年、既婚の同僚の子を身ごもったために自殺したアナベル・オコナーという女性使用人、一八二〇年代に階段から落ちて死んだ女性や、同時期に猩紅熱で死んだ幼児、一八九〇年頃に自然死したアルバート・リアという名の執事頭など、多岐にわたる。

またこの屋敷を調査した際には、室温の低下や機械の不調、突然香水の匂いが発生するなど、怪奇現象も起きたという。

シャーン・エヴァンズ著『英国の幽霊伝説』にある。

リー湖の竜
［りーこのりゅう］

アイルランドで目撃される怪物。一九六〇年に三人の神父が目撃したという巨大生物で、リー湖でマス釣りをしている最中、長い首と蛇のような頭を持つ何かが湖面から顔を出し、泳いでいった。この怪物の首の後ろにはコブがあったという。

ジャン＝ジャック・バルロワ著『幻の動物たち』によれば、この目撃談より三〇年前にも、リー湖でボートに乗って釣りをしていた郵便配達員が、何か巨大な生物によって糸を引っ張られ、ついには糸を切るしかなかったという話があったことが記されている。

リージェンシースタイルの幽霊
［りーじぇんしーすたいるのゆうれい］

イギリスに伝わる怪異。ロンドンの首相官邸に出るという陽気な幽霊で、一九世紀に流行した、スリムなズボンに黒のフロックコート、黒いシルクハットという出で立ちで屋敷の内外に姿を見せるという。しかしその正体はまったくの不明のようだ。

平井杏子著『ゴーストを訪ねるロンドンの旅』にある。

ルサールカ
［るさーるか］

ロシアで語られる怪異。事故や自殺、呪いなどにより不幸な死に方をした女性か子どもが変化するという妖怪で、主に水中に潜んでいる。

ルサールカに出会うのは不吉の前兆とされ、直接危害を加えてくるルサールカも多い。特に婚礼の前に死んだ女性が元となったルサールカは恐ろしいとされ、気に入った若い男がいると水中に引きずり込んで殺してしまうとされる。

春を送って夏を迎える祭りであるルサーリイの期間にのみルサールカは水中から出てきてライ麦畑や森、墓地など地上に出現すると語られる地域も多いようだ。この時期には夜、ルサールカのために夕食をテーブルに置く、一週間、家の床を拭かない、縫物、糸紡ぎに関係する仕事を控える、木を伐採しない、といったルールが課せられている地域もあり、これを破ると怒ったルサールカに畑を荒らされたり、くすぐり殺されるなどという。

その姿も様々に伝えられ、南ロシアやウクライナでは若く美しい娘として、北ロシアでは醜い老婆と言われている。上半身が女性、下半身が魚というマーメイド型のルサールカもおり、いずれにせよ多くの場合、水辺で髪をとかしたり、体を洗ったりしている様子が目撃されることが多い。

ルサールカから身を守るには、魔物を寄せ付けない匂いを持つヨモギ、魔女の持ち物とされ、ルサールカが怖がる火搔き棒を持つと良いとされる。

斎藤君子著『ロシアの妖怪たち』にある。

ルシファー［るしふぁー］

主にヨーロッパで語られる怪異。ルシファーはキリスト教における堕天使の筆頭であり、悪魔サタンと同一視されることもある。現代でも悪魔憑きが起きた際、取り憑いた悪魔のひとつとして名前が語られることがある。

また一九世紀から二〇世紀にかけての哲学者、人智学者であるルドルフ・シュタイナーはこのルシファーを光の存在であり、キリストに向かって人間を照らす霊として定義し、ゾロアスター教における悪神、**アフリマン**の宿敵と位置づけた。また彼によれば、ルシファーはゾロアスター教における善神、アフラ＝マズダと同一のものであるとも記している。しかしシュタイナーの語るルシファーは一方的な善の存在ではないとしている。ルシファーは人間を光の領域に引き上げ、大地から解き放つことを願い、人間に干渉するため、人間はより高位の霊的能力を持った存在になれると傲慢な思いを抱いてしまう。しかし人間は大地に縛り付けられずとも、地に足を付けて生きねばならない存在であり、決してルシファーの与える誘惑に屈してはならないという。

フレッド・ゲティングス著『悪魔の事典』にある。シュタイナーの言うルシファーと対になる存在としてのアフリマンについては、同項目を参照。

レーシー［れーしー］

ロシアに伝わる怪異。レスノイ、レシャヴィーク、レシャークなど、土地によって呼び方が変わるが、いずれも「森の人」「森の王」といった意味を持つ。森に生息する動植物を支配下に置く森の番人であるという。人間に対しては好意的でない場合が多く、道に迷わせたり、食べ物に見せかけた糞や苔を食わせようとしたりする。また若い女であれば攫って妻や乳母にしてしまうという話もある。

斎藤君子著『ロシアの妖怪たち』にある。同書には、牧童の姿をしてウサギの群れを追うレーシーの目撃談や、牛の群れに自在に命令を聞かせることができる帯を人間に授けた翁の姿をしたレーシーの話などが記されている。

レーシーは普段人間と同じ姿で現れるが、川を一跨ぎできるほどの巨人の姿であったり、小さな老爺の姿であったりと容姿は一定ではないという。時には背の高さを自在に変えることができる能力を持つと語られる場合もあるようだ。

この他にも死んだ父親など、出会った人間の身近な人物の姿を借りることもあるという。

また服装にも特徴があり、コルパークというとんがり帽子、その中でも銅製のものを好んで被り、魔物のものと考えられている緑色の服のほか、黒、白、赤の服を着ていることが多い。また服の合わせ方が普通と逆だったり、靴が左右反対だったりといった特徴でレーシーを見分けることができるとも伝わる。加えて、股の間から覗くとレーシーの正体を見破れるという話もある。これは日本で人間に化けたキツネなどの妖怪の正体を見破る際に使われる方法と共通する。

弱点は銅の弾丸で、鉛の弾丸だと素手で摑んでしまうという。また服を裏返しに着たり、靴を左右に履くといった方法でレーシーと遭遇するのを防ぐこともできる。もし出会ってしまった場合には、アザミの茂みの中に逃げ込むと追ってこられないようだ。

一方、人間に好意的なレーシーもおり、人間の子どもの面倒を見たり、戦争に出向いて兵士たちと一緒に敵と戦ったりしたレーシーもいるという。

レソヴィーク［れそゔぃーく］

ロシアで語られる怪異。動物たちを統率する森の主とされ、こんな話が伝わっている。

ある男が森で野宿をし、焚火の前でシャニガというチーズやジャーマンポテトを乗せたパンを食べていると、狼やウサギ、ヘラジカなど森の動物たちを引き連れたレソヴィークが現れた。

レソヴィークが「シャニガをくれ」と言うため、半分にちぎって渡すと、レソヴィークはそれをちぎって動物たちに分け与えた。どういうわけかレソヴィークの持っているシャニガは減ることがなく、動物たちはみな満腹になった。

それからレソヴィークは男に家に帰るように促し、「もし狼に襲われそうになったら、『お前は俺のシャニガを食ったのだから、俺に手を出すな』と言うがいい」と助言した。その帰り道、男が狼に襲われた際、レソヴィークの言った通りにすると、狼たちは立ち去ったという。

斎藤君子著『ロシアの妖怪たち』にある。

レディ・エリノア・カヴェンディッシュの幽霊［れでぃ・えりのあ・かゔぇんでぃっしゅのゆうれい］

イギリスに伝わる怪異。ウェールズのカーマーゼンシャー州にあるスランデイロの郊外にあるニュートン・ハウスには、幽霊が出現するという。一九八〇年代、あるテレビ局がその幽霊の姿を撮影しようとこの邸宅に一晩泊まったが、結局幽霊の姿は撮影できなかった。しかしカメラマンが見えない手で何者かに首を絞められたり、天井が落ちてきたりと撮影を妨害しようとする現象が起きた。

この幽霊はレディ・エリノア・カヴェンディッシュという女性の幽霊なのでは、という説がある。エリノアはニュートン・ハウスに住んでいた人間の親族であったが、望まない婚約から逃げるためにこの家に匿（かくま）ってもらっていた。しかし婚約者がやってきて、怒りからエリノアの首を絞めて殺してしまった。それはテレビクルーのカメラマンが首を絞められた部屋と同じ部屋での出来事であったという。

シャーン・エヴァンズ著『英国の幽霊伝説』にある。

レミントンスパー駅［れみんとんすぱーえき］

イギリスで語られる怪異。同国に実在する駅で、幽霊がよく目撃されることで有名。幽霊が現れるのはプラットフォームからオフィスまで様々だが、特に現在は使用されていない三番プラットフォームの地下室や、オフィスビルの最上階が幽霊たちのお気に入りだという。彼らは電気を消したり点（つ）けたり、書類を机から勝手に出したりするといったいたずらをする。

現在はゴースト・バスターとして雇われたニック・リースという人物が見回りを担当しているが、彼のおかげもあり、今もこの駅では幽霊と人間が共存しているようだ。

ローゼンハイム事件［ろーぜんはいむじけん］

西ドイツ（現ドイツ）で発生した怪異。同国バイエルン州のローゼンハイムにあったジグムンド・アランという弁護士の事務所で一九六七年に発生したポルターガイスト現象。怪異はまず電話機を通して発生し、誰も電話をしていないのに電話のメーターが通話中になっており、頻繁に時刻案内に電話していることが分かった。その後、電流・電圧計が業務時間内に限り異常なぶれを起こし、さらに電球が爆発する、壁に吊るされた絵が回転する、机の引き出しを開けるなどの異常現象が起きた。

これはアンネマリー・シュナイダーという女性事務員が事務所にいる時間帯のみ発生したため、彼女を解雇したところ、怪異は収まったという。

羽仁礼著『超常現象大事典』による。日本でも類似した事例として、江戸時代末期に池袋出身の女性を雇うと怪音が発生したり、家具が勝手に動き始めるという「池袋の女」と呼ばれる俗信があった。

ローラ・タブリンの幽霊
［ろーら・たぶりんのゆうれい］

イギリスに伝わる怪異。ウスターシャー州のブレットフォートンにあるザ・フリース・インという建物に出現する幽霊で、一九七七年に亡くなったローラという女性の霊とされる。ローラはこの建物で居酒屋兼宿泊屋を始めた人物の孫娘であったが、この建物をまだ自分の家だと認識しているらしい。特にこの建物で食事をしている人物が嫌いで、食事を床に落として台無しにするなどという。また椅子が勝手に揺れ、そこに老婦人が座っている姿が目撃されたり、ぼんやりとした人影が現在バーとなっている屋内を横切ったりするのだという。

シャーン・エヴァンズ著『英国の幽霊伝説』にある。

ロシアの子育て幽霊
［ろしあのこそだてゆうれい］

ロシアに現れた怪異。一人の男がある村を訪れ、久しく会っていない知人の家に泊めてもらおうと思い訪ねると、女が一人現れ、家に通してくれた。男はこの女に見覚えがなかったが、知り合いの老夫婦はもう寝ており、女は赤子に乳を与え始めたため、息子の嫁が来たのだと納得して眠った。

翌朝、老夫婦が目を覚まし、男がいることに驚いていたため、嫁に会ったことを話すと、その女は既に死んでいることが分かった。そこで死んだ嫁が子どもを殺しにきたのではないかと大騒ぎになったという。

斎藤君子著『ロシアの妖怪たち』にある。死後も残された子どもを不憫（ふびん）に思い、育てに来るとされる日本の子育て幽霊譚と違い、ロシアの場合は母親の幽霊本人の考えは分からないにせよ、生きている人々からは母親は子どもに害をなすものとして扱われている。

ロッゲンヴォルフ
［ろっげんゔぉるふ］

ドイツで語られる怪異。六本足の狼（おおかみ）の姿をした怪異で、ライ麦畑に出現するという。ライ麦畑での仕事中、突然意識を失って倒れたりした場合は、それはロッゲンヴォルフに嚙（か）み付かれた、などと表現されるようだ。

植田重雄著『ヨーロッパの祭と伝承』にある。

ロバート・ケットの空飛ぶ骸骨
［ろばーと・けっとのそらとぶがいこつ］

イギリスに伝わる怪異。ノーフォークにあるノリッチ城はかつて牢獄として使用されていた。テューダー朝の時代、一五四九年に起きた農民一揆、ケットの乱の主導者であったロバート・ケットが処刑されたのもこの城だが、絞首刑だったにもかかわらず、死刑執行人がケットの体重を間違えたため、ロープが細く、体重により首が切断されてしまったという。それ以来、この城では宙に浮かぶ骸骨の姿が幾度か目撃されているようだ。

ロバート・グレンビル著『世界の幽霊屋敷』にある。この城には他にも「黒い貴婦人」と呼ばれる幽霊が出るとされる。詳細は**ノリッチ城の黒い貴婦人**の項目を参照。

ロンドン橋の晒し首
［ろんどんばしのさらしくび］

イギリスで語られる怪異。テムズ川に架かっていた旧ロンドン橋は、一六世紀から一七世紀にかけて晒し台が置かれて晒し首が展示されていた。この晒し台は最初は橋の北詰めに置かれ、後に南詰めに移されたが、その時には三、四〇もの首が晒されたままになっていたという。この首は風化するまで放置され、カラスなどがその肉をついばみに下りてくることも多かったとされる。

そんな場所であったからか、旧ロンドン橋のあった辺りを歩くと、晒し首にされた人々の呻き声が聞こえてくることがあるという。

平井杏子著『ゴーストを訪ねるロンドンの旅』にある。

【わ】

ワイルドハント
［わいるどはんと］

主にヨーロッパで語られる怪異。狩人、死者の霊、馬、猟犬などが嵐の夜に行進するとされる。

その行進を指揮する存在には様々なものがあり、元となった西スカンジナヴィア人やチュートン人の神話では北欧神話の主神であるオーディンであったが、ドイツ北部ではゲルマン神話に登場する炉と母性の女神であるホルダ、イングランドではアーサー王伝説の主人公ことアーサー王や、一六世紀に海軍提督、そして海賊として活躍したサー・フランシス・ドレイク、シェイクスピアの詩『ウィンザーの陽気な女房たち』にも登場する狩人ハーンが現れるとされ、フランスではル・グラン・ヴェヌールという首領頭がワイルドハントを率いると考えられている。

二〇世紀以降も彼らの目撃例が報告されており、ワイルドハントと遭遇した人間は、すぐに異界へと連れ去られてしまったり、命を奪われるという。

ローズマリ・E・グィリー著『妖怪と精霊の事典』、N・ブランデル他著『世界怪奇実話集』などにある。ワイルドハントは様々な霊や怪物を率いて出現すると考えられており、日本ではよく百鬼夜行と比較される。

column

05

ゴシック文学

現代のホラー文学や映画に大きな影響を与えたものとして、18世紀後半から19世紀初頭にかけてイギリスで流行したゴシック小説という文学がある。これは中世ゴシック風の古城や寺院などを舞台として、幽霊や怪物など超自然的な存在や怪奇を主題とした、退廃的、神秘的な雰囲気を持つ小説だった。

1764年に発表されたホレス・ウォルポールの『オトラント城奇譚』を嚆矢（こうし）とし、その後様々な作品が記された。その中でもメアリー・シェリーの小説『フランケンシュタイン』に登場する人造人間、フランケンシュタインの怪物は現在でも様々な映像や文学に登場している。

19世紀にはイギリスで廃れたゴシック文学だが、その作品は国境を超えて広まり、様々な作品に影響を与えた。『フランケンシュタイン』と同じくディオダディ荘の怪奇談義と呼ばれる集まりで着想された吸血鬼小説、ジョン・ポリドリの『吸血鬼』（1819年）に登場する吸血鬼、ルスヴン卿（きょう）はゴシック小説の悪役の特徴を多分に含んで描かれた。この貴族的な吸血鬼像は後にレ・ファニュの『カーミラ』やブラム・ストーカーの『ドラキュラ』等に引き継がれ、現代の吸血鬼像に多大な影響を与えた。他にもロバート・ルイス・スティーヴンソンの代表作『ジキル博士とハイド氏』、オスカー・ワイルドの長編小説『ドリアン・グレイの肖像』などもゴシック小説に数えられることがあり、現在の怪奇を扱った作品へ与えた影響は大きい。

また『フランケンシュタイン』や『ドラキュラ』といった作品は、20世紀に入ってユニバーサル・スタジオによって映画化を果たし、またそれらがヒットしたことから、人狼の民間伝承やミイラの盗掘事件などを題材とした映画『倫敦の人狼』、『ミイラ再生』といった映画も製作され、人狼、ミイラなどの現代を代表する怪物が生まれた。このように、ゴシック文学なくして現代の怪物文化はなかったのだ。

World Modern Mysteries Encyclopedia

Africa

アフリカ

#【あ】

アメン・ラーの呪い［あめん・らーののろい］

エジプトにまつわる怪異。古代エジプトの王女であったアメン・ラーに仕えていた巫女についての怪談で、ルクソールで見つかった彼女のミイラをイギリスに運んだ四人のイギリス人をはじめ、関わった人物が次々と不幸に陥った。このミイラは最後、タイタニック号とともに海に沈んだなどと語られるが、実際にはこのミイラは実在していないことが分かっている。

平井杏子著『ゴーストを訪ねるロンドンの旅』、羽仁礼著『超常現象大事典』によれば、一九六八年頃に広まった噂だとされる。アメン・ラー自体は古代エジプトで信仰されていた神の一柱で、別々の神であったアメンとラーとが融合されて生まれた神であると考えられている。

アリジゴク［ありじごく］

中央アフリカ共和国で発見された不思議な生き物。樹木に似た**平行植物**の一種。名前の由来になったのはその特徴的な葉で、葉脈がまるで迷路のように走っている。

これは天敵であったアリアリマキという昆虫に対処するために進化したもので、葉の真ん中から強い香りを出し、アリアリマキを誘い込む。それによりアリアリマキは葉の中心部を目指すこととなるが、葉脈の迷路のためになかなか辿り着かない。そのうちにストレスが溜まり、アリアリマキ同士で殺し合いを始める。

このように餌を求めて動くアリアリマキは、アリアリマキの群れの中でも一部の賄いアリと呼ばれる役割を持つものであったが、アリアリマキの群れは賄いアリに食事を依存しているため、そのうちに群れ全体が弱っていき、やがて絶滅したという。

これは太古の時代の出来事であったが、アリジゴクはアリアリマキを全滅させた後、その全盛期を固定するかのように停止した時間の中で生き続けることとなった。

現在、人間がこのアリジゴクを見るとき、幹と枝の周りを霧のような層が取り囲んでいるように見える。これは人間には無害だが、ハロミシリンという物質を含んでいる。この気体は当時かなりの毒であったようで、樹皮を食い物にしていた動物を遠ざける役割を担っていたようだ。

レオ・レオーニ著、宮本淳訳『平行植物』にある。実在する昆虫（ウスバカゲロウの幼虫）とはもちろん別物。同書に登場する平行植物と称される生き物は、通常の生物とはまったく異なる特徴を持つとされる。しかし同書にある植物は実在する体裁で書かれているものの、すべて著者であるレオーニの創作である。平行植物の特徴そのものについては、同項目を参照。

ウマ人間［うまにんげん］

ナイジェリアに現れる怪物。上半身が人、下半身がウマという、まるでケンタウロスを想起させる姿をしており、明け方や夜に出現して人間の女性を追いかけまわす。二〇〇三年頃から目撃されており、地元ではニュースになったという。

並木伸一郎著『未確認動物UMA大全』にある。ケンタウロスはギリシャ神話に登場する半人半獣の種族だが、こちらも好色なことで有名。

【か】

ケンタウルス・ネアンデルタレンシス［けんたうるす・ねあんでるたれんしす］

ウガンダ共和国で発見されたという不思議な生き物。ムバララ県のムバララに生息しているという動物で、ヒヒの上半身がウマの体の首にあたる部分から伸びているという、ギリシャ神話のケンタウロスに似通った姿をしている。高い知能を持ち、人間にも友好的で、火を起こしたり、握手をして人とコミュニケーションを取ったりするという。

ジョアン・フォンクベルタ及びペレ・フォルミゲーラ著『秘密の動物誌』にある。同書は謎の失踪を遂げた動物学者、ペーター・アーマイゼンハウフェン博士の資料を元に記されたという体裁の書籍で、通常ではありえない多数の動物が写真や解剖図、観察日記などとともに掲載されている。

しかしこれは「存在するとは写真に写るということである」という逆説を利用して未知の動物たちを紹介するものであり、掲載された動物たちは、すべてこの本のために創作されたものである。

コロンゾン［ころんぞん］

アルジェリアに現れたという怪異。悪魔の一種とされ、二〇世紀初頭に実在した魔術師アレイスター・クロウリーが召喚しようとしたとされる。

一九〇九年、クロウリーはアルジェリアの砂漠に作られた墓場にて魔導書『レメトゲン』を用い、自分の体に取り憑かせることでコロンゾンを呼び出そうとした。三匹の鳩(はと)を生贄(いけにえ)にその地で三角形の陣を描き、その内側で「ザザス・ザザス、ナサタナダ・ザザス」という呪文を唱えると、コロンゾンが降臨してクロウリーの体を乗っ取った。悪魔は美女の姿やもとの悪魔の姿に変化し、クロウリーとともに悪魔召喚に挑んでいた弟子のヴィクターを誘惑し、陣の一部が崩れた際には襲い掛かろうとしたが、召喚の触媒である鳩の血が尽きたために去って行ったという。

クロウリー本人が著した『霊視と幻想』によれば、コロンゾンは中世イギリスに実在した数学者、ジョン・ディーが伝えたエノク魔術に記された悪魔で、アエティール（エノク魔術においてのみ使われる用語で、特定の三〇の体験を指す）のひとつがこの悪魔を呼び出し、コロンゾンが守る「深淵(しんえん)」を超えることであったとされる。クロウリーはコロンゾンを取り憑かせたことでこのアエティールを成功させ、コロンゾンの秘儀を理解することができたとされる。

コンガマトー［こんがまとー］

アフリカ各地で目撃される怪物。翼竜のような姿をした未確認動物で、翼を広げると一・五〜二・五メートルもの大きさになる。長い嘴(くちばし)にはびっしりと牙が生え、人を襲うという。

一九三二年にアメリカの動物学者であるアイヴァン・サンダースがこの怪鳥と遭遇し、襲われたが二羽のうち一羽を撃ち落とした。しかしその死体は川に流れて見えなくなってしまったとされる。

並木伸一郎著『未確認動物UMA大全』にある。同書によれば、現地の人々に翼竜の復元図を見せるとコンガマトーだと答えることや、その体長から、正体は鳥や蝙蝠(こうもり)ではなく翼竜の生き残りという説が有力だという。また、羽仁礼著『超常現象大事典』によれば、原住民の間ではコンガマトーを見ると死ぬと伝えられているという。

【さ】

ジーナフォイロ［じーなふぉいろ］

アフリカのセネガル共和国やガンビア共和国に現れるという怪物。体長一メートル二〇センチほどの蝙蝠(こうもり)のような怪物で、自在に姿を消したり、壁をすり抜けたりするという。体からは悪臭を放ち、目は赤く光るが、この怪物に遭遇した人間は硬直して動けなくなり、悪寒や吐き気に襲われるとされる。ジーナフォイロが物理的に人間に危害を加えることは少なく、気が付けば姿を消しているという。この怪物がいなくなると、一時的に体調は元に戻るものの、それ以降、まるで被曝したかのような体調不良に襲われ、場合によっては死に至るとされる。

　並木伸一郎著『未確認動物ＵＭＡ大全』によれば、この怪物が最初に目撃されたのは、一九九五年一〇月九日であるという。その目撃例によれば、この日の晩、友人の家から帰宅途中にジーナフォイロに襲われ、被曝したような症状が発生して一年間入院したという。また、その後も後遺症に悩まされているとされる。

　遭遇しないことが一番の怪物だが、壁をすり抜けたり突然消えて現れる能力を持っているため、予測して回避するのはかなり難しいだろう。

【た】

トコロシ［ところし］

　アフリカ南部に出現するという怪物。体長三〇センチほどの肌の黒い小鬼の姿をしており、額から後頭部にかけて鋭い突起があるという。

　子どもと遊ぶことを好み、学校に現れるためよく子どもに目撃されるという。一方、子どもを傷つけることも多く、その鋭い爪により眠っている子どもを襲い、背中や太ももを引っかくとされる。

　眠っている人間の夢の中身を探ることができ、それを悪事に利用することもある。これを回避するには、ベッドの下にレンガを敷いて寝床を高くすると良いらしい。

　並木伸一郎著『ムー的都市伝説』によれば、一九九四年に南アフリカで初めて行われた全人種による総選挙では、投票所のテーブルの下にトコロシが潜んでおり、有権者がどの党に記入したかを探り出す、という噂が流れたという。また二〇一五年には、南アフリカの女性が一〇年以上前からトコロシに夜ごとに襲われていると語り、食物を食ったり、金を盗んだりする、と話したことが記されている。この小人は、近年でもその存在が信じられているようだ。

【は】

フェリス・ペナントゥス
［ふぇりす・ぺなんとぅす］

モロッコで発見されたという不思議な生き物。大アトラス山脈のジュベル・トゥブカル山の洞窟において白骨死体が発見されたという巨大な翼を持つネコ科の動物とされる。

ジョアン・フォンクベルタ及びペレ・フォルミゲーラ著『秘密の動物誌』にある。同書は謎の失踪を遂げた動物学者、ペーター・アーマイゼンハウフェン博士の資料を元に記されたという体裁の書籍で、通常ではありえない多数の動物が写真や解剖図、観察日記などとともに掲載されている。

しかしこれは「存在するとは写真に写るということである」という逆説を利用して未知の動物たちを紹介するものであり、掲載された動物たちは、すべてこの本のために創作されたものである。

プセウドムレックス・スプオレタリス
［ぷせうどむれっくす・すぷおれたりす］

マダガスカルで発見されたという不思議な生き物。沿岸部に生息しているとされる軟体動物で、一枚貝のような殻を持つ。陸生の動物でありながら太陽光に当たると燃焼する体を持つ。しかし餌とするのはアリを中心とした昆虫類であり、獲物を見つけると蛋白質性粘液を放出する。この粘液は極めて強力で、数秒で獲物をどろどろに溶かしてしまう。その後、プセウドムレックス・スプオレタリスは触手を伸ばし、溶けた獲物を吸収するとされる。

この動物が地面を這った後には輝く赤い痕跡が残るが、これは分泌された消化液なのだという。また殻に生えた棘からは人間の耳には聞こえない超音波を発することができるが、これは獲物を呼び寄せる効果があるという。

ジョアン・フォンクベルタ及びペレ・フォルミゲーラ著『秘密の動物誌』にある。同書は謎の失踪を遂げた動物学者、ペーター・アーマイゼンハウフェン博士の資料を元に記されたという体裁の書籍で、通常ではありえない多数の動物が写真や解剖図、観察日記などとともに掲載されている。

しかしこれは「存在するとは写真に写るということである」という逆説を利用して未知の動物たちを紹介するものであり、掲載された動物たちは、すべてこの本のために創作されたものである。

ヘッテンフィア
［へってんふぃあ］

ソマリアに出現したという怪物。一九九七年、内戦の真っただ中にあったソマリアにて、次々と人を食い殺したという怪物で、姿は小さく痩身の狼のようで、尾は白かったという。

並木伸一郎著『未確認動物UMA大全』によれば、その小ささに似合わず、わずか数分で人間の体を食い尽くしてしまうという。

【ま】

ミコストリウム・ウルガリス
［みこすとりうむ・うるがりす］

アフリカで記録されたという奇妙な生き物。セラ川河口で発見された、脊椎動物と二枚貝が混合したような体を持った動物で、体内に骨を持つが、体は二枚貝の殻のようなものに覆われており、一本の長い腕と長い足を持つ。六〜三〇体ほどの群れを形成し、木の枝を武器にして魚を狩る珍しい習性がある。繁殖期になるとオスは「クリイイア・クルック」と奇妙な歌を歌いながらメスを追いかけ、メスは一本足でくるくると回りながら飛び跳ねる。メスはオスの貝殻の内部に完全に入り込み約三秒間で交尾を終える。オスはその間、青白い光を発するという。

また、極めて人懐っこい性質をしており、人間を見つけると愛想よくじゃれついてくる。しかし人間の声を嫌うため、接触する際には声を発さないようにする必要があるという。

ジョアン・フォンクベルタ及びペレ・フォルミゲーラ著『秘密の動物誌』にある。同書は謎の失踪を遂げた動物学者、ペーター・アーマイゼンハウフェン博士の資料を元に記されたという体裁の書籍で、通常ではありえない多数の動物が写真や解剖図、観察日記などとともに掲載されている。

しかしこれは「存在するとは写真に写るということである」という逆説を利用して未知の動物たちを紹介するものであり、掲載された動物たちは、すべてこの本のために創作されたものである。

モウロウ・ングウ〔もうろう・んぐう〕

中央アフリカ共和国で目撃される怪物。先住民であるバンダ族の言葉で「水の豹（ひょう）」を意味し、実際に豹のような姿をしていると考えられている。しかし体長は大きく四メートルあり、水中に棲（す）んで時に象をも襲って殺すという。

羽仁礼著『超常現象大事典』による。

【ら】

ラウ〔らう〕

アフリカのナイル川上流に出現するという怪物。体長一二～三〇メートルの巨大な大蛇、もしくは大魚とされ、頭には冠羽（かんう）があるとされる。この怪物は別の部族からは「ニャーマ」と呼ばれており、周辺地域の原住民の間では古くから目撃されていたようだ。しかし目撃談自体は少ない。その理由は、この怪物は出会った人間を襲い、頭を割ってその脳味噌を食ってしまうため、生存者が少ないからなのだという説もある。

並木伸一郎著『未確認動物ＵＭＡ大全』によれば、ラウは頭を二つ持つ大蛇である、とされることもあるようだ。

リパタ〔りぱた〕

アンゴラ共和国に現れるという怪物。「リパータ」とも呼ばれる。同国チウムベ地方に生息していると考えられる水陸両生生物で、巨大なトカゲのような姿をしているという。雨季になると棲み処（すみか）である川から上陸し、主に朝や日が落ちてから、人からヤギ、豚、ワニなど大型の動物まで捕食し、地元の住民から恐れられている。

羽仁礼著『超常現象大事典』による。その正体はワニの誤認説、恐竜の生き残り説などがあるようだ。

ルクワタ〔るくわた〕

アフリカで目撃される怪物。アフリカ大陸最大の湖であるビクトリア湖に出現するとされ、その姿は巨大な魚類や爬虫（はちゅう）類である、頭は四角い、もしくは丸みを帯びているなど、目撃者によってその形状が変わるため、複数存在している可能性がある。

ジャン＝ジャック・バルロワ著『幻の動物たち』によれば、一九〇二年、イギリスの探検家であるハリー・ジョンストンが著書でこの怪物について記したという。

【ん】

ンゼフロイ［んぜふろい］

コンゴに現れるという怪物。先住民バルーバ族の言葉で「水の象」を意味し、体はカバのような大きさで、馬のような毛深い尾と象のような牙を持つ。水中に棲み、その姿は滅多に目撃されないが、目撃した人間が死ぬという伝承もある。一方、バルーバ族はこれを罠で殺し、その牙を交易に使ったという記録もあるようだ。

羽仁礼著『超常現象大事典』による。

アフリカ

column

06

クリーピーパスタ

インターネット上で語られる恐怖の物語を指す言葉。身の毛がよだつような恐怖を表す「Creepy」という単語と、「Coppy & Past」という俗語に由来する単語で、文章はもちろんのこと、写真、映像、音声などが電子掲示板をはじめとした様々なウェブサイトでコピーされ、貼り付けられることで広まっていく様子からこの名前で呼ばれるようになった。基本的に閲覧者を怖がらせることに特化した超常的、不条理、グロテスクな物語が展開されるが、そのバリエーションは多い。殺人鬼や謎の怪人が登場するもの、不条理な怪物に遭遇するもの、よく知られたゲームやテレビ番組に不可思議な現象が発生するものなどが代表的。また画像と物語がセットで紹介される場合もあるが、その画像は語られる物語とは無関係に元々ネット上に存在していたものであることが多い。

他にも元々存在する都市伝説や怪談がクリーピーパスタとなっている例もあるが、創作された物語として明確な作者が存在する場合も多い。そのため、基本的に著作権が存在しており、創作の題材にする場合には注意が必要なこともある。

一方、創作でもネット上で広まる過程で新たな性質や物語が追加されて行くこともある。2008年にはこれらクリーピーパスタを収集するウェブサイト「Creepypasta.com」が生まれ、それ以前に生まれた話を含め、多くのホラーストーリーが集められた。

日本でも5ちゃんねるなどの電子掲示板をはじめとして、ウェブサイトに様々な怪談が書き込まれ、広まっているが、これらもクリーピーパスタの一種として数えられることがある。実際に日本のネット上で広まった「ひとりかくれんぼ」などの怪異が、海外のWEBサイト上で広まっている様子も見られる。

これからもクリーピーパスタは生まれるだろう。どんな怪異たちと出会えるのか、楽しみだ。

World Modern Mysteries Encyclopedia

Other

その他

【あ】

アイレス・ジャック［あいれす・じゃっく］

インターネット上で語られた怪人。青いマスクを被り、黒いパーカーを着た人間の姿をしているが、顔の目にあたる部分には眼球がなく、黒い穴が開いていて、黒い物質が滴り落ちている。どのような方法かは不明だが、被害者が気付かぬうちに腎臓を奪い、その傷口を縫い付けることができる。また奪った腎臓は、ジャックの食物となるという。

二〇一二年二月二五日、ＷＥＢサイト「CREEPYPASTA」に投稿された怪人。

悪邪霊［あくじゃれい］

世界中で確認される怪異。心霊主義・心霊科学において未発達かつ無知な霊魂を指す。この霊は波長の似た人間に取り憑いたり働きかけたりしてくることがあるという。

春川栖仙著『心霊研究辞典』にある。

アポカリプティック・サウンド［あぽかりぷてぃっく・さうんど］

世界各地で確認される怪異。空から響く謎の怪音を指す言葉で、「終末の音」の意味を持つ。その由来は『新約聖書』において、最後の審判が始まるとき、まず七人の天使が現れてラッパを吹き、キリストが復活するからなのだという。

この怪異が有名になったのは、二〇一一年八月一三日に撮影されたウクライナの首都、キエフにおける動画、そして二〇一三年八月二九日に撮影された、カナダのブリティッシュ・コロンビア州のテラスという町で撮影された動画で、いずれも動画投稿サイト「ＹｏｕＴｕｂｅ」にて公開されている。どちらも巨大な吹奏楽器を響かせたような音や金属同士を擦り合わせるような音が空から響く様子が撮影されており、その後も世界各地で撮影された終末の音の様子が投稿されている。

その多くは単純に近くの重機から聞こえる音を拾っているだけであったり、音が後から付け足されているなど加工された動画だが、もしかしたらその中に本物が混ざっているかもしれない。

イカモドキ［いかもどき］

ハイアイアイ群島に生息していたという不思議な生き物。その代表的な種類であるゴカイバナイカモドキは群島の中でもマイルーヴィリ島にて発見され、その外見はトガリネズミに似ていたという。特徴的なのは長く伸びる四本から六本の鼻で、幅二〜三センチ、長さは三〇センチに達する帯状の形をしている。この鼻の上面には上向きになって長く伸びた鼻孔が二本の溝となって存在している。また鼻の表面には粘液に覆われた繊毛上皮があり、張り付いた昆虫をそのまま鼻孔を通して消化器官に送ったり、鼻の下まで運んで手や舌で食べてしまうという。

ハラルト・シュテュンプケ著『鼻行類』にある。同書に登場する動物たちはすべて実在する体裁で記されているものの、この著作自体が動物学論文をパロディとして書かれた作品であり、著者のハラルト・シュテュンプケもハイアイアイ群島も登場する動物もすべて架空の存在である。また日本語名は同書の訳者である日高敏隆のものに倣っている。

ウィジャ盤 [うぃじゃばん]

世界中で行われる降霊術。その名前はフランス語とドイツ語でそれぞれ「はい」を意味する「Ｏｕｉ」と、「Ｊａ」に由来する。

アルファベット、数字、「はい」「いいえ」を表す単語などを記した板を用意し、机の真ん中に逆さにしたワイングラスやブランシェットを置く。そして参加者は人差し指をワイングラスやブランシェットの上に置き、質問を行うと指を置いたものが動き出し、はい、いいえ、もしくは文字や数字の上まで移動して答えてくれるという生者が死者と交信するために使われる自動筆記の一種だが、既に用意されている文字や数字、「はい」「いいえ」といった単語に移動するだけであるため、霊と交信して文字を綴る通常の自動筆記よりも遥かに効率的であるという。

ピーター・ヘイニング著『世界霊界伝承事典』、中岡俊哉著『狐狗狸さんの秘密』による。元は心霊主義の降霊術に起源を持つと考えられるが、一八九二年にはアメリカで占い用ゲームとして発売され、様々な人々が気軽に霊と交信しようと試みた。

日本ではこれに類似したものに**こっくりさん**があるが、これもウィジャ盤の影響を受けていると考えられている。

エクスプレッションレス [えくすぷれっしょんれす]

インターネット上で語られる怪異。「無表情」という意味が表すように、生きたマネキンのような姿をした怪異と語られ、一九七二年六月、ある病院に現れたという。

エクスプレッションレスは血まみれのガウンを身に纏(まと)い、マネキンのような顔には眉毛がなく、顔は白い化粧で覆われ、口では子猫の死骸を噛(か)み締めていた。

それからエクスプレッションレスは子猫を口から取って投げ捨てたが、病室に運ばれてしばらくの間は微動だにしなかった。しかし彼女を安全のため拘束しようとしたとき、突然動き出した。

彼女を押さえつけるスタッフを弾き飛ばし、ベッドの上に立ち上がると、医師に向かってほほ笑んだ。その際に見えたエクスプレッションレスの歯は異常に鋭く、長く、どう見ても口の中に収まるものではなかった。

「お前は一体何なんだ」

その医師の質問にエクスプレッションレスがすぐに答えることはなかったが、警備員がやってくる音が聞こえると同時に、エクスプレッションレスは医師に飛び掛かり、その牙で彼の喉に噛み付いた。そして喉の肉を食いちぎり、床に落とした。そして死に行く彼の顔に自分の真っ白な顔を近づけると、「私は、神……」と呟いた。

そしてエクスプレッションレスは逃げ去り、その後彼女を目撃した者はいない。

またエクスプレッションレスと名付けたのは、この惨劇を生き残った、彼女が現れた病院の女医であったという。

WEBサイト「CREEPYPASTA」に二〇一二年七月一五日に投稿された。

ただし、このサイト名にもなっているクリーピーパスタはインターネット上で流布する恐怖譚であり、創作された物語の可能性もある。

オクトパス・ギガンテス
［おくとぱす・ぎがんてす］

世界各地で目撃される怪物。その名の通り異常に巨大なタコのことで、一八九六年、アメリカ合衆国フロリダ州のアナスタジア・ビーチという海岸で見つかった巨大なタコの死体に付けられた学名。その大きさは、触手それぞれが三〇メートル以上の長さを持ち、大型船のマストほどの太さであったという。

ジャン＝ジャック・バルロワ著『幻の動物たち』によれば、このような巨大なタコはそれ以降も幾度も目撃されているという。例えばバミューダ諸島では一九八四年、体長一五メートルはある巨大なタコが、深海に仕掛けられたカニ用の罠を攻撃している様子が目撃されている。地中海では、ある二つの岩の間に巨大なタコが棲み着いていると伝えられ、シチリア島とイタリア本土の間にあるメッシーナ海峡には、一二世紀に「魚のニコラ」と呼ばれた潜水漁夫が、人間よりも大きなタコの群れと遭遇したと報告した記録が残されている。

バハマ諸島周辺では、ブルー・ホール（浅瀬に空いた巨大な海中の穴）に潜む**ルスカ**という巨大なタコの姿をした怪物が伝えられている。これについては当該項目を参照。

オニハナアルキ
［おにはなあるき］

ハイアイアイ群島に生息していたという不思議な生き物。長く伸びた四本の鼻を足代わりに使って逆立ちするように移動する。この鼻による歩行時、鼻の中で空気を圧縮するシュッシュという音が遠くまで響き、獲物に気付かれてしまう。そのため、基本的には待ち伏せして獲物が近くを通りかかると動き出し、数時間でも追いかけ回して捕らえる。そして尾の先にある爪から毒を注入し、止めを刺してゆっくりと骨まで食べてしまう。またその餌は同じく鼻を使って移動する動物、**ナゾベーム**であるという。

また非常に長い間食事をせずとも生きることができ、食べた物をある程度消化するまでは、何週間も冬眠するような状態で過ごすとされる。

ハラルト・シュテュンプケ著『鼻行類』にある。同書に登場する動物たちはすべて実在する体裁で記されているものの、この著作自体が動物学論文をパロディとして書かれた作品であり、著者のハラルト・シュテュンプケもハイアイアイ群島も登場する動物もすべて架空の存在である。また日本語名は同書の訳者である日高敏隆のものに倣っている。

【か】

消えるヒッチハイカー

［きえるひっちはいかー］

アメリカをはじめ、世界中で語られる怪異。「幻のヒッチハイカー」と呼ばれることもある。

ヒッチハイクをしている人間を車に乗せたところ、いつの間にかその姿が消えており、後にその人間が既に死者であったことが判明する、という怪談として語られる。

基本的に幽霊は若い女の姿をしているとされ、彼女の告げた目的地に着くと、その姿は消えている。そこでその女性について周辺で尋ねると、悲惨な事故や事件で死亡している、と教えられる展開が多い。また、その女性の墓が近くにあり、そこへ行くと彼女が身に着けていた衣服の一部、コートやスカーフなどが墓にかかっている、と語られる場合もある。

ジャン・ハロルド・ブルンヴァン著『消えるヒッチハイカー』にある。同書によれば、ニューヨーク州におけるこの類の怪談は一九世紀末には既に語られており、幽霊が乗ってくるのも自動車ではなく馬の背や馬車であったという。

同書やローズマリ・E・グィリー著『妖怪と精霊の事典』によれば、アメリカにおける消えるヒッチハイカーの伝説は一九世紀から伝承されるようになったものとされるが、その起源はさらにヨーロッパに伝わる旅人の伝説まで遡(さかのぼ)るという。

またアジア圏でもこれに類似した話はあり、『消えるヒッチハイカー』によれば、中国では乗物に乗るのではなく、共に歩いていた娘が両親の家に着くと消えてしまう、という話になっているという。この娘は実は死に瀕した娘の魂で、男が彼女を家まで送った直後、本人が死んでしまったことで消えたのだという。死に瀕した人物の魂が親しい人物の元に現れる話は世界各地で散見されるが、魂が見ず知らずの人物に自分の家まで送ってもらうという点は、消えるヒッチハイカーの話に類似している。

日本でも一七世紀の怪談集『諸国百物語』に既にこの類の幽霊が確認できるが、その場合は馬ではなく駕籠に乗っていたとされる。また近代以降には人力車や自転車に乗る幽霊の話も語られているが、ヒッチハイク文化が浸透していない現代では、もっぱらタクシーに乗ってくる幽霊として語られ、名称も**タクシー幽霊**とされることが多い。

吸血鬼［きゅうけつき］

世界中で語られる怪異。血を吸う怪物の総称。人の血を吸う怪物の話は世界各国に記録が残るが、一般に吸血鬼と言った場合、西洋における死者が蘇り、生き血を求めてさまよう存在を指す。中でも現代のイメージは、青白く、長い牙を持つ不死身の怪物で、美しい容姿をした西洋貴族的な装いの男性または女性、というものだろう。

現在でも吸血鬼は文学や映画などにおいて魅力的な題材として数多に取り上げられているほか、実際に吸血鬼が出現したと考えられた**ハイゲイト・ヴァンパイア**事件など、実在する存在として語られることも多い。

マシュー・バンソン著『吸血鬼の事典』による。

現代の吸血鬼の貴族的なイメージはジョン・ポリドリの小説『吸血鬼』（一八一九年）に登場するルスヴン卿という吸血鬼が源流となったと考えられている。それまでの民間伝承における吸血鬼は死体がそのまま蘇ったような存在で、屍衣を纏い、言葉を発するものも少なく、ただ徘徊して獲物を求める、今でいえばゾンビのイメージに近い存在だった。

しかしポリドリの記したルスヴン卿は貴族的な装いと行動を見せ、知能も高い。その容姿も美しく、幾人もの女性から求愛を受ける。これはポリドリが主治医として仕えており、後に喧嘩別れした詩人バイロン卿をモデルにしているためと考えられている。またこの『吸血鬼』の執筆が開始されたのは、一八一六年、ポリドリがバイロンとともに旅行に行った際、ディオダディ荘にて嵐の夜にバイロンが皆で怪談を書こうと提案した、いわゆる「ディオダディ荘の怪奇談義」がきっかけであったことが知られている。この怪談談義に参加していた人物の中にはメアリー・シェリーがおり、この談義をきっかけとして書き上げた小説がかの『フランケンシュタイン、あるいは現代のプロメテウス』であり、吸血鬼と人造人間の現代的なイメージがこの一夜をきっかけとして生まれた話は有名である。

さらにこのディオダディ荘の怪奇談義のきっかけには、もう一人吸血鬼の存在が隠れている。それがイギリスの詩人、サミュエル・テイラー・コールリッジが一七九八年に第一部を、一八〇〇年に第二部を書き、一八一六年に発表された幻想詩『クリスタベル』に登場する女性吸血鬼、ジェラルダインだ。ジェラルダインは直接血液を吸わないが、生命力を吸収する描写があり、古典的な吸血鬼のひとりと考えられている(先述した『吸血鬼の事典』によれば、このような吸血鬼は心霊的吸血鬼と呼ばれる)。東雅夫編『ゴシック名訳集成 吸血妖鬼譚』によれば、ディオダディ荘では、バイロン卿がこの『クリスタベル』を音読すると、メアリーが錯乱状態となり、その後の各自で怪談を書こうという流れとなったという。

このジェラルダインは若く美しい高貴な女性として描かれるが、そのような吸血鬼は『クリスタベル』の執筆と同時期に発表された小説『死者よ目覚めるなかれ』(一八〇〇年)に登場する吸血鬼、ブルンヒルダにも見られる。ブルンヒルダは死から蘇ったために新たな生命を維持するため、生き血を吸わねばならない存在として描かれているが、その容姿は美しく、生前と変わらず他者と会話することもできる。

この美しい女性吸血鬼の流れとして外せないのが、フランスの作家ティオフィル・ゴーティエによって記された小説『死女の恋』に登場する吸血鬼クラリモンドであろう。ロミュオーという僧侶が青春時代に経験した不可思議な出来事を聞かせる形で語られるこの物語では、ロミュオーと互いに愛を交わす吸血鬼、クラリモンドが登場する。クラリモンドは蘇った死者としての吸血鬼であり、生命を維持するために血を欲するものの、愛するロミュオーから血を吸うことができず、彼が眠っている間に針でほんの少しの傷を作り、そこからわずかな血を吸って生き永らえていることを知る。ロミュオーはそんな彼女のためならば血を分けても良いと考えるが、次第に彼女との放蕩(ほうとう)生活と昼間の僧侶としての二重生活に疲れを見せ始め、彼の師である僧侶によってついにクラリモンドの存在がばれてしまう。そこで彼の師セラピオンは聖水を使ってクラリモンドの死体を砕き、ロミュオーはクラリモンドと永遠の別れを経験せねばならなくなる。

そしてこの女性吸血鬼の系譜は、後に女性吸血鬼の代名詞となるレ・ファニュ『カーミラ』(一八七二年)に繋(つな)がっていく。カーミラは死者が蘇った吸血鬼のひとりであり、主人公ローラと同性愛的な関係を結んでゆくが、最後には胸に杭(くい)を打たれ、首を斬(き)られ、燃やされて灰になって川に流される。そしてカーミラから一七年後、彼女の影響を受け、吸血鬼文化にとって決定的な影響を与えた作品が誕生する。ブラム・ストーカーの『吸血鬼ドラキュラ』である。

ルーマニアのトランシルヴァニアに城を構える美形の貴族、ドラキュラ伯爵は、当初老人の姿で現れるが、血を吸うことで生命力を取り戻し、若返る。昼間は活動せず、日没から日の出に掛けて主に活動する、十字架やニンニクを嫌う、怪力を持ち、変幻自在で、蝙蝠(こうもり)や狼(おおかみ)などの動物を操る、影がなく、鏡に映らない、家主に招かれないとその家に入れない、といった後の吸血鬼に見られる特徴が、ドラキュラによって確立された。もっともこれらの特徴は以前の吸血鬼文学や民間伝承に見られるものであり、ドラキュラが最初ではない。しかしドラキュラの影響は非常に大きかった。

さらにこの小説は舞台化され、そこで襟の立った黒いマントを羽織ったドラキュラ伯爵のイメージが登場する。このイメージは一九三一年の映画『魔人ドラキュラ』でベラ・ルゴシが演じたドラキュラ伯爵にも受け継がれ、以降はドラキュラだけでなく吸血鬼全般のイメージに多大な影響を与えた。

この美形の貴族の吸血鬼は現在にも受け継がれ、多くの創作品に登場している。一方で民間伝承の怪物のイメージを継承するような怪物然とした吸血鬼も数多く登場している。今後も多くの吸血鬼が、現代の怪異文化を盛り上げてくれることだろう。

教導霊【きょうどうれい】

世界中で確認される怪異。心霊主義において語られる霊のひとつで、新たに死した人々が十分に意識を回復していなかったり、行くべき道を迷っている場合に特別に世話をしてくれる他界の住人であるという。

春川栖仙著『心霊研究辞典』にある。

巨大ウナギ【きょだいうなぎ】

南大西洋に現れたという怪物。「ダナ」という調査船が南大西洋で網を引き揚げたとき、その網に体長一メートル八〇センチほどの大きさの蛇のような生き物がかかっていた。この生物を解剖すると、それはウナギの幼生だった。これは成長すると三〇～五〇メートル以上の大きさになると予想されるという。

ジョン・A・キール著『不思議現象ファイル』によれば、このウナギは一九三〇年に捕獲されたと記されている。

苦悶する男【くもんするおとこ】

ある絵画に纏(まつ)わる怪異。真っ赤な皮膚の男が悲鳴を上げるように口と目を開いている油絵で、画家が自分の血を絵の具に混ぜて描いたものとされる。

この絵が存在する家では、奇妙な音や叫び声などが聞こえてくるとされ、時には絵から抜け出してきたような男が目の前に現れることもあるという。

この油絵は二〇一〇年六月一日、ショーン・ロビンソンという人物によって動画投稿サイト「YouTube」に公開されたことで全世界に広まった。その動画によれば、この油絵はかつてはショーンの祖母が屋根裏に二五年間保管していたとされ、彼女の死後、ショーンの元に引き取られた。彼は地下室にこの絵を保管したが、以来祖母が話していたような怪奇現象に見舞われることとなったという。ショーンはその後もこの絵画に纏わる動画を何本か投稿しており、そのうちいくつかは現在でも視聴することができる。

グンバイジュ ［ぐんばいじゅ］

世界中で発見される不思議な生き物。鞘に包まれた幹と葉辺の二部分からなる単葉植物とされる**平行植物**の一種。地面に直立して生えるタチグンバイと地面に横たわるネグンバイの二種類がある。世界中の神話や伝説に見られる、王座に座った君主を扇ぐための巨大な扇にそっくりな姿をしているが、他の平行植物同様、黒一色で構成されている。

レオ・レオーニ著、宮本淳訳『平行植物』にある。同書に登場する平行植物と称される生き物は、芸術作品に描かれた植物と類似した姿をしている。静止した時間もしくは現実と平行して存在する別の時間の中で生きているといった特徴を持つ。しかし同書にある植物は実在する体裁で書かれているものの、すべて著者であるレオーニの創作である。平行植物の特徴そのものについては、同項目を参照。

幻姿 ［げんし］

世界中で確認される怪異。希薄な空気から形成されるか個体を通過してきたかのように霊媒や心霊関係者のところに物体が現れる現象。幻姿によって現れるのは花や果物、砂、氷、人間の姿まで様々で、精霊の力を借りて霊媒が自分の元へと物体を呼び寄せるのだという。

ローズマリ・E・グィリー著『妖怪と精霊の事典』にある。同書によればかつて交霊会が開かれた際には心霊主義者たちの間ではありふれた現象だったが、中には今でいうマジックのように、タネと仕掛けがあるものも多かったようだ。

コイシモドキ ［こいしもどき］

カリマ島という島で発見された不思議な生き物。その名の通り小石にそっくりな姿をした**平行植物**で、見た目や感触では黒い火山岩との区別が全く付けられないという。

レオ・レオーニ著、宮本淳訳『平行植物』にある。同書に登場する平行植物と称される生き物は、通常の物理法則が通用しない、静止した時間もしくは現実と平行して存在する別の時間に生きているといった特徴を持つとされる。しかし同書にある植物は実在する体裁で書かれているものの、すべて著者であるレオーニの創作である。平行植物の特徴そのものについては、同項目を参照。

交霊 ［こうれい］

世界中で語られる怪異。そのまま霊と交信することを意味する。古来からシャーマンや巫女（みこ）といった、霊的存在と人間とが交信するための媒介となる人物がいたり、夢や幻視により直接霊的存在と交流する話は多い。

　現代でも世界中で神や死者の霊、不可思議な存在と遭遇、交信した話は数え切れないほど語られているが、特に心霊主義や心霊科学においては、積極的な交霊が行われている。この場合、霊媒と呼ばれる特殊体質の人物に霊を憑依（ひょうい）させ、自動筆記や会話によって死後の世界について聞いたり、現世で悪事を行う理由を解明しようとしたりする場合が多い。

　春川栖仙著『心霊研究辞典』などにある。

【さ】

サイレンヘッド ［さいれんへっど］

　インターネット上で語られる怪異。その名の通り頭部が二つのサイレンのようになっている怪物で、体長一二メートルを超える巨体を持つ。頭は金属製で、痩せ細ったミイラのような肉体をしている。その体色はさびた金属のような赤褐色だが、有機物で構成されている。

　腕と足の長さは同じぐらいで、非常に長い。手には長い爪があり、これで人間を切り裂く。また頭部のサイレンのうち、片方には人間の口のようなものが収納されており、そこから獲物となる人間に親しい人物の声を発したり、奇妙な音楽の断片や会話の断片、怒り狂った男の声や数字など、脈略のない音を発する。

　通常は森に潜み、木々に擬態して獲物を待つ。身内の声を使うなどして森に人間を誘い込むこともある。フクロウのように首を回転させ、獲物を見つけると襲ってくる。襲った人間をどうするのかは不明で、捕食する、音を再現するための材料にするなどの説がある。

　またこの怪物に似た、サイレンが二つではなく五つ以上生えた怪物の話もあり、出現した地域では、多くの人々が鼓膜や軟部組織を破壊されていた、という報告もある。通常のサイレンヘッドとは違い、この怪物は音そのものを武器にする可能性もある。

　カナダのイラストレーターであるトレバー・ヘンダーソンが二〇一八年八月二〇日にＴｗｉｔｔｅｒ上に投稿した画像が発端となり、インターネット上で急速に広まったと思われる怪異。同年の一〇月六日にはヘンダーソン氏がサイレンヘッドの詳しい説明を添えたイラストを投稿している。先述した頭を五つ持つサイレンヘッドのような怪物も、ヘンダーソン氏が二〇二〇年三月二四日にＴｗｉｔｔｅｒ上で紹介したもの。

このように元々は創作であったと思われるサイレンヘッドだが、ネット上ではこの怪物と遭遇したというエピソードが様々に語られたり、ファンアートやサイレンヘッドをテーマにしたインディーズゲームが作られたりしている。

サリー［さりー］

インターネット上で語られた怪異。六歳ぐらいのナイトガウンを着た、長い黒髪の少女の姿をした幽霊とされ、顔に深い切り傷があるという。また手は血にまみれており、遭遇した人間に「一緒に遊びましょう?」と話し掛け、刃物のように鋭い爪で人を襲うとされる。

襲われた人間はどこか地下室のような場所に連れて行かれ、両腕と両足に切り傷を付けられる。その傷は「私と一緒に遊びましょう?」という文章になっているとされ、サリーの残酷な遊びに付き合わされた犠牲者は、腹を裂かれて玩具を詰められるなどするという。

二〇一一年一〇月八日、ＷＥＢサイト「CREEPYPASTA」に、「WILL YOU PLAY WITH ME?」（一緒に遊びましょう?）の題名で投稿された。作中ではこの少女の正体は不明だが、サリーの名前で呼ばれることが多いようだ。

怪談はこの少女に襲われた女性の体験談として語られ、地下室で少女に目を貫かれたところで気を失った女性は、病室で目を覚ます。そこで警察に大量殺人犯として中年男性が捕まったこと、彼女がその事件の唯一の生存者であることを知らされるが、地下室に少女の姿はなかったと伝えられる。そして退院の日、女性は病院を出ようと待合室まで来たとき、そこで地面に転がったおもちゃの中に、あの少女が座っていることに気付く。少女は彼女を見つけ、こう言うのだ。

「一緒に遊びましょう?」

ザルゴ［ざるご］

インターネット上で語られた怪異。写真やコミックなどの作品を乗っ取り、キャラクターや背景をクトゥルフ神話風の奇怪で禍々（まがまが）しく、グロテスクな様相に描き換えるという行為を行う。

ザルゴが現れる際には、「ＺＡＬＧＯ」の文字列が何らかの形で作品中に出現し、それから登場人物の目が真っ黒になり、黒い液体を垂れ流す、体の一部が変化し、触手のような器官が発生する、といった形で描かれることが多い。

ザルゴ自身の容姿は見る人によって異なるとされ、黒い稲妻を纏（まと）った騎士、七つの口と七つの目、四本の腕があり、滅びた星と暗闇を放つ蠟燭（ろうそく）を手に持っている異形の怪物などとされる。その力は強大で、世界を滅ぼす力を持っているなどともされる。

二〇〇四年七月二七日、「Shmorky」という人物が自身の個人サイトで発表した、新聞漫画のコラージュ画像に現れたのが初出と考えられている（現在はサイトが閉鎖されているが、画像は確認できる）。そこから様々な画像でザルゴの登場するコラージュ画像が作成され、ネット上で急速に広まった。

アメリカの作家、H・P・ラヴクラフトの小説から始まる、同じ世界観を共有する作品群を神話になぞらえた「クトゥルフ神話」に出てきそうな怪物だが、クトゥルフ神話にはザルゴという怪物は存在しない。

サンタクロース［さんたくろーす］

世界中で語られる妖精。年に一度、クリスマスの日やってくる赤い服を着て、白い髭をたくわえた老人として語られる。主にトナカイが引く空飛ぶソリに乗り、白く大きな袋にプレゼントを詰め、クリスマスイブやクリスマスに空を翔け回って子どもたちにプレゼントを届ける。その際には煙突から家に入り、ベッドの側に掛けられている靴下にプレゼントを入れて行くという。またその名前は、キリスト教の聖人である「聖ニコラウス（セント・ニコラウス）」が訛ったものと考えられている。

言わずと知れた子どもたちのアイドルだが、サンタクロース自体の歴史はそこまで古くなく、一九世紀以降に生まれたものと考えられている。しかしその元となった伝承の歴史は古い。

若林ひとみ著『クリスマスの文化史』によれば、その起源は先述したキリスト教における聖人、聖ニコラウスにあるという。

クリスマスにサンタクロースがプレゼントを靴下に入れるのは、聖ニコラウスが三人の娘を結婚させるお金がないと嘆く父親の家に三つの金塊を投げたところ、それが三人の娘たちの靴に入ったことに基づいているのだという。

ニコラウスの祭日は一二月六日であったが、聖人崇拝を否定したマルティン・ルターが、ニコラウスの誕生祭の代わりに、イエス・キリストが生まれたばかりの姿で一二月二四日のクリスマスイブに贈り物を持ってやってくるという話を考えた。この幼いキリストはやがてクリストキントと呼ばれるようになり、その姿もキリスト自身ではなく、キリストに付き添う天使の少女や、聖ルチアのように、頭にベールと蝋燭の冠を乗せた女性の姿で描かれるようになる。

そして一八四七年、オーストリアの画家モーリッツ・フォン・シュヴィントが「ミスター・ウィンター」という作品を発表する。ここにはひげの男がフード付きのコートを着て、蝋燭を灯したクリスマスツリーを担いでいる姿が描かれていた。これがクリスマスにプレゼントを届ける存在として、聖人崇拝を認めないプロテスタントの住む地域に定着し、「ヴァイナハツマン」と呼ばれるようになる。またアメリカでは一八〇九年、アメリカに入植してきたオランダ人の聖ニコラス祭（アメリカではニコラウスではなくニコラスと発音する）に触れ、そこで空を飛ぶ馬車に乗る聖ニコラスを描写した。その後、一八二一年にトナカイにソリを引かれる毛皮のコートを着たサンタクロースが描かれた。これが世界で初めてビジュアル化されたサンタクロースであるという。

その後、ドイツ出身のアメリカ人画家であるトーマス・ナストが一八六二年、ニコニコ顔で白髭の太ったサンタクロースを描いた。これがコカ・コーラの宣伝のために描かれたたサンタクロースなどに継承され、今に知られるサンタクロース像となった。

聖ニコラウスを起源とし、一九世紀に生まれたサンタクロースは、今でもクリスマスやクリスマスイブにプレゼントを届けに来る存在として、世界中の子どもたちに親しまれている。

シーサーペント［しーさーぺんと］

世界中の海洋で目撃される怪物。巨大なウミヘビのような姿をしており、日本語では「大海蛇」などと表記される。

ジャン＝ジャック・バルロワ著『幻の動物たち』によれば、一九一五年、第一次世界大戦の頃、ドイツの潜水艦がイギリスの汽船を撃沈した。汽船は海中に沈み、大爆発を起こしたが、その際に体長二〇メートルほどある蛇のような生き物が海上に飛び上がった。その頭部はワニのようで、肢（あし）には水かきがあったという。

ジェフ・ザ・キラー［じぇふ・ざ・きらー］

インターネット上で語られる怪異。漂白された肌、裂けた真っ赤な口、焦げた黒髪、まぶたのない目で白いパーカーを着ているという姿の殺人鬼で、「Go to sleep」と語り掛けて殺人を犯すという。

二〇一二年八月、WEBサイト「CREEPYPASTA」にて公開された怪異。この怪談はジェフに襲われたものの、命を拾った少年が語った話、という体裁で記されている。

少年は悪夢にうなされて真夜中に目覚めると、窓が開いていることに気付く。そして窓を閉めたところ、違和感を覚え、明かりを点（つ）けると、カーテンの裏から彼を見つめる二つの目があった。肌が異様に白く、口が裂けたその男は「Go to sleep」と言いながら少年に近づき、心臓を狙ってナイフを振り上げた。

少年は必死に抵抗していると、物音を聞きつけた少年の父親が部屋に入ってきた。殺人鬼は父親の肩にナイフを投げ、さらに止（とど）めを刺そうと近づいたが、隣人が警察に通報したおかげで、親子は助かったのだという。

続いて、この物語では殺人鬼ジェフの過去が語られる。

ジェフにはリウという弟がいたが、兄弟はある町に引っ越して早々、不良に絡まれる。その際、ジェフは自身でもよく分からない暴力的な衝動と快楽に身を任せて、弟の財布を奪おうとした不良たちを叩きのめし、怪我を負わせる。しかしこれにより警察が彼らを訪ね、リウはジェフを庇って警察に連行されてしまう。

　その後、ジェフは親の見栄で隣人の誕生日パーティに行かされることとなるが、そのパーティに先日の不良たちが乱入し、ジェフを袋叩きにした。その時、前回彼らを叩きのめした際のような暴力的な衝動がジェフを支配し、ジェフは三人の不良を次々と殺害する。しかし最後のひとりを殺害する際、顔に劇薬をかけられ、火を点けられたことで激痛に転げまわり、やがて意識を失った。

　ジェフが目覚めるとそこは病院であったが、顔には包帯が巻かれていた。そして母親から誤解が解けたことでリウが家に帰ってくることを知り、退院の日を心待ちにした。

　そのうちにジェフの顔から包帯が解かれる日が来た。家族は病室でそれを見守っていたが、家族はその顔を見た瞬間、悲鳴を上げるか、絶句するかした。

　ジェフは急いでトイレに駆け込み、鏡を見た。しかしそこにあったのは茶髪で健康的な肌をしていたジェフの顔ではなかった。漂白剤で真っ白に染まった肌、焦げて黒くなった髪、そして火傷によりどす黒い赤に染まった唇だった。

　しかしジェフは変わってしまった自分の顔を見ても絶望することはなかった。むしろ感激し、これ以上ない幸福を覚え、狂ったように笑った。彼は不良たちを叩きのめした日から、その人格が生粋の殺人鬼へと変わってしまっていたのだ。

　ジェフはそのまま退院し、家に戻ったが、その夜遅く、自らの口の端にナイフを突き入れ、耳に向かって、まるで笑みを描くようにナイフで切った。またまぶたを焼いて、目が永遠に閉じないようにした。それは自分がいつでも笑っていられるように、そして新しいこの顔を、いつまでも見つめられるように。

　それからジェフは、ナイフで自分の両親を殺害した。そしてリウの部屋に向かうと、弟の口を塞ぎ、ナイフを振り上げてこうささやいた。

「Go to sleep」

　このジェフ・ザ・キラーというキャラクターの元となったのは、二〇〇八年にインターネット上に投稿された動画で、先に記した物語ともかなり異なったものであったという。しかしこの動画は削除されており、現在は詳細を知ることができない。ただし、この動画内で登場したというまぶたがなく、肌が白く、口が裂けた何者かの画像が、ジェフの姿として現在も広まっている。

　漂白剤を掛けられ、異形の殺人鬼となったジェフの物語は「Sesseur」という人物によって創作され、クリーピーパスタに投稿されたものだが、現在ではジェフが実在し、殺人をして回っているという噂が語られることもあるようだ。

　顔面を漂白された、常に笑っている殺人

鬼という要素はアメリカンコミック『バットマン』シリーズに登場するバットマンの宿敵、ジョーカーと似ている。また自分をいじめた人間を殺害し、家族を惨殺して殺人鬼となる展開は名作スプラッター映画のリメイク、ロブ・ゾンビ版の『ハロウィン』に登場する殺人鬼、マイケル・マイヤーズの設定と類似しているなど、その設定は往年のシリアルキラーのキャラクターを参考としているのかもしれない。

シオンタウン症候群
［しおんたうんしょうこうぐん］

インターネット上で語られる怪異。一九九六年（海外では一九九九年以降）、株式会社ゲームフリーク及び任天堂によって開発、発売された大人気ゲーム『ポケットモンスター赤・緑』に纏わる怪談。このゲームではストーリーの中盤、シオンタウン（英語ではラズベリータウン）という町を訪れるが、この町のＢＧＭを聞いた七歳から一二歳の子どもたちが二〇〇人以上自殺を図ったという都市伝説がある。また自殺しなかった子どもたちも、激しい頭痛を訴えたという。

実はこの事件は発売直後に『ポケットモンスター赤・緑』をプレイした人々にのみ発生しており、そのＢＧＭには大人には聞き取ることができない高音が含まれており、それが自殺の原因となったという。このＢＧＭはすぐにより低い音へと差し替えられたという。

二〇〇〇年代から海外の掲示板ではやり出した都市伝説で、創作の一種と考えられている。実際にポケットモンスターの発売直後に子どもが大勢自殺したという記録はない。

シオンタウンは『ポケットモンスター赤・緑』のストーリー上必ず通らなければならない町となっているが、死や墓場をテーマとしたエリアになっており、それまで触れられていなかったポケモンの死について明確に語られる場所であり、ＢＧＭも不気味なホラー要素がふんだんに取り入れられた町となっている。そのため発売当初からシオンタウンのストーリー及びＢＧＭが深く印象に残った子どもたちは多い。

またゲームではないが、日本で放送されたアニメ『ポケットモンスター』において、一九九七年一二月一六日、「ポケモンショック」と呼ばれる事故が起きた。これはアニメにおいて激しい光による点滅を起こす場面が多用され、それを見ていた子どもたちが頭痛や吐き気などの症状を訴えて病院に運ばれた事件だ。これはアニメ画面を見ていた子どもたちが光過敏性発作を起こしたためだと考えられている。この事故では七〇〇人以上が病院に運ばれる事態となったが、このニュースが海外にも知られ、シオンタウン症候群に影響を与えているのかもしれない。

同様にシオンタウンに関連する怪談に**リードアライブ**がある。

自然霊〔しぜんれい〕

世界中で語られる怪異。心霊主義における霊の概念の一種で、一度も肉体を持って地上に現れたことのない存在を言う。元々幽界、霊界の居住者とされるが、地上の霊能力者はこの霊を見ることができるという。また一般の人間も稀（まれ）に目にすることができ、それらのうち高級なものは神や仏、天使、天神、龍などと呼ばれ、下級なものは妖精や妖怪などと呼ばれたという。

春川栖仙著『心霊研究辞典』などにある。

自動筆記〔じどうひっき〕

世界中で確認される怪異。死者の霊や肉体を持たない存在が生きた人間を通して文章を書くことを指す。その文章を記す際、筆記者は自分が何を書いているか分かっておらず、また自分が知りえない情報を記すことも多い。霊媒はこれを利用し、死者からの情報を得ることも多いという。

ローズマリ・E・グィリー著『妖怪と精霊の事典』、春川栖仙著『心霊研究辞典』による。

支配霊〔しはいれい〕

世界中で確認される怪異。「コントロール」とも呼ばれる。心霊主義において、霊界と霊媒との主要な接点として働くと言われる死者の霊のこと。支配霊は霊媒が意識転換されている状態にあるとき、この体を乗っ取り、霊媒を通して人々と交信する。

支配霊は基本的に子どもっぽく、いたずら好きな性格をしているとされるが、その知性は成人と変わりがないという。しばしば霊界のことや霊媒が知りえないことを話すため、死後の世界が存在することの証明として彼らのエピソードが使われることも多い。

ローズマリ・E・グィリー著『妖怪と精霊の事典』、春川栖仙著『心霊研究辞典』などにある。

地縛霊〔じばくれい〕

世界中で語られる怪異。「アースバウンド・スピリッツ（地表から離れられない霊）」のこと。心霊主義において地上に未練や後悔、恨みなどを残し、霊界や幽界に昇ることができず、地に縛り付けられる霊を指す。

これらの霊は同じ場所に留まり、死の瞬間を繰り返す、あてもなく地上をさまようなどとされる。また彼らは生前の自分の家に留まることも多く、幽霊屋敷が発生する原因となる。また生きた人間に取り憑（つ）いたり、直接悪事を働くこともある。

春川栖仙著『心霊研究辞典』などによる。

地縛霊という言葉は日本でも浸透しているが、この名前が広まる前からその土地や場所に縛られた霊的存在は存在した。これは他の国でも同様で、心霊主義や心霊科学の有無にかかわらず、特定の場所に出現する怪異たちの物語が、世界中で様々に語り継がれている。
これとは別に日本語の地縛霊の訳語として「ストーン・テープ」が使われることもある。これは死者の記録が場所や建物、物体そのものに残るという考え方で、特定の場所には人の精神に作用するエネルギーが発生しており、建物や場所が再生機器となって、そこで起きた死を繰り返すのだという。ただしこの現象が科学的に証明されたわけではないため、地縛霊の正体と断言することはできない。

守護霊［しゅごれい］

世界中で語られる怪異。心霊主義や心霊科学において先天的に人の守護に当たっている他界の住人とされる。またその多くはその人間の遠い先祖であるという。

人間に対する守護霊の影響は大きく、人格の六割から七割は守護霊の感化に基づく。守護霊は一生の中で代わることはほぼないが、その仕事をサポートする補助霊が複数つくことがあるという。

また心霊主義や心霊科学に基づくものではなく、古くから人々の間に信じられてきた守護霊的な存在も多い。例えば一部のキリスト教においては人には生まれたときから守護天使がついていると考えられている。精霊や神が人間を守護すると考える文化も多い。

春川栖仙著『心霊研究辞典』、ローズマリ・E・グィリー著『妖怪と精霊の事典』による。

人体自然発火現象［じんたいしぜんはっかげんしょう］

世界中で確認される超常現象。人間の体が何の前触れもなく燃え上がることを言う。人体だけが燃え、他の物体には火が燃え移らないとされることが多い。

一九五一年七月一日には、アメリカのフロリダ州で七七歳のメアリ・リーサー夫人が灰と化して見つかった。一九八〇年には、同じくフロリダ州で自動車に乗っていた女性が、運転手のすぐ横で燃え出し、そのまま大火傷（おおやけど）を負った。

こういった現象は一八世紀には既に確認されており、一七六三年にはオランダで『人間の自然発火』という本まで出版されている。

コリン・ウィルソン著『世界不思議百科』による。この現象が起きる要因には様々な説があり、生体電気が一時的に高電圧となって発火するという説、アルコールの過剰摂取が原因である説などがある。

人狼［じんろう］

世界中で語られる怪異。狼（おおかみ）男と呼ばれることも多い。その名の通り人間が狼へと変身する存在、もしくは狼と人が混じり合ったものに変身する存在を指し、近年では数多くの創作の題材となっている。

人狼の歴史は古く、古代では自分が狼に変身すると思い込む現象を狼憑（つ）きなどと呼び、それは秘術を使った結果や、神の裁きによるものと考えられた。またギリシャ神話におけるリュカオーンなどのように、狼に変身する人間の物語も語り継がれていた。

　民間伝承においても人が狼になる話は幾つも残されているが、その多くは人が狼そのものに変身する話であり、現代の映画や小説に見られるように人と狼の中間、いわゆる獣人のような姿になる話は少ない。

　例えばフランス南部には今でも狼憑きになる運命を背負った人々がいると信じられており、そういった人々はルーガルーと呼ばれる。ルーガルーは満月の夜になると走りたいという衝動に駆られ、外に飛び出して泉に飛び込む。水を浴びるとその体はびっしりとした毛に覆われ、狼の姿となって出くわした人間や動物を襲う。そして夜明けが近くなると再び水中に身を沈め、毛を洗い流して人間の姿に戻るという。

　S・ベアリング＝グールド著『人狼伝説』などによる。

　現代の人狼もしくは狼男のイメージは、映画によってつくられた部分が大きい。一九三五年に公開されたユニバーサル・スタジオの映画『倫敦の人狼』においては人間の姿のまま狼の特徴を取り入れた獣人型の人狼が映像として登場し、また現在では一般的になった「人狼に噛まれた者は人狼になる」という特徴が生まれた。それから六年後の一九四一年、同じくユニバーサル・スタジオで作成された『狼男の殺人』が公開される。これは人狼の弱点として知られるようになった「銀の弾丸」が初めて登場した。この映画はヒットし、同じくユニバーサル・スタジオで作成された『魔人ドラキュラ』に登場する吸血鬼ドラキュラ、『フランケンシュタイン』に登場するフランケンシュタインの怪物、『ミイラ再生』に登場するミイラらとともに世界的に知られるモンスターとなった。

　この映画の公開から半世紀以上経った現在においても人狼は世界のモンスターを代表する存在として様々な作品に登場し、活躍している。

スカイフィッシュ［すかいふぃっしゅ］

世界中に出現する怪物。欧米ではスカイロッド、ロッドと呼ばれることも多い。

　棒状の体に帯状のひれ、もしくは何枚もの羽を持つ姿をしており、肉眼で捉えられないほどのスピードで空中を移動する。体色は白、黒、茶色などがあり、幾度も映像や写真に記録が残されたが、決して捕まることはなかった。その正体はカメラの前を横切る虫の残像であるというものがあるが、この説では証明できない姿をしたスカイフィッシュもいる。そのため、カンブリア紀の生物であり、五億二五〇〇万年前から五億五〇〇〇万年前に生息していたアノマロカリスが進化したものという説が生まれた。アノマロカリスは海生生物だが、その体の両脇に一三対のひれを持ち、その部分がスカイフィッシュに類似する。

　他にもプラズマ生命体である、などの説が存在しているようだ。

並木伸一郎著『未確認動物UMA大全』による。同書によれば、この未確認生物が初めて記録されたのは、一九九四年のアメリカ、ニューメキシコ州で、ホセ・エスカミーラという人物によって映像として撮影されたものだという。

スカイフィッシュは日本にも出現例があり、主に兵庫県神戸市の六甲山における目撃談が多い。

スマイル・ドッグ［すまいる・どっぐ］

インターネット上で語られた怪異。チェーンメールの一種であり、メールに添付された笑みを浮かべるシベリアンハスキーの画像を見ると、狂気に陥るなどとされた。これを回避するためには、一定人数に同じメールを転送しなければならないという。

ＷＥＢサイト「Creepypasta Wiki」によれば、一九九〇年代半ばから後半にかけて、「笑え！　神はお前を愛している！」という題名のメールに添付されてチェーンメールとして広まったという。スマイル・ドッグの画像は現在確認できるだけでも数種類あるが、普通の犬との違いとして、笑みを浮かべた口に生えているのが、犬の牙ではなく人間の歯となっていることが挙げられる。また、顔面の毛がなく、頭頂から側頭にかけてのみ毛が生えているというより、人間に近い顔に加工された画像がスマイル・ドッグとして掲載されていることが多い。

スレンダーマン［すれんだーまん］

インターネット上で語られる怪異。その名の通り痩せた長身の人間のような姿をした怪人だが、その顔には目、鼻、口といったパーツが一切なく、背が異常に高い。黒い背広を着た姿で現れることが多く、人間を追跡する。追跡された人間は恐怖や妄想に囚われ、精神的な被害が及ぶ。時には直接人間を襲うこともあり、初期の噂では人間を木に串刺しにして内臓を奪うなどと語られ、近年では対象者を何か月にもわたって追跡し、精神的に被害を与える中で、対象者が隙を見せて一人になったりすると、誘拐したり、直接殺害するなどと語られる。また犠牲者の多くは子どもで、大人は肉眼ではスレンダーマンの姿を見ることができないが、カメラを通すとその姿が写真や映像に残ることがある。

多彩な能力を持ち、身体から触手を生やし、手足のように扱ったり、テレポーテーションを行い、一瞬で対象者との距離を縮めるなどと言われる。

一六世紀から一七世紀初頭にはドイツでスレンダーマンと思しき怪人が目撃されたと考えられており、一九〇〇年代初頭には写真でその姿が記録された。そして二〇〇〇年代に入り、インターネットを通してその存在が広く認知されたという。

並木伸一郎著『ムー的都市伝説』、ＷＥＢサイト「THE SLENDER MAN WIKI」による。

以上が現在語られているスレンダーマン

の概要となるが、この怪人は個人によって創作された存在であることが明確になっている。きっかけは二〇〇九年六月八日にアメリカの電子掲示板である「サムシング・オーフル・フォーラム」というサイトに立てられたフォトショップ（画像編集アプリケーションソフト）を使って超常的な画像を作り出そう、という旨のスレッドで、二日後の六月一〇日に公園で遊ぶ幼い子どもたちと、それを遠くから見つめる長身かつ触手を生やした怪人の写真、及び歩いている一〇代半ば頃の少年少女たちの背後に長身の怪人が写っている写真が投稿された。この写真とともにスレンダーマンという名前と、写真がそれぞれ一九八三年、一九八六年に撮られたこと、写真に写っている子どもたちはみな行方不明になったこと、撮影者はいずれも死亡したか行方不明になったことが記された。また二枚の写真はスターリング・シティ図書館の火災現場跡から発見されたが、写真自体は証拠物件として押収されたという。誰に押収されたのかは記されていない。

この投稿を行ったのはビクター・サージ（本名エリック・クヌーゼン）という人物で、スレンダーマンというキャラクターはこの人物によって創作された。氏は二〇一〇年にはこのスレンダーマンを著作権登録している。

しかしスレンダーマンはネットの海の中で一気に広まり、作者の手を離れて様々な物語が語られるようになった。ニューヨークタイムズの二〇一八年八月一五日の記事「How Slender Man Became a Legend（スレンダーマンはどのようにして伝説となったか）」によれば、スレンダーマンの画像が投稿されてすぐに、電子掲示板の住人達（たち）によって黒い背広を纏（まと）う、背中に触手を生やす、子どもを拉致する、残虐な方法で子どもを殺す、といった特徴が付け加えられた。また先述した一六世紀にドイツで出現したという例も、一六世紀に刷られたという木版画を創作することによって説得力のある形で語られた（ここに出てくる怪人はスレンダーマンではなく、グロスマンと呼ばれる）。この木版画では甲冑（かっちゅう）を纏った騎士のような格好でスレンダーマンが描かれている。また一九〇〇年代に記されたという設定の新聞記事が作成され、誕生する以前のスレンダーマンの過去が形作られていった。

さらにスレンダーマンは映像やゲームの題材としても活躍し、様々な作品が作られた。一方、実際にこのスレンダーマンと遭遇したという報告も後を絶たない。さらに二〇一四年にはアメリカのウィスコンシン州にて少女二人が同級生を一九回にわたって刃物で刺すという事件が起きた。この少女たちはスレンダーマンの手下になるため、自分の忠義を示そうと同級生を襲ったのだという。被害者は一命をとりとめたものの、この事件は大きなニュースになり、インターネットと子どもの関係についても議論されることとなった。

このように大きな影響を与えたスレンダーマンだが、インターネット上で語られる怪談の総称として使われる「クリーピーパスタ」の誕生のきっかけのひとつであり、その代表のひとつであるスレンダーマンは、現在も人々に親しまれ、多くの人々の間で語り継がれている。

聖痕現象［せいこんげんしょう］

世界中で語られる怪異。主にキリスト教において、体の一部に自然に傷が生じること。多くの場合、イエス・キリストが十字架に磔（はりつけ）にされた際に傷を負った部分、つまり手のひらや両足から出血がある、という現象として語られることが多い。これらは宗教的な洗脳状態で起きることが多く、何らかの予兆と考えられることもある。

春川栖仙著『心霊研究辞典』などにある。

ゾンビ［ぞんび］

世界中で語られる怪異。現代ではいわゆる生ける屍（しかばね）を指し、死者が死者のまま蘇（よみがえ）り、人を襲う存在を言う。人肉を第二の生命維持のために必要とするが、体は腐り続ける。一方、生前よりも頑強になっており、痛みを感じず、普通に攻撃しただけでは殺すことができない。確実に行動不能にさせるためには、脳を破壊しなければならない。またゾンビに噛（か）まれると即死はせずとも継続的なダメージを受け、やがて死に至る。またゾンビによって傷を付けられた人間が死亡すると、やがてゾンビになるとされる。

ゾンビは走ることができず、緩慢な動作のものが多いが、最近では生きた人間以上の身体能力を発揮するものもいる。感染によって鼠算（ねずみざん）的に増えていくため、このようなゾンビたちから逃れるのは至難の業である。

以上が現代の映画や文学で語られるゾンビの特徴であるが、これらのよく知られた性質を持つようになったのは、ジョージ・A・ロメロの映画『ナイト・オブ・ザ・リビングデッド』（一九六八年）以降と考えられている。この映画でロメロは死者が死者のまま蘇る（死体が動く）、人肉を食らう、噛まれるとゾンビになる、走らず、緩慢な動きで襲ってくる、頭部を破壊することで倒せる、といったゾンビの基本的な性質を描写し、以降これがスタンダードとなる。

ロメロのゾンビはリチャード・マシスンのSF小説『地球最後の男』に登場する吸血鬼の影響を受けており、噛まれると感染し、同種の存在となる、という要素は吸血鬼由来の能力である。

マシュー・バンソン著『吸血鬼の事典』によれば、ゾンビは元々ナイジェリアやコンゴの部族の言葉で、蛇の神を表すものであったが、西インド諸島のブードゥー教の呪術師が蘇らせた死体の魔術的な力を指す言葉として使用するようになったという。またテリー・ブレヴァートン著『世界の神話伝説怪物百科』によれば、ゾンビはフグ毒を使った調合薬によって神経を損傷させ、生きたまま屍のような状態にして抵抗しない奴隷にしたものであったという。

このブードゥー教におけるゾンビも映画化されており、一九三二年には『恐怖城』

（ビデオ名『ホワイトゾンビ』）という作品で、ブードゥー教の司祭がゾンビパウダーという薬を使ってゾンビを作成する様子が描かれている。このゾンビは後のゾンビ映画に大きな影響を与えたが、吸血鬼や狼（おおかみ）男ほど流行することはなく、先述したロメロの映画によりゾンビの概念は一新されることとなった。

　現代でもゾンビ映画は頻繁に作られており、緩慢な動きではなく異様な身体能力を持つ存在として描かれることも多くなった。また現実に死体が動いたような怪物が目撃された際にも、ゾンビの名前が使用されることが多い。

【た】

第六感［だいろっかん］

世界中で語られる怪異。人間に宿っている通常の視覚、聴覚、嗅覚、味覚、触覚の他に六番目の感覚が存在しているという言説。幽霊など通常の感覚では捉えることができない存在を捉えることができる感覚として語られることが多く、日常では直感や勘などを指すこともある。その他にもテレパシー、サイコメトリー、透視、予知など、超常的な力を言う際に使われる。

　春川栖仙著『心霊研究辞典』などにある。一九九九年公開の映画『シックス・センス』で霊感を持つ少年が主役のひとりとなるなど、近年でも馴染み深い概念である。

タダノトッキ［ただのとっき］

世界中で発見される不思議な生き物。**平行植物**の一種とされ、北極のツンドラ地帯からアンデス山脈、オマールのデルタ地帯など地理的条件にかかわらず存在する。細長い突起のような姿をしており、一平方センチメートルの中に数千本が群生するなど、群れで生える。平行植物は人間の視覚を通すとすべて黒色に見えるが、タダノトッキはその中でも色に幅があり、黒一色ながらカラフルに見えるという。

　レオ・レオーニ著、宮本淳訳『平行植物』にある。同書に登場する平行植物の中でも代表的なもの。これらの生物は通常の物理法則が通用しないといった通常の生物にはない特徴を持つとされる。しかし同書にある植物は実在する体裁で書かれているものの、すべて著者であるレオーニの創作である。平行植物の特徴そのものについては、同項目を参照。

タバハナアルキ［たばはなあるき］

ハイアイアイ群島で発見されたという不思議な生き物。土の中に棲むハナアルキの一種で、代表的なのはシュノーケルタバハナアルキだという。このハナアルキは湖の泥土や川沿いの土の中に生息し、体長一〇センチに対しその四倍ほども伸びる鼻を使って餌を取ったり、呼吸したりしている。この鼻は伸縮させることができ、左右非対称となっている。片方は先端が花型で、開いた穴から空気を吸い込むのに使われる。もう片方は筒型で、息を吐き出すのに使われる。また食事をする際は、昆虫の幼虫などを鼻で啜り、そのまま鼻の中を通して口に運ぶとされる。

ハラルト・シュテュンプケ著『鼻行類』にある。同書に登場する動物たちはすべて実在する体裁で記されているものの、この著作自体が動物学論文のパロディとして書かれた作品であり、著者のハラルト・シュテュンプケもハイアイアイ群島も登場する動物もすべて架空の存在である。また日本語名は同書の訳者である日高敏隆のものに倣っている。

ダンボハナアルキ［だんぼはなあるき］

ハイアイアイ群島に生息していたという不思議な生き物。巨大な耳と細く長いしなやかな鼻を持ち、この鼻を折り曲げて真上に跳躍した後、耳を使って空を飛ぶことができるという。そして空を飛ぶトンボなどを餌とするらしい。

ハラルト・シュテュンプケ著『鼻行類』にある。この著作自体が動物学論文のパロディとして書かれた作品であり、この動物にはディズニイ映画で有名な空飛ぶゾウ、「ダンボ」のパロディも見受けられる。著者のハラルト・シュテュンプケもハイアイアイ群島も登場する動物もすべて架空の存在である。また日本語名は同書の訳者である日高敏隆のものに倣っている。

チャネリング［ちゃねりんぐ］

世界中で語られる怪異。心霊主義において、守護霊、神、死者の霊などの霊的存在と、自動筆記や自動会話を通して交信することを意味する。これがはやり始めたのは比較的最近で、作家ジェーン・ロバーツがチャネリングにより、セスという霊を通して書いたものをまとめた『セスは語る』がベストセラーになった一九七〇年代以降であるという。**自動筆記**については当該項目を参照。

ローズマリ・E・グィリー著『妖怪と精霊の事典』にある。

ツキノヒカリバナ［つきのひかりばな］

世界中で発見された不思議な生き物。肉眼では夜にのみ、星雲のようにしか見えず、かろうじて輪郭が分かる程度であるという。しかしその姿かたちは太古の彫刻や壁画、伝説などに残されており、これらを元にツキノヒカリバナの姿が復元された。

それによれば、ツキノヒカリバナは幹と花冠の二部分に分けられ、幹の基底部が異様に太く上に向かうにつれ細くなる。花冠は円形の皿状の形をしており、その上には種子のような金属に似た球体がいくつも乗っている。これらは夜になると淡い銀色に光った、という話も残されている。

月の隕石（いんせき）とともに地球にやってきた植物である、という話もあるが、太古から地球にあったらしく、数多くの神話や伝説に残されているようだ。

レオ・レオーニ著、宮本淳訳『平行植物』にある。同書に登場する**平行植物**と称される生き物は、過去の芸術作品に描かれた植物と姿形が一致する、静止した時間もしくは現実と平行して存在する別の時間の中に生きているといった特徴を持つとされる。しかし同書にある植物は実在する体裁で書かれているものの、すべて著者であるレオーニの創作である。平行植物の特徴そのものについては、同項目を参照。

ディスマン［でぃすまん］

インターネット上で語られた怪異。この男の物語はこのように語られる。二〇〇六年一月、アメリカのニューヨークである有名な精神科医の元に、ひとりの女性患者が現れた。女性患者は、夢に繰り返し現れる男について相談し、その顔を絵に描いた。

女性患者は、誓って私生活でこのような男と出会ったことはないと話した。

それから精神科医はその夢の男のことを忘れていたが、ある日、別の患者が夢の男の似顔絵を見て、自分も夢でこの男と遭遇したと話した。そこで精神科医が、知り合いの医師にこの絵を送り、同じ男に夢で出会ったことがないかという調査を患者にするように頼んだ。すると驚くべきことに、四人の患者がこの男が夢に現れると回答した。彼らは男を指さし、こう呼んだ。「This man」と。

ディスマンには公式ホームページが存在し、その画像がネット上で公開されており、眉の太い中年男性のような外見をしている。同サイトによれば、このディスマンを夢で目撃したという情報は世界中で発信されており、二〇〇〇件を超えるという。そしてサイトには、夢の中でディスマンと出会った人々を助け、情報を共有すること、ディスマンの正体を突き止めること、などと書かれている。

しかし実際にはディスマンの物語はまったくの創作であることが判明している。仕掛け人はイタリアの広告代理店の経営者であり、社会学者でもあるアンドレア・ナテッラという人物で、ネット上で情報が拡散することを利用した販売促進の方法の効果を証明するために行った実験であったという。実際、ディスマンは世界中に広まり、多くの人々がその情報を拡散し、共有した。そんな中、架空の存在であるはずのディスマンを実際に夢の中で見た、という情報も語られている。ディスマンはいつの間にか、独立した存在となって人々の夢を渡り歩いているのかもしれない。

電子音声現象［でんしおんせいげんしょう］

世界中で確認される怪異。死者の霊が出す音声が直接磁気オーディオテープに記録されることを指す。これは現代においては霊と交信するための新たな方法であると考えられており、様々な研究者がこの実験を行っているという。

ローズマリ・E・グィリー著『妖怪と精霊の事典』にある。

ドッペルゲンガー［どっぺるげんがー］

ヨーロッパをはじめとして、世界中で語られる怪異。ドッペルゲンガーはドイツ語だが、生者と全く同じ姿をした幻が出現することで、英語ではダブル、日本語では離魂病などと呼ばれるものに同様の現象がある。この幻霊は本人の前に現れることも、第三者の前に現れることもあるが、多くの場合、死の予兆と考えられている。

ローズマリ・E・グィリー著『妖怪と精霊の事典』にある。

トビハナアルキ［とびはなあるき］

ハイアイアイ群島に生息していたという不思議な生き物。水辺の至るところに生息するという。発達した長い鼻を持ち、これを屈伸させて後方に跳躍することで移動する。また尾の先に毛が癒着してできた捕獲ばさみがあり、これを利用して獲物を捕らえるとされる。

ハラルト・シュテュンプケ著『鼻行類』にある。同書に登場する動物の中でも代表的なもので、よく他の作品にも登場する。『鼻行類』は著作自体が動物学論文のパロディとして書かれた作品であり、著者のハラルト・シュテュンプケもハイアイアイ群島も登場する動物もすべて架空の存在である。また日本語名は同書の訳者である日高敏隆のものに倣っている。

【な】

ナゾベーム［なぞべーむ］

ハイアイアイ群島に生息していたという不思議な生き物。四つの鼻を持つ特殊な形態を持つ動物。代表的なのはモルゲンシュテルンオオナゾベームで、短くずんぐりした頭部から、四本の長く太い鼻が生えている。ナゾベームはこの四本の鼻を使って逆立ちするようにして移動し、発達した前足や尾を使って餌を取る。後ろ足は退化し、ほとんど使われない。特に尾は盲腸に直接繋がっており、内部で生成されたガスを利用して四メートル以上の長さになる。これにより高部に生える果実を摑み、ガスを噴出して元の長さに戻した後、食すのだという。

ハラルト・シュテュンプケ著『鼻行類』にある。同書はこの著作自体が動物学論文をパロディとして書かれた作品であり、著者のハラルト・シュテュンプケもハイアイアイ群島も登場する動物もすべて架空の存在である。ナゾベームは『鼻行類』そのものの着想の元となった『ナゾベーム』という詩に登場する。ドイツの詩人、クリスティアン・モルゲンシュテルンによって記されたこの作品には、鼻を使って歩くナゾベームという動物が登場する。

ナメクジハナアルキ［なめくじはなあるき］

ハイアイアイ群島に生息していたという不思議な生き物。数種類がおり、ファデラハナメクジハナアルキは群島の中のマイルーヴィリ島に生息する。金褐色の毛皮に大きな鼻を持ち、ファデラハ湿地帯という場所で確認される。大きさはハツカネズミほどで、カタツムリのような形、移動機能を持った鼻を使って移動する。主食は湿地帯に生息している巻貝だという。

近縁種のコウラナメクジハナアルキは尾に甲羅を持ち、群島の中のイサソファ島の火山の爆裂火口でのみ確認される。尾を折り畳むことで甲羅の中に身を隠す術を持ち、それによって身を守るという。

ハラルト・シュテュンプケ著『鼻行類』にある。同書に登場する動物たちはすべて実在する体裁で記されているものの、この著作自体が動物学論文をパロディとして書かれた作品であり、著者のハラルト・シュテュンプケもハイアイアイ群島も登場する動物もすべて架空の存在である。また日本語名は同書の訳者である日高敏隆のものに倣っている。

南極ゴジラ［なんきょくごじら］

南極で目撃された怪物。一九五八年二月

十三日、日本の南極観測船である宗谷が遭遇したとされ、その姿は頭の長さだけで七、八〇センチあり、顔は牛のようだが、頭は丸みを帯びて猿のような形をしていた。また一〇センチほどの長さの黒褐色の毛が生えており、全身を覆っていた。その背には縦に鋸（のこぎり）のような背びれがあり、どちらかといえば陸生の哺乳類のような姿であったという。

この目撃談は宗谷の船長であった松本満次の著書『南極輸送記』にあり、これが唯一の情報となっている。松本氏はこの怪物を「南極のゴジラ」と表現しており、一九五四年に第一作が公開された怪獣映画『ゴジラ』に登場する怪獣、ゴジラになぞらえた。その後、「南極ゴジラ」の名前が定着し、この名で紹介されることが多い。

ニンゲン「にんげん」

インターネット上で語られる怪物。一九九〇年代後半から日本政府の調査捕鯨にて確認されているという謎の生き物で、「人型物体」と呼ばれていた。その姿は複数あり、五体のある人間の形をしていたり、人間の上半身が二つ結合したようなものなどがいる。鯨のように海中から現れるが、その全身は真っ白で、全長は数十メートルに及ぶという。

2ちゃんねる（現5ちゃんねる）オカルト版の「巨大魚・怪魚」スレッドにて、二〇〇二年五月一二日に書き込まれた。この書き込みでは怪物は上記のように「人型物体」と呼ばれており、同スレッド内では**南極ゴジラ**との関連も考察されている（南極ゴジラについては当該項目参照）。この後、同日のうちに人型物体の専用のスレッドが立てられたが、こちらでは既に人型物体について書き込んだ人物が、この怪物は「ニンゲン」と呼ばれているという話を書き込んでおり、現在では「ニンゲン」もしくは「南極のニンゲン」という呼び方が定着している。

ちなみに地球の反対側に出現するとされる、同じくネット発祥の**ヒトガタ**という怪物がいるが、同スレッド内では呼び名を「ヒトガタ」にするか「ニンゲン」にするかの議論が行われているのが見える。ヒトガタについては当該項目を参照。

【は】

ハナススリハナアルキ［はなすすりはなあるき］

ハイアイアイ群島に生息していたという不思議な生き物。群島の中でもハイダダイフィ島におり、小川の岸辺を生息地とする。特殊な捕食行動をすることで知られており、水上に張り出した植物の茎の上にしがみ付き、水面に向かって長く伸びた鼻から鼻水のような捕獲糸を垂らす。その捕獲糸に水生生物が引っかかると、鼻をすするように糸を巻き上げ、長い舌を伸ばして獲物を捕食するという。

ハラルト・シュテュンプケ著『鼻行類』にある。同書に登場する動物たちはすべて実在する体裁で記されているものの、この著作自体が動物学論文のパロディとして書かれた作品であるため著者のハラルト・シュテュンプケもハイアイアイ群島も登場する動物もすべて架空の存在で実在しない。また日本語名は同書の訳者である日高敏隆のものに倣っている。

ハナムカデ［はなむかで］

ハイアイアイ群島に生息していたという不思議な生き物。オニハナムカデとナキハナムカデの二種がおり、どちらも大型で前者は体長二・二メートル、後者は体長一・五メートルに及ぶ。

細長く伸びた口とその両側から生える一九対の細長い鼻を持ち、四本の足は退化している。一九対の鼻のうち最前の一対は触覚のような役割を担い、他の一八対はムカデの足のように移動に使われる。

また繁殖期になるとこの鼻のそれぞれから異なった音を鳴らし、音楽を奏でることでも知られている。

ハラルト・シュテュンプケ著『鼻行類』にある。同書に登場する動物たちはすべて実在する体裁で記録が残されているが、この著作自体が動物学論文のパロディとして書かれた作品であり、著者のハラルト・シュテュンプケもハイアイアイ群島も登場する動物も創作されたもの。また日本語名は同書の訳者である日高敏隆のものに倣っている。

ハナモドキ［はなもどき］

ハイアイアイ群島に生息していたという不思議な生き物。その名の通り花に擬態する動物で、ハナアルキの一種。鼻が口の周りに花びらのように広がっており、口から強い匂いを発して昆虫を誘い、昆虫がやってくるとすごい勢いで鼻を閉じ、食べてしまう。

またハナモドキは強靭な尻尾を持ち、五

〇センチにも達するこの尾を伸ばして直立し、風に揺られながら花に成りすますとされる。

ハラルト・シュテュンプケ著『鼻行類』にある。同書に登場する動物たちはすべて実在する体裁で記されているものの、この著作自体が動物学論文をパロディとして書かれた作品であり、著者のハラルト・シュテュンプケもハイアイアイ群島も登場する動物もすべて架空の存在である。また日本語名は同書の訳者である日高敏隆のものに倣っている。

バミューダトライアングル

［ばみゅーだとらいあんぐる］

フロリダ半島の先端、プエルトリコ、バミューダ諸島を結ぶ三角形の海域。この海域に飛行機や船が入ると機体や船体、もしくは乗務員が消えてしまうという伝説が語られる。

この伝説がよく知られるようになったのは一九七四年に発行されたチャールズ・バーリッツ著『謎のバミューダ海域』がベストセラーとなって以降と思われるが、現在では、この書は正確性に欠ける部分が多いと考えられる。一方、この海域で遭難事故が多発していることは事実であり、コリン・ウィルソン著『世界不思議百科』によれば、一九四五年一二月五日、アメリカ合衆国フロリダ州フォート・ローダーデールの空軍基地から飛び立った五機の雷撃機のコンパスがすべて誤作動を起こし、やがて計器が壊れ、そのまま行方不明になった事件がこの海域における遭難事件の発端だと記されている。一方、この事件も誇張して記されている記録も多く、実際は普通の遭難事件であったという可能性も高い。またこの事件は一九六四年、雑誌記事にて紹介され、「バミューダトライアングル」の呼称がこの時初めて使われたという。

この海域で遭難事件が多発するのは、宇宙人やブラックホールによるものといった説のほか、大量の暖水がこの海域に流れ込むことで水分が蒸発し、塩度が高い海水と通常の海水が混ざり合うことで海中に激流の渦が生じるため、という説や、局地的な磁気の乱れが発生しやすい場所であるため機器を狂わせる、といった説がある。

ヒトガタ

［ひとがた］

インターネット上で語られる怪物。北極に出現するというその名の通り人の形に似た姿をした怪物で、真っ白な体色をしている。人語を解し、話しかけると基本的に逃げるが、たまに言葉を返してくるという。

同様に人型で真っ白な体色の謎の生物が南極にも出現しており、**ニンゲン**と呼ばれている。

2ちゃんねる（現5ちゃんねる）オカルト版の「巨大魚・怪魚」スレッドにて、二〇〇二年五月一二日に書き込まれた人型の謎の生物に関する情報が元となってネット上に流布するようになり、未確認生物として認識されるようになった。

この書き込みでは白い生物は「人型物体」

と呼ばれており、この後、同日のうちに人型物体の専用のスレッドが立てられたが、これらにおいて南極の人型生物は「ニンゲン」もしくは「ヒトガタ」の名前で語られている。この後、南極に出現したこの生物の呼び名はニンゲンが優勢となる。

一方、北極に出現したとされる人型生物が「ヒトガタ」と呼ばれ、区別されるようになったのは一年以上経った二〇〇三年の夏頃だという。ＡＳＩＯＳ著『ＵＭＡ事件クロニクル』における廣田龍平氏の考察によれば、ＷＥＢサイト「謎の巨大生物ＵＭＡ」の掲示板で「北の海にヒトガタという生物がいる」という旨の書き込みがなされ、これが同サイトで編集され、「南極のニンゲン／北極のヒトガタ」というタイトルで紹介されたことがきっかけだという。

ニンゲンとヒトガタはネット上で多くの人々の間で話題となり、その姿を捉えたという様々な画像も公開された。それらは想像によって創作された写真であるが、クオリティの高いものも多く、ニンゲンやヒトガタが実在するかもしれない、という説得力を持たせるのに大きな役割を担っている。

ヒメツキノヒカリ［ひめつきのひかり］

世界中の熱帯雨林で確認される不思議な生き物。平均一〇センチ以下しかない小さな**平行植物**の一種で、びっしりと繁殖した他の植物が作る闇の中にひっそりと生えている。

通常の**ツキノヒカリバナ**と同じく幹と花冠からなるが、花冠の比率が非常に大きく、直径が全体の半分ほどの大きさがある。花冠には種子に見える球体があり、強い光を放つ。基本的に暗闇の中にあるため、球体が光を放つ原理は分かっていないという。

レオ・レオーニ著、宮本淳訳『平行植物』にある。同書に登場する平行植物と称される生き物は、通常の物理法則が通用しない、静止した時間もしくは現実と平行して存在する別の時間の中に生きているといった特徴を持つとされる。しかし同書にある植物は実在する体裁で書かれているものの、すべて著者であるレオーニの創作である。平行植物の特徴そのものについては、同項目を参照。

ヒロブライン［ひろぶらいん］

インターネット上で語られる怪異。人気ゲームソフト「Minecraft」の中に出現する謎のキャラクターで、ゲーム内で使える主人公のデフォルトの姿に似ているが、目の部分が白目だけになっている。

本来はゲーム内に存在しないはずのヒロブラインであるが、あるプレイヤーがこれと遭遇した際には、じっとプレイヤーの方を見つめていたという。また独自に移動することもでき、ゲーム内のブロックを使って謎のオブジェを建築したり、逆に破壊したりする。

その正体はゲーム開発者のNotchの死んだ兄弟であり、いつの間にかゲームの中に入り込んでいたのだという。

英語圏の電子掲示板「4chan」に投稿された画像が起源と考えられており、インターネット上の恐怖譚を集めたWEBサイト「CREEPYPASTA」にも二〇一〇年一〇月三〇日に投稿されている。

「Minecraft」はほぼ無限に広がる様々なブロックで構成された世界で、プレイヤーが自由にブロックを壊したり、素材として利用できるゲームで、サバイバルを行ったり、創作を楽しむことができる。

2020年時点で世界で最も売れたゲームであることもあり、ヒロブラインの噂は瞬く間に広まったが、ゲームの開発元であるスウェーデンのMojangはこの存在を公式に否定しており、開発者のNotchにも兄弟はいないという。

しかしMojang自身もヒロブラインの存在については面白がっているようで、冗談半分で公式画像にヒロブラインの姿を潜り込ませたり、公式で販売したスキンパック（プレイヤーが選ぶことができる主人公の姿を増やす追加コンテンツ）にヒロブラインの姿を混ぜるなどしている。

ヒロブライン自体もインターネット上で広まるうちに様々な属性を獲得しており、ゲーム内に登場する敵キャラクターを操ったり、ダンジョンの建設や罠の設置を行うなど、より攻撃的な行動を取る様子が語られることもある。またテレポート能力を身に付けており、直接殺しにやってきたり、プレイヤーの拠点に勝手に入ってアイテムを盗む、といったことが語られることもあるようだ。

「Minecraft」には「エンダーマン」というヒロブラインと同じCREEPYPASTA出身のスレンダーマンがモデルになった敵キャラクターが登場しており、テレポートを使ってプレイヤーに近づいてくる。ヒロブラインのテレポート能力は、この影響で語られるようになったのかもしれない。

ファラオン［ふぁらおん］

海のいたるところに棲み着いているという人魚のような怪異。バルト海沿岸に住む人々の間で信じられており、上半身は人間、下半身は魚の姿をしているという。男女の区別があり、繁殖することもできるという。

斎藤君子著『ロシアの妖怪たち』にある。同書によれば、エストニアではその正体は『旧約聖書』にも記されている、モーゼを追ったファラオの軍隊の成れの果てとされているという。ファラオンは元々ファラオの軍隊を指す言葉で、モーゼが神に祈って海を二つに割り、ユダヤ人たちに海を渡らせた際、追ってきたファラオンは塞がった海に飲み込まれ、溺死した。それ以来、ファラオンは海や川に小さな人の姿になって漂っているのだという。これはモーゼの伝説が民間に伝わっていく過程で生まれた伝承のようだ。

ロシアで他に人魚のような姿で語られる怪異としては、**ルサールカ**がいる。詳しくは当該項目を参照。

フーディー［ふーでぃー］

インターネット上で語られる怪異。着た人間を狂気に陥らせるというパーカーで、表側は黒、裏地は白の一見普通のパーカーであるという。このパーカーを着てフードを被るとひどく暴力的になり、その衝動を抑えられなくなるという。またこの衝動は、暴力を振るうと大きな快感を得られるようになるため、次第に狂気に呑まれてしまうようだ。

WEBサイト「CREEPYPASTA」に二〇一六年五月二四日に投稿された怪異。

このサイト名にもなっているクリーピーパスタはインターネット上で流布する恐怖譚であり、創作された物語の可能性も高い。

ブラック・アイド・キッズ［ぶらっく・あいど・きっず］

アメリカに現れたという怪異。その名の通り目に白目がなく、眼球が真っ黒になっている子どもの姿をした怪異で、車や部屋のドアを叩き、中に入れてほしいなどと呼びかけるという。

並木伸一郎著『ムー的都市伝説』によれば、この子どもたちに遭遇した物語は、一九九八年、ジャーナリストのブライアン・ベセルによって報告されたという。彼はテキサス州カンザスのとある駐車場で車の中に座っていたところ、ブラック・アイド・キッズが車の窓を叩いて家まで送ってくれるように頼んだとされる。

この子どもたちは、悪魔の化身だとも、死んだ子どもたちの霊だとも、宇宙人であるとも伝えられ、現在は全米各地で目撃されているという。

インターネット上では目が黒く、白い髪の子どもたちがこちらを見つめている画像がよく使われるが、これは一九九五年のアメリカの映画『光る眼』の一シーンを切り取り、加工したものと思われる。この映画では正体不明の生物によって妊娠させられた女性たちから生まれた子どもたちが、目を光らせてテレパシーを使い、人間を操るという描写がある。この場面を切り取り、目を黒く塗り、色を白黒にしたのが、よく知られるブラック・アイド・キッズの画像であるようだ。

ブループ［ぶるーぷ］

太平洋で確認された怪異。東太平洋海嶺付近の地震活動のモニタリングが行われた際、記録された怪音で、水深四〇〇〇メートル前後の深さから発せられていたという。生き物の発する音かと考えられたが、シロナガスクジラをはじめ既存の生物が発する音とは違い、声の大きさから推定すると一〇〇メートル以上の大きさを持つ生物であることが予想されるようだ。

並木伸一郎著・ムー編集部編『ムー認定 驚異の超常現象』にある。

平行植物［へいこうしょくぶつ］

世界中で発見された不思議な生き物。現実とは異なる空間領域に存在する植物に似た存在で、目に見えても触れることができない、どんな距離にあっても同じ大きさに見えるなどの物理法則を無視しても、客観的に認識することが可能な「平行物質性」を持つことが特徴。

すべての平行植物は黒色であるが、その黒色にも様々な種類がある。また平行植物は大きく二種類に分けられ、アルファ・グループと呼ばれるグループは人間の感覚によって直接的に知覚でき、間接的には科学的手段を用いて識別できるもの。ベータ・グループに分類されるのは神秘的で捉えどころがなく、イメージや言葉といった象徴的な記号によって間接的にしか知覚することができないものとされる。

また平行植物は特殊な時間の中に生きるとされ、アルファ・グループは生命の絶頂期にその存在を固定しており、ベータ・グループは通常の時間の流れと並行して存在する別の時間の中で生きているとされる。

さらにこれらの植物で特徴的なのは、アルファ・グループは発見の後で名前が付けられるのに対し、ベータ・グループは名前が先にあり、その名前を証明するように生まれてくるのだという。

レオ・レオーニ著、宮本淳訳『平行植物』にある。ここに載る様々な平行植物はすべて絵本作家でもあるレオーニによって創作された架空の生物。同書は架空の研究者や研究結果を詳細に記すことであたかも実在する存在かのように解説し、もしかしたらふと平行植物と出会うことがあるかもしれないと思わせる名作である。

ヘッケルムカシハナアルキ［へっけるむかしはなあるき］

ハイアイアイ群島に生息していたという不思議な生き物。ムカシハナアルキ類の中で唯一の現生種であったとされる。ハナアルキという名前だが鼻は移動に使わず、もっぱら食事の際に使われる。彼らの主食は大型のゴキブリで、この昆虫を捕まえると鼻を使って逆立ちし、四肢すべてを使って猛烈な勢いで口に食物を掻き込む。その際にピチャピチャと音を立て、キーキーと鳴き声を上げるので、遠くからでも位置を特定しやすいという。

ハラルト・シュテュンプケ著『鼻行類』にある。同書に登場する動物たちはすべて実在する体裁で記されているものの、この著作自体が動物学論文のパロディとして書かれた作品であり、著者のハラルト・シュテュンプケもハイアイアイ群島も登場する動物もすべて架空の存在である。また日本語名は同書の訳者である日高敏隆のものに倣っている。

ベリードアライブ［べりーどあらいぶ］

インターネット上で語られる怪異。一九九六年に発売されたゲームフリーク及び任天堂のゲーム『ポケットモンスター赤・緑』に纏わる怪談。このゲームではストーリーの中盤でシオンタウンという町を訪れることになるが、死や幽霊をテーマとしたこの町は作中屈指のホラースポットとして知られている。またこの町にはポケモンタワーと呼ばれるダンジョンが存在するが、この塔は死んだポケモンを埋葬し、供養する墓場の役割を担っている。

　ベリードアライブはこのポケモンタワーの最上階に出現する敵キャラクターとされ、その姿は墓場から這い出てくる死体のように見える。戦闘は最上階にある墓石に話しかけることにより始まるが、その際、「ここです」「私は閉じ込められています」「私は孤独です。とても寂しい」「私の仲間になれ」というテキストが表示される。

　またこのベリードアライブはストーリー上ありえないほどレベルの高いポケモンを使用し、最後には上限であるレベル一〇〇を突破したレベル一〇一の「ホワイトハンド」というゲーム上存在しないはずのキャラクターを使用する。このため、ベリードアライブに勝つことは難しいが、負けるとゲームオーバーとなり、ベリードアライブの「新鮮な肉だ」というセリフがテキストによって表示される。

　そして主人公がベリードアライブによって殺害されているような画面が表示され、そのままゲームを動かせなくなってしまうという。

　またその画面の向こうでシオンタウンのＢＧＭのアレンジと、肉をむさぼり食うような音が聞こえてくるという報告もある。名前となっているベリードアライブは生き埋めを意味する言葉。

　二〇〇〇年代以降にインターネット上で語られるようになった怪談。シオンタウン（英語ではラズベリータウン）はこういった都市伝説の舞台となりやすいが、もちろん元々ゲームにこのようなデータは入っておらず、創作された物語と考えられる。

　またベリードアライブが使用してくる存在しないはずのポケモン「ホワイトハンド」については、シオンタウンにいるＮＰＣキャラクターに話しかけると、主人公の肩に白い手が乗っているのが見える、という旨のセリフを話すため、それが元となっている可能性が高い。

　同じくシオンタウンに纏わる怪談に**シオンタウン症候群**がある。

ベン・ドラウンド［べん・どらうんど］

　インターネット上で語られた怪異。英語圏を対象とした電子掲示板である4chanにて語られた怪異で、任天堂のテレビゲーム『ゼルダの伝説』の主人公キャラクター、「リンク」に似た外見をしているとされる。掲示板の中で語られた物語は、以下のようなものだ。

　ある日、掲示板に「ジャドゥセイブル」を名乗る人物の書き込みがあった。その内容は、半盲の老人から中古の『ゼルダの伝説 ムジュラの仮面』のゲームソフトを購入したところ、中には「ＢＥＮ」という名前のセーブデータが入っていた。また、そのデータを起動してみると、クリアの直前で止まっていることが分かった。

その後、ジャドゥセイブルは新たなセーブデータを作ってゲームを始めるが、あるバグ技を試したところ、そのバグ技を行った場合の展開とはまったく異なる現象が起こり、主人公リンクのぬけがらの像や、ゲーム内で重要な役割を果たすが、通常は一定の場所から動かないはずの「しあわせのお面屋」というキャラクターがリンクを追いかけ、最終的にリンクが死亡した。さらにデータを上書きしたはずの「ＢＥＮ」という名前のデータが復活しており、その上に「ＹＯＵＲ ＴＵＲＮ」というデータがあった。恐ろしくなった彼は、このゲームが一体何なのか、確認のためソフトを購入した老人の元を訪れる。しかし老人は既におらず、代わりにその隣人にベンという名前について尋ねたところ、八年前にこの近所でベンという少年が事故死したことを知らされる。

それから家に戻ると、ムジュラの仮面の「ＢＥＮ」のデータが勝手に進行しており、そのデータをロードすると、やはりゲームの内容も変わっていた。ゲームの中心となる「タルミナ平原」というフィールドには、リンクのぬけがらの像、しあわせのお面屋、そしてこのゲームにおいてリンクの宿敵である「スタルキッド」という、いるはずのない妙な三人組のキャラクターが並んで出現していた。また海辺では主人公のリンクが変身する、泳ぎが得意という設定のゾーラリンクが、海底でリンクのぬけがらの像と遭遇すると同時に溺死するといった奇妙な展開が続く。

それからゲームを再起動すると、「ＢＥＮ」の他に「ＤＯＲＯＷＥＮＤ」（溺れた）と言う名前のセーブデータが出現しており、そこでジャドゥセイブルはベンが事故死したのは、溺死によるものだったと感づく。

やがてゲームは現実まで侵食し始める。

ジャドゥセイブルは夢の中や背後にリンクのぬけがらの像が現れ、彼を追いかけているという恐怖を抱き始める。

それから彼の友人を名乗る人物の書き込みが掲示板にあり、ジャドゥセイブルがまるで何かに追われているような様子を見せ、食事もせず憔悴していたことを書き込む。そして彼の言伝で彼がプレイした『ゼルダの伝説 ムジュラの仮面』の動画を動画サイトに投稿し、そして彼が残したテキストをアップする。

その内容は、ジャドゥセイブルが次第にぬけがらに追い詰められていく様子が記されており、やがてベンが彼のパソコンに侵入しているという恐ろしい事実が判明する。ベンはパソコンを通してテキストを書き込み、ジャドゥセイブルと会話する。そして自由になりたいと言いだし、やがてインターネットを使っていると至るところにリンクのぬけがらの像の画像が表示されるようになる。

そして最後の夜、ジャドゥセイブルは夢を見る。その夢の中で、彼はムジュラの仮面にて、最後の戦いの前に訪れる月の世界にいた。そこで登場するゲーム内キャラクターである、仮面を被った四人の子どもたちが彼を押さえつけ、その体を地面に縫い付け、顔にお面を押し付ける。やがてお面は彼の顔に癒着して新しい顔となり、そこにしあわせのお面屋が登場して、ゲーム内でおなじみのセリフである「大変な目に遭いましたねぇ……」という言葉を発する。直後、再び仮面の子どもたちが作業を開始し、やがてジャドゥセイブルはリンクのぬけがらの像と入れ替わってしまうことを察する。

それからベンは彼のパソコンを完全に乗っ取り、ジャドゥセイブルが残したゲームの記録を改竄していく。やがて、ジャドゥセイブルはこれ以降に投稿された記録を信用するな、と記すが、それから数日後、今までのジャドゥセイブルの書き込みと矛盾した書き込みがなされ、完全に彼のパソコンがベンに乗っ取られてしまったことが示唆され、怪談は終わる。

二〇一〇年九月七日に4chanに書き込まれた怪異。クリーピーパスタの一種に数えられるが、クリーピーパスタは事実か創作かを区別していないため、創作された物語である可能性も高い。

この怪談でキーアイテムとなる『ゼルダの伝説 ムジュラの仮面』は日本のゲームメーカー、任天堂が自社のゲームハードである「NINTENDO64」のソフトとして開発したテレビゲームで、二〇〇〇年に各国で発売した。

『ゼルダの伝説』シリーズの中でもホラー色が強い本作であるが、この怪談に度々登場する「ぬけがら」は、ゲーム終盤で主人公リンクが習得する歌によって出現させることができる人形のようなもので、ゲームの仕掛けを解くために必要なギミックとなっているが、リンクの姿を模していながら、かなり不気味な姿をしている。また「しあわせのお面屋」や「スタルキッド」「仮面の子どもたち」といった存在もゲーム中に実際に登場する。この怪談は実際に動画が投稿されており、ゲーム内で起こる不可思議な現象を実際に目にすることができる。

この怪談を投稿した本人により、改造されたゲームの映像と思われるが、実在することが怪談に説得力を持たせている。またこの動画をダウンロードするなどの行動により、ベンが別のパソコンに侵入し、広まることが怪談中で示唆されている。

ポルターガイスト［ぽるたーがいすと］

世界中で語られる怪異。日本語では騒霊と訳されることも多い。見えない力により騒音や物体の移動などが起こる怪奇現象を指す。このような怪奇現象は古くは古代ローマ時代から記録されており、現在でも頻繁に起きている。

ポルターガイストは予告なく突然発生することが多く、一、二時間で終わる。長期間発生することは珍しいが、特定の家や場所で何年もの間、断続的に発生することがある。

基本的に人間がいる場所で発生し、特に

少女がいる場所に出現するという。

一九世紀頃までは、この怪現象を起こすのは悪魔、魔女、死者の霊とされたが、一九世紀末以降、研究が進んでからは死者の霊が霊媒に一時的に憑依されると考えられ、二〇世紀には生者の無意識な念力、サイコキネシスによって発生するという説も生まれた。これを引き起こす人間は「エージェント」と呼ばれ、特に思春期の少年少女の性的葛藤がこの力を呼び覚ます要因となるなどと考えられた。

現在ではポルターガイストは複数の要因によって起きるとされ、悪霊が引き起こすことも、エージェントが無意識に発生させることもあると考えられている。また悪霊が引き起こす場合、悪霊が人格を持って人間と対話し、その目的を語ることもある。こういう場合は、悪魔祓いが行われることもある。

ローズマリ・E・グィリー著『妖怪と精霊の事典』による。

【ま】

マンモスハナアルキ ［まんもすはなあるき］

ハイアイアイ群島に生息していたという不思議な生き物。オスをリーダーとして小さな群れを作って暮らすハナアルキの一種。四つに分かれた太い鼻を使って逆立ちするように歩く。この四本の鼻の他にも二本、物を摑むことができる長い鼻があり、もっぱらマンモスハナアルキニンジンと呼ばれる植物のみを食す。毛皮は厚く、チョコレート色をしているが、年を経たオスの尾は銀灰色に変わり、これを振って群れに指示を出すという。

ハラルト・シュテュンプケ著『鼻行類』にある。同書に登場する動物たちは特殊な進化を遂げた動物としてすべて実在する体裁で記されているものの、この著作自体が動物学論文のパロディとして書かれた作品であり、著者のハラルト・シュテュンプケもハイアイアイ群島を含めすべて架空の存在である。また日本語名は同書の訳者である日高敏隆のものに倣っている。

ミツオハナアルキ ［みつおはなあるき］

ハイアイアイ群島に生息していたという不思議な生き物。ハナアルキと呼ばれる動物の一種で、キンカイショクミツオハナアルキ、カオリミツオハナアルキなどの種類がある。これらはともに群島の中でもミタディーナ島に生息し、キンカイショクミツオハナアルキは島の東半分を、カオリミツオハナアルキは西半分を生息地としているという。

ミツオハナアルキは幼獣期に選んだ場所

に鼻を固定し、逆立ちするように直立した後、繁殖期を除いてはその場所から離れないという特殊な生態を持つ。この鼻からは赤みを帯びた黄色の分泌物が分泌されるが、これは次第に固まって鼻を中心に柱上の物体を形成する。このためミツオハナアルキの体は次第に上に向かって持ち上げられていく。

また尾の先には毒爪と果実のような香りを発する粘着質な分泌物を分泌する皮膚腺があり、この香りに誘われてやってきた昆虫が尾の分泌物にくっつくと、長い前足を使ってその昆虫を引きはがし、口に持って行って捕食する。

また基本的に自分の体を固定するのは海岸部の石が多い斜面で、集団でコロニーを作る。またこのコロニーは陸生のカニと共有しており、カニはミツオハナアルキの食べ残しを食すとともに、その糞（ふん）も片付けるという。

ハラルト・シュテュンプケ著『鼻行類』にある。同書に登場する動物たちはすべて実在する体裁で記されているものの、この著作自体が動物学論文をパロディとして書かれた作品であり、著者のハラルト・シュテュンプケもハイアイアイ群島も登場する動物もすべて架空の存在である。また日本語名は同書の訳者である日高敏隆のものに倣っている。

ムツハナアルキ ［むつはなあるき］

ハイアイアイ群島に生息していたという不思議な生き物。ハナアルキの一種で、幼獣の頃は巣穴から長い複数の鼻を伸ばして獲物を捕らえる。成長するとこの鼻はさらに長く伸び、先端が花弁のようになる。ムツハナアルキはこれを植物の茎に巻き付け、まるで花が咲いているかのように擬態させて、近寄ってきた昆虫を食す。また鼻の管を通らない大きな昆虫の場合は、鼻の先端で昆虫を捕らえた後、消化液を出して溶かし、養分を吸い取るのだという。

ハラルト・シュテュンプケ著『鼻行類』にある。同書に登場する動物たちは実在する体裁で研究記録が残されているが、この著作自体が動物学論文のパロディとして書かれた作品であり、著者のハラルト・シュテュンプケもハイアイアイ群島も登場する動物もすべて創作されたものである。また日本語名は同書の訳者である日高敏隆のものに倣っている。

モグラハナアルキ ［もぐらはなあるき］

ハイアイアイ群島で発見されたという不思議な生き物。ハツカネズミほどの大きさのハナアルキの一種で、モグラのように地中に潜って生活する。地中ではミミズや昆虫を食すが、その土を掘る方法に巨大な鼻を使うのが特徴的だ。

群島の中でもマイルーヴィリ島に生息するハナブトモグラハナアルキを例とすると、その鼻は口から空気を取り込むことで大きく膨らませることができる。鼻の中心辺りの最も太い部分には環状に剛毛が生えており、鼻を膨らませると土に突き刺さる。そこで空気を吐き出して鼻を縮めると、土に刺さった剛毛により体が前に引っ張られ、前進する。そして四肢で土を固めながらトンネルを掘り進めるのだという。また土が非常に硬い場合には、鼻の先端部の海綿体を硬くして拡大することで掘り進めることができる。ただし、基本的には既に掘ってあるトンネルを利用することが多いようだ。

他にもハナボソモグラハナアルキという種類もいるが、こちらは土ではなく砂利の中に棲む、体も細くできていて蛇行しながら砂利の中を移動することができる。

ハラルト・シュテュンプケ著『鼻行類』にある。同書は動物学論文のパロディとして書かれた作品であり、著者のハラルト・シュテュンプケもハイアイアイ群島も登場する動物やその研究記録もすべて架空のものである。また日本語名は同書の訳者である日高敏隆のものに倣っている。

【や】

幽霊車［ゆうれいしゃ］

世界中で語られる怪異。突然路上に現れる自動車の幻で、運転手がいない場合もある。事故を誘発したり、自らぶつかって事故を引き起こしたりする。一部の幽霊車は殺人や悲惨な事故が起きた場所で出現するという。

その車種もバリエーションが見られ、一九三四年にイギリスのロンドンに現れた幽霊車はバスであり、数年にわたって事故を誘発したとされる。同様にイギリスのケントに出現した幽霊車は、トラックであったという。アメリカのシカゴ近郊の墓地に現れる幽霊車もトラックで、このトラックは物理的に道行く車にぶつかり、事故を起こし、ドライバーは実際に衝撃を感じるが、外に出て被害を確認しても事故によってもたらされたものは一切見当たらないとされる。

ローズマリ・E・グィリー著『妖怪と精霊の事典』にある。日本でもこれに似た怪異として、無人の自動車が突然出現し、これに遭遇すると事故を起こすとタクシー運転手たちに恐れられた**幽霊自動車**の怪談が、古くから語られている。

幽霊船［ゆうれいせん］

世界中の海で目撃される怪異。突然現れる無人、もしくは死者を乗せた船の伝説で、大西洋沿岸での目撃例が多い。この幽霊船が生まれる背景として、かつてその海域で遭難し、行方不明になった船が幻となって出現するとされ、その遭難の場面を再現するように、事故の場所で、嵐や霧を伴って現れる。

幽霊船は出現してもすぐに消えてしまうことが多いが、同じ場所に何度も現れる。

ローズマリ・E・グィリー著『妖怪と精霊の事典』にある。同書によれば、喜望峰に現れる、有名な**さまよえるオランダ船**や、アメリカの五大湖に出現するグリフィン号の幽霊船、海賊キャプテン・キッドの幽霊船など、様々な幽霊船があるという。

夢見の杖［ゆめみのつえ］

世界中で発見される不思議な生き物。**平行植物**の一種。葉や花はなく、茎に螺旋状のコブが巻き付いた植物の姿をしている。

平行植物は時間の流れから切り離された、ある時点で静止してしまった植物であるが、この夢見の杖は決定的な進化・成長の途中で静止してしまったような印象を抱かせる。

またその茎に巻き付くコブは、どの夢見の杖でも一定の感覚で存在しており、解析するとアンダルシア地方のロマの人々が踊るフラメンコの曲のリズムと一致するという。

レオ・レオーニ著『平行植物』にある。同書に登場する平行植物と称される生き物は、まるで過去の芸術作品に登場する物体と同じ姿をしている、静止した時間もしくは現実と平行して存在する別の時間に生きるといった特徴を持つとされる。しかし同書にある植物は実在する体裁で書かれているものの、すべて著者であるレオーニの創作である。平行植物の特徴そのものについては、同項目を参照。

【ら】

ラッパハナアルキ［らっぱはなあるき］

ハイアイアイ群島に生息するという不思議な生き物。ハナアルキの一種で、その名の通り鼻がラッパ状の形をしているのが特徴。代表的なのはミジンコラッパハナアルキで、群島の様々な火口湖や礁湖に生息し、プランクトンや輪虫を食す。

ラッパ状の鼻の周りには水を弾く毛が生えており、ミジンコラッパハナアルキは水中に身を沈めながらこの鼻を水面に突き出し、水中にぶら下がっている。またラッパ状の鼻の中にはもう一本鼻道があり、そこから呼吸をする。また腹と前足に剛毛が生えており、腹の剛毛の中で腕を動かすことで水を濾過し、プランクトンを選別して長い口吻を使って吸い取る。

その体の形はミジンコに似ており、それが命名の由来と思われる。

他にもアワハナラッパハナアルキはラッパ状の鼻から泡を吐き出し、それにぶら下がる生態を持つ。ニオイラッパハナアルキも同じく泡を作るが、ぶら下がるのではなくその中に棲み着く。この泡の中には多数の他の生物が棲み着くため、これを餌とするという。

ハラルト・シュテュンプケ著『鼻行類』にある。同書に登場する動物たちはすべて実在する体裁で記されているものの、この著作自体が動物学論文のパロディとして書かれた作品であり、著者のハラルト・シュテュンプケもハイアイアイ群島も登場する動物もすべて実在しない空想上の存在である。また日本語名は同書の訳者である日高敏隆のものに倣っている。

ラップラット［らっぷらっと］

インターネット上で語られる怪異。「ラップラット」はあるボードゲーム用のビデオのタイトル及びそのビデオ内に登場するネズミのキャラクターの名前。流通しているビデオの中には、このラップラットが異様な姿をしているものがあるという。

その外見は大きすぎる耳、二本の歯、腫れ上がった口、死んだ魚のような大きな目のネズミで、悪魔のような低音の声で叫ぶ。

このビデオを見ると、常にラップラットに追いかけられることとなる。ラップラットは現実に侵食する力を持っており、窓や戸が引っかかれる音が聞こえたり、視界の隅を動くネズミのようなものが見えたりするようになる。

この怪異が生まれた背景として、以下のような話が語られる。

「ラップラット」を作成した会社が、ゲームに登場するネズミの人形の作成を、ハイチの工場に依頼した。ある日、人形を作っていた少女が機械に巻き込まれ、腕からミンチにされて死んでしまうという事故があった。少女の母親は激怒し、この機械で作られるすべての人形に少女の血が染み込み、人形に触れた人間は皆死ぬだろうと宣言した。そして「アパラト」という悪魔を呼び出し、呪いをかけた。

工場のオーナーはこれを一笑に付し、ゲーム会社はこの工場で作られたネズミの人形に、「アパラト」のアナグラムである「ラップラット」の名を付けた。

しかし呪いは実在した。ゲーム会社はこの二年後に倒産し、工場で働いていた人々は至るところで工場で作られた人形を目撃するようになり、恐怖から自殺する者も出た。

そしてアパラトの呪いはボードゲーム用のビデオを通して世界中にばらまかれたという。ラップラットの通常バージョンのビデオを見た人間は多いが、時にラップラットは、その人間の元にも現れるという。

WEBサイト「CREETY PASTA」に二〇一二年一月一五日に投稿された、インターネット上で流布する恐怖譚、クリーピーパスタの一種。ビデオ型ボードゲームとしての「RAP RAT」自体は実在しており、九〇年代初期に販売されている。現在も中古品であれば購入することができるようだ。怪談中にある通常バージョンのラップラットはこれを指すと考えられ、この中に呪われた見ただけでは分からないラップラットが混じっている可能性もあるという。

以上のように、この怪談は書き込んだ人物が体験した恐怖譚という体裁で記されているが、クリーピーパスタは創作であるかどうかを問わないため、個人によって創作された物語である可能性も高い。

ランモドキ［らんもどき］

ハイアイアイ群島に生息していたという不思議な生き物。その名の通りランの花に似た姿をした動物で、頭の周りを囲む耳、皮膚冠、鼻で花弁を形成している。これらは鮮やかな色をしているが、胴体は緑色をしており、茎に擬態する役割を担っている。後ろ足は退化し、尾を使ってじっと立っており、バニラのような匂いを発して昆虫を呼び寄せる。そして集まってきた昆虫を前足で捕らえ、食すのだという。

ハラルト・シュテュンプケ著『鼻行類』にある。同書に登場する動物たちはすべて実在する体裁で記されているものの、この著作自体が動物学論文をパロディとして書かれた作品であり、著者のハラルト・シュテュンプケもハイアイアイ群島も登場する動物もすべて架空の存在である。また日本語名は同書の訳者である日高敏隆のものに倣っている。

リトル・デッド・ナンシー［りとる・でっど・なんしー］

インターネット上で語られる怪異。学校ではいじめられ、家庭では親に疎まれていた孤独な少女が、ある時、学校の赤いブランコで首を吊って死んだ。ナンシーはその少女の霊だという。

ナンシーを召喚するためには、彼女が死んだブランコの隣にある青か緑のブランコに座り、「リトル・デッド・ナンシー、ベンチに座って、片目が長く、そして片目は消えて、リトル・デッド・ナンシー、赤いブランコに現れて、その上に座って、私と一緒にブランコを漕ぎましょう」と呪文を唱えることで出現する。この呪文にあるように、外見は小さな少女だが、片目が眼孔から飛び出してぶら下がり、もう片方は完全に眼球が失われているという、恐ろしい姿をしている。

ある学校に伝わる話では、呼び出すとナンシーに殺害されると言われているが、実際にナンシーを呼び出した女性によれば、その実像はまったく違うものだったという。

ナンシーを呼び出したその女性は、何者かに親友を殺されたことを悲観し、呼び出したナンシーに殺されることで自殺を遂げようと考えた。しかし、ナンシーは彼女の復讐（ふくしゅう）を手伝うことを伝え、女性の中に入り込む。

そしてその女性は、自分の親友を殺した男と、それを目撃していながら何もしなかった人間たちを殺害することを決めた。親友が殺されたのと同じ、全身を二三ヶ所めった刺しにするという方法によって。

ＷＥＢサイト「CREEPYPASTA」に二〇一九年九月一四日に投稿された。この話の中でナンシーは殺された投稿者の女性の親友の姿に変化するなどの能力を見せており、単なる死者の亡霊ではないことが分かる。

ただし、このサイト名にもなっているクリーピーパスタはインターネット上で流布する恐怖譚であり、創作された物語の可能性も高い。

その他

特別寄稿

怪異世界事典(パノラマ)の歩き方

「どこか・かなた」の怪異・怪物と向き合うために

飯倉義之
國學院大學 准教授

怪異と怪物の現代世界地図を絵解きする

本書『世界現代怪異事典』は、朝里樹氏の前著『日本現代怪異事典』の編纂方針を受け継いで、日本以外の世界各地の巷間で人口に膾炙(かいしゃ)した奇談・怪異談・噂話・都市伝説を、書籍や新聞・雑誌等の刊行物、テレビ報道、インターネット上等の記録を基として、網羅的な整理を試みた著作である。同様の志で網羅を試みた事典(および事典的雑誌記事)は、昭和以前においてはともかくも、web時代を迎えて以後では初なのではないだろうか。ここまで徹底的であるという点も、空前にして絶後である。

本書の用語で「怪異」は、不可思議で超自然的な現象や存在を指すとされている。表紙の帯と掲載項目にある「怪物」の語の採用は、未確認生物(いわゆる「UMA」[注1])などに配慮したと思われる。それは大いにうなずける。「オゴポゴ」や「ハナアルキ」を「妖怪」とまとめられたら、日本の読者には少し釈然としない気持ちが起きるであろうから。

近年、日本の怪異・妖怪文化への注目から、さまざまな資料を紹介し解説する一般向けの書籍が刊行され、博物館・美術館では怪異・妖怪関係の展示が数多く企画される状況が続いている。日本文化における怪異・妖怪についての知見は、興味関心ある多くの人がある程度の蓄積を持つに至っていた。勢い、世界に目が向く機運は整えられていたのだ。例えば昨年、大阪・吹田の国立民族学博物館で特別展[注2]「驚異と怪異――想像界の生きものたち」が開催された。日本の怪異・妖怪へと向いていた関心は、世界中の怪異・怪物に対する知識欲にも拡大・接続していこうとしているのだ。そうした関心に応えるように、本書には世界中のさまざまな種類の怪異・怪物が項目としてまとめられている。これにより、現代世界における怪異・怪物を大づかみに把握できる点は本当に貴重である。

が、しかし。事典という形式の制約は、出自や性質、出現した時代や場所、語られた文脈は実に多種多様の怪異・怪物を、五十音順に整理して同列に並べて記す形式に押し込まねばならない点にある。この形式は、実際はさまざまな時代、地域、歴史、文化において語られた怪異・怪物の情報が、「現代日本」の視角からすべてフラットに再配置されてしまう危険性を――編者の意図を超えて――多分に含んでいる。この、世界から日本に紹介された怪異・怪物の貴重な情報の集成をどのように仕訳けして意味づけて読むべきか。本稿では「現代世界の怪異・怪物の見取り図」の絵解きを試みていきたい。

時代と技術と世界情勢と怪異と怪物と

近代以前の民俗文化に出自を持つ怪異・怪物は、共同体の成員の間で自然発生的に生成された噂が、口から口へと伝わるうち、いつしか説話としての形を整えるに至って、固有の怪異・怪物として認知されてきた。こうした成り立ちの怪異・怪物は、本書にも数多く収録されている。しかし近現代社会においては、それとは異なる経路を経て生み出される怪異・怪物が出現してくる。以下、それらを大まかに「近代以前から継承された怪異・怪物」「近代社会が生み出した怪異・怪物」「近代スピリチュアリズムの影響」「二〇世紀にマスメディア展開した怪異・怪物」「人口に膾炙したフィクション」「ｗｅｂ発の怪異・怪物」に分類して、それぞれの特徴を述べていきたい。

近代以前から継承された怪異・怪物

まず、近代以前から伝承されてきた民間信仰や俗信、民話に登場する怪異・怪物の、近代以降の出現・目撃譚が指摘できる。

ロシアの精霊である「キキーモラ」「ドモヴォイ」「ルサールカ」や、ドイツの年中行事に登場する森の怪物「クランプス」、同じドイツの民話に登場する「ホレおばさん」、キリスト教伝説に由来する「さまよえるオランダ船」、中国の「殭屍（ギャンシー）」、タイの「ピー」等、共同体において語られ、あるいは信じられてきた存在の目撃談・体験談が、現代においても再生産されていることがわかる。こうした事例は、日本の事例で例えるならば、「河童の目撃談」にあたるものとなるだろう。日本においても河童の目撃談は——河童の棲める清流の数とともに激減していることは否めないが——ささやかながら更新され続けている。時代が移り代わったとしても、人びとの「怪異を認知して位置付ける枠組み」はなかなか変わらない。日本の例なら「川や池に出る人型の存在は河童」という枠組みが強固にあり、それが何らかの別の説明に置き換えられるまでは保たれるし、現代において新たな枠組みを獲得することもある。

こうした伝統的な怪異・怪物の現代における展開については、伊藤氏の論考に詳述されているのでそちらに譲らせていただきたい。

近代社会が生み出した怪異・怪物

次には、産業革命による機械化やアメリカ開拓、植民地支配を背景とした秘境探検の進展、写真技術の普及、世界大戦など、近代社会の到来に伴って新たに生み出された噂、いわば「近代の民話」に登場する怪異・怪物を挙げうる。それらは新聞や雑誌といった印刷メディアに載ることで広く知られる存在となった。

自動車や飛行機というテクノロジーの普及は、それらに乗るゴースト(「消えるヒッチハイカー」「ヨークシャーの幽霊自動車」「幽霊タクシー」「幽霊飛行士」)たちを生み出した。世界的に有名なネス湖の「ネッシー」は、通称「外科医の写真」が新聞に掲載されたことで広まり、「オゴポゴ」「マニポゴ」等のフォロアーが出現するようになった。写真というテクノロジー、新聞というメディアが重要な役目を果たしている。

欧米列強の世界進出と探検熱は、遠い異郷で伝承されてきた怪異・怪物を、新鮮な驚異として本国に伝えた。ヒマラヤの「イエティ」がその典型だろう。アメリカでは開拓時代、開拓民たちの共同体では「ジャージー・デビル」の噂や、「カクタス・キャット」や巨人「ポール・バニヤン」のほら話が生まれた。移民・植民という出来事が生んだ怪異・怪物である。世界大戦と近代兵器の生んだ恐怖と不安は、兵器を壊す「グレムリン」、無敵の兵士「キルロイ」、毒ガスを市民に向ける「マッド・ガッサー」をも生んだ。

こうした怪異・怪物たちは、それまでの日常の共同体を大きく超えて形成された、近代国民国家という近代特有の「想像の共同体」が生み出した副産物なのである。

近代スピリチュアリズムの影響

近代社会の副産物の中でも、近代スピリチュアリズムの新たな霊魂観が生み出した怪異は多く、その影響も大きい。本書にも「ウィジャ盤」「チャッフィン遺言書事件」「偽幽霊フィリップ」「ハイズヴィル事件」「ファティマの聖母」「ポルターガイスト」等、多くの事例が採られている。こうした近代スピリチュアリズムとその科学的研究を目指した心霊科学（サイキック・リサーチ）の影響は、それを参考にした通俗的な書物やテレビ番組等を通じて現代日本の一般社会の心霊・霊魂観を形成しているのであるが、詳しくは一柳氏の論考に譲らせていただきたい。

二〇世紀にマスメディア展開した怪異・怪物

第二次世界大戦後、ラジオ・テレビなどのマスメディアが発展し、世界は高度情報化時代に突入する。現代人は、日常生活を超えた場所から発信されるメディアの情報の影響を受けずにはいられなくなった。それは人だけではなく、怪異・怪物も同様である。

かつては共同体内部の口伝えでもたらされた怪異・怪物の情報は、やがて新聞などの印刷メディアでも広まるようになった。そしてマスメディア時代には、口伝えよりも質・量ともに膨大な情報が、口伝えよりも早く大勢（マス）に発信され、大衆（マス）のための娯楽としてもてはやされて文化に定着するようになる。アメリカの「ビッグフット」も目撃譚自体は一九世紀にさかのぼるが、注目を集めたのは第二次世界大戦後、映像（通称「パターソン・フィルム」）の公開が契機となっている。映像の持つ大衆を納得させる力と、マスメディアの宣伝力がかみ合ってUMAが生まれた。

「空飛ぶ円盤／UFO」の概念は一九五〇年代に本格的に日本に紹介されて広まり、それまでの民俗社会の通念であった「空を飛ぶ光＝人魂・火の玉」が「空を飛ぶ光＝UFO＝宇宙人の乗り物」という新しい認識に塗り替えられてしまった。

「チャネリング」は一九八〇年代にハリウッド女優が傾倒したことから注目が集まり、「モスマン」や「チュパカブラ」は一九九〇年代にオカルト系の雑誌やテレビに取り上げられてその名が知られるようになった。

また実話を基にした創作を謳う映画作品などによっても怪異・怪物は広められた。「アナベル人形」「アミティヴィルの恐怖」「エンフィールドのポルターガイスト」がそれにあたる。また、メディアそれ自体が新しいテクノロジーとして、新たな怪異・怪物を生むようになる。レコード（音声複製メディア）の怪異である「暗い日曜日」、映画に顕現した怪異「スリーメン&ベビーの幽霊」、映画にまつわる怪異「スタンリーホテルの怪」などである。ここに至って、怪異・怪物の情報は「マスメディア・商業メディアから視聴者・読者にもたらされるもの」へと変容してしまったのである。

人口に膾炙したフィクション

近現代社会に限ったことではないが、純然たるフィクションあるいはフェイク・ドキュメンタリーとして創造された怪異・怪物が、人びとの口や筆を経るに連れ、あたかも伝承、もしくは実話と受け取られるようになることがある。日本でもっとも有名な例は、四代目鶴屋南北が『東海道四谷怪談』で創造したお岩の怨霊であるだろう。史実のお岩さんは殺されてもいなければ祟(たた)ってもいないのだ。歌舞伎狂言の台本に過ぎないはずのそのフィクションの怨霊が、現代日本のわたしたちまでに影響を与え続けている。

本書の事例では架空の動植物を詳述した奇書『鼻行類』『秘密の動物誌』『並行植物』に

掲載された「ハナアルキ」「アロペクス・ストゥルトゥス」や並行植物たちや、アメリカの反進化論者の「インテリジェント・デザイン説」へのユーモアある皮肉として創られた「空飛ぶスパゲッティ・モンスター」がそれにあたる。webにおいても、画像加工ソフトPhotoshopで作った（つまりフェイクということが前提の）恐怖画像スレッドから発生した「スレンダーマン」の例がある。よくできた架空（フィクション）は、伝承と見分けがつかないのだ。

web発の怪異・怪物

そうしてweb時代の到来により、怪異・怪物もwebで発生し、webで広まるようになる。「シャドーピープル」「スカイフィッシュ」「ディアトロフ峠事件」「ディスマン」「ニンゲン」「ヒトガタ」など、その例は枚挙に暇（いとま）がない。web時代の特徴は、言葉の情報だけでなく画像・映像で広まる例が多いことと、発信と共有が即時的で時間・空間の縛りがなく、情報がまたたく間に世界中に広まることだ。つぶやきや記事や画像や動画がバズってリンクやリツイートで広まり、イイネで共有される。廃れるのも早いが、時間・空間の束縛がないため、「ディアトロフ峠事件」のような半世紀前のロシアの辺境で起きた奇怪な事件が突如注目を集めるようなことも起きる。webに頼るわたしたちは、遥か過去や遥か彼方の怪異・怪物の情報が時間・空間の遠近感なく並置されて提示されてしまうがために、その時間的・空間的距離を失って理解してしまう危険を内包しているのである。

現代世界の怪異・怪物の相関図(マトリックス)のために

以上見てきた通り、本書に並べられている現代世界の怪異・怪物はそれぞれ、さまざまな空間・時間に出自を持っている。時間的には、近代以前にさかのぼる伝承、近代社会の成立時期の生成、近代スピリチュアリズムの影響、二次大戦後の高度情報化時代のもの、ｗｅｂ時代の生成に区分できる。空間についても触れてみると、ヨーロッパには歴史を背負ったゴースト・ストーリーや魔女・人狼の伝承の、アメリカにはゴーストのほかに怪人・犯罪者の類と「スワンプ・スロップ」のような比較的小型のＵＭＡの、アフリカや南アメリカ、東南アジアには恐竜を思わせる大型のＵＭＡや類人猿型のＵＭＡの出現する頻度が高い。タイではピー、台湾では鬼、ロシアでは精霊の報告が多くを占める。これは各地の怪異・怪物を伝えるメディアと、そのメディアが想定する仮想の読者・視聴者であるわたしたちが期待している「異郷」に求める情報なのである。そこにはすでにしてヨーロッパには歴史を、アフリカ大陸や南米（特にアマゾン）や東南アジアの密林の秘境には怪物を、地域ごとには固有で独特の――他地域や日本にもあるような「ありきたり」ではない――怪異・怪物の報告を求めてしまうという偏向(バイアス)が存在していることは意識しなくてはならない。

そうして現代のわたしたちは、こうした「どこか・かなた」の怪異・怪物の情報に、書籍や雑誌の情報、オカルト番組、まとめサイト等を通じて、時間・空間を超越(スーパーフラット)して並行な形で受容することが常態となっている。そこでは、個々の伝承に固有の文脈――時代や文化、地理的・歴史的な背景――が零れ落ち、キャラクターとしての怪異・怪物だけが知識として流通することになりやすい。それは日本のみならず、ｗｅｂ時代を迎えた世界全体で進行している文化状況でもある。

時代や地域の文脈を無化して現代・日本の文脈で再解釈するフラットな受けとめ方からは、新たな文化が生まれる可能性がある反面、その時代・地域ごとの文脈を踏まえないままでの理解により怪異・怪物を「誤読」する危険性がある。現代世界の怪異・怪物は、ともすればその出自・来歴などの文化的・歴史的背景を意識しないままになりかねない。現代日本のわたしたちが、世界の怪異・怪物を個別の伝承の文脈に置きなおして向き合い、理解するための碇（アンカー）として、ぜひ本書を活用してほしい。

注1　「ＵＭＡ」（ユーマ、ユーエムエー）はUnidentified Mysterious Animal（未識別のミステリアスな動物）の頭文字をとった造語・和製英語である。未確認動物に造詣の深い動物研究者で作家の實吉達郎の著書で一九七〇年代半ばに使用され、一九九〇年代以降にオカルト界隈に定着した。

注2　二〇一九年八月二九日～一一月二六日。兵庫県立歴史博物館にも巡回展を予定。

特別寄稿

傘をさす幽霊

台湾の怪談いま・むかし

伊藤龍平
南台科技大学　助理教授

白い服の怪女

昨年、台湾のネット上で話題になった「白衣白傘女（バイイーバイサンニュイ）」。文字どおり、白い服、白い傘を手にした女が、宜蘭大学（宜蘭は、台湾北部にある都市）の近辺を徘徊しているのだという。ハサミをもって学生を追いかけるのだとか。ウソかマコトか、ネット上にこの女の写真も出回っていて、見れば、たしかに全身白ずくめだ。

たんに奇妙な身なりをして歩いているだけならともかく、ハサミをもって学生を追いかけ回すとなると傷害未遂事件で、地元警察も出動する事態となった。大手メディア『聯合報（れんごうほう）』（二〇一九年五月二日付）も報じている。記事によると、近隣住民の目撃証言も多く、こうした格好の女が出没しているのは確かだが、ハサミうんぬんについては確証がないとのこと。その後、女の正体は分かったようだが、詳細については報じられていない。

白い服の怪女というと、一時、日本で話題になった「横浜のメリーさん」が思い出される。一九九〇年前後に横浜市内に現れた老婆で、白いドレスに身を包み、顔にも白粉（おしろい）が塗られていた。私の知人も電車内で目撃したことがある。なかば都市伝説化していたが、近年ではドキュメンタリー映画も作られるなどして、少しずつ事実が分かってきている。

「妖怪」でも「幽霊」でもなく、たしかに生身の人間ではあるが、どこか人ならざる雰囲気が漂う不気味な「怪人」の話は、古今東西、例が多い。日本でいえば、明治時代の「油とり」や戦前の「赤マント」、一九七〇年代後半の「口裂け女」などがそうだ。

この手の「怪人」は、とくに子どもたちのあいだで話題になる。本能的に危険を察知するのだろう。「子取り妖怪」とされるカマスショイ、カクレザトウ、カクシババなども、冷静に話を見れば誘拐犯だ。そして「怪人」は実在することもある。幼い日、近所で奇妙な風体で、ふるまいをする「怪人」の噂を耳にしたことがある人も多いだろう。正体が不明のままであれば、「横浜のメリーさん」も「怪人」として話され続けていたと思われる。

「白衣白傘女」も話題になった当初はこうした「怪人」の系譜に連なる存在だった。

『聯合報』の記事で興味深いのは、ネット上で、この怪女が「全身白色穿著的『裂口女』（全身白ずくめの『口裂け女』）」とか、「拍手女」などと呼ばれていたと書かれている点だ。前者は、日本の「口裂女」が台湾でも著名である証拠。後者は、この怪女がいつも拍手をしていることに由来しているが、いずれにせよ、この怪女についての名づけ（ネーミング）がおこなわれようとしていたことを示している。

「横浜のメリーさん」がそうであるように、不可解なモノ・コト・ヒトへの名づけは、「怪人」化・「妖怪」化の第一歩である。その名づけが人々のあいだで共有されたときに、怪異は個人の体験を超え、共同体での共通理解となる。記事の見出しの「白衣白傘女」も名づけの一種だった。台湾の都市伝説には、「紅衣小女孩（赤い服の女の子）」や「黄色小飛俠（黄色いレインコートの男）」といった印象的な色の「鬼」（日本語に訳すなら「幽霊」、もしくは「妖怪」）がいるので、それらを意識したのかもしれない。

「紅衣小女孩」は台湾でもっとも有名な鬼で、映画にもなった。深夜にドアをノックしたりするだけなのだが、非常に怖れられている。同じく、赤い服を着た「厲鬼（凶悪な鬼）」と関連があるのかもしれないし、実際、そういう話を聞いたこともある。台湾のいたずら妖怪「魔神仔」も、古い時代の文献では、赤い帽子・赤い服の子どもの姿をしていて（この点、沖縄の「キジムナー」と似ている）、そちらとの関連も見出せる。

「黄色小飛俠」は、玉山（台湾の最高峰）などの高山に現れる鬼で、登山客の前に現れて道に迷わせたりする。別名「玉山小飛俠」。単独ではなく、複数で現れる話もあり、遭難者の幽霊なのだろう。日本にも「七人ミサキ」という、複数で現れる幽霊の話がある。なお、「小飛俠」は中国語で「ピーター・パン」の意味で、「赤い服の女の子」に対応して「黄色い服の男の子」の意味とも取れるが、話の印象では少年というより成人男性である。

一方で、ネット上には、「白衣白傘女」は「たんに雨の中で草花の剪定をしてる人を見ただけじゃないか」との意見もあった。恐怖心の拡散とともにこうした「常識的」な見解が広まって日常を取り戻そうとするのも、怪異伝承のありようだった。

アダンの木の下の幽霊

というわけで、都市伝説になり損ねた「白衣白傘女」であるが、一時的ではあるにせよ、ネット上の話題をさらったのには、それ相応の理由がある。「雨の降るなか、傘をさして立っている女の幽霊」というモチーフが、台湾の怪談には伝統的にあるからだ。

台湾でもっとも有名な怪談に「林投姐（リントウジェ）」がある。「林投」とはアダン（タコノキ）のことで、熱帯特有の樹木である。日本でも南西諸島に生育している。要約すると、こんな話だ。

——清の時代の台南（台湾南部の都市）の話。ある女が、福建省から来た男と夫婦となり、商売に精を出して財を築く。しかし、男は蓄えた金を持って福建に戻り、行方をくらます。悲嘆した女は、林投の木で首を吊って死ぬ。以来、夕刻になると、その女の幽霊が林投の木の下に現れるようになった。幽霊が粽（ちまき）売りを呼び止めて粽を買ったところ、その代金は紙銭（ズーチエン）（死者に供える冥銭（めいせん））だった。有志が廟を建てて祀（まつ）ると、現れなくなったという。これは、縊死した死者に粽を備える「送粽」という行事に関連するかもしれない。

清朝の政策では、大陸から台湾へ渡れるのは男性のみで、女性は往来を禁じられていた。

女が追って来られないのを見越して、この男は大陸に戻ったのだ。最初から女を騙すつもりだったのだろう。片岡巌『台湾風俗誌』（一九二一年）では、「林投姐」の話を紹介した際、「狡猾にも其金を携へ……」と記されている。

時代の悲劇といえる話で、実際、このようなことはあったのだろう。『台湾風俗誌』には、大陸に渡った夫と残された妻をめぐる話が、いくつか載せられている。なかには、大陸で死んだ夫の霊魂が台湾に残してきた妻のもとに戻ってくるという、しみじみした話もある。

幽霊というのは、煎じ詰めれば、個人の記憶の所産である。しかし、なかには個人ではなく、民族の記憶とでもいうべき幽霊が登場する怪談もある。日本でいえば「四谷怪談」のお岩や、「皿屋敷」のお菊らがそうだ。これらの怪談の幽霊は怖いだけではなく、儚く、そして悲しい。幽霊を通して、女性が虐げられた時代が透けて見えるのだ。「牡丹灯籠」のお露も、元ネタは中国の怪奇小説だが、日本人の心の琴線にふれることにより民族の記憶になった。

林投姐も民族の記憶というべき幽霊で、台湾の国民的幽霊といえる。何度も文芸化され、芝居や映画、ドラマにもなった（台南には、夫への忠節を貫いて死んだ陳守娘という女幽霊の話もあり、こちらも国民的幽霊としてよかろう）。なお、この林投の木はかつて台南市内に実在していて、所在地もはっきりしている。『台湾風俗誌』には、昨年、伐採されたとある。具体的な事物の存在が、噂を下支えしたのだろう。

林投（アダン）の木の下にたたずむ傘をさした幽霊（小池塘 画「府城魍美・林投姐」）

紙銭によって、相手がこの世の人ではないことが知れるというのは、中華圏の怪談に多い。夜中に奇妙な市（いち）に迷い込んだ男が、買い物をして受け取った釣銭が、翌朝になると紙銭になっていた、というような話だ。最近ではタクシー怪談にこの例がある。深夜に乗せた女性客がじつは幽霊だった、というのは日本でもよくある怪談で、アメリカでは「消えるヒッチハイカー」の名で知られている。それが台湾の現代怪談では、客が払った代金が紙銭だったことから幽霊だと分かるという展開になる。

ヒッチハイクはアメリカの文化だが、日本には馴染みがないのでタクシー怪談となっている。紙銭は中華圏の文化。こんなところにもお国柄は表れる。ちなみに、日本のタクシー幽霊は姿を消したあと、シートがぐっしょり濡れていた、という展開になるが、これは女が池や沼の主（龍や大蛇）だったのを示しているという説がある。

さて、この林投姐、絵画では、傘をさした姿で描かれることが多い。手元にある林投姐の絵（小池塘という画家が描いた）でも、私が担当した学生たちの卒業制作の絵本でもそのように描かれている。画像検索して見つかるアマチュア画家の描いた林投姐のイラストでもキャラクターを特徴づけるアイテムとして傘が描かれている。アダンの木の下で、傘をさして悄然とたたずむ若い女性——それが林投姐の一般的なイメージである。宜蘭の「白衣白傘女」を目撃した人が、林投姐を想起したであろうことは想像に難くない。

なぜ傘をさしているのか。台湾の友人知己から聞いた話では、傘の下に生ずる陰りが、「陰」の空間になるからだという。中華圏に根強い陰陽説による解釈で、説得力がある。「陰」の空間は木の下にもできる。林投姐が、林投の木の下に出るのも、そこから説明がつく。「傘をさす幽霊」と「木の下にたたずむ幽霊」は同じ発想によっているのだ。そもそも幽霊に女が多いのも、陰陽説では、女性は「陰」の存在だからとする説がある。

地下鉄に乗る「雨傘鬼」

日本では「傘をさした幽霊」はポピュラーではない。しかし、「木の下にたたずむ女の幽霊」ならば、江戸時代以来の定番となっている。林投（アダン）がない日本の場合、出るのはもっぱら川辺の柳の下だが。もちろん、川辺も「陰」の気が集まる場所だ。

「傘をさした幽霊」ではなく、「傘をかぶった妖怪」なら日本にも「雨降小僧」がいる。江戸時代の画家・鳥山石燕の『今昔画図続百鬼』（一七七九）に載る妖怪で、中棒のない傘をかぶった（さしたではなく、かぶった）子どもの姿をしている。解説によると、「雨師」という雨の神に仕える妖怪だというが、石燕の創作かもしれない。

また、傘そのものが化けた妖怪に、一つ目に大きな舌を出して一本足の「唐傘お化け」がある。江戸時代の妖怪玩具（絵本、双六など）で人気のあった妖怪で、現代でもポピュラーな存在となっている。石燕も『百鬼徒然袋』（一七八四）に「骨傘」として描いている（一般的な「唐傘お化け」とはデザインが異なる）。ただ、文献に多い「唐傘お化け」だが、民間伝承の例はきわめて少ない。国際日本文化研究センターの「怪異・妖怪伝承データベース」で検索しても、「タコロバチ」（岡山）、「洋傘」（愛媛）など、数えるほどしかない。

台湾にも「雨傘鬼」という鬼（この場合は「妖怪」と訳すべきだろう）の話があり、『台湾風俗誌』に記載がある。雨の夜に出る傘の姿の一本足妖怪で、形態的には、ほぼ日本の「唐傘お化け」と同じ。これが偶然の一致なのか、日本の植民地時代に日本から伝播したものなのかは分からない。

台湾には、渓頭妖怪村（南投県）というテーマパークがあって、そこに行くと、さまざまな「妖怪」に会えるが（多くは創作）、そのなかには傘の妖怪もあった。それは果たして「唐傘お化け」であるのか、「雨傘鬼」であるのか、判断に悩むところだ。なお、沖縄にも「ダンガサマジムン」というマジムン（＝妖怪）の話があり、これを補助線に引けば、日本の「唐傘お化け」と台湾の「雨傘鬼」の関係も見えてくるかもしれない。

「雨傘鬼」や「林投姐」の傘はどのようなものだろうか。この点はなまじ日用品なだけに気をつける必要がある。まちがっても、折り畳み傘やビニール傘を連想してはいけない。西洋のコウモリ傘でもないだろう。日本ならば伝統的な番傘が連想される。器物の妖怪を理解するには、その器物の文化史を知る必要がある。

台湾南部の美濃（高雄市美濃区）には傘作りの伝統があって、「美濃油傘」の名で知られている。彩り豊かな古式ゆかしい中華式の傘で、お土産品にもなっている。おそらくは、「雨傘鬼」の傘はこの手のものだったろう。

気候のことも考える必要がある。台湾は雨季と乾季がはっきりしていて、乾季に入ると半年以上ほとんど降らなくなる。乾季のあいだ使われぬまま放置されている傘から「雨傘鬼」が連想されたのだろう。また、ここから林投姐の出る季節もおのずと限られてくる。

参考までに書くと、台湾の廟には、お祭りのときに用いられる涼傘という祭具があり、それが夜中になると化けて、外を歩き回るという怪談もある。ただ、傘といっても、わたしたち日本人がイメージする傘とはまったく異なるが。

さて、この「雨傘鬼」、昨今の新型コロナウィルス騒動のもと、妙なところで注目された。台北の地下鉄に、大きめの傘をすっぽりとかぶって上半身を隠した人が現れ、話題になったのだ。防疫のためなのだろう。写真も撮られて拡散されたが、見た目はまさに「唐傘お化け」か「雨降小僧」だ。

上報 UP MEDIA

調查 評論 國際 焦點 生活 遊戲 人物 影音 親新聞 國際現場

最新消息 【集團1/4現場】受疫情停飛衝擊 英航計畫裁撤至多1.2萬名員工

有民眾疑似防疫，在捷運上張傘，有網友張貼鬼太郎的角色「雨傘鬼」，全場笑翻。（合成畫面／取自謝麥基臉書）

武漢肺炎肆虐全台，我國雖然尚未有嚴重擴散的情形，但也造成國內人心惶惶，除了配戴口罩外，也有民眾疑似為了防範肺炎，直接在捷運車廂上撐傘，把自己上半身包覆在雨傘裡。

有網友將該特殊畫面拍照上傳，隨即有網友在下方留言「我以為是鬼太郎」。

民眾在車廂內開傘遮住上半身，網友戲稱是「雨傘鬼」的真人版。（取自謝麥基臉書）

雨傘鬼正式名稱為「唐傘小僧」，是日本神話中的妖怪之一，屬於付喪神的一種。傳說中，祂們是放置100年後變化而成的，特點是單眼、吐舌、單腳，且通常穿著木屐。（實境星號驚傳「一人發燒」）

地下鉄に乗る「雨傘鬼」（2020年2月7日付『上報』より）

その様子は、ニュースでも報道された。『上報』（二〇二〇年二月七日付）の見出しには「雨傘鬼」の文字が踊り、キャプションにも「『鬼太郎』のキャラクターの雨傘鬼」とある。本文には「付喪神（つくもがみ）の一種」とあり、「器物百年を経て、化して精霊を得」るという『付喪神絵巻』（一六世紀）の一節が引用されている。「特徴は、一つ目、ベロ出し、一本足で、いつも下駄をはいている」と説明されている。あるニュース記事では、台北地下鉄の「雨傘鬼」の写真のわきに、日本の「唐傘お化け」のイラストを載せていた。「雨傘鬼」と「唐傘お化け」が近しい存在だと認識されている証である。

「白衣白傘女」も「林投姐」も「雨傘鬼」も、簡単にネット検索で見つけられる。世界は狭くなった。だからこそ、背景にある文化について考えなければならないと思う。

特別寄稿

変容する怪異

世界のなかの「こっくりさん」

一柳廣孝
横浜国立大学　教授

こっくりさんの登場

二一世紀を迎えてすでに二〇年が経過したにもかかわらず、この世の中には、いかに怪異が満ち溢れていることか。日本全国津々浦々、都会も田舎も、怪異のないところはない。そんな怪異のなかには、海外から伝わったにもかかわらず、いつのまにか土着の怪異のような顔をして、すっかり定着したものもある。その代表格が、こっくりさんである。

こっくりさんがいつ、どのように発生したのかについては、諸説あるものの、いまだに判然としない。よく知られているのは、明治の妖怪博士と呼ばれた井上円了が『妖怪玄談』(明治二〇年)で披露した説である。いわく、明治一七年、伊豆下田の沖合で難破したアメリカ船がしばらく下田に留まったさい、船員たちが退屈まぎれにやっていた遊びが日本人に伝わり、下田にやってくる漁師たちを媒介に全国へ広がった、というものだ。

モダンスピリチュアリズムとテーブル・ターニング

アメリカ人の船員たちが興じていた遊びは、テーブル・ターニングだったとされる。その背景には、一九世紀半ばにアメリカで生まれ、欧米を席巻したモダンスピリチュアリズムが存在する。モダンスピリチュアリズムとは、霊が存在すること、霊界と現界との間で交信できることを事実とみなし、霊の実体や霊界と現界との関係について科学的、哲学的に研究を進め、この世界を創造した神を称えるものである。

霊がいるとか、いわゆる「あの世」があるとか、そういう話はなにも珍しいものではない。遠い神話の時代から現代に至るまで、古今東西どこにでも見受けられる考え方だ。では、なぜこんなありふれた教えが、突然一九世紀の欧米に蘇ったのか。それは、欧米圏に住む人々の、死後の不安を解消してきたキリスト教の教えが揺らぎはじめたからだ。

科学合理主義の浸透がキリスト教的な世界観を許さなくなったとき、人々は恐怖のどん底に叩き落とされた。科学の考え方は唯物論(ゆいぶつろん)を基盤とする。世界のありようを数量的なデータの世界に落とし込む。よって、数値化できないもの、物質とみなされないものは実在しないことになる。ならば、霊は存在しない。人は死ねば無になる。人の心とは、脳が生み出すパルスの集積に過ぎない。したがって、脳が活動を止めれば、意識も消滅する。だが人は、おのれの存在が消え去る恐怖に耐えられない。だからこそ、科学によって霊魂の存在の証明を図るモダンスピリチュアリズムに期待したのだ。

モダンスピリチュアリズムは、霊との接触を人々に促した。その交霊儀式のひとつが、テーブル・ターニングである。テーブルを囲んで座った人々は、テーブルの上に手を置いて隣同士手を重ねる。そして、霊を呼ぶ。その場に降りてきた霊はテーブルを揺り動かし、自らの存在を主張する。すると人々は霊に質問し、霊は規則的にテーブルを傾けて回答する。右に二回傾けたらイエス、左に三回傾けたらノー、といった具合に。

テーブル・ターニングを改良する

このテーブル・ターニングを改良することで、最初期のこっくりさんが生まれた。当時の日本社会には西洋風の机も椅子も普及していないし、そもそも畳の上で生活している。そこで、身近な素材を利用して、日本の住環境にマッチするような装置を作り上げた。生竹三本を三叉に組んでそのうえにお盆や飯櫃(めしびつ)の蓋を置き、テーブルに見立てた。人々はこの装置の周りに座ってお盆や飯櫃の蓋の上に手を置き、呼びかける。「こっくりさん、こっくりさん、おいでくださいおいでください。さあさあおいで、おいでください」。するとこの装置が、動き出す。人々は質問する。装置は規則的に動いて、回答を示す……。

あまりにも見事な変容を遂げたため、テーブル・ターニングとはかけ離れた、きわめて日本的な交霊儀式にしか見えなくなってしまったこっくりさん。しかし元を正せば、こっくりさんの登場は、キリスト教的な世界観から科学にもとづく合理主義的な世界観への移行という、世界レヴェルでの巨大な変革の波のひとつだったことになる。だとすれば、こっくりさんの背景には実に壮大な物語が隠れていたのである。

こっくりさんがいかにも日本的な装いに見える原因は、他にもある。「何を呼び出しているのか問題」である。テーブル・ターニングで呼び出すのは、死者の霊である。近代になってこの儀式がモダンスピリチュアリズムと結びつけられたため、その傾向はより顕著になった。ところがそもそも日本では、キリスト教の死生観も霊魂観も馴染みがない。さらに日本においてこの儀式は、何よりも「遊び」として受容されていた。したがって、受容の当初は「何を呼び出しているのか」は、たいした問題にならなかった。しかし直に、そういう訳にもいかなくなる。

あまりの流行にお上の規制が始まったとき、人々は気づいた。「俺たちはいったい、何者のお告げを聞いていたんだ」と。神仏の類じゃないだろう。わざわざ庶民のお茶の間までやってきて「明日の天気は」とか「太郎ちゃんの好きな子は」といった、ある意味どうでもいい質問につきあってくれるほど、暇じゃないはずだ。じゃあ、なんだ。そこで彼らは、前時代の記憶を呼び起こした。江戸時代の俗信の類である。例えば、狐狸(こり)は人をだまして喜ぶ怪異である、とか。または、犬神(いぬがみ)は人に取りついて災いをなすとか。だったら、自宅まで出向いてくれて質問に答えるモノの正体とは、人を騙したくてしょうがない動物霊の類ではないのか……。

動物霊の仕業とする見方は、この遊びに「こっくり」という名前が付けられることで、さらに強固になった。そもそもは生竹三本にお盆の蓋という装置が「こっくり、こっくり」傾くからという、いわば擬態語、擬音語として命名された呼称なのだが、不幸にも、見事な当て字が成立してしまった。「狐狗狸」。狐と狗（犬）と狸。狐狸にまつわる俗信や憑物信仰の中身と、見事に整合する表現である。

かくしてこっくりさんは、明治末年には「こわい遊び」として認知される。たしかに何かがやってきて答えてはくれるけれど、場合によっては取りつかれるよ、という話だ。もともと全国に、狐や狸にまつわる伝承は事欠かない。狐憑き、犬神憑きといった憑物信仰も、広く分布している。こうした土着の伝承や信仰と結びつく形でこっくりさんは受容され、場合によっては、その土地で広く信仰されてきた「お狐さま」を呼び出す儀式として定着する。こうなってくると、もう何が古くて何が新しいのか、訳がわからなくなる。

一九七〇年代のこっくりさんブーム

このこっくりさんがにわかに注目を集めたのは、一九七〇年代前半である。この時期には全国の小中学校でこっくりさんが大流行し、社会問題化した。

ただし、この時代のこっくりさんは生竹やお盆を使っている訳ではない。鳥居のマークに「はい」「いいえ」、西洋数字や五十音の記された紙の上に硬貨を置き、この硬貨に指を添えて動かす形が一般的である。明治の終わりには、すでに紙を用いた方法が登場している。ただし紙の上を動く装置は、割り箸を折って三叉に組んだもの、さらにはひっくり返して糸切りに油をたらした杯などが用いられていた。

さて、子供たちにこっくりさんの知識を提供したのは、おそらく「週刊少年マガジン」に連載されていた、つのだじろう「うしろの百太郎」である。当時の「週刊少年マガジン」は「あしたのジョー」「巨人の星」「愛と誠」といった、今に伝えられる伝説的な作品によって、週刊少年漫画誌でトップの売り上げを誇っていた。これらの連載が終了した後、手塚治虫「三つ目がとおる」などとともにマガジンの屋台骨を支えた作品が「うしろの百太郎」である。

「うしろの百太郎」もまた、少年漫画の歴史に名を残す傑作のひとつだ。「心霊マンガ」というカテゴリーは、この作品から始まる。「うしろの百太郎」は、科学的心霊研究の立場から、超自然的な事件を詳細に分析して物語を編んだ。このなかでこっくりさんは「実際にある出来事」として描かれ、同時に「正しい方法」も提示することで、子供たちに実行を促した。それがこっくりさんブームの基盤になったことは、間違いない。

しかしこっくりさんは、さまざまなトラブルを誘発した。狐に取りつかれておかしくなったという児童が、学校から救急車で運ばれるような事態が生じた。学校は相次いで、こっくりさんを禁止した。こうしてこっくりさんはふたたび、下手に手を出すときわめて危険な交霊術であるというイメージを身にまとった。この恐怖のなかには、こっくりさんで呼び出されるのは動物霊に限らないことも関わっている。

「うしろの百太郎」は、二度にわたってこっくりさんを扱っている。一度目に呼び出されたのは、狐の霊だった。しかし二度目に登場したのは、死者の霊だった。高度経済成長時代を経て急速に都市化が進むなか、すでにリアリティを失いつつあった狐狸の霊に代わって、一九七〇年代のオカルトブームのなかで再浮上したモダンスピリチュアリズムの文脈が、こっくりさんに付け加えられたのだ。それは、明治時代に欧米から移入されたこっくりさんが、本来の意味を取り戻したとも言える。そもそもこっくりさんの原形であるテーブル・ターニングは、死者の霊とアクセスするための装置だったのだから。

こうしてこっくりさんは同時代の流行現象と連動することで、恐怖の参入儀式としての意味を強めた。ならば、敬して遠ざけるのが人の知恵というものなのだが、そこはそれ、怖ければこわいほど、禁止されればされるほど燃え上がるのが子どもである。密かにひそかに、まるで闇の結社のごとく、こっくりさんは地下に潜っていった。

脱色されるこっくりさん

ところが、そんなこっくりさんが一九八〇年代になると、すっかり脱色されて表舞台に現れることとなる。キューピットさん、エンゼルさん、星の王子さまといった、こっくりさんの亜流が次々に現れ、女の子たちの間でもてはやされたのである。これらの名称が物語っているとおり、こっくりさんが恋愛占いに衣替えした訳だ。「動物霊やら死霊やらを呼び出すこっくりさんなんて、怖いだけじゃん。どうせなら、私たちの恋愛にアドヴァイスしてくれるのを呼ぼうよ」という、見事な発想の転換である。その結果が、キューピットや天使や星の王子さまの招来だった。ここになぜ星の王子さまが入るのか、理解に苦しまないでもないが（サン・テグジュベリの話というよりも「王子さま」という語感が重要なのかもしれない）、恋する乙女のエネルギーは伝わってくる。

一方、ここまで雑にこっくりさんを扱っていいのか、というトピックもある。「交番ポスター窃盗容疑で少女3人逮捕」（二〇〇五・六・二三、朝日新聞夕刊名古屋版）によれば、彼女たちはニセの電話で警察官を呼び出し、だれもいなくなった交番からポスター二枚を盗んだ。そして、交番近くの駐車場でこっくりさんをしているところを発見され、逮捕された。犯行の動機は「こっくりさんをするため、大きな紙が必要だったから」だそうだ。なぜ、交番をターゲットにしたのか。なぜ近所の駐車場でやっていたのか。そこまで急を要していたのか。彼女たちの行動が、そもそも意味不明である。

とはいえ、こっくりさんの恐怖のイメージが完全に脱色された訳でもない。むしろ、恋愛占い的な要素が分離したことで、こっくりさんの恐怖の濃度がより強まったと考えるべきだろう。現代に至るまで、こっくりさんはさまざまなメディアや実話怪談のなかで、相変わらず怪異の主役として登場しつづけている。

東アジアのなかのこっくりさん

ここまで追ってきた日本におけるこっくりさんのイメージは、東アジアに存在する類似の交霊儀式を連想させる。韓国の「分身娑婆（ブンシンサバ）」、中国の「扶鸞（ふらん）」、中国・台湾の「筆仙（ひっせん）」「碟仙（せっせん）」「銭仙」などである。

分身娑婆は、日本の統治時代にこっくりさんが当地に伝わったものとされる。日本では、二〇〇四年に韓国で制作されたホラー映画「ブンシンサバ（邦題、コックリさん）」（アン・ビョンギ監督）で知られるようになった。また扶鸞は、上から吊るした筆や手で支えた木の棒などを利用して、砂などを撒いた盤の上に漢字や記号を描き、そこから神霊のメッセージを読み取るものである。明清時代には身近な占いの手段として、社会に広く浸透していたという。

筆仙、碟仙、銭仙は使用する道具によって呼称が異なるものの、基本的には同一の儀式のようだ。筆仙は筆(ペン)を、碟仙は皿を、銭仙はコインを用いる。例えば筆仙は二人でおこなう。漢字、数字、アルファベットなどを記した紙を用意して、紙の前に座った二人は右手と左手を交差させて手の甲で鉛筆を挟む。そして、あるモノを呼び出す。呼び出すのは、自分の前世である。ただし台湾では、筆仙の場合は自分の守護神が、碟仙は浮遊霊が、銭仙は動物霊がやってくると考えられているようだ。

このような東アジアに広がるこっくりさんに類似した交霊儀式が、幕末明治の日本に影響を与えた可能性も、十分に考えられる。しかし、日本統治時代の韓国や台湾に日本のこっくりさんが伝播した痕跡はあるものの、扶鸞や筆仙、碟仙、銭仙が日本に伝わったかどうかは、定かでない。

台湾では、今も生々しく「鬼(幽霊)」が息づいている。現実の世界と「鬼」の世界との境界が、きわめて薄い。そのなかでおこなわれる交霊儀式は、リアリティが半端じゃないだろう。一九七〇年代の初頭まではかろうじて生き残っていた、土俗的な恐怖を呼び起こすこっくりさんの姿は、現代台湾の交霊儀式から垣間見ることができそうだ。

ことほどさように、こっくりさんは手ごわい。まだまだこっくりさんには、ワールドワイドな多くの考察すべき問題が眠っているのである。

五十音順索引

この索引は、本書収録の全怪異（八〇六項目）を五十音順に配列したものである。

え

お

か

け

こ

さ

し

す

ひ

ふ

へ

ほ

ま

み

り

る

れ

ろ

わ

ん

ジャンル別索引

この索引は、本書収録の全怪異をジャンル別に配列した。立項したジャンルに当てはまらない怪異については、その他とした。

幽霊

▼生前の個人の個性を引き継いでいる死者の怪異。

妖怪・妖精

▼種族的な単位で扱われる、超自然的な存在や、現象、器物の怪異。

怪人

▼マッド・ガッサーなど、生身の人間が起こしていると思われる怪異。

未確認生物

▼ネッシー、南極ゴジラなど、目撃情報はあるが存在が確認されていない怪物。UMA。

空想生物

▼『秘密の動物誌』『鼻行類』などに登場する、実在する体裁で書かれたフィクションの生物。

ほら話

▼アメリカ民間伝承の一大ジャンルである、トール・テールで語られた不思議な生物。

クリーピー・パスタ

▼ネット上で広がる怪異・都市伝説。

その他

国別索引

この索引は、本書収録の全怪異の出没場所を地域別・国別に配列した。出没場所が地域・国に当てはまらない怪異については、その他とした。固有名詞で立項している場合もある。

アジア

インド

インドネシア

エヴェレスト

カンボジア

タイ

ハイアイアイ群島

怪異世界史対照年表

年号	怪異	アジア	オセアニア	北アメリカ	南アメリカ	ヨーロッパ	アフリカ	全世界
1900	・フラナン諸島の幽霊	義和団事件		義和団事件		義和団事件		
1901	・トリアノンの幽霊		オーストラリア連邦成立					ノーベル賞制定
1902	・貰い子殺しのダイアー	日英同盟				日英同盟		
1903	・グロッテンディーグの石投げ			ライト兄弟飛行機発明	パナマ、コロンビアから独立			
1904	・ポール・バニヤン（印刷物に初めて名前が登場）	日露戦争				日露戦争 英仏協商		
1905	・非行少年収容所の悪霊					アインシュタイン「特殊相対性理論」発表		
1906	・スロス・ファーナシズの鬼監督	全インドムスリム連盟						
1907	・修道士ウィリアム		ニュージーランド英自治領となる			三国協商		
1909	・コロンゾン			ピアリ北極点到達				
1910	・ガゼカ	韓国併合					英領南アフリカ連邦成立	
1912	・アメン・ラーの呪い	中華民国成立				タイタニック号沈没 バルカン戦争		
1913	・ペイシェンス・ワース ・幽霊タクシー							
1914	・サラエヴォの呪われた自動車				パナマ運河開通		エジプト保護国化	第一次世界大戦

1915	・シーサーペント			ルシタニア号事件				
1916	・エイヴベリーの村祭り						
1917	・ファティマの聖母			第一次世界大戦にアメリカ参戦		ソビエト政権樹立		
1921	・カレドニアミルズの火のお化け						
1922	・王家の呪い	ガンディー逮捕				イタリアファシスト政権樹立	エジプト独立	
1924	・エヴェレストの幽霊	第一次国共合作				レーニン没		
1925	・ヒツジ男			テレヴィジョン発明		ヒトラー『わが闘争』出版		
1926	・ヤンクトンの怪物						
1928	・アラカン族の老女の霊	蒋介石国民政府主席に就任					
1929	・暗い日曜日	プールナ・スワラージ決定				飛行船ツェッペリン号世界一周成功		世界恐慌
1930	・巨大ウナギ				忌まわしき十年始まる（アルゼンチン）			ロンドン軍縮会議
1931	・吸血鬼（映画『魔人ドラキュラ』の公開年）	満州事変						
1932	・コンガマトー	満州国建国宣言						
1933	・ネッシー			ニューディール政策		英仏伊独四国協定調印		
1934	・サラゴーサの妖魔 ・アッシュ屋敷の幽霊					ヒトラー総統となる		
1935	・下水溝の白いワニ					ドイツ再軍備	エチオピア戦争	
1936	・茶色の貴婦人					スペイン内戦		

年号	怪異	アジア	オセアニア	北アメリカ	南アメリカ	ヨーロッパ	アフリカ	全世界
1937	・ゴールデン・ゲート・ブリッジの幽霊	日中戦争						
1938	・ホラディラ					ミュンヘン会談		
1939	・大晦日の尼僧 ・キルロイ							第二次世界大戦
1940	・フランシス・ドレイクの太鼓					ダンケルクの戦い		日独伊三国同盟
1941	・ランドルフ・チャーチルの幽霊					独ソ戦		太平洋戦争
1942	・オールド・ジミー			原子核分裂成功				
1945	・バミューダトライアングル	広島・長崎原爆投下				ドイツ無条件降伏		第二次世界大戦終戦
1946	・無頭の巨鳥 ・幽霊ロケット	インドシナ戦争				鉄のカーテン演説		
1947	・アメーバのような宇宙人	『死海文書』発見	ウェストミンスター法受諾（ニュージーランド）	マーシャル・プラン発表				
1948	・オラン・メダン号の怪	パレスティナ戦争（第一次中東戦争）ガンディー暗殺 大韓民国・朝鮮民主主義人民共和国			共和国の経済的独立宣言（アルゼンチン）	ベルリン封鎖	パレスティナ戦争（第一次中東戦争）	
1949	・ナチのガス	中華人民共和国 中華民国（台湾）				アイルランド共和国成立		北大西洋条約機構（NATO）調印

1951	・ジェップ空襲の事例	日米安保条約		日米安保条約				
1952	・ブライディ・マーフィー						エジプト革命（翌年から共和国へ）	
1954	・ヴァンパイア・キャット						アルジェリア戦争	
1955	・ホイータ号の怪	アジア・アフリカ会議					アジア・アフリカ会議	
1958	・南極ゴジラ							
1959	・ディアトロフ峠事件			キューバ革命				
1960	・ブーガー ・チビのヒューイ	南ベトナム解放民族戦線結成		ケネディ大統領当選			ナイジェリア、セネガル、マダガスカル、ソマリア、コンゴ等の独立	OPEC設立
1962	・マニポゴ	中ソ対立		キューバ危機			ウガンダ独立	
1963	・封門村の怪			ケネディ暗殺				
1964	・ブルーバードの生と死	パレスティナ解放機構		キング牧師ノーベル平和賞				ベトナム戦争
1965	・ジャブーティカバルのポルターガイスト	日韓基本条約成立						
1966	・チューリップ階段の心霊写真	文化大革命開始						
1967	・ローゼンハイム事件	第三次中東戦争				EC発足	第三次中東戦争 ビアフラ戦争（ナイジェリア内戦）	
1968	・コナン・ドイルの幽霊	テト攻勢（南ベトナム解放戦線）		キング牧師暗殺	ペルー革命（～80）	五月革命 プラハの春		
1969	・原野の怪光			アポロ11号月面着陸				

年号	怪異	地域						
		アジア	オセアニア	北アメリカ	南アメリカ	ヨーロッパ	アフリカ	全世界
１９７０	・アナベル人形				チリにアジェンデ人民連合政権成立		アスワン・ハイ・ダム竣工	
１９７１	・顔の出る家							変動相場制
１９７２	・幽霊飛行士	ニクソン訪中日中国交正常化	白豪主義政策撤廃	ニクソン訪中ウォーターゲート事件				
１９７３	・ワニ男	第四次中東戦争					第四次中東戦争	石油危機
１９７５	・アミティヴィルの恐怖	ベトナム戦争終結					アンゴラ独立	
１９７６	・アンネリーゼ・ミシェル事件	周恩来・毛沢東没		ロッキード事件				
１９７７	・ドーバーデーモン	文革終結宣言						
１９７８	・チェッシー	日中平和友好条約				試験管ベビー誕生		
１９８０	・天池の水怪	イラン・イラク戦争			ペルー内戦		ジンバブエ独立	
１９８１	・ポリビウス							
１９８２	・親切な召使い				フォークランド紛争			
１９８４	・クレイファルハトン湖の怪馬							
１９８５	・デヴォンシャーの悪魔					ゴルバチョフ就任		
１９８７	・スリーメン&ベビーの幽霊		ウルル、ユネスコ世界遺産登録					

1990	・ペッブリー通りガス爆発事故の幽霊				ペルー大統領に日系のフジモリ就任	東西ドイツ統一		
1991	・道化のホーミィ			湾岸戦争		ユーゴスラビア戦争	アパルトヘイト終結	ソ連崩壊
1994	・幽霊の絵			北米自由貿易協定（NAFTA）			黒人大統領マンデラ就任（南アフリカ）	
1995	・ジーナフォイロ							
1996	・グリンニングマン							
1997	・ヘッテンフィア	香港返還			クローン羊			
1999	・ケム・トレイル				パナマ運河返還			
2001	・モンキーマン			アメリカ同時多発テロ				
2002	・ムノチュワ						AU（アフリカ連合）	
2003	・ウマ人間	SARS流行		イラク戦争				
2005	・ブルードッグ					メルケル政権成立		京都議定書発効
2006	・ディスマン							
2007	・幽霊ブランコ							
2008	・ジェフ・ザ・キラー		アボリジニ差別政策を政府が謝罪	バラク・オバマ初の黒人系大統領となる		メドヴェージェフ大統領就任		リーマン・ショック
2009	・スレンダーマン			オバマにノーベル平和賞				
2012	・エクスプレッションレス							
2013	・スワナプーム国際空港のテワダー	習近平国家主席就任		ボストンマラソン爆弾テロ				

おわりに

昔から怪しいもの、不思議なものが好きでした。妖怪はもちろんのこと、世界で語られる幽霊譚や未確認生物の目撃談、映画や小説に登場する怪物たち、ゲームで敵として現れるモンスター。そういったものがあれば積極的に摂取し、楽しんでいたのを覚えています。それは今でも変わりません。ジャンルにかかわらず、異形のものたちが登場する作品を見たり読んだりすることは、幼少期以来続く趣味となっています。

その一方で、主な研究対象としていたのは日本を舞台に活躍する怪異・妖怪であり、世界の怪異・妖怪を収集、調査することはあまりしてきませんでした。日本だけでも数え切れない収集対象がいることや、国内と違って海外の資料を探し、集めることが難しかったからです。

しかしこの度、笠間書院様より『日本現代怪異事典』に続き、世界の現代怪異を集めた本を作る、というお話を頂き、改めて世界を舞台に語られる彼らと向き合ってみようということになりました。

本書を執筆するにあたり、読む機会のなかった様々な資料に触れ、今まで知らなかったたくさんの不思議で怪しいものたちと出会うことができ、新鮮な経験をすることができました。反面、世界というとてつもなく広い舞台がテーマであったため、思うように集めきれなかったという思いもあります。特にＵＦＯや宇宙人といった分野はほとんど集めることができなかったため、今後の課題としたいと思います。

それ以外にも、世界には本書に収録されていない怪異・怪物がまだまだ存在します。世界で一世紀以上にわたって語られてきた怪異・怪物たち。それを一冊の本に収録しようとしたら、どんなに厚い本にしても難しいでしょう。逆に言えば、私にとって未知の摩訶不思議なものたちが世界中に存在しているということであり、まだまだ彼らと出会う機会が残っているということです。これからも、彼らとの出会いを楽しみにしつつ調べることができればと思います。

最後に、編集を担当していただいた山口晶広様、寄稿をいただいた飯倉義之准教授、伊藤龍平助理教授、一柳廣孝教授、前作に引き続きカバーイラストを担当していただいた裏逆どら様、執筆にあたり参考にさせていただいた資料の著者・編者である偉大な先人の方々、そしてこの本を手に取っていただいたすべての皆さまに、深く感謝申し上げます。

二〇二〇（令和二）年六月

朝里 樹

●山本斌著『中国の民間伝承』1975年、太平出版社
●リチャード・M．ドーソン著・松田幸雄訳『語りつがれるアメリカ』1997年、青土社
●レオ・レオーニ著・宮本淳訳『平行植物　改訂版』1990年、工作舎
●レノア・ブレッソン著・尾之上浩司訳『世にも不思議な物語』2014年、扶桑社
●ローズマリ・E．グィリー著・松田幸雄訳『妖怪と精霊の事典』1995年、青土社
●ロジャー・クラーク著・桐谷知未訳『幽霊とは何か―五百年の歴史から探るその正体』2016年、国書刊行会
●ロバート・グレンビル著・片山美佳子訳『絶対に出る世界の幽霊屋敷』2018年、日経ナショナルジオグラフィック社
●若林ひとみ著『クリスマスの文化史』2004年、白水社

【WEBサイト】（最終閲覧 2020. 4）
●「Avenue Calgary」https://www.avenuecalgary.com/
●「CREEPYPASTA」https://www.creepypasta.com
●「Cryptid_Wiki」https://cryptidz.fandom.com/wiki/Cryptid_Wiki
●「facebook」https://ja-jp.facebook.com/
●「HODAG FAN CLUB」http://explorerhinelander.com/hodag-fan-club/
●「HuffPost」https://www.huffpost.com
●「liveaboutdotcom」https://www.liveabout.com/
●「LUMBERWOODS」http://www.lumberwoods.org/　ウィリアム・トーマス・コックス著『木こりの森の恐ろしい動物たち、砂漠と山の獣たち』（原題：Fearsome Creatures of the Lumberwoods, With a Few Desert and Mountain Beasts）1910年、ヘンリー・H．トライオン著『恐ろしい生き物』（原題：Fearsome Critters）1939年、アート・チャイルズ著『大きな森の物語』（原題：Yarns of the Big Woods）1920年を掲載）
●「みこころネット」http://www.d-b.ne.jp/mikami/
●「Scary For Kids」https://www.scaryforkids.com/
●「Snopes」https://www.snopes.com/
●「ＴＨＥ　ＬＩＮＥＵＰ」https://the-line-up.com/
●「The New York Times」https://www.nytimes.com/
●「THE SLENDER MAN WIKI」https://theslenderman.fandom.com/wiki/Slender_Man
●「TombstoneArizona.com」http://www.clantongang.com/
●「YouTube」https://www.youtube.com/
●「2ちゃんねる（現5ちゃんねる）」オカルト板「巨大魚・怪魚」
●「4chan」https://www.4chan.org/

●並木伸一郎著『ムー的都市伝説』2015年、学研パブリッシング
●並木伸一郎著『ムー的未確認モンスター怪奇譚』2018年、学研プラス
●並木伸一郎著・ムー編集部編『ムー認定　驚異の超常現象 = Amazing paranormal phenomena』2019年、学研プラス
●西川秀和編訳『ポール・バニヤンの驚くべき偉業』2019年、NextPublishing Authors Press
●日本民話の会編『決定版 世界の民話事典』（講談社＋α文庫）2002年、講談社
●羽仁礼著『超常現象大事典』2001年、成甲書房
●ハラルト・シュテュンプケ・ゲロルフ・シュタイナー著・日高敏隆・羽田節子訳『鼻行類：新しく発見された哺乳類の構造と生活』1987年、思索社
●春川栖仙編『心霊研究辞典』1990年、東京堂出版
●Ｐ．Ｇ．ボガトゥイリョーフ著・千野栄一・松田州二訳『呪術・儀礼・俗信』1988年、岩波書店
●ピーター・ヘイニング著・阿部秀典訳『図説世界霊界伝承事典』1995年、柏書房
●東雅夫編『ゴシック名訳集成 吸血妖鬼譚』（学研M文庫）2008年、学習研究社
●東雅夫編『ゴシック名訳集成 吸血妖鬼譚―伝奇ノ匣〈9〉』（学研M文庫）2008年、学習研究社
●平井杏子著『ゴーストを訪ねるロンドンの旅』2014年、大修館書店
●プラヤー・アヌマーンラーチャトン著・森幹男編訳『タイ民衆生活誌（1）―祭りと信仰―』（タイ叢書．文学編2）1979年、井村文化事業社
●フレッド・ゲティングス著・大滝啓裕訳『悪魔の事典』1992年、青土社
●ベン・Ｃ．クロウ編・西崎憲監訳『ジャージーの悪魔』（ちくま文庫　アメリカの奇妙な話2）2000年、筑摩書房
●ベン・Ｃ．クロウ編・西崎憲監訳『巨人ポール・バニヤン』（ちくま文庫　アメリカの奇妙な話1）2000年、筑摩書房
●ポール・ファッセル著・宮崎尊訳『誰にも書けなかった戦争の現実』1997年、草思社
●ボビー・ヘンダーソン著・片岡夏実訳『反・進化論講座：空飛ぶスパゲッティ・モンスターの福音書』2006年、築地書館
●ホルヘ・ルイス・ボルヘス著・柳瀬尚紀訳『幻獣事典』（河出文庫）2015年、河出書房新社
●マシュー・バンソン著・松田和也訳『吸血鬼の事典』1994年、青土社
●松閣オルタ著『オカルト・クロニクル = OCCULT CHRONICLE：奇妙な事件奇妙な出来事奇妙な人物』2018年、洋泉社
●松本満次著『南極輸送記』1959年、東京創元社
●三浦清宏著『近代スピリチュアリズムの歴史』2008年、講談社
●妙佛著『中国 封印された超常現象』2019年、ナチュラルスピリット
●メアリー・シェリー著・森下弓子訳『フランケンシュタイン』（創元推理文庫）1984年、東京創元社
●山北篤監修『魔法事典』1998年、新紀元社
●山口昌男著『道化の民俗学』（岩波現代文庫）2007年、岩波書店

●ジャン・ハロルド・ブルンヴァン著・大月隆寛［ほか］訳『消えるヒッチハイカー―都市の想像力のアメリカ』1988年、新宿書房
●ジャン・ハロルド・ブルンヴァン著・行方均・松本昇訳『メキシコから来たペット―アメリカの「都市伝説」コレクション』1991年、新宿書房
●ジャン・ハロルド・ブルンヴァン著・行方均訳『くそっ！なんてこった―「エイズの世界へようこそ」はアメリカから来た都市伝説』1992年、新宿書房
●ジャン・ハロルド・ブルンヴァン著・行方均訳『赤ちゃん列車が行く：最新モードの都市伝説』1997年、新宿書房
●ジョアン・フォンクベルタ・ペレ・フォルミゲーラ著・管啓次郎訳『秘密の動物誌』1991年、筑摩書房
●ジョン＆アン・スペンサー編著・桐生操監修『世界怪異現象百科』1999年、原書房
●ジョン・A．キール著・南山宏訳『不思議現象ファイル』（ボーダーランド文庫13）1997年、角川春樹事務所
●ジョン・A．キール著・南山宏訳『プロフェシー』2002年、ソニーマガジンズ
●ジョン・ランディス著・アンフィニジャパン・プロジェクト訳『モンスター大図鑑』2013年、ネコ・パブリッシング
●スティーヴン・キング著・小尾芙佐訳『It 1』（文春文庫）1994年、文藝春秋
●スティーヴン・キング著・小尾芙佐訳『It 2』（文春文庫）1994年、文藝春秋
●スティーヴン・キング著・小尾芙佐訳『It 3』（文春文庫）1994年、文藝春秋
●スティーヴン・キング著・小尾芙佐訳『It 4』（文春文庫）1994年、文藝春秋
●ステファヌ・オードギー著・池上俊一監修・遠藤ゆかり訳『モンスターの歴史』2010年、創元社
●須永朝彦編『書物の王国12　吸血鬼』1998年、国書刊行会
●セイバイン・ベアリング＝グールド著・ウェルズ恵子・清水千香子訳『人狼伝説』2009年、人文書院
●髙田胤臣著・丸山ゴンザレス監修『亜細亜熱帯怪談』2019年、晶文社
●高田衛編・校注『江戸怪談集 下』（岩波文庫）1989年、岩波書店
●テリー・ブレヴァートン著・日暮雅通訳『図説 世界の神話伝説怪物百科』2019年、原書房
●ドニー・アイカー著・安原和見訳『死に山』2018年、河出書房新社
●トレイシー・ウィルキンソン著・矢口誠訳『バチカン・エクソシスト』（文春文庫）2010年、文藝春秋
●直江広治著『中国の民俗学』1967年、岩崎美術社
●中岡俊哉著『世界霊魂物語』1968年、波書房
●中岡俊哉著『狐狗狸さんの秘密』1984年、二見書房
●並木伸一郎著『未確認動物UMA大全』2007年、学習研究社
●並木伸一郎著『最強の都市伝説』2007年、経済界
●並木伸一郎著『最強の都市伝説２』2008年、経済界
●並木伸一郎著『最強の都市伝説３』2009年、経済界

参考資料

【書籍資料】

●ASIOS 著『「新」怪奇現象 41 の真相』2016 年、彩図社

●ASIOS 著『UMA事件クロニクル』2018 年、彩図社

●アレイスター・クロウリー著・飯野友幸訳『霊視と幻聴』(『アレイスター・クロウリー著作集』 第 4 巻) 1988 年、国書刊行会

●石原孝哉著『幽霊のいる英国史』(集英社新書) 2003 年、集英社

●伊藤龍平・謝佳静著『現代台湾鬼譚：海を渡った「学校の怪談」』2012 年、青弓社

●E. モリソン・F. ラモント著・今村 光一訳『ベルサイユ・幽霊の謎』1987 年、中央アート出版社

●植田重雄著『ヨーロッパの祭と伝承』(講談社学術文庫) 1999 年、講談社

●H．シュライバー著・関楠生訳『ドイツ怪異集：幽霊・狼男・吸血鬼…』(現代教養文庫) 1989 年、社会思想社

●N．ブランデル・R. ボア著・岡達子・野中千恵子訳『世界怪奇実話集：ワールド・グレーティスト・シリーズ』(現代教養文庫) 1988 年、社会思想社

●加藤恭子・ジョーン・ハーヴェイ著『ニューイングランドの民話』2003 年、玉川大学出版部

●ギイ・ブルトン・ルイ・ポーウェル編著・有田忠郎訳『西洋歴史奇譚』1982 年、白水社

●ギイ・ブルトン・ルイ・ポーウェル編著・有田忠郎訳『西洋歴史奇譚 (続)』1985 年、白水社

●キャロル・ローズ著・松村一男訳『世界の怪物・神獣事典』2014 年、原書房

●キャロル・ローズ著・松村一男訳『世界の妖精・妖怪辞典』2014 年、原書房

●桐生操著『イギリス　怖くて不思議なお話』1993 年、PHP 研究所

●桐生操著『ヨークシャーの幽霊屋敷：イギリス世にも恐ろしいお話』1995 年、PHP 研究所

●クンサン・チョデン著・今枝由郎・小出喜代子訳『ブータンの民話と伝説』1998 年、白水社

●河野一郎編訳『イギリス民話集』(岩波文庫) 1991 年、岩波書店

●コラン・ド・プランシー著・床鍋剛彦訳・吉田八岑協力『地獄の辞典』1990 年、講談社

●コリン・ウィルソン・ダモン・ウィルソン著・関口篤訳『世界不思議百科』1990 年、青土社

●斎藤君子著『ロシアの妖怪たち』1999 年、大修館書店

●実吉達郎著『中国妖怪人物事典』1996 年、講談社

●サラ・リトヴィノフ編・風間賢二訳『世界オカルト事典』1988 年、講談社

●ジェイ・アンソン著・南山宏訳『アミティヴィルの恐怖』1978 年、徳間書店

●J．A．ブルックス著・南条竹則・松村伸一訳『倫敦幽霊紳士録』1993 年、リブロポート

●澁澤龍彦・青柳瑞穂訳『怪奇小説傑作集 4』(創元推理文庫) 1969 年、東京創元社

●シャーン・エヴァンズ著・村上リコ日本版監修・田口未和訳『英国の幽霊伝説：フォト・ストーリー：ナショナル・トラストの建物と怪奇現象』2015 年、原書房

●ジャックリーン・シンプソン著・橋本槙矩訳『ヨーロッパの神話伝説』1992 年、青土社

●ジャン＝ジャック・バルロワ著・ベカエール直美訳『幻の動物たち』(ハヤカワ文庫) 1987 年、早川書房

朝里 樹（あさざと・いつき）

怪異妖怪愛好家・作家。1990年、北海道に生まれる。2014年、法政大学文学部卒業。日本文学専攻。現在公務員として働く傍ら、在野で怪異・妖怪の収集・研究を行う。著書に『日本現代怪異事典』（笠間書院）、『日本のおかしな現代妖怪図鑑』（幻冬舎）、『日本現代怪異事典 副読本』（笠間書院）、『大迫力！日本の都市伝説大百科』（監修、西東社）、『歴史人物怪異談事典』（幻冬舎）がある。

世界現代怪異事典

令和2年（2020） 6月25日 初版第1刷発行
令和2年（2020） 7月15日 初版第2刷発行

著者 ———— 朝里 樹

カバー・扉イラスト — 裏逆どら

発行者 — 池田圭子

発行所 — 笠間書院
〒101-0064 東京都千代田区神田猿楽町2-2-3
電話：03-3295-1331 FAX：03-3294-0996
https://kasamashoin.jp/ mail：info@kasamashoin.co.jp

ISBN978-4-305-70925-7 C0539

装幀・デザイン —— 鎌内文（細山田デザイン事務所）
本文組版 ———— キャップス
印刷／製本 ——— 大日本印刷

本書収録の事項には、現在の社会通念から見て不適切と思われる表現が含まれておりますが、史料的な価値を考慮し、当時のものをそのまま採用しております。ご了承ください。